SÈVRES

Des origines à nos jours

Marcelle Brunet et Tamara Préaud

SÈVRES

Des origines à nos jours

Office du Livre

Imprimé en Suisse

A Serge Gauthier

Sommaire

Avant-propos

Le présent ouvrage voudrait répondre à un double but: la partie qui concerne le XVIIIe siècle a été écrite par Marcelle Brunet sauf les légendes des pièces de sculptures; sur un sujet déjà relativement bien étudié, elle adopte un point de vue négligé jusqu'ici s'attachant à rendre, dans toute la mesure du possible, son nom d'origine à chaque forme et à en retracer l'histoire en étudiant successivement les divers types de profils; comme les objets reproduits ont été classés à la date des marques de décors, une table (pages 237-238) donne un essai de chronologie d'apparition des formes. C'est dans le même esprit que l'introduction historique, plutôt que de détailler une suite d'événements bien connus, s'attache particulièrement aux innovations techniques.

Par contre, pour les deux siècles suivants, très peu étudiés jusqu'ici, Tamara Préaud a voulu poser quelques jalons en étudiant leur cadre historique, technique et artistique.

Il est bien évident que l'illustration d'un tel ouvrage, si abondante qu'elle soit, ne saurait prétendre à l'exhaustivité à propos d'une manufacture qui, en deux cent trente ans, a créé plus de deux mille formes de vases, autant de pièces de service et de décoration et autant de sculptures. Pour le XVIIIe siècle, on a cherché à montrer le maximum de formes de vases, mais, outre l'impossibilité de reproduire des objets dont on ne connaît plus d'exemplaire, il a fallu restreindre considérablement le choix pour les pièces de service et d'ornement ainsi que pour les sculptures. Quant aux XIXe et XXe siècles, la présente sélection ne peut donner qu'une faible idée de la variété et de la richesse des formes et des décors élaborés aux différentes époques.

De même, en ce qui concerne la bibliographie, on a considéré que les publications de G. Lechevallier-Chevignard puis de P. Verlet et S. Grandjean faisaient le point de la question à leurs époques respectives. On n'a donc cité, en principe, les articles et volumes antérieurs concernant le XVIIIe siècle que lorsqu'il y était fait directement référence; en revanche, on a essayé une mise à jour pour les parutions entre 1954 et la rédaction du présent ouvrage.

Nous aimerions donner ici quelques indications générales sur les principes de description adoptés: les dimensions sont toujours données en centimètres; les marques sont désignées dans les légendes par des numéros qui renvoient aux tableaux situés en fin de volume, suivies éventuellement des signes de datation et des noms d'artistes; un même objet ayant pu être édité en plusieurs grandeurs (gr.), celle qui est représentée est généralement précisée; les prix pour le XVIIIe siècle sont indiqués en livres (l.); enfin, lorsque Marcelle Brunet renvoie à des références d'archives sans aucune précision, il s'agit des cartons et registres conservés à la Manufacture de Sèvres.

Pour terminer, nous voudrions nous excuser auprès des nombreux musées dont nous avons dû abréger sévèrement les noms, faute de place et dont on trouvera ci-dessous une liste:

Chantilly	Chantilly, Musée Condé
Compiègne	Compiègne, Musée national du Château de Compiègne
Fontainebleau	Fontainebleau, Musée national du Château de Fontainebleau
Grand Trianon	Versailles, Musée national du Château de Versailles et des Trianons

Limoges, Musée A.-D.	Limoges, Musée national Adrien-Dubouché
Malmaison	Malmaison, Musée national du Château de Malmaison
MNCS	Sèvres, Musée national de Céramique
MNS	Sèvres, Manufacture nationale de Porcelaine
New York, Met. Museum	New York, The Metropolitan Museum of Art
Paris, A. N.	Paris, Archives nationales
Paris, I. F.	Paris, Bibliothèque de l'Institut de France
Paris, Louvre	Paris, Musée du Louvre
Paris, Musée des A. D.	Paris, Musée des Arts Décoratifs
Paris, Petit Palais	Paris, Musée du Petit Palais

Remerciements

Marcelle Brunet exprime une gratitude toute particulière à S.M. la Reine Elisabeth II qui a aimablement autorisé la reproduction de nombreuses pièces de ses collections; à Mlle J. Giacomotti pour ses conseils efficaces et affectueux; à MM. G. de Bellaigue, R. Cecil, C. Dauterman et S. Eriksen qui, travaillant sur le même sujet, lui ont fait part de renseignements nouveaux avant de les avoir publiés; aux anciens directeurs de la Manufacture Nationale de Sèvres, à leurs collaborateurs et aux membres de la Société des Amis de Sèvres, favorables à ses recherches.

Tamara Préaud souhaite remercier les assistants dont les patients travaux de dépouillement des registres d'archives ont permis de préciser un grand nombre de données: Mme, Mlle et MM. P. Bracco, F. Descamps, M. Dissoubray et C. Lautier et tient à exprimer sa reconnaissance toute particulière à Mme I. Laurin pour sa très importante contribution, spécialement lors de la mise au point de la liste des collaborateurs de la Manufacture.

Les auteurs s'associent pour remercier Mmes, Mlles et MM. A. d'Albis, D. Alcouffe, M.-N. André, P. Arizzoli-Clémentel; C. Baulez, R. Beiny, A.-M. Belfort, A. de Bizy, N. Blondel, C. Boulmé, princesse J.-M. de Broglie, prince R. de Broglie, M.-T. Burollet; R. Cazelles, F. Chapard, R. Charleston, Chevalier, A. Chojnaka, T. Clarke, R. Collier, M. Constans, B. Cordier, J. Coural; T. Dell, Depoortere; S. Edard; H.-P. Fourest; N. Gasc, M. Girodit, S. Grandjean, R. Grog, R. de Guillebon; A. Hallé, Hautecœur, K. Hiesinger, G. Hubert, S. Hulot; B. Jestaz, Ph. Johnston, W. Johnston, M. Jottrand, C. Jouin-Diéterle; W. Kennedy, E. Koweska, M. Krassilnikoff; A. Lacarré, J.-L. Lecard, Lecomte-Ullmann, D. Ledoux-Lebard, A. Lefebure, M. Leleu, C. Le Tallec, N. Letson, S. Lissim; G. Mabille, J. Mallet, P. Marlow, F. Morin, Moulin, E. Munhall; Nicolier, comte A.-J. de Noailles; G. Ollivier; A. Pecker, A. Pradère; O. Raggio, H. Rice, baronne E. de Rothschild, baron G. de Rothschild, Royer; P. Samoyault, G. Sarrauste de Menthière, C. Sère, A. Sergène, U. Smith; H. Tait; A.J.M. van der Vaart, P. Verlet, Vidal; D. Walker, colonel A.R. Waller, F. Watson, J. Welu, G. Wilson; ainsi que tous les conservateurs qui ont aimablement autorisé la reproduction d'objets appartenant à leurs collections.

Introduction technique

Fabrication

Préparation de la pâte

La pâte de porcelaine résulte d'un mélange, en proportions variables, de kaolin, de quartz, de craie et de feldspath. La composition chimique des divers minerais diffère selon les gisements; en conséquence, le laboratoire de la Manufacture doit constamment les analyser pour les adapter aux formules calculées avec précision, la moindre variation risquant de se révéler désastreuse au cours du travail ou de la cuisson.

Le kaolin, argile blanche et friable, doit être soigneusement débarrassé de ses impuretés. Le quartz et le feldspath, très durs, doivent d'abord être réduits en poudre. Ensuite les composants sont ensemble longuement malaxés dans l'eau; on obtient alors une pâte liquide: la *barbotine*. Celle-ci est versée dans des cuves où des électro-aimants attirent et retiennent les moindres poussières métalliques dont la présence entraînerait l'apparition de taches au cours de la cuisson. La barbotine ainsi purifiée passe dans un filtre-presse qui absorbe son excédent d'eau; elle en sort à l'état de galettes au degré d'humidité soigneusement vérifié. Pour acquérir homogénéité et malléabilité, la pâte est encore broyée par une machine dite *marcheuse de pâte* en souvenir du temps où, étalée en cercle régulier, elle était effectivement foulée aux pieds par un ouvrier *marcheur de pâte*. Quand elle est enfin prête, la pâte est stockée dans des caves.

Façonnage

Il n'existait à l'origine que deux techniques de façonnage: le tournage pour les pièces creuses ayant un axe de révolution central, et le moulage pour toutes les autres. Dès l'époque de Vincennes, un tour spécial permit de fabriquer des pièces ovales. D'autres techniques apparurent ensuite: le coulage, qui semble avoir été adopté vers 1820, puis le calibrage. Ces quatre procédés sont employés aujourd'hui, le tournage pour les pièces creuses et rondes, le moulage pour les rondes-bosses et bas-reliefs ainsi que les garnitures, le calibrage pour certaines assiettes et enfin le coulage pour les objets très minces, les formes irrégulières ou les pièces de dimensions exceptionnelles.

Tournage

Comme la pâte de porcelaine est rétive et difficile à travailler, l'opération se fait en deux étapes: ébauchage puis tournassage.

Ebauchage: le tourneur prend une balle de pâte et la pose sur le tour. Il commence par *dresser* la pâte, c'est-à-dire par la faire monter entre ses doigts et la rabattre plusieurs fois afin de bien l'unifier. Il travaille ensuite avec une éponge naturelle constamment imprégnée de barbotine, assez fermement pour façonner la pâte mais sans jamais la contraindre, ce qui pourrait entraîner des déformations lors de la cuisson. L'ébauche terminée présente des bords d'épaisseur régulière et un profil grossier qui ne laissent rien deviner de la forme définitive.

Tournassage: quand l'ébauche, placée dans un endroit ventilé, est suffisamment sèche, le tourneur la reprend, en ôte l'excédent de pâte à l'aide de tournassins et lui donne son profil définitif à l'aide de calibres métalliques. Comme ceux-ci s'usent au fur et à mesure du travail, ils doivent être fréquemment retaillés. Pour se guider, le tourneur peut se reporter à un dessin coté lui indiquant très exactement les dimensions et épaisseurs; il peut également utiliser des calibres de zinc laissant une trace sur les parties à reprendre. Quand la partie interne est terminée, le tourneur retourne la pièce; s'il s'agit d'un objet à creux profond, comme un vase, il utilise un *mandrin* adapté à chaque forme, afin de maintenir la fragile ébauche; ensuite, il peut reprendre la partie extérieure et le pied. Pour éviter de déraper sur la pièce, il appuie le bras avec lequel il travaille sur un long bâton, le *pichouret*, qui repose sur sa table et sur son épaule.

La Manufacture de Sèvres est aujourd'hui la dernière fabrique à continuer la technique du tournage à la main qui, pourtant, permet seule d'obtenir des profils aussi constamment purs et fermes. Unique évolution du métier depuis le XVIIIe siècle: les tours sont à présent mus par l'électricité, voire munis de variateurs électroniques.

Moulage

Il est employé aujourd'hui uniquement pour les pièces sculptées, en ronde bosse ou bas relief, et consiste à introduire une croûte de pâte dans un moule en plâtre; au fur et à mesure que le moule absorbe l'humidité de la pâte, celle-ci se rétracte, ce qui permet de la démouler. Le principe est très simple, mais le passage d'un modèle à son édition en porcelaine l'est beaucoup moins.

On peut partir d'un modèle graphique, comme ce fut le cas pour les innombrables figures d'enfants d'après Boucher; un sculpteur sert alors d'intermédiaire, passant du dessin ou de la gravure en deux dimensions à un modèle sculpté en trois dimensions; à partir du XIXe siècle, on partit plus généralement de modèles sculptés prêtés par les artistes. La première étape consiste à mouler le modèle original afin de pouvoir travailler. De ce premier moulage, on tire trois exemplaires qui sont soigneusement retouchés afin de servir de modèles de travail. L'un est conservé aux archives par sécurité; le deuxième reste dans l'atelier et guide le mouleur-repareur au moment du remontage; le troisième sert à faire les moules de travail. Il serait, en effet, impossible de démouler d'un seul bloc une figure, encore moins un groupe; il faut donc le fractionner pour établir une série ou *ronde de moules*. Certains groupes importants, dès le XVIIIe siècle, comportaient plus de cent moules. On prend donc le troisième modèle retouché d'après l'original et on le coupe en autant de morceaux qu'il en faudra pour travailler facilement; on obtient ainsi un *modèle coupé*. A partir de ce modèle coupé, on fabrique deux séries de moules, l'une dite *ronde de moules pour le plâtre* et l'autre *ronde de moules pour la pâte*. Comme ceux-ci servent à travailler la pâte, ils s'usent au fur et à mesure et deviennent inutilisables après une vingtaine de tirages; il faut alors reprendre le modèle coupé pour en retirer une ronde. Lorsqu'il s'agit d'œuvres très souvent éditées en raison de leur succès, il vient un moment où le modèle coupé est usé à son tour. On a recours alors à la ronde pour le plâtre qui permet de refaire un nouveau modèle coupé. Ce système permet de conserver très longtemps les moules pour le plâtre, et la Manufacture en a encore une très riche collection datant du XVIIIe siècle. Le problème des sujets pour lesquels on en arrive à user jusqu'aux moules pour le plâtre et même au modèle original est rarissime et ne s'est posé à Sèvres que pour les bustes d'après Jean-Baptiste Carpeaux; après une vingtaine d'années d'éditions, il a fallu supplier la fille de l'artiste de bien vouloir prêter à la Manufacture un modèle original afin de pouvoir continuer la production de ces œuvres.

Le travail de la pâte de porcelaine se fait donc dans la ronde de moules, dits *à pièces*, pour la pâte. Chaque moule est composé de deux moitiés dont chacune comporte une épaisse enveloppe extérieure de protection, la chape, et de petites pièces qui s'imbriquent à l'intérieur; ce fractionnement facilite le démoulage. Le mouleur commence par étaler sa pâte de façon à en former une croûte régulière qu'il introduit ensuite dans chaque moitié du moule en poussant bien régulièrement la pâte avec une éponge, assez fortement pour qu'elle épouse toutes les finesses du relief mais sans pour autant la déchirer. Il réunit ensuite les deux moitiés du moule en collant les deux surfaces de pâte avec de la barbotine. Quand le plâtre a suffisamment absorbé l'eau encore contenue dans la pâte, il démoule en ôtant d'abord la chape puis les pièces; il procède ainsi avec chacun des moules de la ronde, conservant les fragments, au fur et à mesure de leur démoulage, dans un endroit humide.

Il lui reste ensuite à procéder au remontage, en se guidant sur le modèle conservé dans l'atelier. Les morceaux sont collés à la barbotine et chacune des *coutures* doit être soigneusement effacée: le repareur creuse un sillon à la ligne de jonction des deux morceaux, y introduit de la pâte fraîche de même densité que le reste de la pièce et la retouche jusqu'à ce que le travail soit devenu invisible. Comme le moulage tel quel n'est jamais suffisamment précis, il doit également reprendre à main levée les détails afin de leur rendre toute leur finesse. En outre, certains détails sont *pastillés* à la main, sans moule. C'est cette tradition du travail libre qui explique les différences d'ornementation parfois sensibles entre deux exemplaires d'un même sujet, surtout au XVIIIe siècle.

Les techniques du moulage et du tournage peuvent être employées conjointement. D'une part, les parties rapportées sur les pièces, telles que becs, anses, prises, etc., sont le plus souvent moulées et collées à la barbotine sur la pièce tournassée. Comme la pâte continue lors de la cuisson à tourner suivant l'impulsion reçue lors du tournage, subissant ce que l'on nomme improprement le *dévissage*, il faut poser ces garnitures légèrement de biais si l'on veut qu'elles apparaissent droites après la cuisson.

D'autre part, certaines pièces exigent le concours des deux techniques; c'est le cas des *réticulés* qui comportent une double épaisseur, la paroi extérieure étant découpée pour former une sorte de dentelle alors que la doublure sert de récipient. Ces pièces sont apparues à Sèvres en 1832 et n'ont jamais cessé depuis lors d'être éditées, malgré plusieurs changements dans le dessin des ouvertures; car elles sont un des titres de gloire des artisans de la Manufacture dont elles prouvent l'extrême habileté. La partie interne de telles pièces est ébauchée puis tournassée; la partie externe est ébauchée; pendant que l'ébauche est encore molle, on l'introduit dans un moule qui porte le dessin du futur réseau découpé et on la presse contre les parois du moule afin d'imprimer le dessin. On la démoule ensuite pour la tournasser par l'intérieur jusqu'à ce qu'elle arrive à une minceur extrême. Les deux parties sont ensuite collées à la barbotine par leurs bords supérieurs. Comme elles ont été tournassées, elles subissent le dévissage lors de la cuisson, en sorte qu'il faut éviter de les fixer à la fois à la base et au sommet. Quand il s'agit de pièces de service comportant un bec verseur, celui-ci doit être fixé à la partie interne avant le raccordement des deux parois; les anses sont normalement attachées à la partie extérieure. Le plus difficile reste à faire: découper suivant les lignes du réseau, en dépit de l'extrême fragilité de la pâte encore crue et que rien ne soutient. On imagine mal la légèreté de main nécessaire pour mener à bien une telle opération sans casser l'objet au cours du travail. Tout ce découpage se fait à la main, à l'aide de petits poinçons métalliques très aiguisés.

Calibrage

Il n'est aujourd'hui utilisé à la Manufacture de Sèvres que pour les assiettes, et uniquement sous forme semi-automatique. Il dérive certainement du double procédé employé dès l'origine de la Manufacture pour les assiettes, compotiers, jattes ou plats. On moulait la partie interne qui comportait souvent des reliefs, puis on tournassait la partie externe. Le calibrage consiste à remplacer la série de petits tournassins correspondant à chacune des courbes du profil extérieur par un calibre unique monté sur un bras mobile. L'ouvrier place donc une balle de pâte dans un moule correspondant à la partie interne, posé sur un tour, et abaisse un calibre métallique grâce auquel il façonne d'un seul mouvement la partie externe. Ce procédé permet un gain de temps considérable et s'est imposé dans l'industrie sous une forme de plus en plus automatisée.

Coulage

Alors que le procédé était connu et employé en Angleterre dès la fin du XVIIIe siècle, il ne fut utilisé à Sèvres qu'à partir de 1820. Le principe est proche de celui du moulage, mais on travaille avec de la pâte liquide et dans un moule unique. La Manufacture de Sèvres n'a recours à ce procédé que pour les pièces très minces, certaines garnitures, les objets de dimensions exceptionnelles ou ceux dont les contours sont par trop irréguliers.

Ici encore, on utilise une série de moules pour chaque objet, mais on monte les différentes parties du moule avant de procéder au coulage. Lorsque l'ensemble est trop lourd à manipuler, on peut le placer sur un bâti. On coule alors dans le moule de la pâte liquéfiée non seulement par adjonction d'eau mais également par introduction de défloculant. Quand le plâtre des moules a eu le temps d'absorber une partie de l'humidité de la pâte, transformant celle-ci en croûte, on déverse le surplus de pâte liquide et on laisse sécher avant de démouler. Lorsqu'il s'agit d'objets de très grandes dimensions ou de formes très difficiles à maintenir sans déformation, on peut, pour bien plaquer la croûte contre les parois, soit introduire de l'air comprimé dans le moule, soit placer celui-ci dans une cloche sous laquelle on fait le vide pour provoquer un appel d'air vers l'extérieur. Ce procédé est également très développé et automatisé dans les entreprises industrielles.

Emaillage

Lorsque les objets sont ainsi façonnés, deux cas se présentent. Ou ils doivent être cuits sans couverte, c'est-à-dire rester sous forme de biscuit, et on peut les passer directement au *grand feu*; ou ils doivent être émaillés. En ce cas, il leur faut d'abord subir un premier feu à relativement basse température (vers 900°) dit *feu de dégourdi*, destiné à donner assez de solidité à la pâte pour que les pièces puissent être manipulées sans danger et à leur assurer une certaine porosité, qui facilite l'adhérence de l'émail.

Le procédé le plus employé est l'émaillage *au tremper* ou *par immersion*. Il consiste à plonger les pièces une à une dans un bain d'émail en prenant soin de les faire pivoter pour que la couverte se répartisse de façon uniforme sur toute la surface. Comme l'une des particularités de la porcelaine est d'avoir un tesson blanc, même au stade du biscuit, l'émaillage le plus souvent consiste seulement à revêtir les pièces d'une couverte transparente; le tesson même étant imperméable, son but principal est de donner brillance et éclat aux objets et un support convenable aux décors. La composition de cette couverte doit être compatible avec celle de la pâte pour éviter les accidents dus à des réactions trop disparates au cours de la cuisson ou du refroidissement.

Grand feu

C'est la phase la plus importante et la plus dangereuse, car la porcelaine s'y révèle vindicative et redoutable: non seulement les pièces tournées continuent de dévisser, mais le moindre défaut, absolument imperceptible avant le passage au feu, est impitoyablement sanctionné par divers accidents, tels que fentes, déformations ou cassures.

Les pièces doivent être protégées du contact direct de la flamme et des impuretés du four, c'est pourquoi on les place dans des étuis de terre réfractaire nommés *gazettes*.

Un enfourneur devait pénétrer dans les anciens fours à bois à deux étages pour ériger avec un fil à plomb de hautes piles de gazettes jusqu'à ce qu'ils fussent pleins; on devait alors construire un double mur de briques pour les fermer hermétiquement, procéder à la cuisson et ne détruire les murs pour défourner qu'après refroidissement complet. De plus, le contrôle de la température y était seulement empirique; on se contentait de placer dans des *regards* des morceaux de pâte que l'on pouvait retirer au moyen d'une longue tige. A force d'expérience, le chef des fours, en se basant sur ces morceaux, sur la quantité de bois brûlé, les conditions atmosphériques et la couleur des flammes parvenait à se faire une idée de l'état d'avancement de la cuisson et du moment où, la chaleur requise ayant été atteinte, il fallait retirer tout le combustible des alendiers et laisser refroidir progressivement. On reste alors confondu devant les prouesses techniques réalisées à ces époques, où l'on sortait pourtant des fours de la Manufacture de grandes plaques absolument planes, des pièces compliquées sans déformation; même si l'on admet que le tri était moins sévère qu'aujourd'hui et s'accommodait assez bien d'un point noir, on doit admirer que, fabriquant des pièces souvent beaucoup plus difficiles que celles de nos jours, la proportion de rebut ait été plutôt inférieure.

Les fours évoluèrent peu au cours du XIXe siècle, à partir du moment où l'on eut adopté les fours à deux étages permettant de dégourdir dans la partie supérieure cependant que l'on cuisait dans la partie inférieure. Une innovation technique importante permit de mieux contrôler la cuisson, celle des *montres fusibles*: il s'agit d'une série de petits cônes de matières soigneusement calculées pour que l'effondrement de chacune corresponde à un état de cuisson déterminé; la chute progressive des diverses montres permettait un contrôle du feu assez précis.

Aujourd'hui la Manufacture a encore recours de temps à autre à ses fours à bois pour maintenir la tradition, mais elle utilise pour sa production courante des fours à propane qui offrent un double avantage: on peut y suivre sur des tableaux extérieurs la courbe de température à chaque instant, et même la comparer avec une courbe idéale. D'autre part, le chargement des gazettes se fait à l'extérieur du four sur une sorte de table roulante à plusieurs plateaux qu'il suffit ensuite d'introduire toute chargée dans le four.

La température nécessaire pour la cuisson dépend du type de pâte et de sa composition. La *pâte dure* de Brongniart ou *pâte dure ancienne* (DA, sur les marques) cuit à 1410°, alors que la *pâte dure nouvelle* de Lauth-Vogt (PN sur les marques) se contente de 1280°.

Au-delà de 1000°, la pâte subit un double phénomène: comme elle s'amollit, elle tend à coller à son étui et à se déformer. Pour pallier ces inconvénients, on enduit les gazettes d'alumine; en outre, on prend soin de désémailler la partie de l'objet qui sera en contact avec la gazette, sur une très faible largeur, avec une petite lame. On cuit une première fois l'objet, bord supérieur désémaillé vers le bas; comme le phénomène de fusion n'apparaît qu'à la première cuisson, on peut ensuite remettre de la couverte sur la partie désémaillée et repasser au feu la pièce, tête en haut. Pour éviter les déformations, on étaie les sculptures avec des rouleaux de pâte fixés par un mélange d'alumine et de gomme adragante qui permet de les détacher après la cuisson sans laisser de trace. Les pièces qui risquent de se déformer doivent cuire sur des supports de même pâte pour éviter des accidents dus à des réactions différentes; les objets couverts de dimensions moyennes sont cuits avec le couvercle en place; les tasses qui tendent à s'ovaliser à cause du poids de l'anse cuisent sur des supports spéciaux à encoches pour les anses. Chaque pièce pose un problème particulier qu'il faut absolument résoudre si l'on veut qu'elle sorte victorieuse de l'épreuve du feu.

Le deuxième phénomène provoqué par la cuisson est le *retrait*: la pâte, perdant ce qui lui reste d'humidité et se vitrifiant, se rétracte dans toutes les directions. C'est pour cette raison que le travail doit être très uniforme et la densité de la pâte maintenue partout égale. Le retrait de la porcelaine est de l'ordre de 10%. Il complique la tâche des imitateurs qui, s'ils veulent donner une réplique absolument conforme à l'original par ses dimensions, doivent calculer très soigneusement la taille de leurs modèles et moules et ne peuvent se contenter de surmoulages.

Après le passage au grand feu, la matière poreuse et terne du dégourdi est devenue sonore et translucide. Les pièces en biscuit ne demandent qu'à être soigneusement polies pour être terminées. Les autres sont brillantes et prêtes à recevoir un décor.

Décoration

C'est uniquement par souci de clarté que nous avons aussi nettement séparé la fabrication de la décoration; celle-ci peut intervenir à divers stades de l'élaboration d'une pièce.

Avant de décrire les différents types de décors possibles et les procédés utilisés, il convient de souligner la distinction fondamentale entre les couleurs qui supportent la température de cuisson de la pâte et celles qui doivent être cuites dans des fours spéciaux, à des températures nettement inférieures. Les premières sont nommées *couleurs de grand feu*; les secondes, *couleurs de petit feu* par opposition aux premières, ou *couleurs de moufle* par allusion au four spécial employé pour les cuire. La mise au point de la pâte dure nouvelle s'est accompagnée d'une nouvelle série de couleurs dites de *demi-grand feu*.

Pose de fond

Le premier élément d'un décor est le fond coloré. L'opération de la mise en fond peut se faire sur la pâte crue, dégourdie, en biscuit ou en couverte, lorsqu'il s'agit de couleurs de grand feu. Elle se fait seulement sur la couverte cuite dans le cas des couleurs de petit feu, plus rarement employées pour les fonds. Le premier procédé employé à Vincennes a dû consister à travailler à l'éponge en recherchant systématiquement l'effet nuagé d'une disposition en épaisseurs irrégulières; il est certain que le bleu lapis était déjà à cette époque une couleur de grand feu puisque des pièces en bleu apparaissent dans les fournées de biscuit. On en est assez rapidement venu à préférer des couleurs de fonds uniformément réparties en épaisseur; les deux procédés principaux aujourd'hui employés pour la mise en fond sont la *pose au pinceau* et l'*insufflation*. Le premier consiste à poser la couleur avec une grosse brosse large nommée *queue de morue* de façon aussi égale que possible et à la répartir avec une autre brosse ronde en poils de blaireau; le plus souvent, on procède par couches superposées, avec des séchages intermédiaires. Le *bleu de Sèvres* est une couleur de grand feu ainsi posée sur la couverte cuite, en trois couches. La seconde méthode est héritée des Chinois: ils soufflaient la couleur dans une tige de bambou dont l'extrémité était garnie d'une gaze très fine; en superposant plusieurs couches, ils obtenaient une couleur d'une très grande uniformité d'épaisseur et des dégradés très subtils. On procède aujourd'hui avec des sortes de pistolets à peinture.

Peinture

Lorsqu'elles ne sont pas employées pour les fonds, les couleurs de grand feu peuvent servir à peindre un décor sur une pièce. On distingue alors les *couvertes colorées* des *pâtes de couleur*. Dans le premier cas, l'oxyde métallique est mêlé à la couverte posée sur le dégourdi et permet d'obtenir des tons très doux et très brillants; très souvent, on grave les contours des zones de couleurs pour les empêcher de fuser et on obtient un décor présentant au toucher un très léger relief, sur la profondeur duquel on peut jouer. Dans le second cas, l'oxyde métallique est mêlé à de la barbotine qui est alors utilisée comme une peinture épaisse. Ce procédé, également connu sous le nom de *pâte d'application*, a été mis au point au tout début du Second Empire; une variante très heureuse en est le décor dit *pâte-sur-pâte* qui consiste à utiliser simplement de la barbotine pour peindre sur une pièce en dégourdi ayant déjà reçu un fond coloré; en jouant sur les différentes épaisseurs de la pâte qui devient translucide à la cuisson, on obtient des effets très spectaculaires. Ce travail requiert une très grande habileté de la part de l'exécutant qui travaille sur une pièce poreuse, puisqu'elle n'est que dégourdie, et dont le fond de couleur, simplement séché à l'air, ne demande qu'à se dissoudre; il doit donc poser très peu de barbotine à la fois et l'étaler très vite et très précisément, sans possibilité de corriger; ce travail se fait parfois avec une aiguille pour plus de finesse. Dans le cas des pâtes d'application, la pièce doit encore recevoir une couverte transparente avant de passer au grand feu; c'est pourquoi on nomme également ce type de travail *décoration sous couverte*.

Mais le nombre des oxydes métalliques capables de supporter le grand feu est très limité et leur palette réduite. Comme la faïence, la porcelaine adopta très tôt le principe des couleurs de petit feu dont les températures de cuisson plus faibles permettent des palettes beaucoup plus étendues. Toutes ne cuisent d'ailleurs pas aux mêmes degrés, en sorte qu'il faut souvent plusieurs cuissons successives et en ordre de chaleur décroissante pour un seul et même décor. La richesse des coloris de petit feu, déjà très sensible quand on regarde les registres de la Manufacture à la fin du XVIIIe siècle, atteint son apogée dans la première moitié du XIXe, au moment où la mode était aux cartels peints comme de petits tableaux et même à la copie aussi fidèle que possible de tableaux des grands maîtres sur plaques de porcelaine.

C'est la peinture de petit feu qui est encore aujourd'hui la plus souvent utilisée à la Manufacture aussi bien pour les rééditions de modèles anciens, le renouvellement des services officiels dont beaucoup remontent au début du XIXe siècle que pour les décors édités d'après des artistes contemporains.

Le décorateur reçoit les couleurs préparées par le laboratoire de la Manufacture sous forme d'oxydes métalliques grossièrement réduits en poudre. Il doit les broyer très finement sur une glace, avec une molette, et leur ajouter des essences maigre et grasse de térébenthine afin de faciliter leur adhérence à l'émail et leur utilisation.

La peinture de petit feu se pose toujours sur une pièce émaillée, cuite et soigneusement nettoyée. Lorsqu'il s'agit d'un décor original, on peut travailler directement à main levée, mais le plus souvent on reporte les grandes lignes du décor projeté avec un *poncif*: le dessin est tracé sur une feuille de papier mince et les contours en sont régulièrement piqués de trous; on pose le papier sur l'objet à décorer et on frotte avec une poncette trempée dans la poudre de fusain; celle-ci, passant par les perforations, se dépose sur l'objet, traçant une très légère esquisse du décor qui facilite sa mise en place. Le décorateur peut alors peindre au pinceau très fin, avec la possibilité de corriger tant que la pièce n'est pas cuite, et même de retoucher entre deux cuissons. La difficulté principale vient du fait que les couleurs virent souvent à la cuisson: le décorateur ne peut pas se fier exactement à ce qu'il voit et doit donc se guider avec une palette soigneusement échantillonnée, sur laquelle les couleurs numérotées sont posées en épaisseurs progressives et qui est son seul repère pour juger de ce que son travail donnera après la cuisson.

Après la période de direction d'Alexandre Brongniart, le procédé de décors en miniatures de petit feu fut jugé plutôt lassant; en outre, on reprocha aux couleurs de rester très en surface sur la pâte dure et de provoquer un effet visuel désagréable et sec. Les recherches entreprises pour retrouver une pâte proche de celle des Chinois visaient également à la mise au point d'une palette nouvelle de couleurs mieux fondues dans la couverte et plus douces, les couleurs de demi-grand feu. Elles peuvent s'employer comme les précédentes pour peindre sur la pâte nouvelle, avec une apparence plus onctueuse. Mais ce qui enchanta au moment de leur apparition fut la possibilité de nouveaux fonds colorés proches de ceux des Chinois; on commença donc par exploiter toutes les possibilités des *flammés*, principalement de ceux à base de rouge de cuivre. Les recherches pour retrouver le fameux émail sang de bœuf des Chinois n'étaient pas nouvelles à Sèvres puisque le Musée National de Céramique de Sèvres en conserve un échantillon daté de 1848, donc sur pâte dure cuite à 1410° par Salvetat. Mais la pâte nouvelle en permit une production plus régulière. Elle permit également les *décors à cristallisations*; une étude récente[1] a montré que ces étoilements imprévisibles nés de la réaction de certains oxydes métalliques en présence du zinc furent signalés en premier par Vogt, mais à titre de défauts à éviter; les Danois de la Manufacture Royale de Copenhague eurent alors l'idée d'en tirer un parti décoratif; devant leur succès à l'Exposition Internationale de 1889, la Manufacture de Sèvres se lança dans cette voie et appliqua ce type de décor à un très grand nombre de vases, d'objets et même de sculptures jusque vers 1930.

Lithographie

La Manufacture de Sèvres n'adopta que très tardivement ce procédé. Il avait pourtant été adapté à la céramique très peu de temps après sa mise au point par Sennefelder dans les dernières années du XVIIIe siècle et avait aussitôt connu un succès foudroyant dans les fabriques de faïence et faïence fine, aussi bien que de porcelaine; il permet, en effet, de reproduire un même décor en nombre quasiment illimité, et très rapidement. A Sèvres, les impressions lithographiques furent employées dès les premières années du XIXe siècle, pour les chiffres de couleur et certaines frises très simples et exécutées à façon dans l'atelier de Legros d'Anizy. La présence dans les collections du Musée National de Céramique d'assiettes échantillons de divers imprimeurs des années 1830-1840 à décors linéaires très complexes montre que l'intérêt pour ce procédé grandissait. Un atelier de lithographie ne s'ouvrit finalement à la Manufacture qu'après la dernière guerre, et de façon pratiquement clandestine, tant ce procédé lui paraissait indigne de ses traditions. Aujourd'hui, certains fonds colorés sont posés par lithographie, de même que certains éléments de décors complétés ensuite en peinture de petit feu; on réussit même des tours de force, comme le service de table d'après les projets de Yacov Agam dont certaines planches comportent dix-huit couleurs (voir fig. 471).

Le report chromolithographique consiste à tirer une lithographie en employant des couleurs céramiques au lieu d'encres typographiques et en transférant ensuite le décor sur la pièce; un passage sous la presse est nécessaire pour chacun des coloris, mais tous sont tirés sur la même planche et reportés ensemble. Les problèmes de repérages sont alors très ardus au moment du tirage; par contre, l'ensemble du décor est transféré sur la pièce en une seule opération.

Dorure

L'or peut être employé seul ou pour compléter un décor en coloris. Comme il cuit à la plus basse température, on le pose toujours en dernier lieu. On peut le réduire en fine poudre, le mêler de térébenthine et le poser au pinceau, comme une peinture. Ce fut longtemps le seul procédé utilisé à Vincennes-Sèvres, quand on eut réussi à découvrir comment réduire l'or assez finement et surtout comment le faire adhérer. Mais lorsque le procédé du report des décors à partir de la gravure en taille-douce se répandit dans les manufactures de céramique, Sèvres l'adopta pour ses décors en dorure et c'est encore celui qu'elle emploie aujourd'hui.

Le décor est tout d'abord gravé au burin sur une plaque de cuivre, aciérée ensuite pour plus de solidité; le graveur prend soin de croiser les tailles pour mieux retenir le mélange encreur. On procède ensuite au tirage sur une presse à taille-douce, comme pour une gravure sur papier, mais en remplaçant l'encre par un mélange de poudre d'or, de fondant et de noir de fumée et en utilisant un papier spécial, très fin et solide. On découpe ensuite les divers éléments du décor et on pose les différents morceaux de ce papier à la surface d'une cuvette d'eau, or vers le haut, afin de les maintenir souples. On les prend un à un, on les pose sur l'objet soigneusement nettoyé, le côté encré au contact de la pièce, et on frotte avec une roulette de feutre pour transférer le mélange du papier à la porcelaine; il ne reste plus qu'à ôter délicatement le papier. Pour obtenir un effet plus riche, on recharge ensuite le décor en passant sur la pièce une brosse souple trempée dans de la poudre d'or; la partie grasse du mélange utilisé comme encre retient cette poudre et on secoue pour ôter l'excédent. Toute la difficulté provient de la nécessité de bien centrer le décor; les raccords de frises sont particulièrement délicats, d'autant qu'il faut tenir compte d'un léger retrait de cuisson. On joue en général sur des bandes de longueurs différentes pour tomber aussi juste que possible.

On a également essayé d'employer d'autres métaux précieux. Comme l'argent se ternit, c'est le platine qui fut utilisé. La technique est la même que pour l'or, mais, en raison de son prix de revient très élevé, il fut relativement rare.

Brunissage

L'or ainsi posé est cuit au feu de moufle. Mais le travail n'est pas encore terminé, car l'aspect de l'or est assez terne en sortant du four. Pour lui donner tout son éclat, il faut procéder au brunissage qui consiste à le frotter avec un *brunissoir*, formé d'une pierre plus ou moins dure, agate, hématite ou sanguine, selon l'effet désiré, finement polie et emmanchée. On peut raffiner en jouant sur les différents aspects de l'or aux divers stades de ce travail et *brunir à l'effet* en opposant les parties véritablement brunies très brillantes à des parties seulement *sablées*, c'est-à-dire frottées avec un linge et du sable très fin et pur, ce qui donne à l'or un aspect mat. Lorsque l'or était employé au pinceau et en grande épaisseur, on pouvait également le travailler avec une pointe dure et fine pour y créer ombres, reliefs et toutes sortes d'ornements susceptibles d'en animer agréablement la surface.

Bas-relief

Un second type de décoration, totalement différent, est sculpté en bas relief sur le corps même de la pièce. Vers les années 1925-1930, des motifs le plus souvent géométriques, ainsi gravés sous une couverte monochrome, constituaient le seul ornement de très nombreux objets. Mais on retrouve tout au long de l'histoire de Sèvres des pièces qui combinaient les deux types de travail: le corps même de la pièce comporte des éléments de relief que la peinture souligne ou utilise.

Une autre variante du décor en bas relief est copiée des *jasper-ware* de Wedgwood. Il semble que Sèvres ait adopté le principe du biscuit blanc en bas relief sur fond teinté surtout pour des sculptures en ronde bosse ou bas relief. Sur les pièces de service et les vases, elle semble avoir préféré une version beaucoup plus riche, à bas-reliefs en biscuit blanc sur fond d'or; elle a même raffiné en jouant très subtilement sur les parties émaillées pour opposer l'or mat sur biscuit aux doublures d'or sur émail et l'éclat des parties blanches émaillées à la douceur des reliefs en biscuit.

Ce rapide aperçu des différentes techniques utilisées pour fabriquer et décorer la porcelaine de Sèvres devrait aider à comprendre que sa perfection et sa beauté doivent tout à l'habileté et au labeur soigneux de tous ceux qui concourent à son élaboration. Aujourd'hui, la Manufacture joue un rôle important pour la sauvegarde de certains métiers hérités du passé qu'elle est seule à maintenir en vie et sa production met en œuvre plus de vingt corps de métiers différents, tous hautement spécialisés.

Fabrication et décoration

ÉBAUCHAGE
Le tourneur place une balle de pâte sur le tour et commence par la *dresser*, c'est-à-dire par la faire monter entre ses doigts et la rabattre plusieurs fois de suite. Cette première opération a pour but de bien unifier la pâte afin qu'elle soit plus facile à travailler.

TOURNAGE
Le tourneur passe ensuite à la première phase du tournage, qui consiste à creuser et façonner la pâte en s'aidant d'une éponge naturelle trempée dans la *barbotine*. L'ébauche doit être parfaitement régulière et beaucoup plus épaisse que la pièce désirée. On la place dans un endroit bien ventilé pour la faire sécher uniformément.

TOURNASSAGE
Il consiste à donner à l'ébauche le profil définitif en la retravaillant sur le tour; le tourneur appuie son bras sur le *pichouret* pour bien contrôler son mouvement; il reprend tout d'abord la partie interne en formant chaque galbe avec des tournassins métalliques. Lorsque ce premier travail est conforme aux indications du dessin coté qui lui sert de modèle, il retourne la pièce pour reprendre son profil extérieur et enfin son pied.

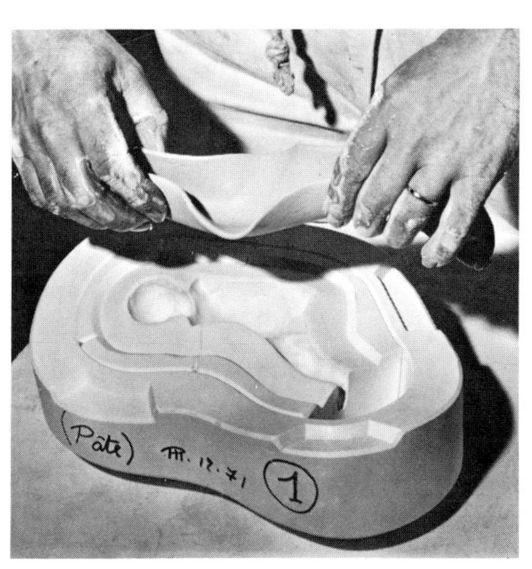

POSE DE LA CROÛTE
Le mouleur commence par étaler au rouleau une balle de pâte, en lui donnant une épaisseur parfaitement régulière. Il introduit ensuite des morceaux de cette croûte dans les différents moules; il doit appuyer avec une éponge, assez fermement pour que la pâte pénètre dans tous les détails, mais en évitant de déchirer la croûte. Ensuite, il rapproche les deux moitiés de chaque moule en collant les pâtes avec de la barbotine.

DÉMOULAGE
Lorsque le plâtre des moules a suffisamment absorbé l'humidité de la pâte et que celle-ci s'est rétractée, on procède au démoulage. Pour chaque moule, on ôte d'abord la chappe puis les petites pièces. C'est afin de rendre possible cette opération délicate que l'on doit couper le modèle original et établir une ronde de moules: la pâte étant encore crue et très molle, il faut pouvoir la retirer facilement pour ne pas la déformer.

REPARAGE
Le repareur procède au remontage d'un sujet en collant les différents morceaux démoulés avec de la barbotine. Il se réfère au modèle pour être sûr de bien placer chaque morceau. Pour éviter que les coutures ne ressortent au feu, il creuse un large sillon à chaque ligne de jonction et le comble de pâte fraîche en la travaillant jusqu'à ce qu'elle ait la même densité et que le reparage soit devenu invisible.

ANCIENS MOULEURS
Ce dessin de la fin du XVIIIe siècle nous montre comment on procédait depuis Vincennes: pour bien rapprocher les deux moitiés du moule de façon que la pâte en suive toutes les finesses, on le plaçait dans une presse à bras. La pointe servait à bien centrer la pression. Cette technique, utile quand le moulage servait à façonner des pièces de platerie, fut abandonnée par suite de l'adoption du calibrage et du coulage.

SCULPTURE ÉTAYÉE
Lorsque le remontage est terminé, il faut procéder à l'étayage destiné à empêcher les sculptures de se déformer au point de la cuisson où la pâte s'amollit. On soutient donc les parties en surplomb, particulièrement vulnérables, avec des rouleaux de pâte fixés avec du sable et de la gomme afin qu'on puisse les détacher facilement et sans qu'ils laissent de trace.

DÉCOUPAGE
Une découpeuse évide à l'aide de petits poinçons tranchants le dessin reporté par le moule sur l'aile d'une soucoupe. Comme la pâte encore crue est extrêmement friable, l'exécution d'une telle pièce demande une grande habileté. Le travail sur des pièces à double paroi est encore plus complexe. Il arrive que des objets intacts en cru se brisent à la cuisson par suite de très légers ébranlements intervenus lors du travail.

CALIBRAGE
Le procédé du calibrage semi-automatique tient du moulage et du tournassage et sert pour les pièces de platerie. On place une balle de pâte sur un moule porté par un tour et qui forme la partie interne cependant qu'un calibre métallique abaissé manuellement façonne directement l'ensemble du profil et du pied. C'est la version encore artisanale d'un procédé aujourd'hui entièrement automatisé dans la plupart des fabriques.

COULAGE
C'est une variante du moulage; mais au lieu de travailler dans des moules séparés, on utilise un moule monté, avec autant de pièces internes qu'il en faut pour démouler facilement. On y coule de la pâte liquide; après absorption par le plâtre, on verse l'excédent et on laisse sécher avant de démouler. Pour les pièces fragiles ou de grande taille, on peut travailler sous vide ou avec de l'air comprimé.

ÉMAILLAGE
Après un premier feu de dégourdi, les pièces sont prêtes pour l'émaillage dans un bain de couverte liquéfiée. L'émailleur les y plonge une à une en prenant soin de travailler toujours de la même main et de répartir l'émail de façon uniforme sur toute la surface de l'objet, sans oublier les parties internes des becs verseurs. Les petis manques et irrégularités sont ensuite retouchés au pinceau.

ENFOURNEMENT
Avant de passer au feu, chaque pièce doit être soutenue, pour éviter les déformations, et protégée des saletés et de la flamme par des étuis de terre réfractaire nommés *gazettes*. On charge aujourd'hui commodément les pièces sur une sorte de chariot que l'on introduit ensuite dans le four.

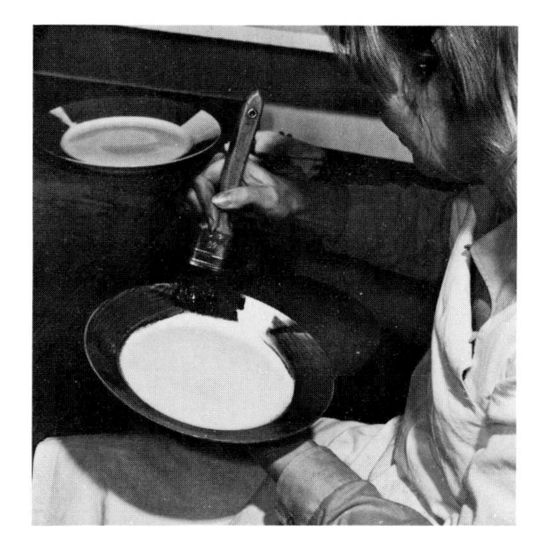

POSE DE FOND
Selon les oxydes métalliques employés, elle se fait sur pâte crue, dégourdi, biscuit ou émail. Le bleu de Sèvres est une couleur de grand feu posée sur émail cuit. On le pose avec une queue de morue et on régularise en putoisant. Pour obtenir une couleur uniforme et intense, on en pose trois couches avec séchages intermédiaires.

POSE DU PONCIF
Le décorateur s'aide d'un poncif pour placer son sujet et se guider. Il a tracé le décor à reporter sur une feuille de papier mince et en a ensuite piqué les contours. Il place le papier sur l'objet à décorer et frotte le dessin avec une poncette trempée dans de la poudre de fusain afin que celle-ci passe à travers les trous et se dépose sur l'objet, y laissant une légère esquisse.

PEINTURE
Après avoir broyé les oxydes métalliques correspondant aux différents coloris, le décorateur les mêle d'essences de térébenthine pour leur donner une consistance facile à travailler. Il les applique ensuite au pinceau. Comme les oxydes changent souvent de couleur au cours de la cuisson, il se réfère aux palettes numérotées pour juger de ce qu'elles produiront.

DORURE 1
La frise est gravée au burin sur une plaque de cuivre; on tire ensuite comme une gravure en taille-douce, mais en utilisant un mélange à base de poudre d'or en guise d'encre et un papier très fin et résistant; chaque élément de la frise est ensuite découpé et posé à la surface d'une cuvette d'eau. La décoratrice prend un élément et le pose sur la pièce propre.

DORURE 2

Il lui faut alors frotter la bande imprimée afin de faire passer toute l'«encre» sur la pièce et retirer doucement le papier de transfert. On procède ainsi élément par élément en prenant soin de les raccorder soigneusement entre eux. On frotte ensuite les pièces avec une brosse trempée dans la poudre d'or qui adhère au mélange encreur dont elle augmente la richesse.

FILAGE

Certains éléments de la dorure, comme les filets, doivent être posés à main levée. Le fileur utilise un mélange de poudre d'or et de térébenthine. Il pose l'objet sur une tournette qu'il fait pivoter lentement et trace au pinceau un filet qui doit être d'une épaisseur parfaitement régulière.

BRUNISSAGE

Après la cuisson, l'or est assez terne; pour lui donner tout son éclat, il faut procéder au brunissage, qui consiste à le frotter avec une pierre emmanchée, hématite, agate ou sanguine, plus ou moins dure selon l'effet désiré. On peut se contenter de *sabler* l'or, c'est-à-dire de le frotter avec un linge et du sable fin et pur; l'effet obtenu est beaucoup plus mat.

XVIIIe siècle

Introduction historique

Fabriquer de la porcelaine blanche, brillante et vitrifiée comme celle d'Extrême-Orient, connue et admirée en Occident depuis une époque déjà lointaine, était devenu une véritable obsession au XVIIe siècle en Europe. Un climat de compétition régnait entre les souverains des contrées où les porcelaines de Chine et du Japon se répandaient le plus volontiers. Les céramistes avaient commencé par imiter, avec la faïence à couverte stannifère blanche, l'aspect superficiel de la matière, mais ce faux-semblant ne satisfaisait plus les amateurs.

Grâce aux échantillons recueillis en Chine par un missionnaire jésuite, le Père d'Entrecolles, on savait que la fabrication de la porcelaine réclamait une terre blanche spéciale, le kaolin et une matière vitrifiable naturelle, le *petuntse,* feldspath quartzeux.

Toutes les recherches menées pour découvrir du kaolin en Europe restaient vaines. Stimulés par cet échec, les faïenciers français multiplièrent des essais en utilisant d'autres éléments pour aboutir à une matière ayant non seulement l'apparence, mais aussi certaines particularités de la porcelaine, et principalement sa translucidité.

Déjà, au cours des siècles antérieurs, des artisans du Proche-Orient avaient effleuré le but. Au XVIe siècle, des ateliers florentins patronnés par les Médicis étaient parvenus à d'étonnantes réussites restées sans lendemain. A la fin du XVIIe siècle, au contraire, un faïencier de Rouen, Louis Poterat, obtint un privilège dont la date, 1673, marque le début de la *porcelaine tendre artificielle* en France.

Par la suite, malgré les efforts faits pour conserver le secret d'une invention si laborieusement acquise, l'inévitable déplacement d'ouvriers, souvent débauchés pour servir les intérêts de puissantes rivalités, contribua à répandre des formules primitivement assez empiriques. De cette manière naquirent, entre autres, les fabriques de Saint-Cloud peu avant 1700, Lille en 1711, Chantilly en 1725, Mennecy en 1735. Enfin, vers 1738, deux artisans venus de Chantilly, qui logeaient chez le concierge du Château de Vincennes, furent introduits auprès de Jean-Louis-Henri Orry de Fulvy, Conseiller d'Etat, Intendant des Finances et directeur de la Compagnie des Indes. Fulvy, poussé par divers mobiles, encouragé par son frère Philibert Orry de Vignori, Contrôleur général des Finances, cultivait l'ambition de faire de la porcelaine.

C'est que, en 1709, un événement capital s'était produit en Saxe: la découverte de gisements de kaolin. Grâce aux talents de Ehrenfried-Walter von Tchirnhaus et de Johann-Friedrich Böttger, l'Electeur Auguste le Fort avait pu installer la Manufacture de Meissen. Très vite, la production était devenue excellente et assez abondante pour créer un courant d'exportation facilité par l'engouement pour la porcelaine, qui sévissait en Europe et en France en particulier.

Fulvy s'inquiéta. Assister impuissant à la fuite de capitaux vers l'étranger lui semblait d'autant plus amer que la cause en elle-même risquait de porter atteinte à la suprématie artistique de la France. La présence à Vincennes des frères Robert et Gilles Dubois, qui se targuaient de connaître les secrets de la porcelaine, lui apparut providentielle. Sans tarder, il leur fournit les moyens matériels de faire des essais dans le donjon du Château de Vincennes qui était propriété royale et obtint, de la part du roi en leur faveur, un prêt de dix mille livres.

Malheureusement, les Dubois s'étaient vantés; bien vite leur évidente incapacité fit mal augurer de la suite et la tentative aurait sombré s'ils n'avaient pas fait venir de Chantilly un ami: François Gravant. Auparavant, celui-ci avait été faïencier dans l'Oise, puis épicier à Chantilly. C'était un homme travailleur, adroit et tenace qui, semble-t-il, ne s'embarrassait pas de scrupules excessifs. La tradition veut qu'il ait profité du sommeil des frères Dubois, après de coutumières et trop copieuses libations, pour pénétrer et enfin dérober leurs secrets. Si bien que, au moment où Fulvy, las d'avancer constamment des fonds, à bout de patience et cruellement déçu, se sentait prêt à abandonner, Gravant vint lui parler, obtint un délai de grâce, redoubla d'efforts et apporta bientôt des essais prometteurs. De justesse, il avait sauvé la situation.

Quelques années de tâtonnements furent nécessaires avant de pouvoir parler de production, si modeste fut-elle. Cependant, l'intérêt suscité par les ateliers naissants de Vincennes justifia la création d'une compagnie privée constituée en 1745 au nom de Charles Adam, bénéficiaire par arrêt du Conseil d'Etat en date du 24 juillet du privilège exclusif de «... faire et fabriquer pendant vingt années consécutives ... la porcelaine façon Saxe peinte et dorée à figure humaine. ... défenses à toutes sortes de personnes d'en faire et fabriquer de semblable, à peine de confiscation et de trois mille livres d'amende. Permet ... de faire tous autres ouvrages de porcelaine, tant blanche que peinte, concurremment avec les autres manufactures qui peuvent en avoir obtenu le privilège ...» A. Sergène[1] a révélé, à la lumière du testament de Fulvy, que Charles Adam était le propre valet de chambre de celui-ci. Il n'est pas impossible que le nom d'Adam ait, en l'occurrence, servi à masquer la personnalité de son maître. La Compagnie se composa de sept associés, en majorité gens de finance, qui amenèrent un capital d'environ 90000 livres. Bien que Fulvy n'y parût pas nominalement, il continua à œuvrer dans le petit laboratoire inclus dans son appartement du Château de Vincennes. Après sa mort, survenue en 1751, l'inventaire dénombra d'importantes collections de porcelaine de Chine et de Meissen réunies pour fournir des modèles et suggestions à la fabrique française. En apportant des fonds, les associés nourrissaient peut-être un espoir tacite de profits matériels, mais ils durent surtout éprouver de la fierté à se trouver, sans déroger, à la tête d'une manufacture de porcelaine à l'instar du prince de Condé à Chantilly ou du duc de Villeroy à Mennecy.

L'affaire, dûment protégée par le privilège, lancée au point de vue financier, se parant avant l'heure du titre de «Manufacture Royale», s'organisa activement sous la direction de Jacques-René Boileau de Picardie et se développa avec rapidité. Son effectif, comptant une vingtaine de personnes avant 1745, passa à cent vingt en 1749. Cette croissance subite fut en partie due à la vogue des fleurs en porcelaine dont le monopole de fabrication avait été ajouté au privilège initial. Quarante-cinq personnes, jeunes femmes et jeunes filles, s'occupaient de les façonner sous la conduite de Mme Gravant.

Malgré les apparences de prospérité, l'incompétence d'une association mal préparée à gérer une entreprise quasi industrielle, l'absence au début de cadres initiés et stables engendrèrent des difficultés financières si grandes que les associés durent chaque année répondre à des appels de fonds, jusqu'au jour où, excédés, écrasés par des charges trop lourdes, ils se rendirent compte que seul le roi — qui avait déjà consenti des dons substantiels — pouvait les tirer d'embarras. Ils demandèrent un secours qui aboutit, par arrêt du Conseil rendu le 8 octobre 1752, à la révocation du privilège accordé à Adam et au remboursement des cautions.

Il s'avérait opportun, pour faire subsister l'affaire, qui, après enquête administrative et technique, en fut jugée digne, d'y intéresser plus étroitement Louis XV. Or Vincennes se trouve à l'est de Paris et Versailles à l'opposé. On ne sait au juste à qui vint l'idée de déplacer la Manufacture. Un des associés les plus actifs, Jean-François Verdun de Monchiroux, l'insinua-t-il à Mme de Pompadour? Très amateur de porcelaine et fort influente à la cour, la favorite, toujours soucieuse de distraire le roi et qui, «à cet effet s'était attachée à développer chez lui le goût des arts»[2], venait de faire construire le Château de Bellevue sur le coteau de Meudon jouxtant la commune de Sèvres.

Pl. I LE BOUQUET DE LA DAUPHINE. 1749. H. env. 110. Musée de Dresde.

A peine devenue Dauphine de France par son mariage en 1747, la toute jeune Marie-Josèphe de Saxe, fille de l'Electeur Auguste III, fut séduite par les bouquets de fleurs en porcelaine de Vincennes composés pour la reine (1747) et pour le roi (1748)[a]. L'année suivante, elle en fit constituer un, immense, pour l'envoyer à son père afin de lui prouver que «Vincennes surpassait déjà Meissen»[b]. Monté sur un riche socle en bronze doré supportant deux groupes de figures et un vase émaillés blancs, ce bouquet polychrome monumental réclama des précautions de transport inouïes. Les plus belles fleurs furent choisies parmi les soixante-quatre expèces connues par l'inventaire de 1759, qui précise en outre que chacune d'elles existe épanouie et en bouton. La quantité de fleurs fabriquées à Vincennes a été prodigieuse. La mode passa vite et les ventes de fleurs diminuèrent régulièrement à partir de 1753. Conservé par miracle depuis plus de deux siècles, le «bouquet de la Dauphine» est, à tous égards, exceptionnel. Cependant la collection royale britannique[c] en possède un très grand.

Pl. I

Qu'elle ait alors suggéré ce lieu pour transplanter les ateliers de Vincennes paraît plausible, la situation sur la route de Paris à Versailles s'avérant idéale. En tout cas, dès 1752, le principe du transfert à Sèvres était admis.

Le 19 août 1753, un arrêt du Conseil, prenant effet rétroactif au 1er octobre 1752, octroyait à Eloi Brichard, homme de paille qui devait être rétribué à titre de prête-nom, un privilège, pour douze ans et trois mois, de «...fabriquer toutes sortes d'ouvrages et pièces de porcelaine peintes ou non peintes, dorées ou non dorées, unies ou de relief, en sculpture ou fleurs appartiendra à Eloi Brichard pour en jouir privativement et exclusivement à tous autres dans toute l'étendue du Royaume, ... Fait défenses Sa Majesté, à toutes personnes de quelque qualité et condition qu'elles puissent être, de fabriquer et faire fabriquer aucuns ouvrages et pièces de porcelaines ... de les vendre et débiter à peine de confiscation ... de la destruction des fours et de 3000 livres d'amende pour chaque contravention, ... Défend pareillement ... à tous fabricants de poterie à pâte blanche de peindre lesdites poteries...» A cette date seulement furent officiellement conférés le titre de «Manufacture Royale» et le droit d'utiliser le chiffre royal pour marque, ce qui entérina des habitudes anticipées. A partir de 1753, une lettre-date fut simplement incorporée dans la marque, A = 1753, B = 1754, et ainsi de suite; l'alphabet épuisé, elle fut doublée, AA = 1778, BB = 1779, etc.

La nouvelle compagnie, approuvée par le roi qui souscrivit un quart du capital, réunit seize membres. Cinq avaient déjà fait partie de la précédente société. Les nouveaux venus étaient encore en majorité fermiers généraux ou secrétaires du roi.

La construction de la future Manufacture Royale de Sèvres commença en 1753. Ses plans et la conduite des travaux furent confiés à Lindet, architecte, et à Perronnet, ingénieur. Un souci constant, préserver les secrets, domina la conception intérieure. Il faudrait, pour gagner le cabinet où ils seraient enfermés, traverser l'appartement du directeur, desservi par une entrée et un escalier particuliers et défendu par une grille intérieure. Les visiteurs, clients ou curieux, entreraient par le milieu de la façade et monteraient au salon d'exposition par l'escalier d'honneur enjambant un étage, sans avoir aucune communication avec l'escalier du personnel qui, séparé par une simple cloison, donnerait accès à tous les étages et aux divers ateliers. L'appartement du roi, non loin de celui du directeur, communiquerait avec le salon d'exposition et les différents services. On l'atteindrait de l'extérieur en traversant la cour royale après avoir franchi une grand'porte latérale située sur le côté est de l'établissement.

La construction du bâtiment et de ses dépendances demanda trois ans. A peine terminé, il fut l'objet de virulentes attaques dirigées contre son prétendu défaut de solidité. Le temps a déjoué ces manœuvres malveillantes. Après plus de deux siècles d'existence, le bâtiment en question est toujours debout; il a seulement changé de vocation.

Le transfert de Vincennes à Sèvres s'opéra par étapes au long de l'année 1756. Les décorateurs prirent possession de leurs ateliers le 27 août[3]. Le roi, désormais, pouvait rendre visite à la Manufacture sans se détourner d'un chemin habituel.

L'édification d'une telle folie fut ruineuse pour la Compagnie, qui, malgré une organisation mieux calculée et plus efficace, connut bientôt des difficultés financières aussi graves, sinon pires, que celles de la précédente. Les dettes s'accumulaient, les associés étaient poursuivis et, à plusieurs reprises en 1759, ils demandèrent des secours à Louis XV qui accorda diverses satisfactions. Ensuite, par arrêt du Conseil du 17 février 1760, le privilège Brichard fut révoqué avec effet rétroactif au 1er octobre 1759. Le roi décida de rembourser les apports des associés et d'éteindre les dettes propres à l'entreprise. Il devint alors l'unique possesseur des bâtiments et de tout ce qu'ils contenaient. La société privée disparut et «jusqu'à la Révolution, la manufacture allait être la propriété du roi seul, exploitée en son nom et pour son compte»[4]. Cette disposition équivalait à enrichir d'une technique complémentaire la «Manufacture Royale des meubles de la couronne», en fonction depuis 1667, époque à laquelle aucune porcelaine n'était fabriquée en France. La situation peut être résumée ainsi: «L'idée de profit, qui animait les promoteurs et les associés successifs de cet établissement, dis-

Pl. II TERRINE ET PLATEAU. Vincennes, s.d. Terrine: H. 25, long. 38,5, larg. 25,7; plateau: long. 54,5, larg. 41,5. Marque peinte n° 1 (très ornée). MNCS (inv. 23414).

Les moules et le modèle de cette terrine, encore conservés à la Manufacture de Sèvres, portent la dénomination «terrine Saxe», nom qui n'apparaît pas dans les archives du XVIIIe s. Ses anses peu saillantes vues de profil présentent une curieuse ligne concave; les bords ondulants du récipient et de son couvercle sont soulignés de peignés accentués. Le plateau, qui existe avec ou sans ombilic, reprend le décor en relief visible sur un dessin de Duplessis pour une assiette à potage à ornements[a]. L'influence de l'orfèvrerie se manifeste par tous les détails. La peinture des fleurs compactes et assez lourdes, la présence d'insectes, montrent que ces pièces, non datées, ne sont pas encore dégagées de l'emprise des modèles de Meissen.

Pl. II

paraît car la monarchie va s'attacher dorénavant à maintenir une industrie de luxe en vue du seul prestige»[5].

Avant le rattachement de la Manufacture au domaine de la couronne, Louis XV s'était préoccupé de faire connaître les nouvelles créations en organisant à Versailles des expositions annuelles au moment des fêtes de Noël. Tout bon courtisan se devait d'y acquérir quelque chose. Mieux encore, en offrant les pièces les plus prestigieuses à titre de présents diplomatiques, le roi faisait rayonner à travers le monde le goût français attesté par une matière unique, inventée par le génie de ses artisans et portée à un haut degré de perfection par ses savants et ses artistes; matière qui faisait dire à Jean Hellot: «L'art imite parfaitement en Europe ce que fait la nature en Chine»[6].

Le privilège accordé à la société privée poursuivit ses effets après 1760. En théorie, la Manufacture Royale conserva le droit exclusif d'utiliser l'or et de peindre en coloris la figure humaine; mais en pratique, la découverte de kaolin en France en 1768 fit proliférer des fabriques de porcelaine qui, se mettant sous la protection de membres de la famille royale, refusèrent cette contrainte et entamèrent avec Sèvres une lutte concurrentielle qui se prolongea au XIXe siècle.

Problèmes financiers et modifications administratives ne furent pas les seuls soucis d'une affaire privée, pas plus que ceux d'une industrie rattachée aux services de l'Etat. Il semblerait logique, étant donné la passion de Fulvy pour la conquête de la matière séduisante et décevante de la porcelaine tendre, que la technique ait eu la primauté sur l'art. Or, chronologiquement, ce fut le contraire. La constitution du cadre artistique devança la formation d'une équipe technique solide et compétente. C'est seulement en 1751, à la mort de Fulvy, que Jean-Baptiste Machault d'Arnouville, successeur d'Orry de Vignori, fit appel à Hellot, membre de l'Académie des Sciences, alors que Jean-Claude Duplessis collaborait aux créations artistiques depuis 1745 ou 1749.

Hellot fut donc chargé «de faire les épreuves du secret des compositions de la pâte et de la couverte, de la dorure, des couleurs et émaux qui appartiennent à la Compagnie». Le savant se mit à l'œuvre avec une assiduité attestée par les deux cents pages couvertes d'une écriture fine et serrée, qui constituent un registre[7] relié en cuir bleu muni d'une serrure, sans parler d'un recueil[8] et d'un petit cahier relié[9] de même importance, ainsi que de fiches qu'il échangeait avec ses collaborateurs procédant aux divers essais. La première page du registre exprime une professsion de foi claire et précise: «Ce registre contient toutes les recettes et procédés pour composer la pâte dont on fait le biscuit, la couverte qui le vernit et le rend porcelaine, les couleurs servant à peindre cette porcelaine, la dorure qui l'enrichit ... trouvés aussi dans les manuscrits des nommés Gérin, Caillat et Massue, dans celui du Sr Gravant inventeur et fournissant la pâte et la couverte, lesquels Mss ... j'ai rendus à M. de Courteille Intendant des Finances, après les avoir vérifiés. Il contient aussi les corrections pour remédier aux vices de la pâte et en durcir le biscuit, les changements que j'ai faits à la couverte, ceux des fondants des couleurs pour en ôter le nébuleux, les nouvelles couleurs bleues, pourpres, rouges, jaune, orangé, vertes, etc. Enfin tout ce que j'ai fait pour perfectionner les opérations ... en exécution des ordres de Mgr le Garde des Sceaux. J'ordonne qu'immédiatement après ma mort ce registre soit fermé à clefs, puis enveloppé et cacheté et ensuite remis en mains propres à Monseigneur le Garde des Sceaux ou à M. de Courteille et non à aucun intéressé de cette Manufacture attendu que le Roy s'en est réservé les secrets et qu'ils m'ont été confiés. A Paris ce Premier Mai Mil sept cent cinquante trois.»

Hellot ne manque pas de reconnaître avec loyauté que, avant son arrivée, «la Manufacture de Vincennes avait déjà un biscuit fort blanc et une couverte parfois très belle...» Il en transcrit la recette avec une honnêteté empreinte à la fois de modestie et d'humour: «Copie corrigée quant à l'ortographe du sécret de la pâte de porcelaine de Vincennes et de la couverte, en deux feuilles de papier à lettre, écrit de la main du Sr Gravant. Méthode générale pour faire toutes sortes de porcelaine:

Pl. III DÉJEUNER HÉBERT DE CINQ PIÈCES. S.d. (vers 1752-1753). Plateau: long. 28,5, larg. 23; théière: H. 11; pot à sucre: H. 9,5; tasse: H. 4,7; soucoupe: ∅ 10,5. Marque peinte no 1; Vielliard. Hartford, Wadsworth Atheneum (cat. no 61).

Le contour du plateau de cet ensemble reproduit exactement celui du «plateau Hébert» qui donne son nom au déjeuner. Le modèle, conservé à la Manufacture de Sèvres, possède des anses qui ne modifient pas la forme du pourtour décrivant six lobes inégaux. Ce plateau a été maintes fois utilisé accompagné de pièces de types divers. Ici un «gobelet litron» est associé à un «pot à lait tripode à reliefs», à une théière «Verdun ou Calabre» et à un «pot à sucre Hébert», toutes formes créées avant 1753. Le fond jaune, déjà signalé dans les premières livraisons, est rare. Le jaune jonquille si fluide de Vincennes, peut-être inventé par Caillat, a eu une existence assez brève; les jaunes plus tardifs sont différents. Les sujets en camaïeu bleu, inspirés par des dessins de Boucher, ont été souvent répétés. Sur la théière, on distingue Babet et sa cage vide, pleurant son oiseau envolé, qui a été réalisée en sculpture polychrome à Vincennes.

Pl. III

Pour faire 2020 livres de composition:

cristal minéral	440 l.
sel gris de gabelle	146
alun de roche	74
soude d'Alicante	74
gypse de Montmartre	74

Pilez le tout. Ajoutez à ces . . . . 808 l. de matière 1 ½ fois de sable de Fontainebleau 1212

Le tout réuni et mélé 2020 l. fera la composition. Mettez cuire ou fritter sous le four de biscuit, retirer, piler. Pour faire la pâte prendre 90 livres de cette fritte, bien broyer, jeter 30 livres de corps:

20 l. blanc d'Espagne
10 l. terre d'Argenteuil.

bien mêler au moulin, délayer, passer au tamis de soie, faire sécher, employer. — Pour une pâte plus dure augmenter la proportion de blanc d'Espagne, soit 22 l. 5 et diminuer la terre soit d'Argenteuil, soit de Luzarches, soit d'Ecouen.»

Ainsi composée, cette pâte dont la formule sera en réalité peu modifiée au cours du XVIIIe siècle, malgré de constantes recherches pour la parfaire, était peu plastique et difficile à travailler. Pour faciliter le façonnage des pièces moulées et sculptées[10], on devait l'additionner d'un mélange dit *chimie:* savon noir et colle de parchemin.

Il fallait, avant d'émailler les pièces façonnées, les cuire *en biscuit* vers douze cents degrés. Le biscuit sortait du four mat et translucide sous faible épaisseur. En le polissant avec *le grais et l'eau*, on lui donnait une surface parfaitement unie en enlevant les *sels végétés*. Il était alors prêt à être trempé dans la couverte composée de litharge, sable de Fontainebleau et silex calciné, de carbonates de soude et de potasse. Après les retouches faites au pinceau, la pièce était recuite à température moins élevée et, selon l'expression de Hellot: «devenait porcelaine», c'est-à-dire brillante.

La surface douce, qui se rayait facilement avec une pointe d'acier, motiva le nom de *porcelaine tendre,* appellation fondée sur cette particularité externe plus que sur la texture interne qui, seule, ne justifiait pas ce qualificatif.

Cette couverte, si propice aux décors polychromes, était cependant préjudiciable à la sculpture, dont elle amollissait les reliefs. Ce défaut fit naître l'idée de laisser statuettes et groupes en l'état de biscuit. L'invention recueillit un succès enthousiaste et durable.

Si le nom de Hellot est lié à la porcelaine tendre dite «de France», celui de Pierre-Joseph Macquer, son collaborateur puis son successeur en 1766, est surtout attaché à la *porcelaine dure* dite «royale». Au cours d'un voyage entrepris avec Robert Millot, chef des fours, pendant l'hiver 1768-1769, il reconnut des carrières de kaolin à Saint-Yrieix, non loin de Limoges. Aussitôt rentré, Macquer se livra à des essais, et dès 1770 la fabrication de la porcelaine dure s'organisa à Sèvres. Les tâtonnements relatifs à cette pâte ont donné lieu à moins de littérature que ceux de la porcelaine tendre. La formule de base était connue. Macquer, moins prolixe que son prédécesseur, a cependant laissé un carnet d'*Essais de couverte pour la porcelaine dure fait à la Manufacture de Ceve établie à Seve. Couverte dure*[11] qui prouve la poursuite de diverses tentatives. Les matériaux qui, en proportions variables, reviennent le plus souvent sont le tesson de porcelaine dure, le sable de Fontainebleau ou d'Aumont calciné et la craie ou blanc d'Espagne. Parfois sont introduits en faible proportion du spath fusible et de la «patte crue». Celle-ci «est pour donner du lian et du corps à la couverte pour la raison quel satache moins aux doigts en retouchant les pièces que lon manie souvan». Comparant deux formules où la seule différence est l'origine du sable, Macquer remarque: «Ce n° 10 qui a le meme procede que le n° 9 à l'Expreison de la qualité du sable est fort beau, je le crois même supérieur au n° 9 en ce que le sable de Fontainebleau est un peu plus tendre que celui d'Aumont et il me semble d'aprais Examen et comparaison faite des deux couvertes que celle-ci lemporte pour le lisse et le moelleux.» Parfois aussi, on tente d'incorporer à cette couverte n° 9 un neuvième de minium; enfin arrivé au n° 43, Macquer écrit en tête «Bau et bond ... a tous les degrés de feux la couverte pren et

Pl. IV SEAU À BOUTEILLE. 1753. H. 19,5, ∅ 20,4. Marque peinte sous couverte, n° 1 (A); en creux, n° 2. Waddesdon Manor, coll. Rothschild (cat. n° 1). Le seau à rafraîchir, dit «seau à bouteille», est le plus grand de ceux faisant généralement partie des services de table. La forme de celui-ci est de création antérieure à 1753, ainsi qu'en témoigne un dessin portant l'inscription «Trait de sios à bouteille ordinaire rabaisee de 8 Linges, par ordre de Mons boeló Le 27 Mars 1753, du 30 du dit mois il a etee dessidee par ses mesieurs Verdun et Compagnie de Le baize seulament de 4 Lingnes, et de Le ratresir de deux Lingnes»[a]. Par comparaison avec des seaux plus tardifs ayant appartenu à des services connus, celui-ci présente une mouluration moins accentuée au bord supérieur. De telles pièces ont pu être destinées à un usage différent et être livrées séparément. Lazare Duvaux en achetait et il vendit notamment en décembre 1753 «à M. de Gontaut ... 2 seaux de Vincennes à oiseaux 144 l....»[b], sans que l'on puisse déterminer s'il s'agissait de «seaux à bouteille», «à demi-bouteille», «à topette» ou même «à verre»[c].

Pl. IV

conserve de l'éclat. La trop forte chaleur cependan lui fait faire un peu la coque d'œuf mais san perdre de son éclat et de son brilian elle na que le defaux de tressaillie cet adir fandillee lorsequel ait aplique sur la porcelaine dans une trop grande epesseure...» Ces essais, non datés, qui s'achèvent avec ce n° 43, laissent supposer que, au début du moins, la couverte de la porcelaine dure de Sèvres n'était feldspathique que par l'apport de tesson broyé.

Succédant à Macquer ou collaborant avec lui, Etienne de Montigny, Jean Darcet, Nicolas Desmarets, Louis-Claude Cadet-Gassicourt contribuèrent à la conduite technique de l'établissement. Celui-ci, après le retrait de Boileau en 1772, fut administré par Melchior-François Parent jusqu'en 1778. Ensuite, Antoine Régnier, assisté de Hettlinger à partir de 1784, se maintint jusqu'en 1793. Pendant la tourmente révolutionnaire, des délégués du gouvernement assumèrent la direction.

Les deux sortes de porcelaine furent produites simultanément à Sèvres jusqu'en 1804. A cette date, Alexandre Brongniart, qui eut le mérite de relever la Manufacture après la Révolution, abandonna la fabrication de la porcelaine tendre, qu'il jugeait désormais dépassée, sans pressentir qu'elle deviendrait la plus appréciée des amateurs du XXe siècle.

La couverte de la porcelaine tendre, se ramollissant à faible température, était apte à recevoir une grande variété de couleurs. Hellot, dans ses cahiers, rassembla les secrets déjà éprouvés par des peintres, notamment par Pierre-Antoine-Henri Taunay qui, exceptionnellement, a inscrit son patronyme en toutes lettres sur de rares objets (voir fig. 1). Hellot refit des essais, aidé par Jean-Jacques Bailly, qui occupa le poste de préparateur des couleurs de 1746 à 1790. Mais le savant théoricien ne se contenta pas d'améliorer les recettes d'autrui, il créa aussi les siennes.

Le fond *bleu lapis*, premier paru, à base de cobalt ou de safre (oxyde de cobalt), est l'ancêtre du *bleu nouveau*, cité à partir de 1763 jusqu'en 1770 environ, nommé d'une manière générale *bleu de Sèvres*. C'est la seule couleur de grand feu qui a été utilisée à Vincennes.

A propos du cobalt des Pyrénées, dont la source était d'ailleurs déjà épuisée, Hellot note que le minerai devait être calciné à feu modéré pour chasser «presque» tout l'arsenic, «car si on l'en privait tout à fait il [le bleu] ne serait pas si vif». La préparation, préalablement effectuée, était le plus souvent posée sur la pièce cuite en biscuit; il fallait la repasser au même feu avant de poser la couverte et de recuire une troisième fois dans une fournée de couverte. Hellot a donné une autre méthode, probablement fort difficile, qui consiste à prendre «... une once de ce safre lavé et séché ajoutés y 4 fois son poids de fondant universel: pilés les ensemble ... bien mesler: fondés dans un creuset à très grand feu: coulés sur une tuile frottée de blanc d'Espagne, pilés, lavés, broyés sur la glace, gommés légèrement cette couleur et l'employés à peindre extérieurement les pièces en pâte crüe, le plus également qu'il est possible. ... quand elles sortent du four de cuisson, ... beau bleu foncé ordinairement mat et sans luisant, mais quelquefois vernissé et brillant ... quand les pièces ont été polies au grais on les met en couverte comme les autres porcelaines; alors on les dore après avoir peint les cartouches blancs qui ont été réservés et en mouchetant d'or les parties de bleu qui ont moins d'intensité que le reste de fond on en fait un bleu qui imite le lapis-lazuli. Ces pièces quoique fort chargées en dorure sont celles qui coûtent le moins à la Manufacture»[12].

Les registres de livraisons citent un «bleu Hellot» qui pourrait être un *bleu céleste*, correspondant peut-être au fond «bleu du Roy, nommé avant les fêtes de Noël 1753, *bleu ancien* et dont S.M. a été si satisfaite». Son auteur le définit ainsi[13]: «bleu pour donner le fond nommé V. C'est le bleu de Roy, ou bleu turquoise du service complet de S.M. trouvé en 1753 par moi. 3 parties d'aigues marines, 1 partie de la couverte de Gravant. On ne les fond pas ensemble. On prend ensuite 3 parties de verd-bleu meslé avec la couverte et 1 partie de minium. On mêle ... on fond au grand feu dans un creuset. On les coule dans un mortier de fer, on pile dans un mortier de porcelaine, on tamise cette poudre sur du mordant ...» Pour réussir, il

Pl. V VASE DUPLESSIS À ENFANTS (d'une paire). 1753. H. 24, larg. 14,5. Marque peinte n° 1 (A); Caton. Philadelphie, Philadelphia Museum of Art (inv. 39.41.56).

Cette interprétation de «vase Duplessis» présente sur chaque face une niche élevée abritant deux enfants en haut relief. Le modèle, privé d'anses, existe encore, mais le nom du sculpteur des figures demeure inconnu. Ces bambins, modelés probablement d'après des dessins de Boucher, symbolisent les quatre saisons. La plus ancienne mention de «vase Duplessis à enfans»[a] remonte au 28 décembre 1752. Deux ans plus tard, Lazare Duvaux acheta «2 vazes enfans bleu céleste reliefs 480/960 l.» et en revendit immédiatement un à M. Calabre[b]. Le 21 décembre 1755, Duvaux, qui venait de les acquérir à pareil prix, céda à la duchesse d'Orléans «un vase de Vincennes bleu céleste à enfans de relief 480 l., un autre dont le pied est cassé 360 l.»[c]. Ces derniers correspondent plutôt à la paire de «vases à enfans» conservée à la Frick Collection qu'à ceux-ci[d]. Les deux paires sont en tout point semblables, sauf par la répartition inversée des fonds bleu et blanc.

Pl. V

fallait recommencer deux fois l'opération et encore «cuire deux fois au four de peinture, alors il devient d'un beau bleu turquoise d'ancienne roche au jour et verd de malachite aux lumières». Le fond bleu céleste connut une vogue considérable dans les années 1756-1757. Le marchand-mercier Lazare Duvaux, qui avait participé à l'exposition d'une fraction du service du roi et que les associés de la Compagnie de Vincennes consultaient pour connaître les préférences de la clientèle, vendit des objets en fond bleu céleste notamment à Mme de Pompadour, à la Dauphine, à la princesse de Condé, à la duchesse d'Orléans. Les différences de tonalités qui se remarquent en comparant des fonds bleu céleste de différentes dates, attestent les changements de formules survenus au cours des années. La concordance de date, 1753, du «vase Duplessis à enfants» (voir pl. V) et la beauté exceptionnelle de son fond bleu céleste permettent de penser qu'il a bénéficié de l'invention de Hellot pour le service du roi.

Le fond vert n'était plus une nouveauté au moment du transfert de la Manufacture[14]. Les recettes de verts de toutes sortes sont innombrables. Hellot leur donne des noms qui trahissent son émerveillement devant les améliorations obtenues; au «verd admirable de Néri» succède un «verd encore plus beau». Le «fond verd de Saxe de Caillat» est pareillement suivi d'un autre «encore plus beau». Le nom de Jean-Mathias Caillat revient souvent, à propos de «verd brun» et de «verd gai, approuvé bon à l'emploi». La date n'est malheureusement pas spécifiée, mais il est évident que cette dernière recette a dépassé le stade des expériences pour entrer en usage, ce qui n'est probablement pas le cas de toutes les recettes transcrites par Hellot. Gravant lui-même suggère un «verd-brun foncé», Taunay père apporte un «verd beau», Louis Massue un «verd olive» et Bailly recommence inlassablement ses essais. Tous les verts sont à base de cuivre. Par exemple, en partant de cristaux de vert de gris dissous dans du vinaigre distillé et subtilement travaillés, on réussit un «beau verd d'émeraude» qui, très légèrement modifié, devient «l'émeraude de Madame l'abbesse de Chelles». A un moment, peut-être un peu lassé par toutes ces recettes, Hellot laisse échapper une remarque d'ordre général: «Tous les cuivres calcinés n'importe comment donnent du verd, ce sont les safrans de Mars qui fournissent les différentes nuances.» C'est vite résumer la multitude d'opérations: broyages, cuissons, lavages, mélanges, qu'il faut répéter à chaud, à froid, un nombre incalculable de fois.

Le fond rose n'a pas été pratiqué à Vincennes où, cependant, les recettes de rouges, de pourpres et de carmins abondent grâce aux diverses formules proposées par plusieurs peintres. Caillat apporte des procédés pour le «rouge de Saxe ou d'aiguilles» à base de fer par l'utilisation d'aiguilles d'acier, ainsi que pour un pourpre rouge dérivant de l'or «qu'il nomme aussi carmin». Ses cahiers furent saisis chez lui après son arrestation en 1752. Hellot transcrit les recettes les plus diverses en ajoutant parfois une réflexion favorable ou non. S'il fait l'éloge d'un pourpre qui «sort très beau de dessous la moufle», il constate: «il est trop dur pour la porcelaine de Vincennes et d'ailleurs il s'évapore entièrement au four de peinture.» «Quant-à mon pourpre, cent gouttes de dissolution d'or en cornet concentré, douze gouttes de solution d'étain orangé et trois ou quatre gouttes de dissolution filtrée de sel de soude, font un beau précipité qui donne un pourpre rouge d'autant plus beau qu'on l'a lavé plus de fois avec de l'eau chaude bien pure.» «Il arrive souvent que ces pourpres, même celui qu'on achète 60 l. l'once au Sr Taunet, dont j'ignore actuellement la composition, qui restent très beaux cuits sous la moufle au feu de charbon tout allumé, deviennent d'une couleur de maron au feu de bois du four de peinture.» En mai 1753, Bailly fait un pourpre au sujet duquel Hellot note encore: «N.B. L'étain donne seulement de la couleur au pourpre et non de la stabilité au feu, il faut y ajouter l'alcali volatile ou fixe et très peu de vitriol. Ce pourpre est très beau et tient à tous les feux, même au feu de bois du four de peinture.» On constate combien, pour ces couleurs délicates, l'épreuve du feu est redoutable.

Pl. VI QUATRE PIÈCES EN PORCELAINE DE VINCENNES. S.d. et 1753. Assiette: ∅ 25,5; MNCS (inv. 19560). Tasse: H. 6; soucoupe: ∅ 12,3; MNCS (inv. 5732). Boîte: H. 5,4, long. 8,1; Limoges, Musée A.-D. (inv. ADL. 1051). Bougeoir: H. 8, long. 18,4; marque peinte nº 1 (A); MNCS (inv. 17023).

Ces quatre objets ne peuvent à eux seuls donner une idée de l'extrême variété des formes et des décors inventés à Vincennes. L'«assiette à godrons», un des modèles les plus appréciés, a été choisi pour le premier service de Louis XV[a]. La forme de la «tasse litron» est de pratique permanente depuis les origines[b]. La boîte a pu faire partie d'un ensemble nommé «toilette» à moins que l'on veuille l'assimiler à une tabatière; sa forme s'inspire nettement d'exemples de Meissen[c]. Le bougeoir, sans conteste le plus attrayant des objets réunis ici, est un chef-d'œuvre de goût par ses proportions et les détails de ses reliefs[d]. Les décors, tous en camaïeu pourpre ou carmin, témoignent d'influences variées. Le petit amour fait songer à Boucher; le motif géométrique, genre original, est moins fréquent que les oiseaux peints avec beaucoup de naturel; enfin, les rehauts soulignant les détails du bougeoir en complètent harmonieusement la forme.

Pl. VI

Les violets dérivent soit du manganèse soit des pourpres d'or. A la fin d'une préparation en deux étapes particulièrement compliquée, Hellot observe: «vous aurez un pourpre de manganèse foncé ... jamais avoir le vif du pourpre fait avec de l'or.» En marge de «violet de manganèse dont j'ai donné le procédé au Sr Bailli en mars 1753 pour lilas et gris de lin», on lit: «N.B. Ces violets et lilas faits avec la manganèse ne réussissent pas toujours au four de peinture cuits avec la flamme au bois, parce qu'elle ressucite la partie ferrugineuse de ce minéral, au lieu qu'au feu de charbon ils sont toujours très beaux.»

Une bonne part des recettes sont probablement négatives. Hellot le note rarement et donne exceptionnellement une date. Pourtant, en regard des opérations concernant une «couleur de rose fait par M. Bailli en mai 1757», il inscrit «bon»[15]. Serait-ce la recette, dûment expérimentée, du peintre Philippe Xhrouuet? Une mention du registre-matricule en date du 1.1.1758 crédite l'artiste d'une initiative appréciée: «Xhrouuet après avoir fait de luy-même plusieurs essais de couleurs a trouvé un fond couleur de rose très frais et très agréable, il a eu pour cette découverte, à peu près 150 l. de gratification»[16]. Cette séduisante hypothèse — non confirmée — est suggérée par une corrélation de dates. P. Verlet a remarqué que certaines pièces authentiques à fond rose portent la lettre-date E = 1757, tandis que les registres de livraisons n'en font pas mention avant 1758. «Une raison qui nous échappe aurait-elle retardé d'un an même pour le roi, la livraison des premières pièces roses?»[17]. Question restée jusqu'ici sans réponse. La pose de l'or rencontrait-elle une difficulté particulière sur le rose comme sur le «bleu du Roy» de 1753? A propos de celui-ci, Hellot a expliqué: «Comme ce bleu est plus tendre que la partie de la couverte ordinaire des cartouches que l'on conserve en blanc pour les peindre ensuite, cette porcelaine est difficile à dorer. Il faut d'abord dorer les ornements dont on veut décorer les parties réservées et cuire ... au feu ordinaire de dorure ... pour les parties mises en fond bleu on fait cuire cet or à un degré un peu plus faible ... alors les deux ors sont en état d'être brunis ensemble. ... toutes ces manœuvres augmentent beaucoup le prix de cette porcelaine, il est juste que l'on paye les trois feux qu'on lui donne de plus qu'à la porcelaine blanche qui n'est que peinte et dorée et les risques d'estre feslée à tous ces trois feux.» On comprend pourquoi le bleu céleste coûtait plus cher que le bleu lapis même «chargé en dorure» comme le faisait remarquer Hellot. Une couverte uniforme revêtant les parties bleues et blanches du biscuit, la dorure pouvait être effectuée sans discrimination de couleur et passer à un seul feu.

Il semble que la préparation de l'or, sans parler de celle des mordants, ait causé de grands problèmes à Hellot. La description, transmise par Orry de Fulvy, du secret acheté au Frère Hypolite, bénédictin de Saint-Martin des Champs, en 1748, contenait des fautes. Pour éclaircir la question, le chimiste fit refaire «l'opération complette» par le moine, le 16 juillet 1751. En premier lieu, il était nécessaire d'obtenir une eau gommée très pure ayant la consistance d'un sirop de sucre, pour broyer l'or fin en feuilles et en réduire une partie en poudre de la «dernière finesse», opération longue et fort pénible. Une «écaille de mer véritable du grain le plus fin» pouvait seule résister à un tel travail, «toute autre pierre ... comme le grais dur ... s'use ... et communique à l'or des saletés ... Ayez aussi une molette ... d'un caillou bien sain sans gerçure ... d'un seul morceau assés élevé pour qu'on puisse le tenir avec les deux mains ... car il faut ... toute la force des deux bras». Suivent des recommandations pour «bien mesler les feuilles d'or avec l'eau gommée» à l'aide d'un «morceau de baleine» et rassembler l'or, écarté par la pression, avec un «couteau de peintre flexible ...». Au bout de onze à douze heures de ce labeur, quand on observait «les premières marques d'un broyement parfait», il fallait continuer une ou deux heures de plus. Intervenaient alors trois lavages entre lesquels des périodes de repos, de l'ordre de douze à six heures, permettaient à l'or de se précipiter. Passé à travers des tamis de soie de deux grosseurs, l'or en poudre était remis aux doreurs. Le plus fin servait «à peindre les broderies et à trancher les couleurs mises et

Pl. VII CAISSE OU CUVETTE À FLEURS RECTANGULAIRE. 1754. H. 12,5, long. 29, épaiss. 22. Marque peinte nº 1 (B); Vielliard. MNCS (inv. 23179).

La Manufacture de Sèvres possède deux modèles peu différents, l'un, seul reproduit dans Troude (pl. 130; notre fig. 134) sous le nom de «caisse à fleurs A», l'autre, conforme à cette caisse-ci, nommé «nº 2» dans l'inventaire du XIXe s. et se distinguant par ses contreforts cannelés. Le dessin, conservé dans les archives de Sèvres, propose trois grandeurs et porte l'inscription: «Cuvete à fleurs fait En juillet 1759 2e et 3e grandeur.» Il concerne donc des modifications de dimensions; on constate le même fait sur d'autres dessins de caisses à fleurs, à la même date. C'était un moment de grande misère (voir p. 46), les ventes étaient rares, il fallait proposer à la clientèle des objets plus petits et moins coûteux. Cette caisse-ci, datée 1754, peut-être la première exécutée, présente sur sa face un décor touffu en camaïeu bleu, auquel les chairs colorées au naturel des enfants donnent une réalité vivante. La scène s'inspire d'une gravure de Le Prince d'après Boucher intitulée *La Chasse*. Les trophées des côtés copient des modèles de Watteau[a].

Pl. VII

déjà parfondues dans la porcelaine», ajoute Hellot qui précise encore la manière de l'employer au pinceau après l'avoir délayé dans de l'eau et du mordant. Enfin la cuisson réclamait un four moins chaud que pour les couleurs, suffisant pour que «le dessous de la couche d'or happée par la couverte que le feu a attendrie il n'est plus à craindre que le frottement l'enlève». On pouvait alors brunir sans crainte. C'est très brièvement résumé une série d'opérations réclamant une force peu commune et une patience de saint. A la fin de la recette, Hellot met au point les conditions financières qui ont entouré l'achat du secret: «On a alloué 30 sols par gros d'or au frère Hypolite pour la préparation de celui qu'il livre en poudre sèche à la Manufacture, ce qui fait 12 l. par once, outre les 3000 l. qu'il a reçües et les 600 l. de rente viagère, que les héritiers de M. de fulvi sont tenus de lui payer annuellement pour le prix de son secret. M. de Fulvi ayant reçu de l'ancienne compagnie la somme de 9000 l. pour cette convention»[18].

Connaissant ces divers détails, on conçoit que l'or en poudre revenait fort cher. Quand la production de pièces très chargées en dorure s'intensifia, le souci d'économie se fit plus impérieux. Boileau, depuis longtemps en activité, par la force de l'habitude s'en préoccupa peut-être moins directement que son successeur Parent. A l'arrivée de celui-ci en 1772, les fabrications de Sèvres étaient parvenues à une extrême richesse. La porcelaine dure, adoptée depuis deux ans, permettant mieux encore d'utiliser l'or en abondance sur les reliefs et sur le biscuit, absorbait une grande quantité de métal précieux. Le nouveau directeur, qui se livra pourtant à des dépenses inconsidérées, s'intéressa personnellement à la question et fit faire des expériences devant lui. Il finit par rédiger un *Mémoire sur l'or pour la Manufacture...* dont les archives de Sèvres conservent une copie faite au XIXe siècle par Denis-Désiré Riocreux[19], qui fut le premier conservateur du Musée de Céramique de Sèvres. Le texte, «signé», qui commence par exalter la qualité incomparable de l'or utilisé à la Manufacture, est daté du «6 janvier 1779», c'est-à-dire après que son auteur eut été accusé de malversations et renvoyé; il n'était probablement pas le seul responsable des désordres ayant affecté les finances de l'établissement. Par ce mémoire, il est possible que Parent ait cherché à prouver ses bonnes intentions; il y explique avec force détails le moyen de réduire «l'or pur en poudre sans battage et sans alliage». Le procédé n'est pas original, il a essayé de «dissoudre l'or par le mercure comme font les doreurs sur métaux. M. Duplessis est venu chez moi le faire sous mes yeux et me l'a fait répéter...» Deux inconvénients lui font écarter la méthode: la cherté du mercure «qui est perdu» et le danger pour la santé. Alors, grâce au concours d'un apothicaire, par un procédé peu différent mais réclamant des précautions infinies au cours des nombreuses manipulations de l'amalgame et des opérations pour séparer les métaux en récupérant le mercure, il obtient de l'or «très ductile, sans alliage et sans déchet». Constamment, il revient sur la condition primordiale de la pureté de l'or. A la fin, il cherche à prouver l'économie réalisée par un calcul assez obscur et termine ainsi: «Il se consomme de 5 à 600 onces d'or, année commune; 500 onces ne les mettant qu'à 20 l. d'épargne font 10000 l. épargnées par la Manufacture. On donnerait toujours au Sr Bailly sa gratification sur tout l'or qu'il préparerait de cette façon. ...» Rien ne prouve que le procédé ait été retenu, mais il est certain que les nombreuses recherches de cette période aboutirent à un traitement moins archaïque de l'or que celui du Frère Hypolite.

Quelle que soit la manière pratiquée pour obtenir l'or en poudre très fine indispensable à la qualité de la dorure, il faut, pour l'employer, le mêler de mordant. Hellot en fabriquait en faisant bouillir de l'ail dans du vinaigre; il prend soin de terminer sa recette par la recommandation de le conserver dans une bouteille hermétiquement fermée! Nul doute que le procédé ait évolué ainsi que celui pour préparer les fondants nécessaires à l'emploi des couleurs et à leur éclat.

Les recettes des couleurs nouvelles, inventées pour peindre la porcelaine dure, n'ont rien laissé de comparable aux manuscrits de Hellot. La variété en est évidente en

Pl. VIII BROC ET CUVETTE. 1755. Broc: H. 23,3; cuvette: long. 36,5, larg. 21,5. Marque peinte n° 1 (C); en creux sous le broc, n° 59. *Waddesdon Manor, coll. Rothschild (cat. n° 10).*

Des inscriptions anciennes relevées sur les moules ont permis d'identifier la forme nommée au XVIIIe s. «pot à eau à la romaine» à celle de ce broc. Dans l'inventaire du siècle suivant, il a été inscrit «Pot à eau Duplessis», ce qui n'était pas inexact, puisque dans une lettre du 21 octobre 1751, Hulst parle des «pots à eau à la Romaine de M. Du Plessis»[a]. L'inventaire des moules de 1752 signale des «pots à la romaine à ornemens avec leurs jattes». T. Préaud[b] a relevé vingt-neuf livraisons à des prix variant suivant les décors, de 72 l. «fleurs guirlandes» à 600 l. «bleu céleste fleurs». Ces pièces ont existé en deux grandeurs. Les parties bleu céleste et blanches ornées de fleurs, disposées comme elles le sont ici, se répètent fidèlement sur d'autres exemplaires visibles au Musée du Louvre, au Musée des Arts Décoratifs à Paris, au Palais Pitti à Florence et au Metropolitan Museum of Art à New York.

Pl. VIII

considérant les pièces elles-mêmes et les rares palettes conservées notamment au Musée de Sèvres. Quelques noms évocateurs, relevés dans les registres de travaux des peintres[20] et dans ceux des comptes rendus de fournées[21], entre 1780 et 1800, attestent que l'imagination ne manquait pas au personnel des ateliers pour désigner les couleurs des fonds: «petit gris, olive, boue de Paris, merde d'oye, maron, noisette, carmélite, œil du Roi, ventre de biche, orienté, porphyré, agaté», ou encore «bois d'acajou, sapin» et beaucoup d'autres moins pittoresques.

Avant de pénétrer plus avant dans les divers services de la Manufacture, il convient de signaler les avantages et les obligations qui intéressaient le personnel. Dans le premier privilège accordé en 1745 au nom de Charles Adam, on lit: «... Veut Sa Majesté que ledit Adam ..., les commis, préposés et les ouvriers employez dans ladite Manufacture, soient exempts de toutes tailles, impositions, milice et autres charges ordinaires et publiques des communautés...», ce qui impliquait d'être dispensé du guet, de la garde et du logement des gens de guerre. Dans les périodes troublées, ce dernier avantage n'était pas à dédaigner. En contrepartie, les «breves gens de Sèvres»[22], comme devait plus tard les nommer Louis XVI, aliénaient en partie leur liberté. Pour préserver les secrets, non content de veiller aux dispositions matérielles des lieux, le texte précise: «Fait Sa Majesté défense auxdits ouvriers de quitter et de s'absenter sans la permission et congé dudit Adam, à peine de prison et de cinquante livres d'amende.» D'autres amendes, beaucoup plus fortes, étaient prévues afin de pénaliser les entreprises rivales qui auraient été tentées de débaucher des ouvriers. Enfin, dernier avantage, outre celui de porter l'épée, «Permet Sa Majesté audit Adam d'associer à son entreprise ... nobles, officiers ou autres sans déroger à leur noblesse ni à leur état». Cette dernière disposition était apte à contenter l'amour-propre des associés de la Compagnie.

Plusieurs artistes surpris pour avoir dévoilé des secrets éprouvèrent à leurs dépens ce qu'il en coûtait. Jean-Mathias Caillat, qui s'était fait connaître par les recettes de rouge et de pourpre qu'il avait communiquées à Hellot, en ayant fait profiter la fabrique de Chantilly, fut envoyé à la Bastille puis transféré au Mont-Saint-Michel. Carrié «s'absentait pour aller jouer la comédie au Temple ... étant dans un cabaret ... avec plusieurs de ses camarades, il y eut tapage, les épées furent tirées, le guet survint, Carrié fut conduit au Châtelet. ...» Dûment sermonné par M. Berryer, il revint à de bons sentiments[23]. Une histoire pleine de saveur advint à deux jeunes peintres. Le 25 juin 1755, deux amis, François Vavasseur et Vincent Taillandier, poussés par un mobile inconnu, avaient «lâché dans l'attelier des impiétés abominables ... ils faisaient ensemble des lectures dangereuses, depuis longtemps on leur avait interdit de faire de mauvaises plaisanteries sur la religion ... on s'est révolté aux grossièretés qui leur sont échappées; M. Boileau les a vivement réprimandés ... leur a fait sentir l'énormité de leur crime ... il leur a fait demander pardon à leurs camarades et les a condamnés à 12 Livres d'aumônes ... ils sont tous deux d'un caractère fort doux et très assidus à leur ouvrage». Ils le prouvèrent par le travail accompli pendant leurs fructueuses carrières. Cependant, Vavasseur profita encore du transfert de la Manufacture de Vincennes à Sèvres pour faire une fugue; se fit renvoyer pour des impertinences envers son chef d'atelier, mais rentra penaud en faisant des excuses[24].

M. Boileau avait de la peine à maintenir une bouillante jeunesse. Le besoin de défoulement causé par un travail minutieux et appliqué pendant de longues heures est aisément concevable. En été où l'on profitait au maximum de la lumière, les journées semblaient interminables au personnel engagé à Vincennes et que l'on pourrait dire «de la première génération». Le nombre de ses membres, direction exclue, atteignait deux cent cinquante en 1759. L'âge moyen des ouvriers et artistes au moment du transfert à Sèvres se situait entre vingt et vingt-cinq ans; Louis-Jean Thévenet père, peintre de fleurs, qui avait dépassé la quarantaine, faisait figure de patriarche, Antoine-Joseph Chappuis, modeste apprenti, âgé de douze ans, était le benjamin.

Un état du 23 février 1760[25] met en lumière les mesures sévères que la désastreuse situation financière de la Manu-

Pl. IX POT-POURRI POMPADOUR (d'une paire). S.d. (vers 1756). H. 43. Marque peinte n° 1 avec des points. MNCS (inv. 24576).

L'entrée de ces vases, de couleur exceptionnelle, au Musée de Sèvres, a permis de confirmer le nom de la forme par rapprochement avec une mention de vente «Du 2 octobre 1756. A M. Douet fils 2 pots poury Pompadour violet et or 1ere gr 216/ 432 l.»[a]. Le profil, la ligne du couvercle et les reliefs correspondent à un dessin, conservé dans les archives de la Manufacture de Sèvres, probablement de Duplessis. Quelques essais de fonds violets, tentés en 1753, furent jugés mauvais et délaissés. C'est d'ailleurs la seule couleur de Vincennes non transparente. Outre ces deux vases, quatre autres pièces de cette époque et de même couleur sont connues: deux vases, reproduits dans le catalogue de l'exposition «Porcelaines de Vincennes»[b] et deux seaux à verre conservés à Oxford, Ashmolean Museum[c]. Remarquables par la taille et la couleur, ces pots-pourris le sont aussi par la qualité et la variété de brillance des ors, ainsi que par la prise du couvercle composée de fleurs en ronde bosse peintes au naturel.

Pl. IX

facture rendait nécessaires, bien que la détermination royale l'eût sauvée. Ce document porte l'indication des «appointements actuels, de l'augmentation à faire pour les uns et de la réduction à faire pour les autres». La mention notée en marge mériterait d'être transcrite en entier. Résumée brièvement, elle indique la décision de M. de Courteille «ayant ... parlé même aux ouvriers pour diminuer leurs apointemens du moins jusqu'à ce que les tems deviennent plus heureux, les ventes plus abondantes, on estime que cette diminution peut être de 10% ...» Cherchant à pratiquer cette douloureuse opération avec le maximum d'humanité, M. de Courteille proposa de ne pas diminuer les salaires les plus bas, ni ceux des ouvriers qui méritaient une augmentation «pour leur en tenir lieu». Parmi les autres, un certain nombre ne supportèrent pas la restriction et quittèrent l'établissement. A partir de 1762, les augmentations justifiées par la qualité et la rapidité du travail reprirent doucement un cours normal.

Le personnel était rétribué au mois. Indépendamment, ouvriers et artistes pouvaient travailler «en extraordinaire». L'expression est définie ainsi: «Le travail extraordinaire a 3 objets differens, 1° les veillées depuis six heures et demie, que le reste de la Manufacture quitte l'ouvrage, jusqu'à neuf heures, 2° le travail des fêtes, 3° le travail de differens morceaux pressés et interressans que quelques peintres ont terminés chez eux hors des heures de travail de la Manufacture.»[26]

Les états spéciaux concernant les «travaux extraordinaires» annuels n'ont malheureusement pas toujours été conservés. Ceux qui subsistent depuis 1761 renseignent sur les prix payés pour des travaux parfois indiqués avec une relative précision. Dans l'état de 1769[27], particulièrement détaillé, on peut reconnaître plusieurs vases décorés par Jean-Baptiste-Etienne Genest, chef des peintres. A partir de 1780, les «travaux extraordinaires» figurent à la fin de chacun des états de paiements mensuels.

En 1776, divers artistes estimèrent leur traitement fixe insuffisant par rapport au travail qu'ils pouvaient accomplir pendant le temps normal passé à l'atelier. Durant une courte période, le système du travail rétribué aux pièces fut adopté pour la fraction du personnel le désirant. Mais, dès 1780, on était revenu aux anciennes habitudes: un traitement mensuel fixe et d'éventuels travaux supplémentaires «en extraordinaire».

Sans parler des artistes créateurs de formes (cités dans le chapitre concernant celles-ci), tels Jean-Claude Duplessis et son fils Thomas, Etienne-Maurice Falconet, Louis-Simon Boizot, Josse-François-Joseph Leriche et leurs confrères, il est indispensable de rappeler de quelle manière la Manufacture de Vincennes parvint à constituer le personnel de ses ateliers. On ne s'improvise pas tourneur, mouleur, décorateur; tous les métiers spéciaux qui interviennent pour façonner et achever une pièce de porcelaine réclament un apprentissage. Il fallait donc faire appel à des sujets initiés sinon entraînés.

L'entreprise fit comme les autres, elle sollicita le concours d'ouvriers et d'artistes venant des fabriques de Saint-Cloud, de Chantilly, de Mennecy, du Faubourg Saint-Honoré et de plus loin encore.

Deux registres-matricules, ouverts à Vincennes, tenus pendant une très courte période, approximativement de 1755 à 1757, donnent quelques détails antérieurs sur l'origine des personnes et surtout les évoquent par des descriptions pittoresques parfois impitoyables. Ces signes particuliers fort détaillés devaient remplacer nos actuelles photographies d'identité. Il fallait pouvoir donner un signalement aussi exact que possible pour rattraper les éventuels fugitifs. L'un de ces registres concerne le personnel de la fabrication, l'autre celui de la décoration[28].

Il est intéressant de savoir d'où venaient les membres d'une communauté qui se développa très vite. Parmi ceux qui façonnaient, seuls quelques-uns étaient déjà aptes à exercer leur métier. Ce petit noyau forma rapidement les nouveaux venus. La mention «élève de la Manufacture» revient à propos de garçons qui auparavant avaient exercé des fonctions bien différentes telles que laboureur, cordonnier, domestique, limonadier, brodeur, potier d'étain; plusieurs doreurs sur bois se mirent au reparage. A chaque article individuel, on trouve des remarques sur le travail, les aptitudes, les progrès à espérer, la conduite.

Pl. X SAUCIÈRE DUPLESSIS. 1756. H. 12, long. 26, larg. 21. Marque peinte n° 1 (D). Paris, Louvre (inv. O.A. 10202), don du comte A.J. de Noailles. Tout à fait comparable à la pièce photographiée sous un autre angle (voir fig. 76), cette «saucière Duplessis» est la réalisation fidèle du modèle original en terre cuite conservé à la Manufacture de Sèvres. Son profil montre un parfait équilibre joint à une fantaisie débordante. Elle constitue par tous ses détails — feuilles irréelles tourmentées comme la crête des vagues, reliefs puissants et sobres, éléments rapportés empruntés à la nature — une définition parfaite et caractéristique du style rocaille. C'est d'ailleurs sous le nom de «saucière rocaille» que le XIXe s. l'a désignée. Les peignés bleus qui soulignent les contours mouvementés contribuent à mieux les préciser. Les couleurs au naturel de la branche de corail rouge, des rameaux bruns chargés de feuilles vertes et les graines dorées parachèvent l'aspect extérieur. De petites branches peintes en brun et vert décorent l'intérieur.

Pl. X

Le registre concernant le personnel de la décoration suit les mêmes principes. On y apprend que des peintres, doreurs, brunisseurs et sculpteurs, vinrent des fabriques déjà citées, principalement de celle de Chantilly, sans doute attirés par François Gravant, mais aussi de Lunéville, de Strasbourg et de Tournai. La grande majorité des peintres étaient d'anciens éventaillistes; l'âpre concurrence qui sévissait au sein de ce métier les encouragea à passer au décor de la porcelaine. Ils y réussirent fort bien. D'autres artistes, avant d'entrer à Vincennes, avaient pratiqué le vernis dans le goût chinois, peint le tableau ou la miniature, voire l'émail à Limoges ou encore les boîtes en carton. Plusieurs de leurs camarades étaient précédemment coutelier, garçon perruquier, fabricant de fleurs artificielles, marchand miroitier. Un simple commis, Denis Levé, apprit le dessin pour entrer à la Manufacture. Il ne faut pas omettre les anciens soldats et officiers tels Etienne-Henry Le Guay père, estropié de la main gauche depuis une blessure reçue à la bataille de Fontenoy, ni les jeunes gens qui se préparaient à faire une carrière militaire comme Charles-Nicolas Dodin qui apprenait le génie.

Au-dessus de ce monde disparate en apparence, mais animé par un goût certain du beau travail, régnait Jean-Jacques Bachelier. Cet homme doué, peintre de talent, comprit le décor sur porcelaine. Hendrick van Hulst, qui ne lui demandait que des «éternuements de son génie», appréciait ses petits cartels qualifiés «sans génie» par Hellot qui au contraire le jugeait avec une grande sévérité. Il eut sur la Manufacture Royale une influence considérable qui se fit sentir un peu sur les formes et beaucoup sur les décors, sans négliger les jeunes élèves qu'il forma dans sa propre école de dessin.

Bachelier, directeur de la décoration de 1751 à 1793 et, par surcroît, de la sculpture entre 1766 et 1773, fut secondé dans son enseignement par des artistes de la Manufacture. D'après un état général du personnel de 1781[29], où figurent quelques remarques, on sait que «M. Genest ... est chargé de l'école de dessin filles et garçons...»; il reçoit 600 l. par an pour remplir ces fonctions. Le décorateur Philippe Parpette, de son côté, obtient seulement «pour les élèves de son école pour l'année entière 200 l.», probablement vers 1776[30]. Former de bons exécutants était un objectif permanent; les apprentis dans toutes les disciplines étaient l'objet de soins vigilants. On est moins bien renseigné sur les origines du personnel, que l'on pourrait nommer «de la seconde génération», que pour les aînés. L'absence de registre-matricule, depuis 1757 jusqu'à la fin du siècle et au-delà, n'est pas compensée par les annotations plaisantes ou sarcastiques de l'état de 1781. Les dossiers individuels, constitués suivant une optique administrative, n'apportent que peu d'éléments pour la connaissance des personnes. Quelques photographies pâlies[31] gardent l'ultime et pittoresque souvenir d'un carnet à demi brûlé réunissant des portraits esquissés exécutés vers l'époque révolutionnaire par un dessinateur anonyme. On y fait connaissance avec quelques jeunes recrues, mais on y trouve surtout les visages burinés, souvent édentés, correspondant à des noms familiers depuis l'époque enthousiaste de la croissance de la Manufacture. Cette impression morose ne doit pas faire oublier que ces ouvriers et artistes étaient parvenus à une virtuosité prodigieuse.

Les modèles empruntés par les peintres provenaient directement de dessins fournis par François Boucher, Bachelier, Genest et tant d'autres au cours du siècle, en attendant l'arrivée de Jean-Jacques Lagrenée en 1785 et celle de Corneille van Spaendonck en 1795. Les gravures d'après tableaux et dessins de toutes sortes constituaient une source inépuisable qui devint lassante; les décorateurs ne peignaient plus que «d'après l'estampe»[32]. Des efforts sporadiques de renouveau avaient cependant parfois été tentés, notamment en 1766, le jour où François Aloncle et Antoine Chappuis allèrent «copier [100] oiseaux différens d'après des tableaux pour servir de modèle à la Manufacture»[33]. Les sources étaient devenues insuffisantes, malgré les nouvelles publications concernant les «fleurs botaniques» et les «oiseaux de M. de Buffon». Comme il fut fait pour les formes, afin de renouveler l'inspiration, de fournir des modèles de qualité, le comte d'Angiviller fit déposer à Sèvres en 1785 la collection de peintures, études et dessins, provenant de l'achat par le roi de l'atelier de François Desportes[34].

Stimulés par des hommes et des modèles nouveaux, les ouvriers et artistes continuèrent l'œuvre traditionnelle, commencée vers 1745, toujours en quête de l'inaccessible perfection, dont les témoins répandus à travers le monde assurent, depuis le XVIIIe siècle, le prestige de la porcelaine de Vincennes et de Sèvres.

Réflexions sur les formes de Vincennes et de Sèvres au XVIIIe siècle

La Manufacture de Sèvres a le privilège de conserver en grande partie les modèles concernant les pièces décoratives et d'usage qui ont été créées dans ses ateliers depuis les origines. Le XVIIIe siècle revit donc à travers ces témoins. Ce sont presque toujours des plâtres, qui ont plus ou moins bien résisté à l'épreuve du temps et de déplacements multiples. Certaines formes ont été à nouveau tirées dans les moules originaux, notamment au XIXe siècle à l'époque où, prenant conscience de la qualité des inventions du siècle précédent, le goût s'est tourné vers le passé. La sculpture en a largement bénéficié à cause de la réédition des biscuits, mais les pièces de service et surtout les vases décoratifs n'ont pas été oubliés. Les modèles de ceux-ci constituent un ensemble d'autant plus précieux que leur réalisation a, dans la plupart des cas, acquis un caractère de pièce, sinon unique, du moins de grande rareté étant donné, sauf quelques exceptions, le petit nombre d'exemplaires répétant la même forme qui survivent après bientôt deux cents ans.

Dans la réserve des modèles, les pièces de service et d'usage ont été classées par type d'objets. Nombreux sont les gobelets ou tasses, assiettes, pots à sucre, etc. Il faut les étudier de près pour en sentir le charme et en constater l'infinie variété, tandis que la révélation des formes de vases est saisissante, moins par leurs dimensions importantes que par la fécondité d'invention qu'elles représentent. En moins de cinquante années, plus de deux cent cinquante vases d'ornement ont été imaginés, dessinés, établis dans leurs proportions et souvent en plusieurs grandeurs. Même si les créateurs se sont parfois étroitement inspirés d'exemples venus d'autres fabriques de porcelaine ou de dessins d'ornemanistes répandus par les gravures, leur apport a été considérable. Concevoir et mettre en œuvre une pièce savamment calculée pour supporter sans défaillance l'épreuve du feu suppose une somme de connaissances techniques qui, forcément, limitent l'élan de la vision artistique. Ce n'est sans doute pas par fantaisie ou simple souci esthétique que les modèles initiaux ont été maintes fois «rectifiés», mais pour éliminer des causes d'échecs. La hardiesse de certaines formes apparaît plus surprenante encore quand elles se montrent dépouillées de tout artifice de couleur et de décor.

Les modèles de vases sont, à l'instar des dessins préparatoires qui existent dans les archives de la Manufacture de Sèvres, rassemblés par groupes, présentant une analogie dans leurs profils, sans souci chronologique au-dedans de chacun d'eux. C'est suivant cette méthode, toute visuelle, que ces familles de vases vont être considérées, en y incorporant quelques pièces d'usage qui répondent à des caractères communs. En premier lieu viendront les «caisses et cuvettes à fleurs», apparues dès les origines comme les vases à fleurs à contours sinueux qui se transformeront rapidement en objets de pur ornement, souvent munis de couvercles excluant leur destination primitive: recevoir des fleurs naturelles ou de porcelaine.

Caisses à fleurs

On souhaiterait savoir suivant quelle gradation les «caisses», «caisses à fleurs», «cuvettes à fleurs» ont été créées. Les mentions trop imprécises ne le permettent pas.

Les procès verbaux de cuissons témoignent que plusieurs sortes d'entre elles ont été abondamment fabriquées à Vincennes. Leurs formes varient en plan et en élévation.

La plus simple en apparence, entièrement constituée par des lignes droites, est la «caisse carrée» (voir fig. 62), souvent désignée par le nom banal de «caisse» sans plus. Bâti sur plan carré, cet objet est toujours percé de cinq trous dans le fond, ce qui l'assimile à une «caisse à plante» et, de manière plus imagée, à une caisse à oranger. Les boutons ovoïdes dominant les contreforts carrés, qui renforcent l'intérieur des angles et constituent les pieds, sont la seule concession faite à la ligne courbe. De nombreux exemples de ces «caisses» subsistent, en trois grandeurs et en diverses couleurs de fonds, sans parler des décors variés.

Plus rares sont les «caisses carrées» à angles creusés d'un sillon partant du bord supérieur pour descendre jusqu'à la base du pied (voir fig. 48). Ce type a existé en deux grandeurs. Il n'est pas impossible que les «boîtes à thé», dont les angles obéissent au même principe (voir fig. 13), aient donné l'idée d'apporter cette modification à la forme initiale.

Une troisième formule de «caisse carrée», également peu répandue, simule l'apposition de quatre plaques sur quatre montants apparents de section ovale (voir fig. 161). L'impression donnée par les quatre coins offrant une surface courbe justifie la mention de «caisse à angles arrondis», relevée dans l'inventaire du 1er janvier 1756. Le parti décoratif indéniable de cette combinaison aurait dû lui assurer le succès, mais le petit nombre des exemplaires survivants connus incite à en douter.

Au moins deux autres modèles de «caisses» ou «pots à fleurs» sur plan carré ont existé au cours du XVIIIe siècle. L'un, qui présente des côtés évasés, est apparu, daté 1758, dans une vente faite à Londres en 1964[1]. L'autre, désigné «caisse à fleurs Bolvry», survit dans les archives de la Manufacture. De ligne très simple, cette seconde «caisse» est portée par quatre pieds en console; elle se présente aussi sur plan «carré long», pour reprendre l'expression ancienne.

Un type de «cuvette à fleurs» sur plan rectangulaire a donné lieu à deux interprétations désignées: «caisse à fleurs A» et «caisse à fleurs nº 2», composées d'un large panneau trapézoïdal cantonné par des montants arrondis unis ou à cannelures. L'une et l'autre «caisses» sont terminées au sommet par des moulures en accolades et de sobres coquilles renversées; elles reposent sur quatre pieds en saillie et la base de chacune de leurs faces est ornée d'un motif rocaille en relief. La formule à montants unis, dite «A» (voir fig. 134), est la plus courante. Le nombre assez grand d'exemples connus atteste l'exécution en deux grandeurs, alors que les mentions d'archives en laissent supposer trois. Parmi les collections publiques françaises, un très bel exemplaire en fond rose, daté 1760, est visible à Paris au Musée du Petit Palais[2]. A Londres, en plus d'un grand spécimen en fond rose et vert, marqué 1757, la Wallace Collection possède une garniture de trois pièces en fond bleu céleste avec croisillons d'un dessin très particulier, où deux petites «caisses à fleurs A» en entourent une plus grande assortie. La collection royale britannique en conserve plusieurs, notamment en fond vert. Les Etats-Unis ne sont pas en reste, que ce soit à la Huntington Library à San Marino, ou au Wadsworth Atheneum à Hartford. Cette énumération, déjà trop fastidieuse, reste très incomplète et les ventes publiques révèlent périodiquement de nouveaux exemples.

La «caisse à fleurs nº 2», où les montants cannelés apportent un attrait supplémentaire, se rencontre peu. Le Musée de Sèvres a le bonheur d'en posséder une en fond blanc richement peinte en camaïeu bleu et guirlandes d'or (voir pl. VII), qui porte la date 1754 et pourrait être la première réalisée. En admettant que d'autres tailles aient été exécutées, celle-ci correspondrait à la plus grande, équivalant à la «caisse» semblable que conserve la Wallace Collection, dont les cartels, ménagés dans le fond rose, sont encadrés de motifs dorés très compliqués.

Les «caisses à fleurs» construites sur plan ovale sont plus abondantes. Une des plus anciennes, où il convient

Pl. XI VASE GOBELET À DAUPHINS (d'une paire). 1756. H. totale 21,3; cornet seul: H. 19, larg. 15; base: H. 11,8, larg. 18,4. Marque peinte nº 1 (D); Ledoux. Londres, The Wallace Collection (inv. XXV. a. 10-11).

Le modèle, publié par Troude (pl. 107), subsiste en deux grandeurs dans les réserves de Sèvres et ne concerne que la partie inférieure de cet objet composé de deux morceaux: un récipient dans lequel s'emboîte un cornet. C'est le principe adopté pour le «vase hollandais» pl. XVIII. P. Verlet[a] a rapproché ce vase et son pendant d'une livraison faite à Lazare Duvaux au cours du premier semestre 1757 «2 vazes à dauphin b.c. oiseaux 600/1200 l.»[b]. Malgré des différences minimes, il est permis de les reconnaître dans une vente faite au roi en juin 1757 «... pour Copenhague, destiné à M. le comte de Moltk ... Deux vases à mettre des fleurs en terre dans un double vase à jour orné de têtes de dauphins à anneaux, les cartouches peints à oiseaux 1200 l. ...»[c]. Depuis, les dauphins, dont les têtes sont très grosses, ont perdu leurs anneaux. Un exemplaire de dimensions inférieures a fait partie de la collection de Harewood House[d]; un autre, sans dauphin, bleu foncé, daté 1763, décoré d'une chinoiserie par Dodin, se trouve dans la collection du vicomte Gage à Firle Place (Sussex)[e].

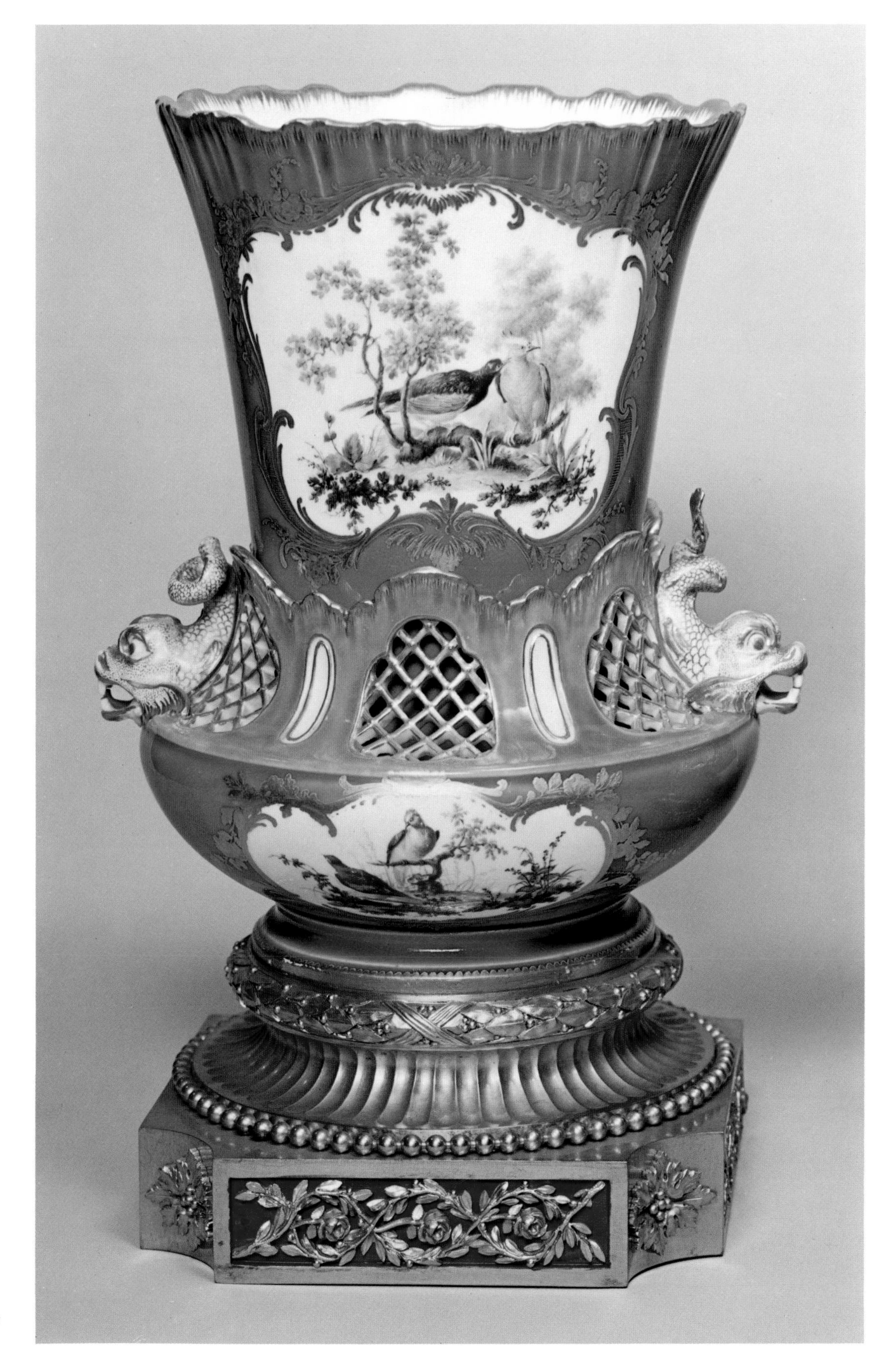

Pl. XI

peut-être de reconnaître la «caisse à fleurs unÿe», révèle le «goust de M[os] Huls» (voir fig. 64). D'une très grande simplicité, à bord uni, elle s'élève suivant un profil légèrement cintré puis bombé, au-dessus d'un piédouche bas un peu évasé. Le motif rocaille de type courant formant les anses se répète à peu près semblable sur la «cuvette Courteille» (voir fig. 111) et même sur les «seaux crénelés» (voir fig. 279) qui ont accompagné la plupart des services de table importants pendant le XVIIIe siècle. Cette «caisse à fleurs unÿe», contrairement aux précédentes, a la particularité de montrer une face bombée et un revers aplati, ce qui l'assimile aux «caisses de cheminée», prévues pour n'être vues que d'un seul côté. Une «caisse» de même forme a figuré dans une vente faite à Paris en 1976[3].

La «caisse unÿe» a pu être confondue avec la «cuvette à fleurs Verdun» à cause d'une équivoque provoquée par l'inscription accompagnant un dessin de la forme suivante bien connue. Par souci de clarté, sans prendre un parti définitif, le nom de «cuvette Verdun» lui sera réservé (voir fig. 102).

Comparées, ces deux formes offrent un profil voisin, un bord uni et des anses de même inspiration. La «cuvette Verdun», d'une très grande simplicité, s'élève suivant un profil légèrement sinueux: cintré puis bombé, au-dessus d'un piédouche bas un peu évasé. Deux nervures verticales, intéressant toute la hauteur, divisent la façade, en laissant au milieu un espace idéal pour recevoir un décor peint dans un cartel. Cette disposition attrayante a, selon toute vraisemblance, été cause des multiples répétitions de cette forme, réalisée en trois grandeurs. Des garnitures de trois pièces, associant deux tailles, existent encore notamment à la Wallace Collection. On remarque à Paris, aux Musées du Louvre et des Arts Décoratifs, des exemplaires en fond blanc ornés de croisillons de fleurs. A New York, la Frick Collection, outre une «cuvette Verdun» en fond bleu céleste, possède un tableau peint par J.-D. Ingres représentant la comtesse d'Haussonville appuyée sur une console qui supporte une jardinière, laquelle n'est autre qu'une «cuvette Verdun» mais en fond bleu foncé[4].

La «caisse à compartiments», malgré un plan et un profil semblables (voir pl. XVI), diffère par une plus grande hauteur du revers, également aplati, et par le dessin des anses. Celles-ci empruntent encore des éléments rocaille qui, au lieu de répondre à un mouvement ordonné de bas en haut, paraissent attachées aux extrémités supérieures et retomber en petites palmes sur les côtés. La cloison longitudinale, qui provoque la dénomination de l'objet, divise l'intérieur en deux compartiments allongés. Sans être aussi répandue que la précédente forme, la «caisse à compartiments», qui s'est faite en deux grandeurs, existe en divers exemplaires datés entre 1755 et 1774. A Londres, le Victoria and Albert Museum[5] en conserve une paire de petite taille, et à la Wallace Collection une autre paire plus grande encadre une «cuvette Verdun» pour former une garniture harmonisée par le décor. Avec ces derniers exemples, le qualificatif «à compartiments» devient abusif, la cloison étant éliminée. La même particularité caractérise la belle cuvette de pareil modèle, en fond rose marbré, visible à Paris au Petit Palais (voir fig. 106).

Les «caisses à fleurs» considérées jusqu'ici reposent sur une base sans pied. La forme qu'il est convenu d'appeler «pot à fleurs» (voir fig. 27), portée par un mince et large piédouche, se rattache aux précédentes par d'autres caractères, notamment la dissemblance entre la face bombée et le revers aplati plus élevé. Le modèle a été conçu en deux longueurs par souci de composer une garniture homogène. Le «pot à fleurs» du milieu, plus allongé, comporte un renflement central[6]. Les deux, plus étroits, destinés à l'encadrer, sont divisés en deux parties lobées séparées par un motif rocaille.

Sans s'éloigner de la construction sur plan ovale, la forme de la « cuvette Courteille» se distingue de celles qui précèdent. A part le bord supérieur souligné par une moulure droite, toutes les lignes sont pratiquement courbes sur la face et sur le revers, qui cependant diffèrent (voir fig. 111 et 111bis). Les bandes, qui s'élèvent au-dessus des pieds conçus comme des coquillages ronds, n'existent pas du côté opposé où les supports constitués par des rocailles

Pl. XII POT-POURRI GONDOLE. 1757. H. 37,5 (plus socle H. 6,7), long. 36,2, larg. 19. Marque peinte n⁰ 1 (E). Londres, The Wallace Collection (inv. IV b 162).

Une photographie ancienne[a] conserve le souvenir du modèle disparu de cette forme enregistrée au XIXe s. sous le nom de «vase oignonnière». D'autre part, les moules et le modèle d'un «pot-pourri gondole» sont inscrits dans l'inventaire du 1.1.1757. Le socle est pareil à celui de la «cuvette à masques» (voir fig. 87). Le récipient suit les mêmes profil et contours que ceux de la terrine du service de l'impératrice Marie-Thérèse (voir fig. 90) avec une coquille médiane supplémentaire. Le couvercle, fait de deux parties superposées, perforé suivant un dessin d'une extrême complexité, comporte quatre alvéoles destinés à recevoir des oignons de plantes; sa partie supérieure en forme de cloche et la prise réunissent, en un bouquet idéal, des fleurs variées peintes au naturel. Cette pièce et son pendant conservé au Philadelphia Museum of Art ont été livrés à Lazare Duvaux en 1757: «2 pots-pourris gondoles verd enfans colorés 1200/2400 l.»[b].

Pl. XII

rassemblées s'assortissent aux anses. Le succès de la «cuvette Courteille» est confirmé par une grande quantité de mentions de livraisons, en trois grandeurs, entre 1753 et 1775. Une des plus coûteuses, décrite en fond «bleu céleste enfans colorés 720 l.»[7], fut effectivement inscrite en 1756 au compte de M. de Courteille, Intendant des Finances, qui avait la haute main sur la Manufacture Royale. M. de Machault, Contrôleur des Finances, déjà acquéreur d'une pièce de cette forme en 1759, reçut en présent en 1760: «1 cuvette Courteille 3e verd Tesnière 240 l.»[8]. Les exemples connus de par le monde offrent un large éventail de couleurs de fonds et de décors. Le Victoria and Albert Museum[9] a le privilège de posséder une paire de troisième grandeur en fond jaune et peintures en camaïeu bleu, datée 1763, et la Wallace Collection une autre paire de même taille, datée 1767/1768, en fond bleu mauve et décor de fleurs incrustées selon le principe signalé à propos du «vase à console» de Waddesdon Manor (voir pl. XLII).

Conservé à l'état de biscuit à la Manufacture de Sèvres, le modèle dit «caisse B» adopte le même profil mais il est à double face (voir fig. 112). C'est une variante où les pieds combinent les versions de la face et du revers observées sur la «cuvette Courteille». La moulure supérieure subsiste uniquement sur les côtés de la «caisse B», laissant place, sur la longueur de la partie haute des panneaux principaux, à de courts godrons soulignant le bord dentelé.

Le modèle de la «caisse à la Mahon» (voir pl. XV) pourrait servir d'archétype à une définition du style rocaille symétrique; toutes ses lignes dansantes parviennent à un miracle d'équilibre. La forme a été créée en 1757 et, à propos de son nom, Eriksen[10] a rappelé un passage des mémoires du duc de Luynes se souvenant que, lors d'une fête à Compiègne peu après la prise de Mahon par le duc de Richelieu en 1756, Mme de Pompadour, au nombre des petits cadeaux offerts aux invités, distribuait aux dames rubans et bonnets et aux hommes des nœuds d'épée à la Mahon. La corrélation n'est pas à réfuter à priori; d'autres événements historiques ont, à toutes les époques, occasionné des modes éphémères. Les collections publiques françaises, à la différence de celles des pays anglo-saxons, ne sont pas dotées de «caisses à la Mahon». Parmi les exemplaires connus, le British Museum en possède une remarquable paire qui, par ses couleurs et son décor, s'apparente à la «caisse Courteille» du Metropolitan Museum of Art (voir fig. 111) et au «vaisseau à mât» parisien (voir pl. XXIII).

Une conception différente et bien particulière de «caisse à fleurs» présente deux fractions: l'une, évasée en éventail, prolongée par une partie perforée qui s'emboîte dans l'autre, basse et large formant réservoir; disposition propice à mettre en pratique le principe d'humidification par capillarité. Le «vase hollandais» et son homologue puîné, le «vase hollandais nouveau», en sont les types les plus répandus.

Le «vase hollandais» (voir pl. XVIII et fig. 63) fait partie des créations de Vincennes qui ont eu le plus de succès. Les livraisons s'échelonnent de 1754 à 1789, comprenant plus de deux cent vingt spécimens, en trois tailles, sans préjudice de ceux qui ont pu être répartis sans désignation spéciale. La dernière mention concerne une fourniture au roi «du 5 Aout 1789 1 vase hollandais 384 l.»[11]. Les collections, grandes et petites, qui possèdent des «vases hollandais» sont multiples en France et dans le monde entier. Entre autres, le Musée de Sèvres conserve un exemplaire en fond vert daté 1760. Des garnitures de trois existent, notamment au Museum of Fine Arts à Boston[12].

Le «vase hollandais nouveau» (voir pl. XXV et fig. 86), basé sur le même système de cornet en éventail plongeant dans une cuve, a vu le jour peu après le précédent. Construit sur plan arrondi et non plus ovale, il diffère aussi par les proportions relatives du vase proprement dit et de la partie inférieure. Celle-ci, plus haute, surélevée par quatre petits pieds, concourt à lui donner une silhouette plus élancée. Ce modèle, réalisé en cinq grandeurs, est largement représenté dans les collections mondiales. Une paire, de petite taille, datée 1757 et probablement la plus ancienne, se trouve au Philadelphia Museum of Art[13]. Elle est en fond rose comme beaucoup de «vases hollandais

Pl. XIII VASE URNE ANTIQUE À OREILLES (d'une paire). S.d. (vers 1755-1760). H. 30. Marque peinte n° 1; en creux, n° 4 et 75. New York, Met. Museum, Kress Collection (inv. 58.75.112a,b).
Dans son ouvrage relatif aux modèles de la Manufacture de Sèvres, Troude a publié deux formes présentant un profil semblable, sauf de menues différences: l'une, celle-ci (pl. 101), et l'autre, dite «vase urne antique à ornements» (pl. 109), agrémentée de feuillage en léger relief. Toutes deux s'apparentent au «vase Duplessis à têtes d'éléphants» (voir pl. XIV) dont le col est plus élevé et qui est probablement postérieur. Ici, on se trouve en présence d'un spécimen dont les anses, en forme d'oreilles peu saillantes, se rattachent, par une série de festons ajourés, à la ligne de profil du corps sans en altérer la pureté. Le petit couvercle, ciselé de quatre nervures, s'accorde avec le mouvement du bord et complète harmonieusement l'ensemble. Le fond bleu céleste particulièrement bien réussi, la richesse de l'encadrement des cartels et le décor d'amours polychromes portés par des nuages, permettent de dater ces vases de l'époque tardive de Vincennes ou peu après.

Pl. XIII

nouveaux». Sans vouloir multiplier les exemples, on citera la paire, formant garniture autour d'un «vase Boileau» (voir pl. XX), conservée au Metropolitan Museum of Art de New York[14].

Imaginé suivant le même principe, le «gobelet à dauphins» (voir pl. XI) peut s'apparenter aux «vases hollandais». Le gobelet circulaire, légèrement évasé et godronné, s'encastre dans une base ronde dont le profil décrit une courbe et une contre-courbe qui aboutissent à un rétrécissement supérieur terminé par une série de festons inégaux. Ces dentelures déterminent le dessin de cartels ajourés, situés dans la partie concave sur laquelle s'appuient les dauphins; certains exemplaires étant privés de ces éléments en ronde bosse, le cornet prend alors une dimension excessive[15]. Ce genre d'objet est peu répandu. A Paris, le Musée des Arts Décoratifs possède un exemple de la base seule, en fond bleu céleste pareil à celui de la Wallace Collection, mais à décor de fleurs.

La conception de la «fontaine à dauphins» ou «fontaine à oignons» est à rapprocher des modèles précédents. L'ensemble comporte deux éléments. La partie supérieure, élevée et perforée en manière de pot-pourri à couvercle, vient s'emboîter dans une base où alternent des ouvertures en losange et rondes; celles-ci, plus larges, peuvent recueillir des oignons de plantes. Deux versions, justifiant les deux dénominations, ont été réalisées. La paire, en trois couleurs: rose, vert et bleu lapis, ornée de chinoiseries (voir pl. XXII), ne comporte aucun dauphin. Par ailleurs, la collection royale britannique conserve un exemplaire, en fond vert, où paraît un dauphin en relief placé au-dessus d'une des ouvertures en losange. De plus, la pièce a été équipée d'une monture en bronze tardive comportant six dauphins. La même monture a été répétée pour un autre exemplaire de «fontaine à dauphins» en trois couleurs, se trouvant dans une collection particulière de Grande-Bretagne.

Pour en terminer avec les pièces diverses destinées à cultiver les plantes en appartement, il convient de rappeler que des «piédestaux à oignons» ont engendré au moins deux formes sur plan carré. L'une évoque une pyramide tronquée renversée (voir fig. 108), l'autre présente un renflement vers la base (voir fig. 93).

Ce dernier profil ondulant sera toujours la caractéristique dominante des membres d'un groupe de formes «à contours sinueux». Les témoins en sont abondants et variés; bien des pièces d'usage méritent de se rattacher aux vases qui serviront de cadre à leur présentation.

Profils sinueux

On distinguera les vases dont le volume s'amenuise vers le bas, sans rupture de la ligne continue pour constituer le support naturel, de ceux auxquels s'attache soit un piédouche bas, soit un pied rapporté. D'une manière générale, les premiers présentent, entre deux étranglements, une partie renflée située à des niveaux variables.

Le «vase Duplessis» (voir fig. 15 et 69) en est le modèle idéal. Il semble avoir porté le nom de son inventeur depuis sa création. Ce n'est pas toujours le cas; au XIXe siècle, on a eu tendance à baptiser «Duplessis» des objets ayant un caractère rocaille plus ou moins accentué et dont le nom n'était pas défini. Cet abus ne retranche rien à l'influence considérable exercée par J.-Cl. Duplessis sur les créations de Vincennes puis de Sèvres. En dehors de paiements précis, les textes allusifs abondent. Cet éminent créateur de formes — sans parler de dessins d'encadrements de cartels — a parfois été freiné dans ses inspirations nouvelles par l'obligation de modifier des modèles existants. L'année 1753 fut particulièrement marquée par ce genre d'activité. L'inscription: «rectifie suivan l'ordre de la comande du 19 fevrÿe 1753», qui revient sans cesse sur un grand nombre de dessins d'atelier intéressant de nombreuses pièces d'usage, l'atteste. Il s'agit particulièrement de «boîte à thé» (voir fig. 13), «saucière» (voir fig. 28), «théière» (voir fig. 47), «tasse» (voir fig. 49), «beurrier» (voir fig. 72), etc. Une remarque notée dans l'inventaire du 1er janvier 1754 et répétée l'année suivante y fait clairement référence: «M. Duplessis n'a rien fait de nouveau en modèles ni en dessins depuis le rendu de Charles Adam ayant été occupé à rectifier suivant les ordres de la Compagnie les anciennes formes et

Pl. XIV VASE DUPLESSIS À TÊTES D'ÉLÉPHANTS. S.d. H. 38,3. Sans marque. Waddesdon Manor, coll. Rothschild (cat. nº 21).
Un dessin esquissant ce candélabre est légendé: «vaze bouteille» et «vaze a Elefant réduit pour madame la marquize de pompadour en 1758». Les inventaires précisent l'existence de moules et modèles du vase et de son pied dès 1756. Deux modèles en plâtre survivent, l'un avec socle, l'autre sans; Troude a publié celui-là (pl. 87) sous le nom de «vase torchère à têtes d'éléphants». Les exemplaires enregistrés au magasin de blanc en 1758 spécifient trois grandeurs. La première mention de livraison, à Lazare Duvaux au cours du second semestre 1757: «2 vazes éléphants rubans verds enfans 960/1920 l.» peut concerner la paire, datée 1756, conservée à la Wallace Collection[a]. Cet exemplaire-ci, qui s'apparie très exactement avec un autre faisant partie de la Wrightsman Collection à New York[b], est plus malaisé à localiser, faute de date. Si l'on admettait que le fond vert stipulé ait été partiel, on pourrait rapprocher cette paire, désormais séparée, d'une vente: «du 7 7bre 1762 comptant ... 2 id. [vazes] éléphans id. [fond verd] 528/1056 l.»[c].

Pl. XIV

n'ayant fait pour les nouvelles que de simples traits dont la désignation est relative aux moules en plâtre nouveaux.»[16] Par ailleurs, les nombreux et très beaux dessins de Duplessis, conservés dans les archives de la Manufacture, témoignent avec éloquence de son génie inventif. Si aucun ne concerne directement le «vase Duplessis» précité, plusieurs modèles de «vases Duplessis à fleurs» montrent des variations composées à partir du type initial en gonflant et déplaçant la partie renflée et en évasant le col. Si la surface reste lisse, c'est le «vase Duplessis à fleurs uni». De beaux exemples, garnis d'anses différentes, sont visibles à Hartford au Wadsworth Atheneum[17] et à Paris au Musée du Petit Palais[18]. Le bord peut rester sans feston ou être dentelé comme sur un exemplaire du Musée des Arts Décoratifs (voir fig. 32). D'autres interprétations comportent des reliefs verticaux se perdant dans le bord ou recourbés pour suivre l'un des festons supérieurs. Le modèle le plus élaboré, le «vase Duplessis à enfants» (voir pl. V), est issu de cette dernière formule. Les lignes montantes, toutes chargées de reliefs végétaux, encadrent des niches dans lesquelles, sur la face et le revers, s'abritent deux enfants en haut relief symbolisant les quatre saisons; ils semblent supportés par le renflement de la forme.

Tous ces vases sont pourvus d'une grande variété d'anses, souvent agrémentées de minuscules fleurs en ronde bosse. Leurs bases très étroites ont rendu nécessaire l'addition d'un socle qui ne fait pas réellement partie intégrante de la forme mais s'y ajoute, soit par une évocation de rocher moussu (voir fig. 15), soit par une couronne de coquilles (voir fig. 107). Faute de socle, l'exemplaire du Musée des Arts Décoratifs (voir fig. 32) a été enserré par des éléments métalliques qui assurent sa stabilité.

Au nombre des vases à fleurs à profil continu vient s'ajouter le modèle «demande par Mons Marmé 1757» (voir fig. 82). Ses proportions lui donnent un aspect un peu massif, ses anses sont aussi plus lourdes. Mais les exemplaires que possède le Musée des Arts Décoratifs montrent, par leur décor très raffiné, avec quelle élégance les peintres de Sèvres ont su les habiller.

Parmi les vases décoratifs qui, à la manière des «vases Duplessis à fleurs», se rétrécissent à la base, on remarque le vase à six pans «pour le Turc» (voir fig. 56); après un étranglement, il reprend de l'ampleur par un mouvement dirigé vers l'extérieur. On peut à peine en dire autant de ceux qui se terminent par un effet comparable à une étoffe gaufrée ou plissée. Deux exemples types sont fournis par le «vase à cornet» (voir fig. 132) et le vase dit «à l'amour Falconet» (voir fig. 235), bien différents par leurs superstructures. L'un s'élance en hauteur et se suffit à lui-même, l'autre, trapu, surchargé d'accessoires disparates, paraît réclamer, à défaut du sujet cause de sa dénomination (voir fig. 313), une sculpture apte à le compléter.

Un autre simulacre d'étoffe froncée s'observe sur une série d'objets reposant sur une base plus confortable et généralement ovale. L'incidence sur l'aspect d'ensemble a-t-elle donné à leurs créateurs une sensation d'inachevé? Dès l'origine, ils ont jugé nécessaire d'inventer un socle en porcelaine à quatre pieds dont les extrémités bouclées font office de consoles. Construit sur plan rectangulaire pour recevoir les pièces ovales, ce support a été réalisé sur plan carré pour certains vases à base ronde (voir pl. XIV). Parmi les formes qui répondent à ces caractères, le premier en date ayant bénéficié de ce modèle de socle semble être la «cuvette à masques» (voir fig. 87). Les exemplaires connus en sont peu nombreux. Indépendamment du plus

Pl. XV CAISSE À LA MAHON. S.d. (vers 1757-1760). H. 20,5, long. 29,5. Marque peinte nº 1, en or. Waddesdon Manor, coll. Rothschild (cat. nº 30).

Parfaite illustration du style rocaille symétrique, cette caisse à fleurs est nommée sur le dessin qui en suggère les profils en plusieurs tailles «Caise a La Mhon segonde et 3e grandeur fait au Mois d'Aoust 1759». Des moules et modèles en plâtre figurent dans l'inventaire du 1.1.1757. Le matériel en 2e et 3e grandeurs est seulement inscrit à partir du 1.1.1761. La forme en plâtre survivante n'a pas été publiée par Troude. La première livraison à Lazare Duvaux, au cours du second semestre 1757, concernait une pièce défectueuse[a]. Celle qui est reproduite ici pourrait être assimilée à un achat du marchand Poirier pendant le premier trimestre 1760 «1 cuvette Mahon verd enfans 528 l.»[b]. Une autre, à rubans roses, datée 1757, provenant de la collection Fribourg, a été acquise par Mrs. Merriweather Post pour sa résidence de Hillwood à Washington, qu'elle désirait léguer à la Smithsonian Institution. Cette dernière caisse serait à rapprocher d'une livraison au duc d'Orléans à Versailles en 1758 «une cuvette Mahon roze 480 l.»[c].

Pl. XVI CUVETTE À COMPARTIMENTS. 1758. H. 16, long. 30,8, larg. 16,5. Marque peinte nº 1 (F); Morin. Waddesdon Manor, coll. Rothschild (cat. nº 33).

Aucun dessin ni modèle d'origine correspondant à cette cuvette à fleurs divisée par une cloison longitudinale n'a survécu. La forme a été identifiée par P. Verlet[d] grâce à un exemplaire de la Wallace Collection s'accordant par son décor avec un présent fait au Contrôleur général à la fin de l'année 1760 «1 vaze à compartimens roze et verd Tesnière 432 l.»[e]. L'inventaire du 1.1.1756 signale un moule établi en 1755. Ensuite, on trouve au magasin de blanc le 1.1.1761 un «vaze a compartimens ou Choisy 24 l.». Une livraison au roi à Versailles, à la fin de l'année 1761, confirme la double dénomination[f]. Cette cuvette est construite sur un plan qui l'apparente à la «caisse à fleurs unÿe ou Verdun» (voir fig. 102), mais les anses sont différentes. Une forme semblable a été réalisée sans cloison (voir fig. 106). Garnier a reproduit une cuvette à fleurs similaire, datée 1774, «à cloison mobile»[g].

Pl. XV

Pl. XVI

ancien, daté 1754, appartenant à une collection privée de Grande-Bretagne[19], celui que possède la Wallace Collection, daté 1757, est doublement remarquable par sa couleur rose et par le chiffre royal qui, dessiné à l'aide de palmes entrecroisées, fournit le principal élément du décor. L'idée d'une commande royale vient à l'esprit; aucune preuve jusqu'ici ne peut la soutenir[20].

Ce modèle, un peu modifié, a donné naissance à celui de la partie inférieure du «pot-pourri vaisseau» (voir pl. XXIII, XXIV et fig. 125). En analysant les détails concernant les dix exemples survivants[21], on s'aperçoit que seuls les plus grands ont une base gaufrée. Les plus petits, comme l'exemplaire rose à décor de Chinois et le spécimen bleu pâle, s'achèvent par une simple gorge moulurée. Le dernier est monté sur un socle très particulier réunissant des éléments néo-classiques, au lieu du socle rocaille, remarqué au sujet de la «cuvette à masques» et adopté pour tous les autres «vaisseaux à mât». Ce socle a même été fidèlement copié en bois doré pour présenter le grand exemplaire (voir fig. 125) qui en est dépourvu, mais possède une singularité notable: les perforations de son couvercle suivent un dessin unique en son genre.

Ces œuvres remarquables font partie des créations les plus spectaculaires de Sèvres à l'égal du «pot-pourri gondole» (voir pl. XII) qui s'y apparente. Bâti sur le même plan, dépourvu de masques, mâts, hublots, il est muni de deux couvercles superposés savamment perforés, garnis d'une multitude de fleurs en ronde bosse et creusés de cavités propres à recevoir des oignons de plantes. La mouluration rocaille, qui borde le récipient et les anses, diffère à peine de celle de la «terrine» du service offert par Louis XV à l'impératrice Marie-Thérèse en 1758 (voir fig. 90). La base, qui se présente normalement sans socle, démontre l'utilité de celui-ci pour les pièces décoratives. Le nombre des «pots-pourris gondole» connus est limité. Outre les deux pendants, datés 1757, que se partagent la Wallace Collection et le Philadelphia Museum of Art (voir pl. XII), la collection royale d'Angleterre possède un exemplaire en fond rose, le Metropolitan of Art un autre en fond bleu céleste et le Musée de l'Ermitage en conserve un en fond vert.

Par le profil de leurs contours et certains détails, deux sortes d'objets se rattachent à ceux qui précèdent. En premier vient le «sucrier navire» (voir fig. 88) dont la base n'offre plus l'effet froncé; il est surmonté d'un couvercle évoquant celui du «pot-pourri vaisseau» par ses lignes et la flamme en relief. L'effet de pales en faible creux des extrémités du récipient a été repris pour les «salières» (voir fig. 89) ou «baguiers», qui achèvent la gamme décroissante d'une série de modèles construits sur un plan ovale nettement défini.

Il est d'autres pièces, pleines de fantaisie, dont les contours tourmentés poursuivent leurs méandres pour

Pl. XVII VEILLEUSE. S.d. (vers 1758-1760). H. 22,6, larg. 10,8; godet: H. 3,5, ∅ 5,7, long. 9,5. Marque peinte n° 1 accompagnée extérieurement de la lettre F, qui peut être interprétée soit comme lettre-date, soit comme initiale d'un décorateur non identifié; en creux, un M. *Londres, The Wallace Collection (inv. IV B 165).*

Aucun matériel relatif à cette pièce ne subsiste. Des moules plus un modèle en plâtre estimé 9 l. et son écuelle 3 l. figurent dans l'inventaire du 1.10.1759[a] qui signale, au magasin de vente, des veilleuses terminées à 240 et 192 l. Or le prix de 192 l. correspond à celui d'une veilleuse à décor de fleurs vendue comptant en 1760[b]. Mme de Pompadour, le 25 juin 1762, achète «1 veilleuse assortie [?] 192 l.» que l'on peut supposer décorée de même. La richesse de celle reproduite ici, son beau fond vert, sa dorure soignée, ses réserves finement encadrées et peintes d'amours, trophées et attributs sembleraient justifier un prix supérieur; sans parler de la polychromie au naturel de la poule qui couve et de ses poussins placés sur le sommet. Cet objet a aussi le mérite actuel d'être complet, ayant conservé son godet à huile d'origine.

Pl. XVIII VASE HOLLANDAIS. 1758. H. 21,5, long. 29, larg. 17,3. Marque peinte n° 1 (F); Ledoux; en creux, n° 68. *Waddesdon Manor, coll. Rothschild (cat. n° 34).*

Depuis 1754, cette forme a porté le nom de «vaze à l'Hollandoise» ou «vaze hollandois», que l'inventaire des modèles établi au XIXe s. a ignoré. Le modèle en plâtre du corps supérieur, seul conservé, a reçu alors le nom de «vase à fleurs à cartels». Les «vases hollandais», réalisés en trois grandeurs, ont connu un succès immense. Entre la première livraison à Lazare Duvaux en décembre 1754 «1 vaze à l'hollandoise 1ere gr bleu céleste fleurs, 2 idem 2e 1200 l.»[c] et la dernière au roi le 5 août 1789 «1 vase hollandais 384 l.»[d], on compte quelque cent quatre-vingts mentions précises, concernant des unités ou des paires. Eriksen[e] a rapproché ce vase-ci de «1 vaze hollandois 1ere gr lapis oiseaux 384 l.», acheté par Duvaux au début de 1758 et qu'il revendit probablement le 3 mai «A M. le Cte d'Usson: un grand vase de porcelaine de France en gros bleu, peint à oiseaux, pour mettre des fleurs en terre»[f].

Pl. XIX VASE DUPLESSIS À CÔTES (d'une paire). S.d. (vers 1758-1762). H. 41. Marque peinte n° 1; en creux, n° 68 *et* 69. *Waddesdon Manor, coll. Rotschild (cat. n° 36).*

Le modèle survivant de cette forme, enregistré sous ce nom au XIXe s., a été publié par Troude (pl. 101). La mention «vase Duplessis à côtes» ne se rencontre pas dans les archives de Sèvres au XVIIIe s. et celles qui ne concernent pas des formes connues ne peuvent pas convenir à cette jolie pièce. Il est probable que l'aspect superficiel rappelant les côtes d'un melon, à défaut d'indication antérieure, a suggéré cette appellation au personnel chargé d'inventorier le contenu du magasin. En réalité, ce vase est un pot-pourri dont les perforations affectent une forme originale et terminent son col de manière inattendue mais bien calculée par rapport aux côtes. La collection de Waddesdon Manor conserve une autre paire de pots-pourris de ce type, en fond bleu, datée 1763[g]. Le fond rose à croisillons bleus était en vogue aux alentours de 1760 et les décors «en soldats» ont été pratiqués pendant une longue période.

Pl. XVII

Pl. XVIII

Pl. XIX

venir jouer le rôle de pieds ou de supports. La «saucière Duplessis» (voir pl. X et fig. 76), sur plan oblong, est une éblouissante démonstration de style rocaille asymétrique. Comme le «vase Duplessis à fleurs», elle porte depuis l'origine le nom de son inventeur qui l'a marquée de son sceau. Le modèle initial en terre cuite en témoigne mieux encore, s'il est possible, que la traduction en porcelaine agrémentée de touches de couleurs.

L'empreinte du même maître est évidente sur les «bras de cheminée» (voir fig. 117) dont on connaît divers exemplaires, sur la rare écritoire du Musée du Louvre (voir fig. 67) et, plus encore, sur celle, présumée, de Mme de Pompadour, conservée au Residenzmuseum à Munich (voir fig. 103). Le dessin de celle-ci, maintes fois reproduit[22], est un des joyaux conservés dans les archives de la Manufacture. De ce modèle, peu répété, la Wallace Collection possède un exemplaire ayant appartenu à Madame Adélaïde.

Comme les écritoires, le «pot-pourri à bobèches» (voir fig. 96) observe une parfaite symétrie dans ses contours chantournés. Ses palmes s'enflent et se retournent vers l'intérieur, afin de lui donner une assise suffisante. Le modèle a aussi été interprété en supprimant les bobèches[23].

Le «pot-pourri triangle» (voir pl. XXVI), débordant d'imagination, adopte le principe inverse pour reposer sur trois crosses recourbées vers l'extérieur, assurant un équilibre satisfaisant même quand la pièce n'est pas fixée sur un socle triangulaire. Une paire, dans la collection Anna Thompson Dodge à Detroit, n'en comporte pas[24].

Le «pot-pourri à jours» (voir fig. 46) s'appuie aussi sur quatre pieds en console issus des motifs en relief qui séparent et encadrent les surfaces bombées et lisses, appelant un décor, sous l'encolure et le couvercle totalement perforés. La «salière-baguier» (voir fig. 23), soutenue en ses extrémités par des dauphins rapportés, est, de même, équilibrée par la base de roseaux recourbés qui s'épanouissent en reliefs capricieux sur la coupe.

De style totalement différent, mais répondant à la même conception de pieds prolongeant la forme, est le «vase grec à festons» (voir fig. 131). Envahi par divers éléments caractéristiques de la grammaire ornementale antique, il annonce une époque où la rigidité supplantera la fantaisie, qui n'a pas été épuisée par les exemples considérés jusqu'ici et qui va se retrouver, notamment à propos de pièces reposant sur des socles très bas.

Proche parente d'un vase d'ornement, la «fontaine à roseaux» (voir fig. 68), afin de pouvoir être posée sur une surface plane, est surélevée par un court soubassement évasé. Elle a d'ailleurs été répétée au XXe siècle sous forme de vase[25].

Dans la série des vases à fleurs baptisés «indiens» et accompagnés d'une initiale distinctive, le modèle dit «indien E» (voir fig. 37 et 98) suit le même profil que la fontaine, mais sa partie supérieure, étranglée puis évasée, semble appeler un oignon de plante sans être muni d'un dispositif spécial comme le «vase à fleurs à oreilles» (voir fig. 31). Le cercle interne destiné à remplir ce but pratique n'est pas la moindre qualité de cette pièce d'apparence naïve, solidement assise sur une large base, mais élaborée avec une réflexion et un soin qui laissent pressentir des recherches d'anses promises à une grande faveur.

Avant de quitter les formes à profil sinueux où le pied compte à peine, il convient de revenir à deux modèles dont la pureté de ligne n'est pas altérée, en dépit de l'adjonction d'éléments rapportés.

Le profil du vase, nommé au XIXe siècle «urne antique à oreilles» (voir pl. XIII), est souligné par l'élégance des anses qui l'élargissent avec habileté sans l'alourdir. Il reprend le principe de la forme renflée entre deux étranglements des «vases Duplessis», et tout porte à penser qu'il émane du même inventeur. Une simple moulure souligne la base, à laquelle est ajouté un petit support, tandis qu'une calotte arrondie nervurée coiffe le sommet à titre de complément indispensable et discret. Plusieurs vases de ce type existent dans les collections européennes et américaines. Entre autres, le Musée Ile-de-France à Saint-Jean-Cap-Ferrat a le privilège d'en posséder une paire bleu céleste, décorée d'allégories se rapportant aux arts et aux

Pl. XX VASE BOILEAU. S.d. (vers 1760). H. 48, larg. 30, prof. 24. Sans marque. Porcelaine tendre. Paris, Louvre (inv. OA. 10274).
Désigné par le nom du directeur de la Manufacture Royale à l'époque de sa création, ce vase d'ornement se caractérise par sa noblesse d'allure qui est aussi sensible à la vue du modèle en plâtre publié par Troude (pl. 89) que devant la pièce décorée. Le «vase Boileau» apparaît pour la première fois au magasin de blanc dans l'inventaire du 1.10.1759[a]. On le retrouve ensuite dans un défournement de couverte postérieur au 1er mars 1760[b]. Le dessin, conservé dans les archives de Sèvres, atteste les hésitations et modifications de trait qui ont marqué son élaboration. De là naquit le «vase Boileau rectifié» dont les moules et le modèle étaient établis avant 1762. Ensuite, des exemplaires en biscuit prêts à être mis en couverte figurent dans les inventaires annuels jusqu'en 1770. Aucune des peu nombreuses mentions de livraisons en 1759, 1760 et 1763, ne peut concerner cette belle pièce qui est décorée d'un côté de trois amours portés par des nuages auxquels se rapportent les trophées peints sur le couvercle et, de l'autre côté, d'un groupement floral complété par des chutes de fleurs.

Pl. XX

sciences sous l'aspect d'amours portés par des nuages; leur décor doré est d'une beauté exceptionnelle.

La forme du «vase Duplessis à têtes d'éléphants» (voir pl. XIV) diffère peu de la précédente. Il est probable que l'une et l'autre sont apparues simultanément. Abstraction faite des têtes d'éléphants, le vase lui-même se distingue par un col plus allongé et achevé par une double bordure dentelée qui, elle, éloigne toute idée de couvercle. La base, terminée de la même manière par une petite moulure, repose sur le socle évoqué à propos de la «cuvette à masques» (voir p. 58 et fig. 87). De nombreux exemplaires de «vases Duplessis à têtes d'éléphants» ont été fabriqués en trois grandeurs. On sait que Mme de Pompadour acquit à Versailles en 1762 «2 vazes éléphant rozes et verds Chinois 360/720 l.»[26]. Divers spécimens, datés de 1756 à 1760 ou non datés, subsistent dans les collections mondiales; la Wallace Collection et Waddesdon Manor sont particulièrement riches; à New York, la Wrightsman Collection possède cinq pièces dont une paire[27]; au Metropolitan Museum of Art se trouve une paire rose, de grande taille, qui a pu faire partie de la garniture acquise par le prince de Condé à Versailles en 1758.

Une autre série de vases à profils sinueux englobe ceux qui sont montés sur un pied circulaire. Toujours piriformes, les uns présentent la partie la plus renflée vers le bas, les autres, à l'inverse, vers le haut.

Le «vase marmite» (voir fig. 226), dont le nom fait image, répond aux premiers et son allure lourde s'atténue d'elle-même par une sorte de sincérité rustique. Ses anses élaborées semblent vouloir cacher un motif rocaille sous une volute de ligne simple, achevée par une double spirale. Ce modèle rare, sinon unique, n'a peut-être pas été apprécié.

La construction infiniment plus étudiée du «vase B de 1780» (voir fig. 245) associe un culot de ligne souple à une partie supérieure élevée et cintrée. Il est presque surprenant de rencontrer une forme pareillement contournée à une date aussi avancée dans le XVIIIe siècle. Son allure pompeuse contraste avec la simplicité de la majorité des pièces produites à la même époque.

Bien antérieur en date et de profil piriforme inversé est le «vase à oreilles», qui a connu un succès considérable. Une première version, qui mériterait d'être nommée «vase sans oreilles» (voir fig. 58), est fournie par l'exemplaire, peut-être unique, du vase à fond jaune du Victoria and Albert Museum, dont le bord ondulant du col est complètement indépendant des anses.

Le véritable «vase à oreilles» (voir pl. XXI) peut, semble-t-il, satisfaire le goût le plus exigeant par l'équi-

Pl. XXI VASE À OREILLES (d'une paire). 1761. H. 30,5. Marque peinte nº 1 (i). Waddesdon Manor, coll. Rothschild (cat. nº 45).
Deux dessins conservés dans les archives de la Manufacture portent les inscriptions: «vase à oreile 3e grandeur suivan la comande du 20 janvier 1755» et «vase à oreille 5e grandeur 1755». Les moules et modèles des plus grands existaient avant 1755. C'est l'une des rares formes exécutées en cinq tailles. Les «vases à oreilles» ont souvent reçu de savants décors et parfois servi à composer de somptueuses garnitures. La Frick Collection conserve un «pot-pourri vaisseau» entouré de deux vases exactement comparables à celui-ci par la taille (2e grandeur), les couleurs et le décor, seul le réseau d'or caillouté diffère du vermiculé visible ici[a]. Les «vases à oreilles» de Waddesdon Manor ont pu être décorés pour constituer une garniture avec le «pot-pourri vaisseau» assorti de la Wallace Collection. Les oiseaux exotiques eux-mêmes semblent issus du même pinceau. Les mentions de «vases à oreilles» reviennent presque à chaque page des registres de livraisons, depuis 1754 jusqu'à la fin de l'Ancien Régime et le plus souvent par paires ou multiples de deux.

Pl. XXII POT-POURRI FONTAINE À OIGNONS (OU À DAUPHIN) (d'une paire). S.d. (vers 1761). H. 30. Marque peinte nº 1. Anciennement, The Antique Porcelain Cº, Londres, New York, Zurich.
Nommé ainsi au XIXe s., le modèle de ce pot-pourri conçu de manière très particulière est probablement concerné par une mention figurant dans l'inventaire du magasin de blanc du 1.1.1762 citant textuellement «1 potpoury fontaine ou à dauphins 60 l.»[b]. Les exemplaires connus expliquent la double dénomination; celui qui est conservé dans la collection royale britannique diffère de ceux-ci par la présence d'un dauphin en fort relief placé dans l'axe de la face, au-dessus du récipient dans lequel s'emboîte le cornet hexagonal. La partie basse, invariable, est largement ouverte par des orifices en losange alternant avec des alvéoles ronds visiblement appropriés à la culture en appartement de plantes à oignon. La petite chute en cascade sur le socle justifie le qualificatif de «fontaine» et les perforations de la partie supérieure celui de «pot-pourri». L'absence de dauphin laisse largement place à une chinoiserie polychrome environnée de fonds savamment répartis bleu lapis, rose et vert (voir pl. XXIII et p. 56).

Pl. XXIII VAISSEAU À MÂT. S.d. (vers 1760). H. 37, long. 35, prof. 16,5. Marque peinte nº 1. Paris, coll. René Grog.
Exceptionnelle par sa décoration, cette pièce réunit les détails les plus souvent remarqués sur la forme des «vaisseaux à mât» connus, c'est-à-dire: le socle rocaille pareil à celui de la «cuvette à masques» (voir fig. 87) et le couvercle perforé dans un motif simulant des écailles comme pour la majorité des exemplaires conservés de par le monde, notamment celui reproduit pl. XXIV. La juxtaposition de fonds rose, bleu, vert et le décor de chinoiserie permettent de situer le «vaisseau à mât» figurant ici, ainsi que le pot-pourri pl. XXII, parmi cinq pièces vendues au comptant le 30 mai 1760: «1 vaisseau en trois couleurs 720 l., 2 pots pourris fontaine idem 480/960 l., 2 idem à bobèches idem 360/720 l. 2400 l.»[c]. De toute évidence, l'ensemble reparaît dans l'inventaire après décès de Mme de Pompadour: «... une garniture de cheminée en cinq pièces de porcelaine de France couleur de roze, verd et bleu lapis à cartouche chinois composée d'un vaisseau, deux pots pourris à dauphins et deux vases à deux bobèches. Prisés neuf cents livres»[d].

Pl. XXI

Pl. XXII

Pl. XXIII

libre de toutes ses lignes; son encolure amincie et déchiquetée, en retombant symétriquement des deux côtés, décrit des lobes qui justifient son nom. Créé à Vincennes en 1754 et exécuté en cinq tailles échelonnées entre 38 et 11 cm environ, ce type de vase a parfois été revêtu de décors somptueux. Par ailleurs, de nombreuses livraisons en biscuit à des prix compris entre 24 et 9 l.[28] étaient destinées à compléter les surtouts. Parmi les plus précieux exemplaires cités dans les archives, on remarque, acquis par le prince de Condé à Versailles en 1758, «... 2 vazes à oreilles 1ere roze enfans 720/1440 l.»[29], qui complétaient la garniture composée d'un «pot-pourri vaisseau» et de deux «vases Duplessis à têtes d'éléphants». On relève encore en 1777, «Présent du Roi à l'Empereur 2 vases à oreilles portraits de la Reyne 600/1200 l.»[30]; d'autre part, le peintre Pithou l'aîné reçut la même année un paiement de 72 l. pour «1 vase à oreilles portrait de la Reyne»[31]. Les collections françaises ne sont pas dépourvues de beaux vases de cette forme, cependant un bon nombre de superbes exemplaires se trouvent dans les collections anglo-saxonnes.

Le «vase Hébert à cartels» (voir pl. XXVIII), plus ample de proportions, répond au même type de profil que le précédent, mais la partie supérieure, coupée au-dessus du renflement principal, reçoit un vaste couvercle galbé qui s'inscrit à merveille dans le contour général. Deux variantes, avec ou sans les cartels délimités par un léger relief, ont été exécutées en deux grandeurs. Une des rares mentions de livraison signale en 1759, à Mme de Pompadour «1 pot-poury Hébert verd oiseaux 600 l.»[32], sans préciser la taille, qui pourrait éventuellement correspondre à un exemplaire non daté, appartenant à la Wallace Collection. Les spécimens connus sont très richement décorés; les fonds bleu lapis de ceux, de petite taille conservés, l'un à Baltimore à la Walters Art Gallery, l'autre à Waddesdon Manor, sont, le premier caillouté d'or, le second vermiculé. Le Musée de Sèvres a récemment acquis un «vase Hébert» daté 1757, en fond vert, dépourvu de son couvercle.

Le nom «Hébert» accompagne une grande variété de pièces dont les contours s'apparentent au profil du vase ainsi désigné. Le «plateau» et le «pot à sucre» du «déjeuner» à fond jaune (voir pl. III), le «pot à lait» (voir fig. 50), la tasse du «déjeuner» (voir fig. 85), donnent une idée incomplète de leur diversité.

Le «vase bouc à raisins» (voir fig. 189) s'élève suivant un contour analogue. Porté par un pied orné de reliefs verticaux et d'un bracelet de grosses perles, il s'achève par un goulot étroit. Sa ligne générale disparaît sous un amoncellement de reliefs constitués par des têtes de boucs mordant des pampres de vigne chargés de raisins pléthoriques. La collection royale britannique possède un vase de ce modèle avec des ornements simplifiés. Celui que Garnier a reproduit[33], sous le nom de «vase à têtes de béliers», correspond, par son décor, au revers de ceux de Waddesdon Manor.

Les deux versions du «pot-pourri myrte» ou «à feuillage» (voir fig. 118 et 119), datées 1762 et 1763, répondent encore au même type de profil et diffèrent entre elles par les détails rapportés en relief et le dessin des perforations pratiquées dans le col. Les deux variantes sont portées par un pied bien particulier formé d'un court cylindre intercalé entre la base en doucine et le corps de la pièce; principe qui sera repris par le «vase octogone» faisant partie d'un autre groupe. Les couvercles des «pots-pourris myrte» sont, en eux-mêmes, de petits chefs-d'œuvre de composition bien dignes du meilleur orfèvre; des chutes ajourées, réunies par trois, alternent avec des parties pleines, chargées de minuscules fleurs en ronde bosse, leur mouvement en hélice prend naissance au sommet, sous une fleur plus importante. Les «pots-pourris myrte» sont cités dans les archives de diverses manières, soit dans les comptes rendus de fournées[34], soit dans les livraisons. La première, au roi à Versailles en 1761, concernait une paire en «fond verd marine 600/1200 l.» encadrant un «vase Boileau» assorti[35]. Le ministre Bertin acquit en 1764 «pour la Chine 2 pots-pourris à feuillage B.C. mignature 600/1200 l.»[36]. Les exemples survivants, représentant les trois tailles qui ont été fabriquées, sont

Pl. XXIV VAISSEAU À MÂT. 1761. H. 37, long. 34,5. Marque peinte n° 1 (i). Waddesdon Manor, coll. Rothschild (cat. n° 49).

Le modèle en plâtre du «pot-pourri vaisseau» conservé à la Manufacture de Sèvres est dépourvu de socle. Les motifs rigides relevés sur celui-ci, unique en son genre, se réclament de l'architecture de l'Antiquité et suggèrent l'intervention possible de Duplessis fils, féru de la mode nouvelle. Dans l'inventaire du 1er janvier 1762, on relève des «moules du pied de vaisseau en 2e gr.» qui peuvent concerner ce socle spécial, attendu que la pièce correspond à la plus petite des deux tailles de «vaisseaux à mât». Quelles que soient les différences qui se remarquent en comparant les dix exemplaires connus à l'heure actuelle[a], tous arborent la flamme blanche à fleurs de lis symboliques en or. La couleur bleu céleste très pâle ajoute au caractère particulier de ce spécimen; cette teinte, assez rare, s'observe principalement sur des pièces datées aux alentours de 1760-1761. Le sujet peint, une «marine», dont le peintre Morin était le spécialiste par excellence, est tout à fait approprié au type d'objet.

Pl. XXIV

assez nombreux, généralement en paires et parfois en groupes de trois formant garniture; c'est le cas à New York à la Frick Collection et à San Marino à la Huntington Library.

Le «vase urne à facettes» (voir fig. 97) adopte encore un profil sinueux, accentué par des nervures montant depuis le pied élargi jusqu'au sommet du couvercle où des perforations tréflées rappellent celles pratiquées dans l'encolure. Cette forme semble peu répandue. Un exemplaire en fond rose, décoré en réserve par un effet de rubans blancs, est conservé au Philadelphia Museum of Art. Garnier en a reproduit un autre en fond bleu lapis caillouté d'or.

Essentiellement majestueux, le «vase Boileau» (voir pl. XX), s'il présente encore un profil souple, apporte un élément nouveau avec la rupture marquant l'épaulement. Le socle nervuré élargit le pied cintré et encerclé d'une moulure soutenant le corps. Les mêmes lignes verticales se poursuivent en s'évasant pour constituer un calice surmonté d'un double couvercle. Le jeu harmonieux des courbes et contre-courbes s'achève en forme de cloche sommée de fleurs en ronde bosse. Les mentions de livraisons sont rares; P. Verlet[37] a rapproché la première vente au comptant à Versailles en fin 1759 «1 vaze Boileau saffre et verd Tesnières 960 l.»[38] de l'exemplaire appartenant à la Wallace Collection. Louis XV en acquit un autre à la fin de l'année 1761 «verd marine 840 l.»[39]. La dernière vente «du 5 Aout 1763 M. Lemaitre 1 vaze Boileau roze enfans 720 l.» accompagné de deux «vases hollandais» assortis, concernait, à n'en pas douter, la garniture conservée au Metropolitan Museum of Art depuis la donation de Mr. Thornton Wilson[40]. Les deux exemplaires que possède la collection royale britannique sont probablement sortis, comme celui du Musée du Louvre, à titre de «vase d'ornement» sans plus de précision.

La forme évasée du «vase Boileau», considérée jusqu'au niveau de son couvercle, caractérise aussi celle du «vase gobelet Duplessis» (voir fig. 174). Bien nommé, le récipient de ce vase couvert s'élève, entre deux anses simples et relativement rigides, au-dessus d'un pied supportant une base compliquée de goût néo-classique, comme les frettes soulignant le bord. Entre celui-ci et le couvercle, l'épaisse zone blanche cloquée produit un effet bizarre qui se répercute sur l'ensemble assez singulier. Ce vase a-t-il été réalisé plusieurs fois? La paire visible au Victoria and Albert Museum semble être la seule connue actuellement.

Le terme même de «gobelet» rappelle que certaines tasses souvent répétées ont emprunté cette forme un peu arrondie à la base, s'évasant vers le bord. Le «gobelet Calabre» (voir fig. 5, 14, etc.), en usage depuis les origines, en est un exemple typique. Au cours des années,

Pl. XXV VASE HOLLANDAIS NOUVEAU (d'une paire). S.d. (vers 1761). H. 24, larg. 17,7, prof. 14,7. Sans marque peinte; en creux, n° 68. Collection royale britannique (Laking, nos 58-59).

Cette forme de vase, apparue en 1758 (voir fig. 86) à titre d'interprétation nouvelle du «vase hollandais» (voir pl. XVIII), a également connu un grand succès. Dès 1758 était vendu comptant «1 vaze hollandais nouveau roze 192 l.». A la fin de la même année, deux vases pareillement désignés, estimés chacun 300 l., étaient offerts en présent à MM. de Boulongne et de Machault[a]. Une demi-douzaine de livraisons sont encore mentionnées en 1760 et 1761. Ensuite, la distinction entre les formes ancienne et nouvelle n'est plus indiquée et pas davantage les grandeurs. Parmi les exemplaires connus, on remarque une impressionnante quantité de fonds roses, unis ou associés à des parties vertes, ou encore marbrés de bleu et d'or. Ici, le fond bleu céleste pâle est voilé d'une résille d'or. Le peintre des cartels s'est inspiré d'œuvres de C. van Falens[b]. Ces pièces ont pu être comprises dans une livraison au roi à Versailles en 1762, comptant huit «vases hollandais» non décrits mais probablement appariés[c].

Pl. XXVI POT-POURRI TRIANGLE (d'une paire). S.d. (vers 1761). H. 32,5. Sans marque peinte; en creux, n° 64. New York, Met. Museum, Kress Collection (inv. 58 75. 118-119).

Reproduit par Troude (pl. 87) sous le nom fantaisiste de «vase oglio en trois parties» attribué au XIXe s., cet étrange pot-pourri a fait l'objet d'un dessin sans aucune indication. L'inventaire du 1.1.1762 mentionne des moules et le modèle d'un «Pot-pourri triangle 3e gr». L'année suivante paraît un modèle en 1re gr. estimé 66 l. Le nom convient à cette forme d'une rare élégance dont l'exécution révèle une prodigieuse habileté. Ce n'est pas un simple pot-pourri mais aussi un vase à trois cavités destinées à recevoir des oignons de plantes. Deux autres pièces semblables, datées 1761, en bleu céleste mais décorées de chinoiseries, comparables à celles des vases reproduits pl. XXII et XXIII, existent à Detroit[d]. Couleur et décor n'étant pas précisés, on ne sait pas lesquelles furent livrées au roi à Versailles en décembre 1762 «3 pots pourris triangles et Choisy 480/1440 l.»[e]. Par la suite, Madame Louise reçut en 1768 «2 pots-pourris triangles rozes 300/600 l.»[f].

Pl. XXVII TASSE ET SOUCOUPE. 1761. Tasse: H. 8,5, larg. avec anse 11,5; soucoupe: ∅ 14,2. Marque peinte n° 1 (i); Cardin?; en creux, n° 40. Londres, The Wallace Collection (inv. XII C 155).

Le modèle en bois tourné orné de reliefs de cire rouge, conservé à la Manufacture, a été enregistré au XIXe s. sous le nom de «grand gobelet Saxe» et situé dans la période 1760-1780. L'inventaire des moules établi en 1752 cite des «gobelets façon Saxe et soucoupes» qui peuvent correspondre à de nombreuses formes rappelant des modèles inspirés par ceux de la fabrique germanique. Rien ne permet de se rendre compte si la forme de la soucoupe associée à cette tasse a été conçue pour elle. Abstraction faite du lourd réseau vermiculé en or, qui rend presque méconnaissable le fond bleu lapis, les ornements en relief blancs soulignés d'or ceinturant la base rétrécie de la tasse et garnissant l'anse évoquent la plénitude des dessins de Duplessis. Les sujets peints rappellent les fréquents emprunts faits par les décorateurs de Sèvres aux gravures d'après Boucher et démontrent la liberté avec laquelle ils interprétaient leurs modèles.

Pl. XXV

Pl. XXVI

Pl. XXVII

des modifications sont intervenues et la base cintrée s'est parfois redressée pour faire place à une sorte de cône porté sur une courte base élargie. Tel est le cas du «gobelet cornet» (voir fig. 286) inventé par Lagrenée, parmi les pièces destinées à la laiterie de Marie-Antoinette à Rambouillet[41]. Le «gobelet cornet», très haut, est encore évasé, ce qui marque une nette différence avec les «gobelets coniques simples» exécutés dès l'époque de Vincennes (voir fig. 33, 49).

Formes dérivées du cône

On peut rattacher à ces pièces coniques simples les formes «à la Reine», comme le «pot à sucre» du Musée Adrien-Dubouché de Limoges (voir fig. 83) et, en plus élaboré, la théière «à la Reine» (voir fig. 47) ainsi que l'«arrosoir» (voir fig. 73), constitués par deux cônes inversés reliés à leur partie la plus large.

Les «gobelets coniques» à couvercles, de proportions variables, ont pu être à l'origine des «vases gobelets montés» très répandus à travers le monde. En fond bleu foncé uni[42], ils sont relativement rares, mais abondent en fonds bleu céleste ou vert parsemés de petites roses peintes au naturel ornant des réserves rondes encerclées de feuillage doré. Leurs montures en bronze doré, de style généralement néo-classique, sont de qualité inégale. Duplessis fils en exécuta; on lui livra notamment «du 17 octobre 1774 2 vases gobelet à monter 3e gr. fond bleu céleste et petites roses entourées d'or 42/84 l.»[43]. Ce genre de vases à petites roses, montés en bronze, existent en garniture de trois et de cinq parfois associés à d'autres types de formes.

Les très beaux vases évoquant l'écaille noire de la collection royale britannique (voir fig. 262), dépourvus de couvercles, sont prolongés, au-delà de leur plus grand diamètre, par une encolure rétrécie qui les rattache aux modèles, de profil analogue, créés par Boizot. On regrette l'absence d'exemple à bas-reliefs, semblables aux modèles en plâtre conservés à la Manufacture, mais ici la somptueuse monture en bronze de Thomire et la beauté de la matière céramique compensent cette lacune.

Parmi les vases coniques d'un genre plus recherché vient en premier lieu le «vase gobelet à côtes» ou «vase cannelé», porté sur un piédouche rond de faible section (voir fig. 80). Les cannelures paraissent sortir d'un calice végétal uni, comme un corsage plissé s'échapperait d'un corselet. On comprend que le responsable des fournées de mai 1755 ait inscrit de manière évocatrice: «vase à corset» et «vase à corcet»[44]. Le modèle, exécuté en six grandeurs, est plus séduisant en dimensions réduites. A part le Musée de Sèvres, les collections publiques françaises ne montrent pas de vase de cette sorte, à la différence des pays anglo-saxons.

En majorité, les vases coniques sont portés par un pied rapporté. Le plus simple, le «vase Falconet de côté» (voir fig. 173), abstraction faite de ses anses, a directement donné naissance au «vase à bandes» (voir fig. 162). La base, coupée net, est soulignée en retrait par un dépassant en dents de scie et le haut s'incurve sous une encolure verticale cannelée. Les quatre bandes qui descendent le long du corps, en encadrant des chutes de feuilles, continuent sur le couvercle. Les exemplaires connus, principalement en Grande-Bretagne, datés entre 1763 et 1776, sont presque tous en fond bleu foncé. Une paire, appartenant au Metropolitan Museum of Art, se distingue par son fond vert.

Le «vase octogone» (voir fig. 200), conçu suivant un principe équivalent, se différencie par un col plus fin et élancé, achevé par de courts godrons, qui peut être ou non coiffé d'un couvercle arrondi. Le corps à huit pans est porté par un pied composé, entre deux moulures saillantes, d'un court cylindre, rappelant le principe du «pot-pourri myrte» (voir fig. 118), mais qui est creusé d'alvéoles où s'enchâssent des cabochons. Les anses, d'allure métallique, se recourbent vers l'intérieur pour

Pl. XXVIII POT-POURRI HÉBERT. 1763. H. 36. Marque peinte nº 1 (K); Méreaud et Dodin. Waddesdon Manor, coll. Rotschild (cat. nº 55).
Le modèle en plâtre, enregistré au XIXe s. sous le nom de «vase Hébert à cartels», a été publié sous ce titre par Troude (pl. 108). Le nom «Hébert» emprunte selon toute vraisemblance le patronyme du marchand-mercier Thomas-Joachim Hébert. Les moules et modèles d'un «vase Hébert» sont inscrits dans l'inventaire du 1.1.1757. Dans celui du 1.10.1759 est comptabilisé au magasin de blanc: «1 pot pourry Hébert 36 l.» Cinq ans plus tard, dans le même lieu figurent «3 vases Hébert ou à couronnes 48/144 l.» Ensuite, de 1766 à 1769, des «pots pourris Hébert 30 et 36 l.» semblent rester en attente de décoration. Les mentions de livraisons relatives à cette forme sont rares et décevantes, aucune ne peut concerner ce beau vase en fond rose avec ornements d'or peint soulignés de pourpre, où le décor du couvercle s'adapte si bien au dessin de ses perforations. Dodin, pour la peinture en miniature du cartel, a fidèlement suivi la gravure de Pierre-Alexandre Aveline intitulée *La Bonne Aventure* d'après une composition de François Boucher primitivement destinée à une tenture en tapisserie de Beauvais[a].

Pl. XXVIII

s'introduire dans de larges brides fixées au corps par des rivets simulés, le tout étant en porcelaine dorée. Ces anses parfaitement droites, parallèles à la ligne conique du vase, bien que peu saillantes, alourdissent son aspect; cependant aucune ligne horizontale ne le coupe.

Ce n'est pas le cas du «vase baril» (voir fig. 199), qui présente un corps non plus divisé verticalement mais encerclé de nombreuses moulures à la manière d'un «gobelet à cuvier» (voir fig. 49). Son pied, très différent, soutient un culot garni de feuilles d'acanthe s'élevant comme des plumes groupées symétriquement dont une partie plus courte retombe en couronne. Au-dessus du corps, coupé net, le rétrécissement est souligné par des cannelures rayonnantes décroissantes qui se perdent à la base du col élevé, coupé par un collier en relief puis largement évasé au bord.

Cette forme, très architecturée, ne l'est pas moins que celle du «vase E de 1780» (voir pl. LIII). Surélevé par un socle à griffes de lions, le court pied supporte un culot à consoles sur lequel se pose un haut gobelet conique qui s'évase légèrement à sa partie supérieure avant de se rétrécir par une gorge que bordent deux épaisses moulures. Les anses, garnies de feuilles d'acanthe, d'abord collées au corps, s'écartent et se courbent vers l'intérieur pour s'intégrer à la partie soutenant le couvercle. Celui-ci donne l'impression de comporter deux parties superposées, l'une basse et cintrée, l'autre réduite à une petite calotte. Le modèle, sans doute longuement médité par un créateur converti aux idées antiquisantes devenues courantes, est rendu encore plus pompeux par la décoration, inouïe de richesse, qui le revêt. La finesse des peintures «en mignature», auxquelles la forme réserve une grande surface, disparaît dans la rutilance des émaux translucides ou opaques en relief et les applications d'or bruni à l'effet, qui associent l'art de l'orfèvre-émailleur à celui du céramiste. Ces considérations font de la garniture de trois «vases E de 1780», en deux grandeurs, que possède la Wallace Collection, un ensemble unique et royal.

Deux formes élevées, conservant un corps en partie conique monté sur un culot, ont donné le vase dit «C» ou «chinois Bachelier» (voir fig. 212) et le «vase chinois» (voir fig. 164). La ligne supérieure du premier s'arrondit avec souplesse pour restreindre le diamètre et dessiner l'encolure, qui s'élève et s'évase sous un couvercle peu important. Ce modèle, habillé d'anses imposantes qui en modifient l'allure, est beaucoup moins répandu que le second.

Pl. XXIX GRAND POT-POURRI À TÊTES DE BOUCS. 1763. H. 58, long. 39, larg. 25. Marque peinte n° 1 (K). Waddesdon Manor, coll. Rothschild (cat. n° 57).

L'inventaire du 1.1.1763 cite pour la première fois les moules d'un «pot-pourri à têtes de boucs» et le modèle en plâtre d'un «vaze à têtes de boucs», estimés respectivement 96 l., somme considérable pour ces éléments de fabrication. Le modèle survivant a été publié sous le même nom par Troude (pl. 84). L'architecture compliquée de cet énorme pot-pourri est surchargée de détails sculptés en grande partie empruntés à la grammaire ornementale classique: cannelures du pied, baguettes liées par un ruban croisé, consoles à chapiteaux, gouttes séparant des sortes de métopes, etc. La partie supérieure, toute en courbes, contraste étrangement avec la ceinture rectiligne et l'ensemble aboutit à une composition de pure transition. La peinture reproduit un détail du *Rendez-vous de Chasse* de Carel van Falens en respectant les couleurs du tableau original qui, avec son pendant, a appartenu à l'Académie royale de peinture[a]. Seul connu, un autre exemplaire de ce modèle, en fond rose marbré, formant garniture avec deux «vases en tour», se trouve à la Huntington Art Library[b].

Pl. XXX VASE EN TOUR (d'une paire). S.d. (vers 1763). H. 57. Marque non visible. New York, Met. Museum (inv. 56.80), don Thornton Wilson.

Les inventaires du 1.1.1763 citent des «moules nouveaux de la tour», un «modèle plâtre» et deux pièces «en biscuit prêtes à être mises en couverte 48/96 l.». L'année suivante, deux autres pièces en biscuit sont portées pour 60/120 l., ce qui laisse présumer une différence de taille. Une paire de vases, de mêmes dimensions que celle-ci, en fond rose marbré de bleu et d'or, formant garniture avec un «vase à têtes de boucs» (voir pl. XXIX), a pu être identifiée avec une vente au comptant du 7 mai 1763, date qui concorde avec celle donnée par les inventaires précités. Cet achat, selon la tradition, fut effectué pour le compte de Ferdinand IV de Sicile[c]. On ne peut malheureusement pas suivre la destinée de cette paire de vases, faute d'avoir décelé une mention de livraison probante. On croit cependant les reconnaître dans l'«inventaire des porcelaines trouvées dans la Manufacture du Roy au 1.1.1774 ... deux vases entourrés vert, guirlandes et attributs 432/864 l.»[d]. Des vases, non décrits, vendus 432 l. au cours des années suivantes, sont impossibles à discerner.

Pl. XXXI PLATEAU DUVAUX. 1763. Long. 31,5. Marque peinte n° 1 (K); en creux, nos 76 et 77. Waddesdon Manor, coll. Rothschild (cat. n° 58).

La forme chantournée et symétrique de ce plateau a été identifiée par S. Eriksen[e] grâce à une série de déductions basées sur des dates précises, qui lui ont permis de reconnaître un «plateau Duvaux» correspondant à un dessin, sans inscription ni date. Ce plateau, nommé pour la première fois dans les travaux de 1758, est signalé dans l'inventaire du magasin de blanc du 1.10.1759, parmi une quinzaine de plateaux désignés par des noms empruntés à ceux des associés de la Compagnie et de marchands, ou décrivant leur forme: triangle, losange, à bords pleins ou à jours. Le fond bleu foncé uni est qualifié à partir de 1763 «bleu nouveau» pour le distinguer du bleu lapis nuageux employé depuis l'époque de Vincennes. La peinture du cartel reproduit une petite fraction de la gravure de Jean-Philippe le Bas intitulée *Feste de Village* d'après un tableau de David Téniers «du Cabinet de Madame La Comtesse de Verruë». Ce genre de sujet est souvent appelé «ténière» dans les registres de la Manufacture. Plusieurs artistes en exécutaient, notamment Vielliard, qui pourrait avoir peint ce cartel.

Pl. XXIX

Pl. XXX

Pl. XXXI

Pl. XXXII

S'il convient de retenir le nom de «vase chinois», il faut rappeler que la même forme a été nommée dans les ateliers «vase à pied de globe» en 1769[45]. Son pied, en certains cas, comprend effectivement une partie saillante arrondie rappelant les supports de mappemondes. Là n'est pas le trait principal qui le différencie du précédent. Le profil de ce «vase chinois», à peine incurvé au sommet, est brusquement coupé pour recevoir un énorme couvercle en forme de cloche. Les têtes de Chinois, qui ornent le modèle initial et sont responsables de son nom, ont été systématiquement éliminées des nombreuses réalisations en porcelaine tendre et en porcelaine dure. La collection royale britannique possède des exemples des deux techniques, en particulier de très grands «vases chinois» montés avec de somptueuses garnitures en bronze doré. Pour atténuer la lourdeur de la partie supérieure, l'addition d'une grosse couronne et d'une galerie perforée, transformant la pièce en pot-pourri, s'est révélée une heureuse formule, également visible sur un exemple de grande taille de la Wallace Collection. Le modèle de ce vase a été exécuté en plusieurs grandeurs. Les indications vagues recueillies dans les textes en laissent supposer au moins trois, si l'on se réfère aux inventaires de moules et de modèles.

Formes dérivées du cylindre

La ligne générale des formes mentionnées ci-dessus, en dépit de certains éléments adjoints, s'est éloignée du cône pour se rapprocher du cylindre, qui a joué un rôle important dès les origines. La Manufacture de Vincennes a adopté d'emblée sa plus parfaite expression avec la «tasse litron» (voir fig. 53 et pl. XLVIII), qui n'a jamais cessé d'être fabriquée et l'est encore. Les «pots à pommade», «pots à rouge» et autres petits cylindres munis d'un couvercle ont été nombreux au XVIIIe siècle. Rares sont les plus ornés, comme ceux qui se trouvent intégrés à la garniture de toilette de la Wallace Collection (voir fig. 123). Plus exceptionnel encore est le «pot à pâte» (voir fig. 11), remontant aux origines de la fabrication, dont le col à pas de vis semble appeler un couvercle aussi précieux que l'est son décor oriental. Sa base cintrée, le socle bas qui le soutient, donnent plus de légèreté à la forme qui reste cylindrique, comme celle du «pot à tabac» (voir pl. XXXVI). Conçu de la même manière, de proportions plus lourdes, ce pot reçoit un couvercle simplement posé. Fixées au revers de la face décorée, deux brides de porcelaine superposées, dans le genre de celles qui retiennent les anses du «vase octogone» (voir fig. 200), sont destinées à maintenir une cuiller. Ce type d'objet a parfois été utilisé comme pot à confitures.

Plusieurs modèles de vases décoratifs empruntent leur forme au cylindre. Parmi les plus représentatifs, le «vase en tour» (voir pl. XXX) porte bien son nom. Il est construit comme une tour de forteresse propre à la défense, solidement assise, sur une base large et peu élevée faite d'un pied et d'un culot à cannelures et godrons. Le haut, coiffé d'une superstructure en encorbellement abritant alternativement des bouches de canons et des oculi, est encerclé d'une balustrade à la base de la toiture; celle-ci, en forme de cloche revêtue d'écailles, est percée de lucarnes encadrées d'une lourde construction; au sommet, une sorte de petit temple sert de prise au couvercle.

L'allure guerrière exceptionnelle de cette tour ne se retrouve pas sur les «vases Bachelier à anses ou à couronnes» (voir fig. 176) et «vase Bachelier rectifié» (voir fig. 168 et pl. L). Si l'on compare les deux modèles, on comprend les raisons esthétiques qui ont poussé à modifier la version initiale probable, en admettant son antériorité que les inventaires de matériel ne confirment pas. Le «vase Bachelier à anses» est alourdi par le double bandeau supérieur sur lequel se pose directement le couvercle très large. Même si le «vase Bachelier rectifié» garde une apparence massive, son encolure amincie vers le haut lui donne plus d'envolée.

On ne saurait trop regretter de ne pas connaître d'exemple exécuté à Sèvres au XVIIIe siècle du «vase

Pl. XXXII POTS-POURRIS EN FORME DE LIMAÇON. S.d. (vers 1763-1768). H. 14, larg. 16. Porcelaine tendre. Boston, Museum of Fine Arts, Forsyth Wickes Collection (inv. 65.1859-1860).

Le magasin des modèles de Sèvres conserve celui d'un «pot à sucre ou sucrier limaçon» semblable aux parties en porcelaine de ces «pots-pourris». L'idée a servi pour plusieurs objets déjà signalés dans l'inventaire général de 1752 «moules en plâtre et souffre ... 1 theyeres nouvelles à limaçon» et «pièces moulées au magasin de vente... 6 pots de chambre forme de limasson fleurs filets d'or 12/192 l. ...». Il est probable que les limaçons montés en pots-pourris sont plus tardifs. Après une période sans mention, les inventaires du 1.1.1765 et de l'année suivante citent «4 Limaçons ... 6 idem ...». Parmi les livraisons à Poirier entre 1763 et 1768, on dénombre onze limaçons à des prix échelonnés entre 48 et 60 l., sans précision de couleur ni de décor; ceux reproduits ici comptaient-ils parmi eux? Pareils pots-pourris en porcelaine de Chine existent[a]; la collection d'Horace Walpole en contenait[b]. En porcelaine de Sèvres, on sait que le duc d'Aumont et, plus près de nous, le baron A. Seillière[c] en ont possédé.

Bachelier des saisons». Le modèle, dont le profil est comparable à celui du «vase Bachelier à anses», existe encore à la Manufacture où il a été refait au XIXe siècle. Notons en passant qu'il a également été exécuté, à titre de copie de Sèvres, par la Maison Samson à Montreuil. La reprise du modèle à Sèvres comporte des têtes de satyres en guise d'anses basses au niveau du bandeau inférieur cannelé; la haute cerce est ornée, comme à l'origine, de quatre bas-reliefs de Clodion, symbolisant les quatre saisons par des jeux d'enfants, encadrés d'une épaisse guirlande ovale en feuillage; il mesure 68 cm de haut. On croit pouvoir assimiler ce modèle à une paire de vases, à anses différentes, qui ornait la «chambre de Louis XIV» à Versailles avant la Révolution, où l'inventaire général des meubles de la Famille Royale cite «... 2 autres vases fond cramoisi en porcelaine de Sèvres anses à têtes de lion et anneaux, le corps de chaque vase représentant 4 groupes d'enfants entourés de feuillages dorés, garnis de leurs couvercles en pommes de pins avec ornements dorés, lesdits à 2 pieds de hauteur totale (65 cm) sur 11 pouces de long. à 2400 l. chaque 4800». Ils pourraient correspondre à une livraison au roi à Versailles en 1785 «2 vases ornés de bas-reliefs et bronze doré 7500/15000 l.», en admettant que les «têtes de lion et anneaux» cités dans le texte contemporain aient été en bronze doré, comme celles des «vases grecs à ornements», datés 1780 (voir fig. 236), sélectionnés par le prince Bariatinsky en 1782 pour le comte du Nord.

L'aspect des pièces cylindriques élevées se modifie avec le «vase cannelé à bandeau» (voir fig. 169) où la colonne cannelée se confond avec le culot et dépasse la haute cerce. Le rétrécissement sous le col évasé reprend le principe du «vase Bachelier rectifié». Cette forme se rencontre en diverses collections, elle ne paraît pas avoir reçu d'anses.

Le «vase à trois cartels» (voir fig. 202) offre une nouvelle variante où le haut de la cerce atteint le niveau supérieur du cylindre. Le couvercle particulièrement élaboré, surmonté d'une grosse fleur en ronde bosse, vient s'y poser directement. Les guirlandes de roses en fort relief, attachées dans l'entrecroisement des cartels qu'encadrent des moulures, ajoutent un élément de la nature à une forme très architecturée. La paire de «vases à trois cartels» du Philadelphia Museum of Art est unique à notre connaissance.

Le modèle du «vase à anse carrée» (voir fig. 175) n'est pas moins étudié, en jouant sur le raccourcissement du cylindre, dont la ligne est brisée par de successifs décrochements. Une épaisse moulure sépare la partie supérieure, un peu évasée, sur laquelle déborde une étroite collerette retombante, où les motifs en relief font écho aux cannelures du culot. Les anses rigides et classiques, cause du nom donné à ce vase, rappellent des dessins de Delafosse.

Pl. XXXIII VASE OVALE MERCURE (d'une paire). S.d. (vers 1767). H. (sans socle) 33, long. 33. Porcelaine tendre. Baltimore, The Walters Art Gallery (inv. 48.635).
La forme de cette pièce a été publiée sous ce nom par Troude (pl. 110). L'inventaire du 1.1.1766 signale des moules nouveaux et modèle du «vaze à médaillon de Mercure». Deux ans plus tard, «2 pots-pourris Mercure 48/96 l.» sont inventoriés au magasin de blanc. L'inventaire général de 1774[a] mentionne, parmi les vases décorés trouvés au magasin de vente: «1 pot-pourri à tête de Mercure beau bleu et or 720 l.», ce qui donne une intéressante indication de prix. Deux exemplaires, conservés dans la collection royale britannique, ne sont pas ornés du médaillon de Mercure, justifiant le nom d'origine, ni de celui de Plotine au revers, comme l'est cette paire-ci. Sur l'un de ces deux vases, non appariés, se trouvent les médaillons de Louis XV et de l'impératrice Marie-Thérèse; sur l'autre, daté 1767, de très petites plaques ovales, en porcelaine dure, décorées d'amours polychromes, sont enchâssées à la place des médaillons.

Pl. XXXIV TASSE TREMBLEUSE ET SOUCOUPE. 1765. Tasse: H. 8,8; soucoupe: H. 4, ∅ 15. Marque peinte nº 1 (M) surmontée d'une croix; en creux, nº 39. Waddesdon Manor, coll. Rothschild (cat nº 63).
La dénomination de ce type de tasse (ou gobelet) conique, profondément encastrée dans la bague profonde de sa soucoupe, a été l'objet de bien des controverses. De nos jours, le nom de «trembleuse» est couramment employé; Havard, dans son *Dictionnaire de l'ameublement*, le qualifie de «terme d'amateur de curiosités». La consultation des archives de Sèvres et des dessins conservés ont permis à P. Verlet et S. Eriksen de relever mention d'un «gobelet trembleur» vendu le 25 juin 1774[b]. Mais un exemple conservé au Victoria and Albert Museum, daté 1756, apporte la preuve de l'association d'une tasse conique et d'une soucoupe très creuse bien antérieurement. Des exemples de tasses de ce genre réunies à des soucoupes unies habituelles sont connus depuis l'époque de Vincennes[c]. Le décor de celle-ci, de style Louis XVI, utilise de manière fantaisiste la classique frise de postes.

Pl. XXXV PAIRE DE VASES CUIR. S.d. (vers 1765/1770). H. 46. Porcelaine tendre. New York, Met. Museum (inv. 49.7.78-79[ab]), Bache Collection.
Cette curieuse forme n'a pas laissé de trace dans les archives de la Manufacture à l'exception du modèle en plâtre enregistré sous ce nom au XIXe s. et publié par Troude (pl. 108). C'est une étrange adaptation à la porcelaine d'une gourde de pèlerin faite d'une calebasse habillée de cuir découpé pour la maintenir et l'attacher. Lacets et cordons retenus par des anses de cuir découpé sont fidèlement simulés autour d'une forme dont le profil s'apparente au «vase bouteille» (voir fig. 152). Le col élancé est couvert par un bouchon qui semble revêtu de morceaux de cuir. Dans le fond, de tonalité intense, les cartels oblongs sont décorés de figures qui interprètent avec une certaine liberté les modèles de «l'Amour Falconet» (voir fig. 313) et de «la Nymphe», son pendant, respectivement créés en 1758 et 1761, pour être édités en biscuit avec un succès jamais démenti jusqu'à ce jour. La coiffure de la jeune fille, la présence de colombes auprès du garçonnet, le style des peintures invitent à situer ces vases une dizaine d'années plus tard.

Pl. XXXIII

Pl. XXXIV

Pl. XXXV

Pl. XXXVI

Les «vases Fontanieu» comprennent un corps de faible hauteur soit conique (voir fig. 201), soit cylindrique (voir fig. 216) et reproduisent fidèlement des modèles proposés par Moïse-Gaspard Fontanieu en 1770. Cet artiste avait le génie de superposer des éléments variés, parfois disproportionnés, pour composer à ses vases des pieds compliqués, ainsi que d'accumuler les ornements en relief. L'inspiration des anses relève de la même source «à l'antique» que celles du «vase à anse carrée».

Cassolettes et dérivés

Ces derniers vases, composés d'un corps bas, peuvent aussi être interprétés en «cassolettes». Le profil droit cède alors la place à une ligne bombée, plus ou moins prononcée, se développant sur plan rond ou ovale.

Le modèle le plus simple est la «cassolette à monter», souvent dépourvue de pied et de tout ornement. Sa partie inférieure est assez comparable à une coupe d'écuelle, objet d'usage plus que de décoration qui, depuis les origines, n'a pas cessé de figurer au nombre des pièces isolées fréquemment vendues aux marchands. Parfois lobée (voir fig. 34), presque toujours ronde avec un couvercle bombé et des anses proéminentes (voir fig. 9, 104, 263), la forme de l'écuelle a peu évolué au cours du XVIIIe siècle, contrairement à celle de son plateau qui, rond ou ovale, a témoigné de plus d'imagination.

Les exemples tardifs de cassolettes montées en bronze doré ont été habillés avec un pied, des feuilles d'eau, des anses torsadées et une galerie surélevant le couvercle, d'après un modèle probable de Thomire (voir fig. 258). Deux formules différentes existent, la plus riche étant réservée à la cassolette ovale qui peut servir de pièce centrale, entre deux rondes plus simples, pour constituer une garniture de trois.

Cette forme a également été garnie de reliefs en porcelaine. Une version pourvue d'anses volumineuses, revêtue de larges feuilles d'acanthe montant le long du corps et s'irradiant sur le couvercle en partant du bouton central, a abouti au «vase bassinoire» (voir fig. 126). Il est curieux de constater que l'attache des anses utilise un motif spiralé relevant de la même inspiration que celui des anses en bronze de la «cassolette montée» réalisée plus tard; ce qui exprime le maintien d'une certaine tradition pour l'ornementation de ce genre de pièces. Généralement bleu foncé, à reliefs blancs et or, le «vase bassinoire» existe aussi en blanc avec des peignés bleus soulignant le pourtour des feuilles.

Le modèle de la «cassolette Bolvry ovale» (voir fig. 188) révèle une profonde modification. Le récipient oblong, monté sur un pied plus élevé, élargi par des anses saillantes, est coupé suivant une ligne droite horizontale. Au-dessus s'élève une galerie verticale ajourée, en retrait par rapport à la base, supportant le couvercle en dôme. Egalement dans la collection royale britannique existe une réplique exacte pour la forme et le décor, où la galerie non perforée accuse la lourdeur. Dans l'ancienne collection Chappey[46] se trouvait une pièce de forme très approchante, avec la galerie et le couvercle perforés, garnie d'anses composées de serpents en porcelaine dorée.

La «cassolette Duplessis» (voir fig. 135) reprend pour le bas du récipient et les anses le principe précédent, mais au niveau d'une première coupure horizontale naît une gorge qui ceinture le bord recevant un très large couvercle. Celui-ci, par un rétrécissement immédiat suivi d'un redressement, vient constituer une encolure godronnée supportant un second couvercle petit et bas. Le jeu des lignes et les anses souples et harmonieuses parviennent à donner de la légèreté à une forme très large par rapport à sa hauteur. Les exemples survivants sont rares.

Egalement construite sur plan ovale, la «cassolette à festons» (voir fig. 144) reflète une recherche aussi élaborée. La forme en elle-même, au-dessus de la coupure droite du récipient, se hausse par un rétrécissement prononcé où l'encolure reçoit un couvercle peu important surmonté d'un haut bouton en pomme de pin. Les anses, bien différentes, les festons et les chutes de feuillage, sont

Pl. XXXVI POT À TABAC. 1767. H. 15,2, ∅ 9. Marque peinte n° 1 (O); Vielliard. Anciennement The Antique Porcelain C°, Londres, New York, Zurich. L'angle sous lequel est photographié ce pot à tabac cylindrique, à base arrondie, ne permet pas de voir les deux brides superposées destinées à maintenir la cuiller nécessaire pour puiser le tabac. Cette disposition a fait parfois considérer cet objet comme un pot à confiture. Déjà l'inventaire de 1752 signale des moules de «pot à tabac à fleurs» et parmi les pièces de rebut des «pots à tabac avec leur couvercle dont moitié à ances». Peut-être s'agissait-il de «pots à boire»; quelques années plus tard, la mention «pot à boire ou à tabac» revient fréquemment. Le sujet peint dans le cartel du pot représenté ici ne laisse subsister aucun doute. L'artiste a réuni, dans un charmant paysage, divers instruments ayant trait au traitement du tabac, des accessoires de fumeurs et des paquets préparés pour l'expédition, sur lesquels on lit «ta ba pour Pari. 1767». La date concorde avec celle qu'indique la lettre-date de la marque. La note signalétique concernant Vielliard «teint et cheveux noirs»[a] ne précise pas son attitude envers le tabac.

directement tributaires de modèles antiquisants tels qu'en proposaient Delafosse et ses émules. Un certain nombre d'exemplaires de «cassolettes à festons» sont connus. Rarement datés, ils se situent dans une large fourchette comprise entre 1767 et 1791. Les collections anglo-saxonnes sont les plus riches; cependant le Musée du Louvre en possède une paire de petite taille en fond bleu foncé et croisillons d'or, décorée de jeux d'enfants et, au revers, de trois couronnes entrelacées.

On peut voir dans les salles du même musée une «cassolette ronde à médaillons» (voir fig. 183), que son nom décrit par allusion aux cabochons en relief qui interrompent la frise d'oves encerclant sa plus grande circonférence. La ligne sinueuse de sa partie inférieure montée sur un pied assez élevé concourt à son élégance, que complète l'amincissement de la gorge supérieure, recevant un couvercle très plat à bouton important. Le socle en biscuit, qui lui est associé, confère à l'ensemble, par la grâce délicate de la sculpture, un caractère précieux et unique.

Le «vase allemand» uni ou à ornements en relief (voir fig. 130) s'apparente aux cassolettes rondes à pied élevé et anses rocaille. Son profil bombé se trouve coupé par les lignes horizontales que dessinent les parties godronnées à la base et ajourées autour du col, lui-même entouré d'un cours d'oves soutenant le couvercle. Sans être très répandu, ce modèle est apparu dans des ventes publiques, notamment à New York en 1978[47].

Le vase dit «de milieu» sans plus de précision (voir fig. 171), bas et trapu, appartient à une série de variations plus ou moins éloignées de la cassolette type. La base de ce vase, cannelée et arrondie, s'incurve au-dessus d'une coupure horizontale pour former une gorge qui se relève et vient se terminer sous un large collier d'ondes entrecroisées, interrompues par quatre cabochons rappelant ceux de la «cassolette à médaillons». Les éléments empruntés à l'Antiquité abondent. Le couvercle, décevant par sa banalité, n'est peut-être pas complet; on souhaiterait un apport complémentaire lui donnant plus de hauteur, même sans aller jusqu'à la colonne démesurée qui caractérise le «vase de milieu Falconet» (voir fig. 172). Celui-ci est orné du même type d'anses angulaires souvent proposé par les ornemanistes nourris des théories mises à l'honneur par Charles-Nicolas Cochin le fils et le comte Anne-Claude de Caylus. On sait que Falconet, sensible aux idées nouvelles, a fourni des modèles de vases. Son nom n'y a pas été attaché dès leur création. On a cependant peine à imaginer, par comparaison avec la délicatesse de ses sculptures, qu'il ait pu concevoir un monument aussi étrange destiné à la porcelaine.

On préférerait imputer à Falconet le «vase ovale Mercure» (voir pl. XXXIII), qui rassemble de multiples éléments antiques bien équilibrés de part et d'autre d'un large bandeau. Le bourrelet, entouré d'un ruban en spirale et de branches feuillues, se redresse pour constituer les anses. Aucune fraction de la surface n'est laissée unie. Les godrons et les feuilles d'acanthe du culot répondent au cours d'oves sur lequel se pose le couvercle, en forme de cloche très évasée, partiellement perforé et chargé de guirlandes. Le médaillon, en biscuit, montrant le profil de Mercure, justifie le nom de ce modèle peu répandu.

Aucun indice ne permet de dénommer la forme rare, sinon unique, d'un vase ovale, en porcelaine dure, de la Wallace Collection (voir fig. 208), dont le couvercle, non ajouré, suit la même ligne que celui du vase précédent; mais, tronqué avant le sommet, il reçoit une petite calotte en guise de second couvercle. La base de cette pièce est composée d'éléments comparables à ceux du «vase ovale Mercure», en empruntant des volumes différents. Le culot godronné, très important, s'orne de branches en relief qui suivent le profil bombé de la partie proéminente sous le haut bandeau posé sur une mince frise. Quatre cartels allongés, arrondis aux extrémités et limités par des moulures, réservant des écoinçons garnis de motifs sculptés, appellent un décor peint. Sur le couvercle, un savant jeu de lignes en relief délimite des cartels de formes diverses, soit unis, soit enjolivés de détails végétaux en légère saillie.

Le «vase écritoire» (voir fig. 193), presque aussi compliqué que le précédent, est également exceptionnel par sa

Pl. XXXVII VASE NÉO-CLASSIQUE formant le centre d'une garniture de trois pièces de même forme. S.d. (vers 1765-1770). H. 46,5. Sans marque peinte; en creux, nº 5. Waddesdon Manor, coll. Rothschild (cat. nº 73).

Ce type de vase ovoïde à encolure cintrée et cannelée n'a pas laissé de trace dans les archives de la Manufacture. D'après plusieurs exemplaires connus, il a dû jouir d'un certain succès entre les années 1764 et 1771. S. Eriksen[a] a révélé un article paru dans *L'Avancoureur* du 10 janvier 1763 où l'auteur signale que Falconet crée de nouvelles formes de vases pour la Manufacture Royale. Les modèles de vases, parés au XIXe s. du nom de «Falconet» et qualifiés «cannelé», «à guirlandes», «de milieu» et «de côté», n'ont probablement pas été désignés ainsi lors de leur apparition. Mais, connaissant le goût prononcé de cet artiste pour l'Antiquité, rien ne s'oppose à ce qu'il en ait été l'inventeur. La peinture du cartel de ce vase-ci reprend le sujet du groupe de Falconet, exposé au Salon de 1763, qui enthousiasma Diderot[b] et représente Pygmalion tombant en extase devant la statue de Galaté à laquelle Aphrodite vient de donner la vie. Ce groupe fut immédiatement édité en biscuit à Sèvres.

Pl. XXXVII

Pl. XXXVIII

rareté et ses grandes dimensions. Sur un large pied bas, cerné de plusieurs moulures, surmonté d'un culot peu élevé, vient se poser le bandeau typique de ce groupe de formes. Celui-ci est décoré d'un bourrelet de baguettes enrubannées. Au-dessus s'élève, entre deux anses associant courbes, contre-courbes et éléments antiques, le corps du vase qui ménage un vaste cartel. La moulure supérieure, posée sur un cours d'oves, reçoit un couvercle à profil concave, surmonté d'une composition sculptée où domine une grenade éclatée.

Le «vase à têtes de boucs» (voir pl. XXIX), encore plus complexe, montre une autre interprétation du bandeau. Outre sa construction, sur plan ovale brisé par un décrochement, il présente une division verticale où alternent des consoles en saillie et des parties planes carrées et perforées. Ces compartiments se succèdent entre des moulures horizontales composées, l'une de baguettes à croisillons, l'autre d'un ruban noué de place en place. Au-dessus des têtes de boucs en ronde bosse partent deux anses qui s'élèvent par des consoles tourmentées et superposées longeant la paroi de la superstructure; elles parviennent ainsi au niveau d'un rétrécissement marqué par un mouvement cintré qui achève celui des principaux panneaux. Toutes les lignes, convexes ou concaves, sont arrondies; le bord supérieur décrit quatre arceaux qui reçoivent le couvercle ajouré, calculé pour s'y emboîter. Le bouton allongé complète le rythme ascendant d'un ensemble parti d'une base très lourde. On imagine qu'un vase aussi compliqué, sans parler d'un décor en rapport avec sa richesse, devait atteindre un prix très élevé. Malgré cette présomption justifiée, il n'est pas possible d'en déceler la destinée faute de mention satisfaisante, tandis qu'un autre exemple, seul connu, peut être identifié, grâce à son fond rose marbré, comme élément central d'une garniture de trois pièces livrées au comptant le 7 mai 1763[48]. L'exemplaire de Waddesdon Manor a, pour sa part, le mérite d'être daté 1763.

Délaissant le plan ovale pour s'élever au-dessus d'un pied et d'un culot ronds, le large bandeau du «vase grec à ornements» est garni de rosaces en relief (voir fig. 236). Ce détail lui a valu d'être nommé «vase rosette» ou «vase à rosaces» après qu'il eut été «rectifié» par une simplification du pied et la suppression de la grecque en relief du bandeau supérieur, cause de sa première dénomination. Cette grecque, visible sur les exemplaires antérieurs à 1780 de la collection royale britannique et de la Wallace Collection, a laissé place à une zone unie entre deux cours de perles. Les autres éléments décoratifs ont été maintenus: alternance des quartiers, simples ou garnis de feuilles d'acanthe du culot, ainsi que des bandes cannelées ou unies montant jusqu'au tambour supérieur; de même les grosses guirlandes tombant en festons et pans, puis les croisillons en relief sur le couvercle, surmonté d'un gros bouton. Les anses minces, de section carrée, rigides et repliées, formant deux angles droits, n'ont pas été transformées mais simplement masquées à la base par l'apport de têtes de lions à anneaux en bronze doré, indépendantes du corps du vase en porcelaine.

Variante de vase élevé à bandeau saillant, le «vase A de 1780» (voir fig. 244), à la différence du précédent, présente des surfaces unies appelant des décors peints, motifs ornementaux et tableaux en miniature. Les détails sculptés ne sont pourtant pas éliminés; des guirlandes de feuilles, tombant d'un collier qui enserre la haute encolure, rejoignent la base des anses très compliquées.

De profil analogue, moins élancé, le «vase fontaine Du Barry» (voir fig. 192) se caractérise par l'abondance des reliefs ornementaux: feuilles d'acanthe, cours de perles, guirlandes de fleurs, têtes en ronde bosse, cannelures torses, bordures de godrons. Le fond beau bleu ponctué d'or, les frises à répétition de motifs sans style défini, sont les seuls apports peints. On comprend, devant une si parfaite sculpture décorative, que ce modèle ait également été réalisé en biscuit.

Le «vase à jet d'eau» ou «vase fontaine à dauphins» (voir fig. 141) est aussi constitué d'une association de reliefs décoratifs, séparés par un bandeau arrondi qui est composé de grosses baguettes que maintiennent des branches croisées. A part la corolle de grosses feuilles d'acanthe recourbées formant le culot et les cannelures, les autres détails sont autant d'allusions à l'eau, jaillissant

Pl. XXXVIII PLATEAU CARRÉ. 1767. Long. côté: 10,5. Marque peinte nº 1 (O); Vielliard; en creux, nº 78. Waddesdon Manor, coll. Rothschild (cat. nº 74).

Ce très petit plateau carré à bord ajouré était destiné à présenter une tasse avec ou sans sa soucoupe. Des «platteaux à jours», sans précision de forme, paraissent dans l'inventaire d'octobre 1752. D'autres «platteaux carrés pleins [et] à jour 1ere et 2e gr.» sont inscrits dans l'inventaire général d'octobre 1759. Les perforations pratiquées dans le rebord des plateaux, quelle que soit leur forme, carrée, rectangulaire, en triangle ou en losange, suivent le même dessin réservant, dans un cours de postes, des corolles de fleurs stylisées. Le Musée de Sèvres possède un ensemble complet, plateau, tasse et soucoupe, daté 1764, décoré des armes de Marie-Catherine l'Evêque de Gravelle, Marquise de Nicolaï. Par ailleurs, ce modèle de petit plateau carré ajouré a été copié au XIXe s. par la fabrique parisienne Samson[a].

d'une fontaine et retombant en petites chutes, ou bien soufflée par des dauphins en ronde bosse. La galerie ajourée, indépendante du modèle, qui surélève le couvercle de cet exemplaire, rompt fâcheusement cet effet, mieux respecté par ceux conservés à Baltimore.

Le principe du bandeau droit assez étroit est repris par la forme du «vase aux tourterelles» (voir pl. XLIV), qui oppose un haut cylindre uni aux divers éléments sculptés environnants. On remarque encore des feuilles d'acanthe et des cannelures auxquelles se joignent les médaillons prêts à recevoir des profils peints en camées. De chaque côté, une tourterelle en ronde bosse retient dans son bec les guirlandes en relief qui courent le long du bandeau. Le sommet, rétréci au-dessus du cylindre coupé net, est couronné d'un couvercle à cabochons qui achève de donner une allure majestueuse à cette forme très étudiée dans tous ses détails.

Le «vase angora» ou «vase angola» (voir pl. XLV) abandonne le système du bandeau mais adopte la formule du cylindre s'élevant au-dessus d'un culot important et uni. Seuls reliefs ajoutés à la forme pure, les moulures en saillie se croisant dans l'axe de la façade forment un collier à la partie supérieure proche du couvercle en forme de cloche aplatie. Le bouton est surmonté d'un chat hérissé par la présence d'un chien et d'un aigle qui tiennent lieu d'anses. La forme lourde, mais bien équilibrée, a pu être exécutée sans les animaux sculptés qui lui donnent une vie et un caractère particuliers. Ce modèle, comme le précédent, est rare.

Le profil du «vase à côtes torses de milieu» (voir fig. 142) ne diffère pas de celui du «vase angora» si l'on fait abstraction des consoles qui montent en biais le long du culot et s'infléchissent à la base du corps creusé de cannelures. Les ouvertures ménagées à la partie supérieure laissent échapper des guirlandes en fort relief soutenant des médaillons. Pour ajouter une note complémentaire à ce décor tout en creux et en saillies faisant jouer les ombres et la lumière, le couvercle, peu bombé, répète le mouvement des consoles de la base, suivant une alternance de godrons tournants chargés ou non de perles.

La date 1774, indiquée par la marque des vases dits «à culot» (voir fig. 203), est d'autant plus précieuse que les documents susceptibles de les concerner sont inexistants. Le profil souple de leur partie supérieure les distingue des formes précédentes et leur culot très arrondi s'achemine vers un renflement prononcé, comme celui du «vase de côté du Roi» (voir fig. 194). Le haut col cintré de celui-ci oppose ses cannelures droites aux cannelures torses du pied, et les zones de feuilles d'eau ou de feuilles d'acanthe s'ordonnent avec distinction autour de la fraction surchargée de fleurs en relief où guirlandes et couronnes se mêlent à des branches jetées symétriquement.

Un vase doté d'une partie basse bombée et d'un col plus étroit peut aboutir à une sorte de carafon. C'est le cas du «vase lézard» (voir fig. 166), qui évoque presque une toupie ou encore un ballon de laboratoire. En l'amincissant considérablement pour en modifier le profil, on arrive à divers modèles de «vases bouteille» et «vases carafe», intermédiaires entre les formes renflées qui précèdent et celles qui dérivent directement de l'ovoïde.

Bouteilles et carafes

Au nombre des formes «bouteille» et assimilées, les «vases bouc Du Barry» (voir pl. XLVII) ont donné lieu à deux versions dites «A» et «B». La seconde est seule représentée dans cet ouvrage faute d'avoir rencontré un exemple de la première. Les têtes de boucs en ronde bosse ont été utilisées pour orner tant de modèles différents qu'elles ne constituent pas une caractéristique suffisante pour reconnaître un vase parmi ceux désignés par cette particularité.

Le «vase flacon à cordes» (voir fig. 185) répond plus précisément à son nom. Porté par un pied à bourrelet, il est conçu comme une gourde à large goulot se dressant au-dessus d'un corps dont le renflement allongé est tem-

Pl. XXXIX VASE MONTÉ EN CANDÉLABRE (d'une paire). S.d. (vers 1767-1770). H. totale 31, de la porcelaine seule 19,5. Sans marque. Porcelaine tendre. Waddesdon Manor, coll. Rothschild (cat. nº 80).

Les marchands-merciers, clients de la Manufacture Royale depuis les origines, se sont, à tour de rôle, fait une spécialité de monter les pièces de porcelaine, parfois les plus banales, pour les transformer en précieux objets d'art. Ici, la forme du vase, copiée sur un modèle chinois, disparait sous une riche monture en bronze doré qui le transforme en candélabre. Pendant le dernier quart de l'année 1761, le marchand Dulac acheta «24 bobèches verd et or 15/360 l.»[a]. En 1764 et 1765, il acquit encore douze bobèches et douze bassinets puis, à diverses reprises, des bougeoirs. Sans doute sa clientèle était-elle friande d'objets de luminaire. La monture est un réel travail d'orfèvrerie qui s'inspire de dessins ou de gravures de Delafosse ou de Lalonde, promoteurs du style néo-classique. Cette tendance s'exprime volontiers par des anses angulaires auxquelles s'ajoutent ici une draperie, des feuilles d'acanthe et des frises à l'antique, interprétées avec une certaine liberté.

Pl. XXXIX

Pl. XL

péré par un méplat presque insensible de la ligne de profil. De chaque côté, vers le milieu de la panse, vient s'attacher une cordelière qui, retenue par des liens, monte verticalement jusqu'au sommet d'où elle retombe avec souplesse pour simuler la boucle mobile destinée à suspendre le flacon. La forme, très simple, est complétée par un couvercle peu bombé, surmonté par trois anneaux qui parachèvent la noble allure de ce modèle peu répandu.

Le «vase bouteille» (voir fig. 152), à peine moins rare, construit suivant le même principe, varie par ses proportions plus allongées et les détails en relief. Un collier, composé d'un cordon décrivant des ondes serrées entre deux bourrelets enrubannés, enserre le col mince. Des baguettes, maintenues par de simples ligatures et terminées par un motif feuillu, constituent les anses. Trois anneaux enlacés forment la prise du couvercle comme pour le flacon précédent. Il est possible que ces deux variantes de «vase flacon» aient été tirées des moules nouveaux signalés en 1767, date qui s'accorde avec celle du «vase bouteille» représenté ici (voir fig. 152).

Le Musée du Louvre a le rare privilège de posséder une paire de «flacons à rubans» (voir fig. 177), non datés, dont le modèle est peut-être contemporain des deux précédents. Le profil reste très voisin mais la surface se creuse de six filets verticaux, déjà marqués dans le pied évasé et faiblement lobé. Au sommet, le haut col se resserre par de fines nervures et reçoit un très petit couvercle à simple bouton. Le ruban, drapé en collier, responsable de la dénomination de ces pièces, se noue et retombe jusqu'à l'épaulement. Ce modèle a été refait à Sèvres au XIXe siècle.

Certains «pots à eau» ou «burettes» ont été assimilés à des vases d'ornement. Les exemplaires connus de «vases en burette» (voir fig. 137, 138, 139) diffèrent par la forme mais présentent une parfaite homogénéité dans leur décor peint, qui est composé de couronnes de fleurs, en majorité roses et bleuets. La ligne du «pot à eau mosaïque» (voir fig. 139), par son col élancé et son collier à chevrons servant de point d'appui à l'anse bouclée, le rend vraiment digne d'être un objet décoratif. Ce modèle est plus rare que celui emprunté aux collections du Musée du Louvre (voir fig. 138) dont on connaît plusieurs spécimens. Par rapport à ces deux types, le «vase en burette» (voir fig. 137), de ligne simplifiée, semble se rapprocher davantage de la réalité fonctionnelle d'un «pot à eau», sans exclure la recherche du détail exprimée par le bord enroulé terminant le col à l'opposé du bec. Par son profil, cette pièce appartient, comme plusieurs autres déjà considérées, au groupe des innombrables formes dérivant de la sphère et de l'œuf.

Formes ovoïdes et dérivés

Si l'on excepte le vase très primitif de Vincennes (voir fig. 16) comparable à une boule cannelée, coupée à la base et au sommet, réduite au rôle de support revêtu de branches fleuries, la «sphère» a peu inspiré les inventeurs de formes décoratives. Ces créateurs ont mieux su l'adapter à un objet d'usage comme la «boîte à savonnette» (voir fig. 178), par exemple.

Seul dans son genre, le «vase ballon» (voir fig. 190) démontre la difficulté d'en tirer parti. Les additions: culot godronné, collerette ajourée, couvercle élaboré, anses redressées et attachées par des motifs rocaille, ne parviennent pas à un résultat à l'abri de toute critique. Ce vase a cependant l'avantage d'offrir une vaste surface à tout décor peint.

Au contraire, l'œuf a servi de base à une multitude de variations. Sans qu'on en altère la forme naturelle, il a été utilisé de diverses manières soit pour composer une garniture de vases montés en bronze (voir fig. 247), soit pour le transformer en petite boîte précieuse en faisant intervenir un orfèvre (voir fig. 232).

Le «vase ruche» (voir fig. 153) emprunte un contour général comparable. Sa surface imite la paille tressée, matière couramment employée pour construire les ruches d'abeilles au XVIIIe siècle; on en constate l'usage en

Pl. XL COMPOTIER OVALE (d'un groupe de quatre). 1767. Long. 27,7, larg. 20. Marque peinte n° 1. Waddesdon Manor, coll. Rothschild (cat. n° 75).
Dans la composition des services de dessert au XVIIIe s. entraient généralement des compotiers de plusieurs formes, depuis la jatte ronde et basse jusqu'au compotier coquille qui, par sa perfection, parvient au rang de pièce d'ornement. De nombreux modèles de compotiers subsistent dans les réserves de la Manufacture. Ce compotier ovale a fait partie d'un service de vingt-quatre couverts reconnu par S. Eriksen, qui l'a identifié à une livraison «à Mrs Bouffet et Dangirard pour Mr le Maréchal De Razomousky le 31 Xbre 1767»[a]. Les cent huit pièces atteignaient le prix de 7167 l.; les compotiers, sans distinction de forme, valaient 72 l. Plus de cent pièces ont survécu; toutes sont ornées d'oiseaux différents dont le nom est inscrit au revers. Etant donné la date «1767», les modèles d'oiseaux pourraient avoir un rapport avec ceux que les peintres Aloncle et Chappuis avaient été chargés de relever «d'après des tableaux» en 1766[b]. Sur ce compotier, on peut distinguer une «outarde mâle» et un «rossignol de l'Amérique».

observant certains décors peints, notamment sur une tasse et sa soucoupe, datées 1779, conservées à Waddesdon Manor[49].

Un modèle d'œuf simple, monté sur pied cannelé, maintenu par des consoles et surmonté d'une couronne royale (voir fig. 180), a été orné d'un médaillon de Louis XV, attaché par un ruban flottant et entouré de grosses guirlandes. La tendance «à l'antique» qui se manifeste, s'impose avec plus de lourdeur sur le «vase œuf Louis XVI» (voir fig. 220). La surcharge d'éléments réunis autour des médaillons du roi et de la reine: anses compliquées, lignes horizontales et coupure causée par le couvercle, ont tendance à écraser l'aspect général.

Plusieurs créations adoptent le principe d'un col prolongeant le profil ovoïde sans en rompre la ligne. Le «vase de Madame Adélaïde» (voir fig. 209), dépourvu de pied central, donne l'impression d'être suspendu à l'intérieur d'un trépied reposant sur un socle triangulaire. De longues tiges porteuses de feuilles d'acanthe entourent les montants qui épousent la ligne renflée de la panse et viennent se perdre sous trois lourdes guirlandes tombant en festons. Sous le collier qui enserre le col évasé, des boutons et des rubans attachent ces guirlandes dans l'axe de chaque tiers compris entre les montants. On connaît peu d'exemples de ce modèle original et séduisant, rarement mentionné dans les textes.

Le «vase myrte» (voir fig. 219), juché sur un pied cintré entouré d'un bourrelet de baguettes retenues par des liens rapprochés, est resserré à sa partie supérieure par un effet gaufré qui s'achève en un col bas à bord dentelé et un peu évasé. Des branches de myrte en relief le garnissent et se détachent, aux deux tiers de sa hauteur, pour constituer une boucle charnue et souple éveillant l'idée d'une oreille chargée de feuilles. Il est regrettable de constater le peu d'exemples connus de cette jolie forme, cependant moins rare qu'un autre modèle, anonyme à ce jour. Ce dernier (voir fig. 140), parfaitement ovoïde, possède un col mince plus élevé se prolongeant par deux bandes étroites dressées comme de petites oreilles, qui lui donnent une allure très particulière.

Construit suivant la même ligne générale, le «vase pendule ovoïde» (voir fig. 234) est grandi par un jet d'eau simulé. Les dauphins affrontés qui l'encadrent, en soufflant, contribuent à alimenter la courte chute retombant en cascade autour du col uni. Peu répandu, ce type de vase, privé de pendule, est cependant moins exceptionnel que le précédent et que ceux qui suivent.

Les deux «vases cuir» (voir pl. XXXV), conçus d'après une forme ovoïde à col haut et mince, relèvent d'une singulière invention. C'est une manifestation de la tendance à contrefaire les particularités d'un matériau par un autre que l'on constate dans les différents arts pendant la seconde moitié du XVIIIe siècle; la tapisserie, entre autres, s'est efforcée d'imiter la peinture, ce qui est plus

Pl. XLI VASE CARRACHE (d'une paire). S.d. (vers 1769). H. 37,5. Sans marque. Waddesdon Manor, coll. Rothschild (cat. no 87).
Enregistré au XIXe s. sous son nom originel et publié par Troude (pl. 84), le modèle survivant de «vase Carrache» diffère un peu des deux dessins conservés dans les archives de la Manufacture, ainsi que des exemplaires en porcelaine connus; aucun n'est daté. Les plus anciennes mentions de vases de ce nom remontent à 1768. Des moules et modèles nouveaux en 1re et 2e grandeurs sont signalés dans les inventaires de 1768 et 1769[a]. «4 vazes Carrache» figurent dans une cuisson de couverte effectuée entre avril et octobre 1769[b]. Dans les «travaux extraordinaires» de 1768 et surtout de 1769, le «Sr. Genest peint ... 6 vases Carrache à 36 têtes en médaillons sur les 6 à 3/108 l.»[c]. Ces «têtes» correspondent aux visages de profil peints en grisaille sur fond brun, qui ornent le sommet cintré des intervalles entre les bandes en relief, comparables à des triglyphes, auxquelles sont suspendues de lourdes guirlandes.

Pl. XLII VASE À CONSOLES. 1769. H. 44,5. Marque peinte no 1; en creux, Pt. *Waddesdon Manor, coll. Rothschild (cat. no 86).*
La forme en plâtre de ce vase, enregistrée au XIXe s. sous le nom d'origine, est signalée «avec reliefs en cire» dont on doit déplorer la disparition. L'inventaire du 1.1.1770 atteste l'existence de «moules nouveaux et modèles idem 1ere et 2e gr.». Précisément en 1769, le «Sr Genest chef d'Attelier de Peinture» peignit sur «2 Grands Vazes en Consoles à 2 sujets de bataille, 2 d'attributs, 4 têtes avec ornemens en Bas Relief 56/112 l.». La description convient exactement à ce vase-ci ainsi qu'à son pendant visible à la Wallace Collection[d]. Leur fond bleu, d'une teinte très spéciale, a été rapproché par S. Eriksen[e] de celui d'un grand service livré le 6 octobre 1766 et donné par Louis XV au comte Starhemberg, ambassadeur d'Autriche près de la cour de France[f]. Par la couleur et le principe du décor, les deux vases s'apparentent à un groupe de pièces connues, notamment à une paire de vases, datés 1769, conservés au Musée Condé à Chantilly[g].

Pl. XLIII VASE ANTIQUE FERRÉ DIT «DE FONTENOY» (d'une paire). S.d. (vers 1765-1770). H. 41, larg. 24. Marque peinte no 1. Paris, Louvre (inv. OA. 10593).
La forme de ce vase, connue sous le nom adopté par Troude (pl. 104), a sans nul doute été désignée autrement au XVIIIe s. Les inventaires ignorent le qualificatif «ferré» qui, dans les mentions de travaux des ateliers, apparaît tardivement par rapport aux dates 1763-1769, entre lesquelles se situent, en majorité, les exemplaires datés connus qui, en outre, révèlent deux grandeurs. Ce vase d'apparence lourde, bardé d'une pesante cuirasse composée de plaques accrochées par des cordages et reliées entre elles par des anneaux et des boucles, réunit un maximum d'éléments décoratifs en creux et en relief. Son succès, attesté par le nombre important de spécimens survivants, tient peut-être aux surfaces offertes à la décoration. Parfois réunis en garnitures de trois, comme c'est le cas au Musée du Louvre, les «vases antiques ferrés» vont souvent par paires de couleurs, bleu foncé, bleu céleste ou vert; le fond rose marbré de celle-ci est tout à fait exceptionnel, sinon unique.

Pl. XLI

Pl. XLII

Pl. XLIII

Pl. XLIV

aisément concevable que de vouloir créer l'illusion du cuir souple à l'aide de porcelaine. Le résultat, peut-être contestable, n'en est pas moins une réussite technique flagrante, à laquelle le décorateur, qui a calculé les proportions harmonieuses des cartels et réalisé les peintures, n'est pas étranger. Les figures de «l'amour Falconet» (voir fig. 313) et de son pendant, universellement répandues par les biscuits édités à Sèvres et copiés partout à satiété, sont devenues des sujets familiers, contrastant en cela avec l'impression de surprise provoquée par la structure générale des vases.

La ligne pure du «vase à glands» (voir fig. 182) n'est pas altérée par les détails en relief qui le distinguent. On remarque en particulier un disque épais garni de postes, intercalé entre le pied en forme de cloche et le culot garni de feuilles d'acanthe; c'est la double cordelière terminée par des glands et nouée des deux côtés du col qu'elle encercle, qui a servi à nommer ce modèle relativement peu répandu.

Il est cependant moins rare que celui du «vase à boulons» (voir fig. 181), qui se caractérise par un important allongement du corps. La ligne de profil qui en résulte l'apparente à une forme presque conique. La même remarque s'impose au sujet du «vase Carrache» (voir pl. XLI) d'allure majestueuse. Le rétrécissement supérieur creusant une gorge sous le bord le rattache à une autre série de formes ovoïdes offrant la même particularité.

Parmi les vases de ce groupe qui se distinguent par un col large et très court marqué par une simple gorge, le «pot-pourri Pompadour» (voir fig. 42) est probablement le premier en date et l'un des mieux réussis. Il est notable qu'à une époque où la Manufacture de Vincennes commençait tout juste à s'affirmer, on soit parvenu à établir des pièces de taille aussi grande que le «pot-pourri» à fond violet (voir pl. IX) et à surmonter les dangers de cuissons successives. Cette pièce et son pendant sont exceptionnels en tous points mais pas uniques quant à leurs dimensions[50]. De nombreux spécimens de ce modèle, en quatre grandeurs et très diversement décorés, se trouvent répartis dans les collections françaises et mondiales. Certains exemplaires de «pots-pourris Pompadour», au lieu d'être percés de trous ronds soulignés par de légers reliefs, sont perforés suivant un dessin de palmette[51].

Le «vase momies à ornements» (voir fig. 206) est fort peu connu. Ce n'est pas le cas du «vase fil et ruban» (voir fig. 159). Pendant une longue période, cette forme un peu massive a été répétée, revêtue de fonds variés et souvent décorée de scènes à personnages empruntées à diverses gravures. Les collections françaises ne sont pas favorisées, le plus grand nombre d'exemplaires connus du «vase fil et ruban» se trouvant dans les pays anglo-saxons. Les collections britanniques sont les mieux pourvues.

Dans la même série, le «vase console» (voir pl. XLII) compte parmi les créations aptes à recueillir les suffrages des amateurs les plus exigeants. Le pied, habillé de feuilles d'acanthe retombantes, montre une recherche peu fréquente. Les alvéoles allongés, creusés dans la partie inférieure du corps ovoïde, seraient gênants du point de vue esthétique, s'ils ne servaient pas à abriter les consoles qui ont servi à désigner le modèle. Ces consoles s'amplifient suivant un mouvement ascendant et retiennent dans leurs enroulements les extrémités de guirlandes qui tombent en festons. Une telle abondance pourrait aboutir à une désagréable surcharge; or la justesse avec laquelle les divers éléments sont calculés évite cet écueil. A la partie supérieure, la ligne du profil est respectée et l'artiste créateur n'a pas ajouté d'anses afin de ne pas nuire à sa pureté. L'encolure cintrée bute sous un bourrelet garni de feuilles en spirales, variante d'une inspiration commune à cette pièce et au vase «fil et ruban». Le couvercle, en forme de cloche étroite sous son bouton, complète harmonieusement l'ensemble. Ce type de vase paraît avoir été peu répété; il est évident qu'il appelait un décor très composé de préférence à l'habituel cartel entouré par un encadrement doré[52]. La savante décoration ornant l'exemplaire de Waddesdon Manor est adaptée de manière subtile aux contraintes du modèle.

Les deux sortes de «vases Danemark», dits «à cartels» ou «à ornements», auraient de la peine à soutenir la com-

Pl. XLIV VASE AUX TOURTERELLES. S.d. (vers 1768-1770). H. 48, larg. 30. Sans marque peinte; en creux, nº 34. Porcelaine tendre. Paris, Louvre (inv. OA. 10591).

Le modèle en plâtre de ce vase a été publié sous ce nom par Troude (pl. 94). Aucune mention correspondante n'apparait au XVIIIe s. dans les inventaires du matériel de fabrication et pas davantage dans les registres de livraisons. Deux autres exemplaires de cette forme rare, non datés, l'un en fond vert, l'autre bleu comme celui-ci, appartiennent à la collection royale britannique. Tous sont décorés, sur le bandeau, de profils en imitation de camée, technique en vogue à partir des années 1768-1770. Les tourterelles en ronde bosse ainsi que certaines parties réservées en blanc sont enrichies de dorure et les guirlandes dorées en plein. Le principe de décoration peinte, cartels à figures sur la face, fleurs ou attributs au revers, est adopté sur chacun des vases connus. Ici, deux amours dans un paysage observent un cœur percé d'une flèche. Cette allusion à l'amour accentue l'idée suggérée par la présence des tourterelles. Probablement livrée à titre de «vase d'ornement», cette pièce d'une richesse vraiment royale devait atteindre un très grand prix.

paraison, s'ils n'offraient pas des traits distinctifs d'une autre nature. Le système évoquant une armature métallique du «vase Danemark à cartels» (voir fig. 167), malgré son originalité, montre une parenté avec la conception du «vase antique ferré à quatre cartels» (voir pl. XLIII), mais il n'en comporte que deux et les anses plates, appliquées sur les côtés, apportent un élément qui, par son modernisme, paraît être en avance de deux siècles sur son temps. Son homonyme dit «à ornements» (voir fig. 129), n'appelle pas de remarque analogue. Il est sagement décoré de godrons, en relief ou en creux, suivant leur niveau, ceinturé d'un bourrelet enrubanné et muni d'anses relevées, détails empruntés à la grammaire classique. La place réservée au décor peint, très limitée en hauteur, appelle des cartels allongés. Les deux types de «vases Danemark» sont aussi rares l'un que l'autre.

Le «vase Duplessis à côtes» (voir pl. XIX), peu répandu, est moins inhabituel. Si l'on fait abstraction de sa surface divisée en côtes par des nervures verticales, son profil est tout à fait comparable à celui du «vase fil et ruban», dont il emprunte aussi le pied et les anses. Sa plus grande particularité est la manière dont la bordure ondulante, au-dessus de l'encolure rétrécie, décrit une succession de six ouvertures allongées correspondant aux côtes de la panse et séparées par des attaches qui se placent au-dessus de chaque nervure. Le couvercle prolonge les mêmes lignes et se resserre complètement au sommet pour supporter une petite sphère dans laquelle se répète la même division en tranches. Tous ces détails, très raffinés, donnent à la forme de ce vase un charme bien différent de l'aspect imposant d'un autre modèle qui est, lui, très marqué par l'influence de l'Antiquité.

Si l'on désirait donner un nom au vase anonyme reproduit (voir pl. XXXVII), il faudrait y intégrer celui de son auteur présumé: Falconet. On sait que ce maître était séduit par les idées nouvelles. Comme il a été noté au sujet de Duplessis (voir p. 56), le XIXe siècle s'est montré prodigue, non sans raisons parfois, en attributions que ne confirment pas les documents d'archives du siècle précédent. Par souci de clarté, si l'on appelle ce modèle «vase ovoïde Falconet», on remarque d'emblée que son pied est déjà connu par celui du «vase Duplessis à côtes»; mais là s'arrête la similitude, car son corps en œuf, soutenu par une corolle de godrons inégaux, offre des particularités à partir de l'encolure cintrée creusée de larges cannelures et ornée d'un cours d'oves et de perles. De courtes consoles, également cannelées, retiennent des guirlandes tombant sur le corps avant de se relever pour s'accrocher aux anses. Celles-ci décrivent un mouvement en S puis se brisent et se terminent par une bande droite. Ce principe, diversement traité, a souvent été adopté pour les vases créés dans la période 1760-1775 (voir fig. 236, 244). La collection de Waddesdon Manor, largement pourvue en vases de ce modèle, possède une garniture de trois pièces prouvant l'existence de deux grandeurs. Devant cet exemple, on constate avec regret le dénuement des collections françaises en regard de leurs voisines.

Les formes ovoïdes qui précèdent ont pour dénominateur commun une ligne continue depuis la base jusqu'à la bordure de l'encolure. Celles qui suivent présentent, dans leur partie supérieure, une arête qui, sans rompre réellement le profil, introduit un effet angulaire plus ou moins accentué.

L'exemple le plus simple répondant à ce type est le «vase à monter» (voir fig. 256), qui a permis des interprétations variées.

Le «vase à côtes torses de côté» (voir fig. 143), de toute évidence destiné à accompagner son homonyme dit «de milieu» (voir fig. 142), lui emprunte les éléments principaux en excluant toute surcharge. Une paire, conservée au Philadelphia Museum of Art[53], démontre le haut degré de perfection que la porcelaine peut atteindre sans addition de bronze.

Le «vase C de 1780» (voir fig. 265 et 266), quelle que soit la variante adoptée par la bordure du col, a été prévu avec des anses en porcelaine, probablement destinées à être dorées pour imiter les riches montures en bronze si recherchées dans le dernier tiers du XVIIIe siècle. Il semble, en tout cas, que cette prouesse technique ait été

Pl. XLV VASE ANGORA OU ANGOLA. 1772. H. 46, larg. 28. Marque peinte n° 1 (T); Dodin. Collection royale britannique (Laking, n° 135).
Le dessin original et la forme en plâtre survivante de ce modèle n'apportent que des renseignements visuels sans fournir aucune précision historique. Mais l'inventaire du 1.1.1772 signale «moule nouveau de vase Angola 150 l., modèle idem 300 l.», permettant de situer la date de création. Il est naturel de constater la livraison à Versailles en 1773 à Mgr le comte de Provence: «1 vase angola 840 l.»[a] accompagné de deux paires de «vases Bachelier» et «à bandes», avec lesquels il constituait probablement une riche garniture de cinq pièces[b]. Le chat irrité qui surmonte le vase et lui a valu son nom, ainsi que l'aigle et le chien en ronde bosse tenant lieu d'anses, sont en réalité des détails indépendants de la forme. La même collection possède un autre «vase angora», non daté, en fond bleu céleste, privé des sculptures et orné de chutes de feuilles en relief, qui est également décoré d'une peinture attribuée à Dodin. Ici, on reconnaît «Mercure enseignant l'Amour». La composition reproduit une gravure de Gaillard d'après J.-B. Van Loo ayant pour thème «L'Amour à l'école»[c].

Pl. XLV

Pl. XLVI

Pl. XLVII

particulièrement appréciée en son temps, puisque parmi les pièces de ce genre connues dans le monde, plusieurs sont enrichies d'émaux dits «de Cotteau». Parmi les plus favorisés à ce titre, le British Museum[54] possède une paire de vases de petite taille portant la date 1781, et la Walters Art Gallery de Baltimore, un grand spécimen de même date, formant le centre d'une garniture, assortie par le décor mais non par la forme. La Huntington Library, à San Marino, a le privilège inestimable de conserver une garniture composée de trois «vases C de 1780» en deux grandeurs, en «fond Taillandier» rose, décorés de fines peintures en miniature encadrées de semblables émaux, pièces royales, dignes de rivaliser avec la garniture de la Wallace Collection déjà citée à propos d'autres formes (voir pl. LIII et p. 78) pour se prévaloir d'avoir, éventuellement, pu retenir l'attention de la reine Marie-Antoinette. Tous les vases de ce modèle n'ont pas été aussi brillamment décorés; cependant de fort beaux spécimens sont visibles, outre ceux du Musée de Sèvres, au Musée Carnavalet à Paris et hors de France.

C'est surtout vers l'étranger qu'il faut se tourner pour rencontrer des exemplaires survivants du «vase à panneaux» (voir fig. 127) construit suivant le même profil, mais variant dans ses proportions. Indépendamment des guirlandes en relief et des perles de l'encolure, ses anses constituent sa principale originalité. Elles évoquent moins une bande métallique qu'une épaisse courroie de cuir cloutée, longeant le corps puis se repliant partiellement pour s'en écarter. Les exemples de ce genre, rares en Europe continentale, sont nombreux en Grande-Bretagne et aux Etats-Unis.

La silhouette s'affine avec les modèles de Boizot. La version «vase bouc à guirlandes», reproduite par Troude (pl. 119), correspond, guirlandes et têtes de boucs exclues, à la forme des «vases Boizot» en général et à celle du vase monté (voir pl. LVI). On note un léger relief avant le départ du col. Il n'est pas évident que le nom du créateur présumé ait été donné au XVIIIe siècle aux mêmes formes sans bas-reliefs. Lorsque de tels vases apparaissent dans les registres de ventes, la majorité des mentions, en 1773 et 1774, précisent soit «2 vases bas-reliefs Boizot en or 480/960 l.»[55] soit «2 vases Boizot fond d'or bas-relief 480/960 l.»[56], soit encore «2 vases Boizot en bas-relief fond d'or 480/960 l.»[57]. La similitude de prix laisse supposer une concordance possible entre les objets. Il est regrettable, si de pareilles pièces existent, qu'elles n'aient pas été reconnues.

Le «vase de côté Deparis no 2» (voir fig. 229) est dû au chef des repareurs qui créa deux vases, distingués par un numéro. Celui-ci se rattache aux formes précédentes et se signale par un cours d'oves qui sépare le col cannelé du corps. Il se rapproche d'une autre série, où le vase est coupé sous un col droit ou cintré qui paraît rapporté.

La conception du «vase à anses torses» ou «à anses tortillées» (voir fig. 165) est attribuée à Bachelier. C'est un vase à corps légèrement aplati à sa partie supérieure, haussé par un long col cylindrique. Le modèle prévoit quelques reliefs, notamment une couronne de feuilles limitant un cartel, ainsi que des feuilles d'eau réparties autour du pied, du culot et du col. La majorité des exemplaires connus sont dénués de tout ou partie de ces reliefs. Le spécimen conservé au Musée des Arts Décoratifs les possède tous, sauf ceux du pied.

Les proportions harmonieuses du «vase colonne Deparis» (voir fig. 230) le rendent digne de recevoir les médail-

Pl. XLVI VASE CHAPELET (d'une paire). S.d. (vers 1770-1775). H. 33,5. Marque peinte no 1. Lausanne, coll. Mme Alix Lacarré.
Le modèle ainsi nommé, publié par Troude (pl. 97), propose de manière très exacte la forme de ce fort joli vase, garni de perles autour du pied, le long des anses et sur le bourrelet intercalé entre le bord de l'encolure et le couvercle. Deux mentions de «vase chapelait 1ere gr» apparaissent en 1776 parmi les travaux de Le Grand fils, repareur, et de Vautrin, tourneur[a]. Dans un défournement de porcelaine tendre du 14 octobre 1777, figure «1 vase Chapelet 1ere gr.»[b]. Rien de plus n'est signalé sous cette dénomination. Malgré la fantaisie qui régnait entre les divers services de la Manufacture pour désigner une même pièce, il semble difficile de supposer que ce modèle ait pu être appelé «vase à perles». Le chapelet, effectivement composé de perles décroissantes, blotti entre l'anse et le corps, fournit un terme plus évocateur. Les autres détails, calculés avec soin, donnent à cette forme une réelle originalité. La couleur peu fréquente du «fond Taillandier» rose et le panier fleuri qui orne les cartels sur la face et le revers créent une harmonie délicate.

Pl. XLVII VASE BOUC DU BARRY B (d'une paire). S.d. (vers 1770-1775). H. 30. Marque peinte no 1. Paris, Louvre (inv. OA. 6237).
Deux formes, créées simultanément au XVIIIe s., sont désignées sous le même nom suivi de A et B. La seconde, qui figure ici, se distingue de l'autre par un profil continu sans ressaut au niveau des anses et par le collier enserrant son col. Le modèle survivant, publié par Troude (pl. 98), comporte deux peaux de boucs superposées, retenues sous les têtes et terminées par des sabots après s'être nouées au-dessus du pied. Il n'est pas impossible que les moules nouveaux et les modèles de «vaze à têtes de bouc» signalés en 1768[c] concernent ces formes. Les livraisons de «vases testes de boucs», mentionnées de 1770 jusqu'à la fin du siècle, sont trop succinctes pour être identifiables. Le «fond Taillandier» bleu céleste ponctué de bleu foncé et d'or ainsi que les paniers fleuris suspendus par un ruban correspondent bien à la période 1770-1775. Deux vases de même forme, garnis des peaux de boucs figurant sur le modèle et de grosses guirlandes de fleurs en relief, sont conservés dans la collection Spencer à Althorp[d].

lons en biscuit du roi et de la reine. Cependant plusieurs exemples sans médaillon se trouvent dans les collections des Etats-Unis, notamment dans celle d'Anna Thompson Dodge, à Detroit, où l'on rencontre une paire ayant fait partie d'une garniture de trois vases acquise par le comte du Nord en 1782[58]. Les putti qui tiennent des guirlandes autour de la colonne sont supportés par des anses sobres que Deparis reprend pour garnir des vases adoptant le même galbe, se différenciant par des cols divers mais toujours cintrés.

Le nom même des «vases des âges» (voir fig. 241, 242, 243), parfois dits «des trois âges», définit l'intention de l'auteur et le programme exprimé par des bustes d'enfants, de jeunes femmes et de vieillards, dressés au sommet des anses. La pureté de ligne de cette forme lui a attiré un succès unanime. Les décorateurs de Sèvres ont rivalisé de soins pour orner de peintures les réserves ménagées dans les fonds les plus recherchés. Les mentions de livraisons paraissent souvent à partir de 1782; la première, destinée au roi, signale une garniture de «5 vases des Ages mignature émaux 6000 l.»[59]. Ce devait être un ensemble éblouissant. Un certain nombre de «vases des âges» sont connus en divers pays y compris en France.

Le «vase de côté Deparis nº 1» (voir fig. 213) suit la même ligne générale mais diffère par quelques détails: bague supplémentaire autour du pied, encolure cannelée plus élevée et terminée par un cercle de perles de deux grosseurs en alternance. Les anses, sans rapport avec les précédentes, haussent le modèle par leur mouvement élancé. L'effet est particulièrement sensible dans l'interprétation de celles d'un exemplaire rappelant, par son décor, un événement historique (voir fig. 231).

Un autre modèle, à col plus haut (voir fig. 210), n'a pas laissé de trace dans les archives de Sèvres. Plusieurs témoins en porcelaine, dont un daté 1775, assurent sa survivance.

Le «vase cyprès Furtado» (voir fig. 211), par ses trois gorges superposées aboutissant à une gracieuse encolure, évolue peu par rapport aux formes précédentes. Des spécimens sont visibles au Musée de Sèvres et au Musée des Arts Décoratifs à Paris.

Deux autres vases ovoïdes à col cintré tirent leur caractère particulier du large bandeau qui les sectionne à mi-hauteur. Le premier (voir fig. 246), très grand, est exceptionnel par le bas-relief en bronze qui l'entoure et par ses anses doubles encadrant une tête de bouc. Le bandeau du second (voir fig. 295) s'inscrit dans une profusion d'éléments en relief où foisonnent les cours de perles; on remarque la parenté du chapelet décroissant longeant les anses avec le principe adopté pour les «vases chapelet» (voir pl. XLVI).

Très différents sont les «vases à têtes de Chinois» (voir pl. LI) où la partie convexe de l'œuf est nettement coupée pour recevoir un col bas très évasé, système également appliqué au «vase cornet à têtes de morues» (voir fig. 294) surmonté, lui, d'un col démesurément élevé. Il n'est pas surprenant que leurs caractères exotiques aient incité à rassembler ces deux modèles. Le cas s'est produit; la garniture de trois «vases rouges Chinois», conservée dans la collection royale britannique, le confirme.

On ne distingue plus très bien si le «vase antique ferré» dit «de Fontenoy» (voir pl. XLIII), nom pompeux remontant peut-être au XIXe siècle, est encore de forme ovoïde, tellement celle-ci disparaît sous une véritable cui-

Pl. XLVIII TASSE ET SOUCOUPE. 1778. Tasse: H. 6,8; soucoupe: Ø 13,5. Marque peinte en or nº 1 (AA) surmontée du mot Sèvres et d'un signe attribuable à Méreaud ou à Butteux. Waddesdon Manor, coll. Rothschild (cat. nº 107).

La forme de cette «tasse litron», parfaitement cylindrique, a été exécutée depuis les origines à Vincennes. L'inventaire d'octobre 1752 cite des moules de «gobelets à litron 1ere gr et moyens», mention qui n'exclut pas une existence antérieure. D'abord fabriqué en trois tailles, ce modèle le fut en cinq par la suite. Le XXe s. ne l'a pas éliminé, bien au contraire. La forme de l'anse est toujours restée simple, malgré des variations plus ou moins éphémères. La savante composition du décor s'inspire de dessins ou gravures inventés par les ornemanistes Cauvet, Salembier, Ranson et leurs émules. Les couleurs douces mises en valeur par le liséré beau bleu contribuent, autant que les émaux en relief et les ors brunis à l'effet, à rendre précieux ce petit objet, qui a pu être vendu séparément pour se trouver intégré dans un ensemble hétéroclite destiné à l'usage. Eriksen[a] a rappelé le goût de Mesdames, tantes de Louis XVI, pour ce genre de groupement composite.

Pl. XLIX THÉIÈRE. 1778. H. 13, Ø 14, larg. 18,5. Marque peinte nº 2, très ornée (AA); Dieu et, en bleu de grand feu, «2.77.10»; en creux, nº 84. MNCS (inv. 23260).

Cette théière en forme de boule aplatie sans anse paraîtrait bien banale si on lui ôtait son couvercle, son bec ayant l'allure d'un dauphin dressé et la poignée de métal fixée à la partie supérieure de son corps ajoutant une originalité à l'ensemble. Ces diverses particularités ont pu conduire à la faire nommer «bouillotte» dans les ateliers. La marque «2.77.10», distincte de celle de décoration, peinte en rouge, nous paraît indiquer un fond de grand feu exécuté en 1777, le 10 février ou le 2 octobre; cette manière de marquer, courante au XIXe s., a pu être pratiquée auparavant. Le décor de chinoiserie polychrome, se présentant directement sur le fond très brillant, est l'œuvre du décorateur Dieu «ouvrier fort précieux»[b] qui travaillait aux pièces. En 1778, il décora plusieurs «bouillottes»[c] notamment «du 9 novembre 2 bouillottes, une brune, l'autre couleur de Bellevue, Chinois»[d]. Il est bien tentant de faire un rapprochement avec cette théière-ci, brune? ... pourquoi pas «couleur de Bellevue»?

Pl. XLVIII

Pl. XLIX

Pl. L

rasse de plaques en relief. Les cartels sont tout indiqués pour appeler de petits tableaux. L'assemblage d'éléments décoratifs, en creux et en saillie, répartis depuis le pied jusqu'au couvercle, dénote un réel sens de la composition. Le succès de ce modèle, malgré l'absence de mentions d'archives à l'appui, est prouvé par les exemples nombreux conservés dans les collections mondiales où le Musée du Louvre occupe une bonne place.

Dérivées du type ovoïde, une série de formes, qui pourraient répondre au nom général d'urnes, présentent le trait commun d'être nettement tronquées vers leur partie supérieure avant que la ligne de profil ne se resserre. Par ailleurs ces modèles, relativement tardifs, sont totalement différents les uns des autres.

Le «vase pendule Boizot» (voir fig. 240) conserve le col cintré déjà rencontré sur d'autres pièces. Les sculptures qui l'ornent atténuent la rigidité de son profil.

Par ses proportions élégantes et ses reliefs adroitement combinés, le «vase à palmes» (voir fig. 163) témoigne d'une recherche très méditée. Le «vase solaire» (voir fig. 196) fait appel à des médaillons en relief, reliés entre eux par un système pseudo-métallique, également emprunté, avec toutes sortes de variantes, par le «vase Danemark à cartels» et par ceux qui sont qualifiés «ferrés». Les deux versions de vases dits «ferrés à bandeau» (voir fig. 221 et 222) se trouvent décrites par leur seule définition. Leurs différences sont cependant appréciables dans les détails tels que: hauteur du pied, reliefs de feuilles ou de côtes, profils des parties supérieures et, surtout, adaptation de têtes de lions en relief ou d'anses simulant une barre métallique repliée, élément souvent adopté par les types de formes les plus divers (voir pl. XLVI).

Pl. L VASE BACHELIER RECTIFIÉ (d'une paire). 1779. H. 71. Marque non visible; Caton et Butteux. Porcelaine dure. Boston, Museum of Fine Arts (inv. 27.534).

L'allure imposante de ce vase et de son pendant, en 1re grandeur, comme leur réussite les vouaient à une appartenance royale. La forme (voir fig. 168 et 198) se prête à recevoir deux cartels opposés. Sur la face, Antoine Caton a retracé un épisode de la vie de Bélisaire suivant la description donnée par Marmontel[a]; au revers, Butteux père a groupé des attributs militaires. Cette paire de vases se trouvait avant la Révolution dans le «Cabinet du Conseil» à Versailles[b], à peu de distance de ceux de Mars et de Minerve (voir p. 120). Envoyés aux Tuileries le 27 décembre 1791, ensuite saisis par le gouvernement de la République, ils servirent de monnaie d'échange et passèrent entre les mains de John Swan, négociant de Boston, qui avait fourni du matériel de guerre et diverses denrées. Pour prix de tels services, Swan constitua une splendide collection d'œuvres d'art françaises du XVIII[e] s.[c]. A sa mort, deux de ses filles se partagèrent la paire de vases. Après diverses vicissitudes, ils sont de nouveau réunis depuis 1938.

Le «vase à feuilles de laurier» (voir fig. 205), porteur au niveau de la coupure d'une bande plate enrubannée, est un peu écrasé par son couvercle affectant l'allure d'une cloche arrondie. Ses anses en consoles portent des guirlandes feuillues, probablement responsables de son nom.

Le corps du «vase chapelet» (voir pl. XLVI), construit suivant des proportions trapues, est habilement haussé par un pied porteur d'une sphère intercalaire et allongé par un col étiré. La combinaison de ces tendances divergentes aboutit à un résultat plein d'originalité. La ligne arrondie de la très large base de l'encolure suggère l'existence d'un premier grand couvercle surmonté d'un petit, posé audessus du bourrelet perlé. Cette impression de double couvercle a déjà été notée (voir fig. 135, 208, etc.). Les anses qui répondent au principe de simulation d'une barre métallique repliée sur elle-même (voir fig. 222) sont soulignées par un chapelet de perles décroissantes qui les soudent au corps. Cet effet n'est probablement pas étranger à la dénomination du modèle. Les exemples en sont rares; une paire, plus petite, fait partie de la collection royale britannique.

Réduite à une moitié d'œuf montée sur un pied cintré, l'«urne Bachelier» (voir fig. 195) se caractérise par le bourrelet triple maintenu, de place en place, par un double ruban qui suit une zone resserrée recevant le couvercle. Les reliefs du culot et les quatre guirlandes en saillie, maintenues alternativement par deux masques en ronde bosse et deux médaillons peints, constituent la garniture que complète un sobre décor d'or. La paire visible à la Wallace Collection est peut-être unique.

Le corps du «vase flacon à mouchoir» (voir fig. 184) montre un profil semblable à celui des vases précédents, mais il est porté par un pied plus bas et surmonté, en apparence, d'un double couvercle. Abstraction faite de la monture métallique, la réalisation en porcelaine modifie le modèle initial où la partie supérieure unie, coupée net et sans couvercle, suggère un cône de cheminée; impression que les cannelures en biais contredisent. Un autre vase de cette forme peu connue existe dans la collection du duc de Richmond and Gordon[60].

Sauf révélation inattendue, le «vase grec à colonne» de la Wallace Collection (voir fig. 160) est une pièce unique. Son corps se termine par une sorte d'encolure ronde et lisse, montant jusqu'à la base de la haute colonne cannelée. Les ornements à l'antique abondent: cours de postes, cannelures, grecque et les anses, d'un type très original, évoquent un épais ruban soumis à des replis successifs. Ce vase est un des plus surprenants modèles créés au XVIIIe siècle.

Formes dites «étrusques»

Les formes dérivant de l'ovoïde constituent le groupe le plus important des modèles créés depuis les origines jusqu'à la fin du XVIIIe siècle, mais la série en reste incomplète tant qu'il n'a pas été question des pièces dites «étrusques». Les manifestations du goût «à l'antique», par l'intrusion de multiples détails, ont été maintes fois signalées à propos des objets cités et décrits précédemment. Le terme «étrusque», pour désigner une forme, semble avoir fait son apparition à Sèvres dans l'inventaire concernant le matériel nouveau de fabrication, établi le 1er janvier 1769, où figure un «vaze etrusque 2e», ce qui sous-entend la possibilité de réalisation en deux grandeurs au cours de l'année 1768. Cette date concorde avec les inscriptions déchiffrées dans le décor de chacun des deux «vases étrusques à cartels» qui se trouvent au Musée du Louvre (voir fig. 154) et d'un autre exemple conservé à la Walters Art Gallery de Baltimore[61]. Le même fait a été observé sur un troisième spécimen où, dans les mêmes conditions, peut se lire «1777»[62]. A propos d'une autre paire, le catalogue de la vente où elle a paru[63] indique des dimensions inférieures et précise que l'un des vases, décoré d'une scène de pêche, est marqué «1769» en chiffres, porte la lettre-date Q et l'initiale M désignant le peintre Morin; tous ces éléments concordent entre eux et avec ce qui est exposé ci-dessus. Il est rare, au XVIIIe siècle, que la date soit inscrite en chiffres arabes et fasse double emploi avec la précision donnée, depuis 1753, par la marque normale complète. Cette particularité du «vase étrusque à cartels» mérite d'être soulignée, sans toutefois qu'on lui accorde la valeur d'un signe obligatoire. Les exemplaires connus présentent une parenté dans leurs décors consacrés à des scènes occupant des marins ou des militaires, genre pratiqué par Morin spécialiste «en marine ou soldats» ou encore en «tableaux de marine»[64].

Très différente, la forme du vase à décor de chinoiserie (voir fig. 271) est probablement une des plus directement tributaires d'un modèle antique. L'inscription portée sur le dessin daté 1788 qui la concerne, «forme etrusque prie d'apres une terre antique...», l'atteste clairement. En 1788, la collection de vases dits «étrusques» rassemblée par Denon, acquise par le roi, se trouvait déposée à Sèvres depuis deux ans, à l'instigation du comte d'Angiviller. Le but recherché était de provoquer un renouveau en offrant aux artistes une source d'inspiration directe. Il est donc

Pl. LI VASE À TÊTES DE CHINOIS. 1780. H. 47, ∅ 18,9, larg. 22,6. Marque peinte n° 2 (CC); Schradre. Collection royale britannique (Laking, n° 282).
La forme de ce vase reproduit exactement celle du modèle en plâtre survivant. Une série de mentions relevées dans les archives de la Manufacture permettent de suivre en partie la destinée de trois «vases chinois» à fond rouge. Ils apparaissent en décembre 1780 où ils figurent successivement dans les travaux du décorateur Schradre: «... 1 garniture de trois vases Chinois fond rouge décoration très riche en figures et or et couleurs 480 l.»[a] et dans une cuisson de peinture, décrits plus sommairement «... fond rouge arabesques diff. et Chinois, Schradre»[b]. Une vente au comptant à Versailles du 3 janvier 1781 cite «3 vases fond rouge forme chinoise 1920 l.»[c]. Précisément, ce vase-ci fait partie d'une garniture de trois comprenant deux «vases cornet à têtes de morue» de couleur et décor correspondants. L'anonymat de l'acquéreur est d'autant plus décevant que cette forme est très rare, sinon unique, et que celle de ses acolytes n'est guère répandue (voir fig. 294).

Pl. LII VASE À BANDEAU DUPLESSIS. S.d. (vers 1780-1785). Anses en bronze. H. 48,5, ∅ 19. Sans marque. Porcelaine dure. MNCS (sans n^o d'inv.).
Le modèle, inscrit sous ce nom au XIXe s., a disparu; une très ancienne photographie[d] en garde le souvenir. Dans les archives de Sèvres, on lit sur l'une des deux esquisses consacrées à cette forme dépouillée de tout ornement «vue du vase de Mr Duplaissy». L'inscription, tracée par une main tremblante, est fort précieuse et incite à situer la création, ou du moins la prémonition, du modèle avant la mort de Thomas Duplessis en 1783. Cette pièce s'apparente à divers «vases à bandeau» et principalement au «vase aux serpents Leriche» (voir fig. 269). Sa couleur de fond révèle une nuance nouvelle proposée par les palettes récemment mises au point pour la porcelaine dure. Les zones réservées en blanc, sur le pied, le corps et le col, par le dessin de leurs contours et leur décor de fleurs spéciales, s'harmonisent avec les scènes «chinoises» qui se déroulent sur le bandeau.

Pl. LIII VASE CENTRAL D'UNE GARNITURE DE TROIS DITS «E DE 1780». 1781. H. 50,2, larg. 22,6. Marque peinte n° 1 (DD). Londres, The Wallace Collection (inv. IV. a. 25).
En dehors d'un dessin non légendé et du modèle survivant publié par Troude (pl. 90), la trace de cette forme est indiscernable dans les archives de la Manufacture. Sa création s'inscrit dans une série établie vers 1780 et désignée de manière alphabétique, tels les vases «A, B ou C» (voir n°s 244, 245, 265, 266), dont le ou les inventeurs sont restés anonymes. Les émaux en relief apparurent à Sèvres vers 1779[e]; le spécialiste en ce genre de travail, Cotteau, eut bientôt des émules. Parpette, en 1781, décora en émaux trois garnitures, chacune de trois vases indéterminés, peintes par ses collègues Asselin, Le Guay et Pithou jeune[f]. Les deux premières étaient en fond beau bleu et celle confiée à Asselin mentionnée: «7bre [1781] 3 vases nouvelle forme beau bleu mignature»[g]. Rien ne s'oppose à ce qu'Asselin ait peint les sujets des trois «vases E de 1780» dont: «Pygmalion et Galaté» inspiré par la gravure de Le Mire d'après Boucher. Ces vases pourraient avoir été livrés à la reine: «du 2 janvier 1782, 1 garniture de 3 vases en émaux 3000 l.»[h].

Pl. LI

Pl. LII

Pl. LIII

Pl. LIV

naturel qu'un échantillon de ces pièces ait été déposé dans l'atelier du sculpteur Leriche qui créait et rectifiait des modèles. La forme très particulière de ce vase se distingue par un pied surbaissé, ramené à l'état de support très élargi à la base, par un corps allongé, s'amplifiant suivant une ligne presque droite entre le bas et le haut cintrés, et par un col élancé, incurvé sous une bordure en forte saillie. D'harmonieuses proportions caractérisent ce modèle, totalement différent de plusieurs autres également qualifiés «étrusques».

Les deux vases dits «étrusques à bandeau» (voir fig. 267, 268) ne varient que par les mesures de leurs divers éléments. Le premier, grâce à un pied élevé, à une base et à un col minces, ainsi qu'à un bandeau relativement étroit, paraît assez élancé. L'aspect un peu trapu du second est modifié par l'addition d'anses en bronze dont la finesse d'exécution ne rachète pas la forme maladroite. De toute évidence, un couvercle approprié (qui a probablement existé à l'origine) lui fait gravement défaut.

Deux autres modèles, à bandeau à peine plus saillant, ressemblent aux deux derniers. Le «vase à bandeau Duplessis» (voir pl. LII) a, entre autres mérites, celui de se présenter dans son intégrité, avec son couvercle qui, s'il manquait, lui ôterait une part de sa prestance. Il est facile de l'imaginer, en le confrontant avec le «vase aux serpents Leriche» (voir fig. 269), privé de cet accessoire. On constate, en comparant le modèle en plâtre qui l'a conservé, à quel point le défaut de couvercle est préjudiciable au vase en porcelaine. Les anses, où s'enlacent des serpents, lui apportent une note originale.

Composé suivant les mêmes principes, mais beaucoup plus élaboré dans ses détails, le «vase aux sirènes» (voir fig. 270) est affligé par la même lacune, cependant son aspect s'en trouve moins affecté. En plus des cannelures, en éventail au culot et torses au col, les deux figures de sirènes, placées sur l'épaulement, grandissent l'allure générale. Ces gracieuses figures, mi-féminines mi-fabuleuses, maintiennent des draperies dont le mouvement s'harmonise avec la ligne de l'encolure. Leriche, qui créait des modèles de sculpture (voir fig. 316), a su ajouter à une forme, qu'il a probablement rectifiée en conséquence, une invention qui fortifie son caractère d'élégance.

Le «vase étrusque à bandeau» (voir fig. 296) diffère essentiellement par la hauteur de celui-ci. Certains détails, comme la base à bourrelet du pied, le bord du col rappelant un profil de cuvette, le rapprochent directement de modèles antiques. Ses anses, en deux parties soudées par un rouleau intercalaire, empruntent leur idée aux mêmes principes que celles du «pot à oille» du service dit «de Talleyrand» (voir fig. 299); elles témoignent aussi des tendances qui s'affirmaient à Sèvres sous l'influence grandissante de Lagrenée.

D'autres formes dites «étrusques» créées dès le XVIIIe siècle, faute d'exemples retrouvés, ne figurent pas parmi les illustrations concernant cette période, ainsi le «vase carafe étrusque», maintes fois rectifié et répété à satiété au XIXe siècle. On sait par les inscriptions accompagnant certaines esquisses qu'au moins trois «vases étrusques Lagrenée» (dont un à têtes de boucs), conçus dès 1786, étaient en cours de modification en l'an III. Le magasin des modèles de la Manufacture conserve des formes désignées par le nom de leurs créateurs: «Boizot», «Bolvry», «Lagrenée». De leur côté, les archives, que ce soit dans les travaux des ateliers, les comptes rendus de fournées, les livraisons, ne mentionnent que «vase étrusque» ou «de forme étrusque», sans qualificatif complémentaire.

Quelques pièces s'identifient plus ou moins étroitement aux projets dessinés par Lagrenée pour la laiterie de la reine au Château de Rambouillet, notamment les tasses (voir fig. 286, 287), qu'il appelle «gobelet cornet», «gobelet à bandeau», «gobelet à anses étrusques» ou désigne par un détail variable «gobelet à anses élevées». Cette dernière forme montée sur pied s'inspire du canthare grec; elle a été interprétée de plusieurs façons, parfois avec des anses basses (voir fig. 291, 292). La participation de l'architecte Le Masson pour élaborer le service de la Reine à partir de 1783 a introduit des idées de même ordre. Les réalisations en ont parfois été singulières, le «seau cré-

Pl. LIV BROC À CYGNE ET ROSEAUX (d'une paire). 1781. H. 46,3, larg. 23,2, épaiss. 17,8. Marque peinte n° 1 (DD); Vincent; en creux, n° 85. Collection royale britannique (Laking, n°s 211-212).

Le modèle en plâtre de ce type de pièce, conservé dans la réserve de la Manufacture parmi les pots à eau, mériterait de figurer au nombre des vases d'ornement. Sa forme ovoïde très pure est habillée de reliefs étudiés de manière à constituer le pied, l'anse et le verseur. Le vase semble reposer sur un rocher dans un bouquet de roseaux; le cygne posé sur le sommet encadre de ses ailes le bec du broc et son long col décrit la courbe de l'anse, l'oiseau venant mordre les extrémités des roseaux pour s'y rattacher. Le décor de cette pièce cherche des effets de trompe-l'œil, imitant le lapis-lazuli par le fond bleu lapissé d'or et une monture en bronze par ses reliefs en ors de couleurs diverses, brunis à l'effet. Un autre modèle en plâtre conservé dans le magasin de réserve, dit «vase de cabinet», est également considéré comme pot à eau; très élaboré dans sa forme même, il est orné d'une anse composée de corps nus, probablement destinée à être dorée pour simuler une monture métallique.

nelé» en forme de sarcophage antique (voir fig. 259) en donne un exemple typique; l'«assiette octogone» (voir fig. 260), malgré son contour inusité, surprend moins. L'architecture des «jattes» (voir fig. 281), dont le type a été choisi pour entrer dans la composition de plusieurs services à décor d'oiseaux d'après Buffon, copie assez servilement des modèles antiques proposés notamment par des planches de Piranèse. Les «saucières» (voir fig. 282), intégrées dans l'un de ces services, offrent une transcription des lampes antiques très différente de celle de la saucière primitive dessinée par J.-Cl. Duplessis, bien que cette dernière relève de la même inspiration (voir fig. 28).

Le sujet des formes dites «à l'étrusque» est loin d'être épuisé par ces quelques rappels. Deux pièces, entre autres, s'y rattachent: une «aiguière» (voir fig. 297) et la tasse en forme de cratère antique (voir fig. 288) qui, par leurs profils à culot renflé surmonté d'un col évasé, dirigent l'attention vers d'autres formes dérivées du «vase Médicis».

Formes Médicis et dérivés

Le «vase Médicis» est redevable de son nom à l'illustre famille de Florence qui a possédé un célèbre exemple antique dont la forme, au fil de ses métamorphoses, a conservé en apparence des caractères permanents: pied relativement haut, culot arrondi, col plus ou moins élevé et évasé, rappelant la silhouette du cratère en cloche de l'Antiquité grecque. Après avoir connu la faveur des sculpteurs français du XVIIIe siècle, comme en témoignent les vases de Coysevox et Tuby ornant la terrasse du Château de Versailles, le «vase Médicis» a subi une certaine éclipse, provoquée par la prédominance du style rocaille, pendant la première moitié du XVIIIe siècle.

Cependant, une des créations originelles de Vincennes, le «vase Parseval» (voir fig. 43), rappelle la ligne générale du «vase Médicis» classique. Sans marquer la division en trois parties, son profil indique seulement par un angle saillant l'emplacement supposé de la jonction entre le culot et le col. Les dessins tardifs, conservés dans les archives de la Manufacture, précisent certaines modifications du pied, intervenues en 1786, par rapport à celui adopté en 1755 qui, toujours, comporte une bague. Déjà, l'inventaire de 1752 cite un «vase Parseval» estimé 6 l. parmi les pièces «désassorties et défectueuses à repasser au feu» et note quatre grandeurs. On remarque, entre autres mentions, dans une cuisson de biscuit du 19 décembre 1754, «37 vazes Parseval 4e gr»[65] et, dans une fournée concernant des pièces décorées à la fin de l'année 1755 «20 vazes Parseval 3e fleurs ... 8 idem 4e fleurs filets dentelés»[66]. Jusqu'en 1758, le magasin de blanc regorge de cette sorte de vases qui, ensuite, tombe dans un oubli relatif. Les registres de livraisons, peu explicites, signalent encore en 1773, acheté par Mme Veuve Lair, marchande, «1 vase Parseval 10 l.» où un signe particulier indique une ancienne fabrication de Vincennes[67]. Depuis 1760 environ, les pièces provenant de Vincennes souffraient de la désaffection des acquéreurs. Les «vases Parseval», exécutés en grand nombre, se rencontrent dans la majorité des grandes collections et, le plus souvent, décorés de fleurs.

La forme, qu'il est peut-être permis de nommer «vase Le Boiteux» (voir fig. 70)[68], connue par de rares exemples, comporte un pied bas et large caractéristique. Au-dessus, le corps s'élève en suivant une ligne continue dont les renflements inférieurs et le col cintré, largement évasé, offrent un profil apparenté à la forme «Médicis». Faute de connaître le nom réel sous lequel ce type de vase était désigné à l'origine, il est difficile de le dépister dans les archives[69]. Par ailleurs, le Musée du Louvre en possède deux spécimens, dont les décors sont totalement différents.

Plus proche du modèle classique et plus tardif que les vases précédents, le «vase momies à ornements» (voir fig. 225) se distingue par un pied élevé de type courant renforcé à sa partie supérieure par une bague. Le culot, peu renflé, s'incurve à peine avant le départ du col, dont le bord godronné reçoit, au-dessus d'une petite gorge, un

Pl. LV PIÈCES DU GRAND SERVICE DE LOUIS XVI À VERSAILLES. 1783-1792. Mortier: H. 17,1, ∅ 22,3; assiette: ∅ 24; seau à glace: H. 20,8, ∅ 19; moutardier: H. 8,8; beurrier: H. 8,5, ∅ 20; pot à jus: H. 7,5. Marque peinte nº 1 sur toutes les pièces et initiales de Le Guay. Seuls sont datés et décorés par Dodin le seau à glace (HH) 1786 et le moutardier (KK) 1788; en creux, mortier nº 80, *assiette nº* 81, *seau à glace nº* 79, *moutardier nº* 83, *beurrier nº* 15, *pot à jus nº* 82. *Collection royale britannique (Laking, nº 235).*

C'est en 1783 que Louis XVI, préférant la porcelaine tendre, commanda un service qui devait surpasser en beauté et en richesse tout ce que Sèvres avait pu produire auparavant. Le prix prévu était si considérable (une assiette devait coûter 480 l.), que le roi lui-même établit un programme de livraisons annuelles à répartir sur vingt ans. La Révolution arrêta ce beau projet, la fabrication cessa avant 1792. On peut s'étonner de trouver ici des formes courantes. Celle du pot-à-oille, qui devait être spéciale, présenta de grandes difficultés et ne fut jamais réalisée[a]. Les cent quatre-vingt-dix-sept pièces livrées furent saisies et vendues par le gouvernement révolutionnaire; presque toutes sont maintenant conservées à Windsor Castle[b].

Pl. LV

bandeau proéminent destiné à porter un large couvercle très légèrement bombé, surélevé en son centre et dominé par une importante pomme de pin. L'originalité de ce vase tient à ses anses sculptées figurant deux bustes féminins, «égyptiens» par leur coiffure particulière posée sur des cheveux bouclés avec art. L'apparence gracieuse et bien vivante de ces bustes suffit à démontrer que le responsable de la dénomination n'avait jamais vu de momie! Les exemples peu répandus du «vase momies à ornements», parfois dépourvus de ces anses singulières, se trouvent dans les collections anglo-saxonnes.

La réserve des modèles de la Manufacture conserve un «vase militaire» en plâtre, établi sur une forme semblable à celle du vase précédent, autant qu'il est possible de s'en rendre compte tant elle est masquée par d'abondantes sculptures. Ces reliefs rapportés comprennent, sur la face comme sur le revers: un très large bouclier cachant en partie une couronne de laurier, des glaives et les hampes croisées de deux drapeaux, dont les plis drapés qui retombent viennent s'attacher sur les côtés, sous une tête de bélier. Ce n'est évidemment pas simple! Il est regrettable de ne pas avoir retrouvé d'exemple de ce modèle dont le nom apparaît à l'occasion d'une livraison, en 1784, au marchand Lefébure d'Amsterdam «1 vase militaire 1200 l.» accompagné de «2 vases lapis montés en bronze 790/1580» et de «2 vases biscuit et or 360/720 l.»[70].

Les deux vases exécutés en 1785 (voir fig. 261) reproduisent, en dimensions réduites, les très grands exemplaires exécutés d'après les modèles de Boizot et Thomire en 1783-1784, dont l'un est conservé au Musée du Louvre et l'autre au Palais Pitti à Florence[71]. Le calque d'un dessin relatif à ces vases est encore conservé dans les archives de la Manufacture. Ce modèle répondrait au parfait type «Médicis» si son col n'était pas encerclé d'un large bandeau à bas-relief, qui donne l'impression d'un cylindre intercalaire. La portion en biscuit mise à part, le reste de la porcelaine disparaît sous une profusion de bronzes de Thomire.

Ces vases, malgré leur taille moins impressionnante que celle de leurs aînés, restent exceptionnels par leur qualité générale. Ils ont retrouvé place dans les «Cabinets intérieurs du Roi» à Versailles où ils figuraient encore avant la Révolution. Deux autres «vases Médicis», également royaux, en fond beau bleu et montés par Thomire, se trouvent dans le même cas, après certaines vicissitudes. Il s'agit des «vases de Mars et de Minerve», visibles à présent à la place qu'ils ont occupée à partir de 1787, sur la cheminée du «Cabinet du Conseil», d'où la Révolution les a chassés. Envoyés au garde-meuble en 1795, ils servirent bientôt à l'ameublement du Palais des Tuileries où ils demeurèrent jusqu'en 1848 et subirent une autre révolution. Le «vase de Mars», resté intact, fut envoyé au Château de Fontainebleau en 1858. Moins favorisé, le «vase de Minerve» avait été accidenté. Ses fragments, à l'exclusion de son couvercle épargné et conservé, semblaient perdus. Cependant, ils avaient été recueillis et le vase, reconstitué, habilement restauré, est parvenu, sans son couvercle, entre les mains d'un collectionneur qui l'a généreusement offert en 1973 au Musée de Versailles. Grâce à d'heureuses mesures et à des déplacements favorables à un regroupement, l'enfant prodigue a retrouvé à la fois son couvercle, son pendant, et son emplacement primitif[72]. Cependant, le «Cabinet du Conseil» reste incomplet à défaut des «vases Bachelier rectifiés à décor de Bélisaire» (voir pl. L) qui avaient leur place dans le même lieu avant 1792 et qui, après un autre destin, sont aujourd'hui au Museum of Fine Arts à Boston.

La réserve des modèles de la Manufacture contient plusieurs exemplaires en plâtre de «vases Médicis», qui diffèrent par des détails parfois insignifiants. Ils sont appelés «du Roi», «Boizot», «Lagrenée», «Leriche», désignés par le nom d'un client, ou anonymes. Tous sont portés par un pied assez haut, bagué de façons diverses; leurs culots varient de proportions et leurs cols, plus ou moins évasés, s'y rattachent soit directement, soit par l'intermédiaire d'une gorge. Celle-ci est accusée sur le modèle de Lagrenée, qui bénéficie d'un culot relativement élevé et peu

Pl. LVI VASE BOIZOT (d'une paire). S.d. (vers 1784). Monté en bronze doré. H. 44. Porcelaine dure. Baltimore, The Walters Art Gallery (inv. 48.644-645).

La forme de ce vase, par sa ligne générale, équivaut à celle publiée par Troude (pl. 119), sous le nom de «Vase Boizot bouc à guirlandes», têtes de boucs et guirlandes étant exclues. Plusieurs «vases Boizot» empruntent le même profil auquel correspond un dessin non daté portant l'inscription «... modèle à faire vase de Mr Duplesi fils»[a]. Peut-être envisagée, la collaboration de Thomas Duplessis fut écartée par sa mort en 1783, date coïncidant avec les premiers travaux de Thomire pour Sèvres. La monture en bronze, visible ici, est rigoureusement semblable à celle de deux vases de même forme où la porcelaine est datée 1782[b]. Grâce au décor très spécial de ces derniers, P. Verlet[c] les a assimilés aux vases décrits dans un inventaire rédigé à Versailles à l'aube de la Révolution et a fait un rapprochement avec un mémoire de Thomire du «20 septembre 1784. Garniture de vases à boucs, fonte, modèle en cire, monture, dorure au mat 1500 l.»[d]. La monture des vases de Baltimore devrait alors revenir à Thomire; leur décor rappelle une scène à l'antique d'après Lagrenée (voir fig. 267).

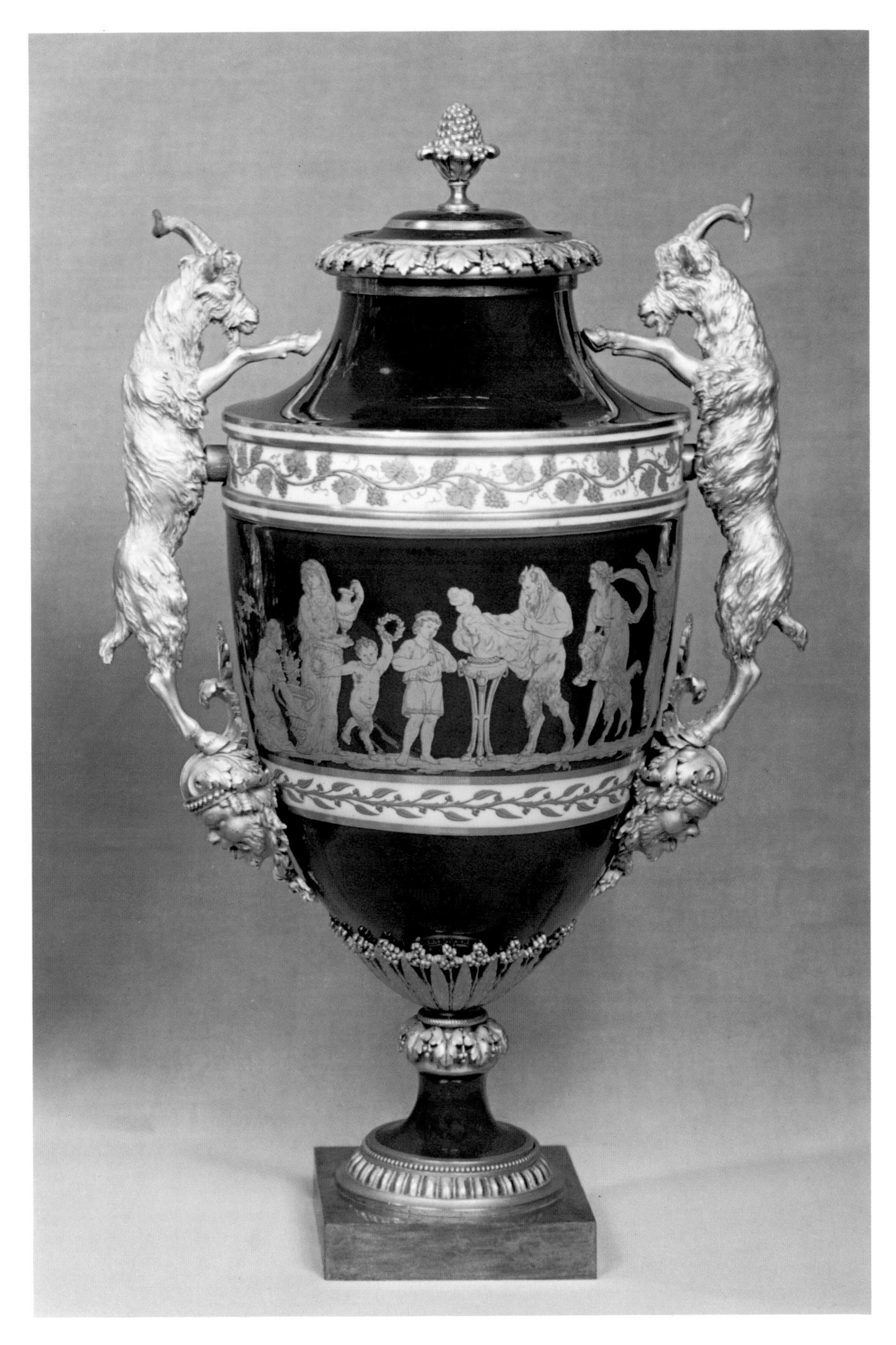

Pl. LVI

renflé. Le modèle dit «du Roi» correspond sensiblement à la forme des «vases de Mars et de Minerve».

Un grand «vase Médicis», daté 1784, également beau bleu et monté en bronze par Thomire, orne une des salles du mobilier du Musée du Louvre. Sans atteindre la richesse des vases précédemment cités, il demeure majestueux et retient l'attention.

Le «vase Médicis à têtes de Jupiter» (voir fig. 302), plus tardif, toutes considérations de grandeur écartées, paraît bien modeste comparé à ses devanciers si brillamment enrichis de montures indépendantes de la porcelaine. Les têtes sculptées, qui servent à le désigner par une allusion mythologique, restent dans la tradition des garnitures du XVIIIe siècle où les variétés d'anses ont été multipliées à l'infini. Cette forme, qui n'en a pas toujours été pourvue, même à cette époque, a cependant, parmi beaucoup d'autres, été jugée digne d'être poursuivie et souvent répétée au XIXe siècle.

Pièces décoratives et d'usage

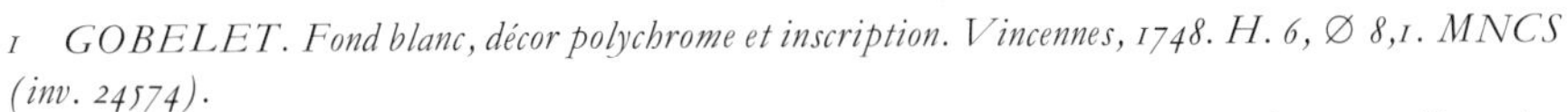

1 GOBELET. Fond blanc, décor polychrome et inscription. Vincennes, 1748. H. 6, ∅ 8,1. MNCS (inv. 24574).
Première pièce datée, ce gobelet a été utilisé comme «palette», ainsi que l'atteste l'inscription en noir: «Inventaire. Fait ce 29 Août 1748 à Vincennes. Taunay fcit.» Le filet brun cernant le bord témoigne que l'objet était ébréché antérieurement. Taunay possédait le secret de nombreuses couleurs avant de les transmettre à Hellot (voir p. 36). Les diverses teintes utilisées pour peindre, avec un incontestable talent, les paysages, architectures, éléments variés contenus dans les cases géométriques serties d'un trait brun, sont soigneusement répertoriées. Elles vont du jaune à plusieurs tons de rose et rouge en passant par le bistre, le bleu, le vert. Peu de palettes du XVIIIe s. ont survécu; le Musée de Sèvres en possède, en porcelaine tendre et en porcelaine dure, qui sont de simples plaques échantillonnées. Ce gobelet joint d'autant mieux les intérêts artistique et technique que, par sa forme même, il permet de connaître la réaction des couleurs sur une surface bombée.

2 COMPOTIER COQUILLE. Fond blanc, décor rose et or. Vincennes, 1752? Long. 21, larg. 21,5. Marque peinte n° 1 avec deux points; Vielliard; en creux, «M». Saint-Jean-Cap-Ferrat, Musée Ile-de-France (inv. 290).
Antérieurement peut-être au «compotier coquille» qui reflète l'influence de l'orfèvrerie et qui a été répété pendant tout le XVIIIe s., la Manufacture de Vincennes a exécuté une forme fidèlement copiée sur celle de la valve inférieure de la coquille Saint-Jacques. Elle n'est connue que par cet exemple, d'une paire, dont la pâte est remarquable par sa blancheur. Le décor mièvre: un amour guerrier au repos et quelques branches fleuries en camaïeu carmin, montre une certaine timidité. Vielliard n'est entré dans les ateliers de Vincennes qu'en septembre 1752. Ancien éventailliste, au début «il peint mal la figure» (Vy. 8 f° 55), mais fait de très rapides progrès; la progression accélérée de ses appointements le démontre. Pendant une grande partie de sa carrière, il copie ou s'inspire de modèles d'enfants d'après Boucher. Il se sert notamment du *Livre de groupes d'enfants* publié par Huquier vers 1736 (voir Belfort, 1977).

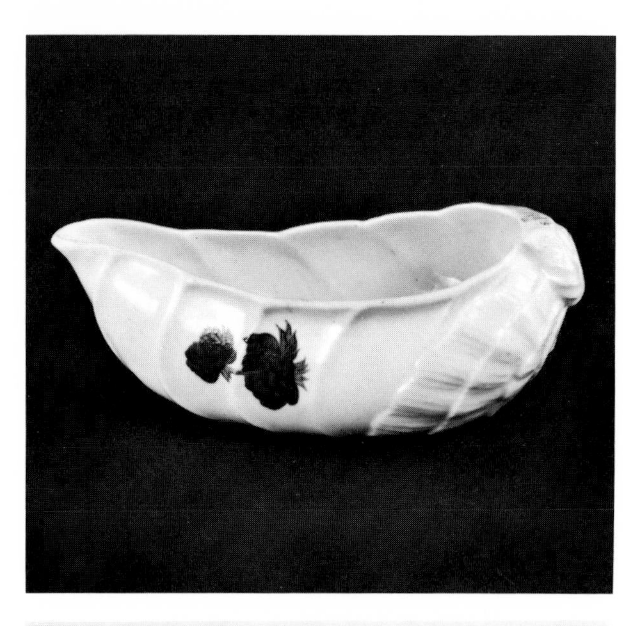

3 SAUCIÈRE. Fond blanc, décor polychrome. Vincennes, s.d. H. 5,8, long. 16,5, larg. 9. Inscription « TAUNAY » en rouge. Londres, The British Museum, coll. Franks (inv. 372).

Cette curieuse pièce compte probablement parmi les premiers essais de la Manufacture. La hardiesse de sa forme n'a pas complètement triomphé de l'épreuve du feu. Ce coquillage allongé, dont les reliefs de surface rappellent les festons laissés par les vagues sur le sable d'une plage, possédait probablement une anse et un pied avant la cuisson. Cette saucière offre l'intérêt d'être revêtue de la signature de Taunay, peintre réputé pour ses recherches sur les couleurs que Hellot a soigneusement essayées et consignées dans ses recueils (voir p. 36). Le rouge épais et éblouissant de la fleur maladroitement dessinée et le bleu puissant de la jacinthe qui décore l'autre côté sont des échantillons différents de ceux de l'inventaire rassemblés sur le gobelet daté précédent.

3bis REVERS DE LA SAUCIÈRE fig. 3.

La signature de Taunay répète exactement le graphisme adopté par l'artiste dans l'inscription portée sur le gobelet qui a servi de support à l'inventaire de couleurs daté 1748. L'image présentant le dessous de la saucière montre la cicatrice laissée par le pied qui s'est probablement détaché au cours de la cuisson de couverte, laissant une bande mate et rugueuse. On distingue autour de l'ovale la manière dont l'exécutant du modèle a réalisé le départ des reliefs ondés du coquillage. Les thèmes fournis par la nature, spécialement ceux qui concernent la mer, ont été souvent empruntés soit en interprétant ses fantaisies, soit en la copiant simplement.

4 FEUILLE DE CHOU. Blanche, filets or. Vincennes, s.d. Long. 25, larg. 20. Marque peinte nº 1; en creux, nº 1. Paris, Musée des A.D. (inv. 13572).

L'inventaire du 1.1.1755 signale, au magasin de blanc, «4 feuilles de choux à 10/40 l.» (I.7). Il s'agit probablement d'objets semblables à celui-ci qui peut être soit un plateau soit un compotier de peu de profondeur. L'imagination du créateur a sans doute été stimulée par la porcelaine de Meissen. Dans les services saxons se trouvaient des compotiers plats rappelant une feuille d'orme à demi cachée par une autre feuille venant en surimpression. Ici, pour cette feuille de chou, l'auteur n'a pas cherché une composition mais s'est contenté de suivre la nature en évoquant avec réalisme les accidents qui l'atteignent parfois. Cette feuille, en plusieurs endroits, semble avoir été attaquée par une chenille. Le décor se limite à un simple filet d'or qui souligne le bord.

5 *GOBELET CALABRE. Fond blanc, décor camaïeu pourpre et filet or. Vincennes, s.d. H. 6,5, larg. 8,8. Marque peinte nº 1 avec un point. Londres, The British Museum (inv. 1926. 12.22.1).*

Le profil légèrement évasé de cette tasse correspond à la première version de la forme «Calabre», du nom de l'un des associés de la Compagnie Eloi Brichard, rapidement rectifiée en 1753 mais conservant une proportion nettement plus haute que large. La pâte épaisse caractérise certaines pièces primitives de Vincennes. L'originalité de celle-ci est l'anse en forme de lézard arc-bouté sur la paroi. Pour donner l'illusion d'une certaine mobilité, il est rehaussé de touches de couleur pareille au camaïeu pourpre qui dessine les paysages animés décorant la tasse en continu et la soucoupe en plein (non visible ici). Cette pièce, comme les précédentes, prouve combien les artistes de la Manufacture de Vincennes étaient sensibles à la nature. On est aussi tenté de se demander si quelqu'un d'entre eux n'avait pas eu la révélation de Bernard Palissy.

---

6 *SEAU À DEMI-BOUTEILLE. Fond blanc, décor polychrome et or. Vincennes, s.d. H. 15, ∅ 19. Marque peinte nº 1 avec trois points. Paris, Musée des A.D. (inv. 28.687), legs Gould.*

L'aspect de cet objet, assimilé en raison de ses dimensions à un seau à demi-bouteille, évoque le célèbre service du comte de Brühl réalisé à Meissen. Le profil pansu de la forme, dont la base à godrons repose sur un piédouche rond, est un peu allégé par le bord chantourné qui s'élève par des anses rocaille non ajoutées. Le thème de la coquille inscrite dans les anses revient en relief avec effet de superposition au centre. Un large filet d'or suit le bord et entoure le pied. Les bouquets de fleurs polychromes s'harmonisent avec les rehauts mauves, roses et or soulignant les reliefs des coquilles. Devant une pièce de ce genre, on pense moins à un élément de service de table qu'à un objet de pur ornement. Il n'est donc pas surprenant de rencontrer parfois ce type de seau garni d'un bouquet de fleurs en porcelaine à l'instar d'un vase, d'un pot à fleurs ou d'une corbeille (voir fig. 79).

---

7 *SEAU À VERRE AVEC TÊTES EN RELIEF. Fond blanc, décor polychrome et or. Vincennes, s.d. H. 10,8, ∅ 11,5, long. 15,6. Marque peinte nº 1 avec un point. Paris, Musée des A.D. (inv. 6299).*

Par sa taille et sa forme, ce petit récipient se situe parmi les «seaux à verre ordinaires» dont plusieurs versions existent. La ligne du profil cintré vers le bas est à peine brisée par les moulures faiblement indiquées au bord supérieur et autour du pied. La lourdeur de cette pièce la place dans les créations primitives, antérieures à l'inventaire du 18 octobre 1752 qui cite simplement des «seaux à verre». Les têtes de femmes en relief peintes au naturel servant d'anses, reflètent l'influence de la porcelaine de Meissen, tout comme la forme chantournée du cartel limité par un large filet d'or. La peinture polychrome du paysage n'est pas sans faire penser à la manière de celle de la jatte à vue de Vincennes ci-après, mais elle donne l'impression d'émaner d'un pinceau malhabile.

8 JATTE LIZONNÉE. Fond blanc, décor polychrome et or. Vincennes, s.d. H. 7, ∅ 24. Marque peinte nº 1 avec trois points. MNCS (inv. 3657).

Cette forme a pu être inscrite dans les inventaires contemporains à sa création sous les noms de «jatte» ou de «compotier lizonné». Le terme s'applique à divers objets à côtes peu accentuées produisant un effet de surface ondulante. Les textes citent des «jattes lizonnées» rondes et ovales. Le moule rond en deux grandeurs, encore conservé dans le magasin de la Manufacture de Sèvres, correspond à la forme de cette jatte dont le décor constitue le principal intérêt. Encadré par un filet d'or décrivant une série de courbes et de contre-courbes, le paysage peint dans le bassin représente une vue du Château de Vincennes, berceau des premiers ateliers, qui a peut-être été copiée sur un dessin du doreur Etienne-Henri Le Guay père. Les fleurettes et insectes semés autour du cartel ajoutent un élément complémentaire à l'influence de Meissen, évidente sur cette jatte.

9 ÉCUELLE RONDE. Fond blanc, décor polychrome et or. Vincennes, s.d. H. 12,5, ∅ 14,5, long. 19,8. Marque peinte nº 1 avec deux épées croisées; signe présumé de Taillandier? Paris, Musée des A.D. (inv. 22315).

La forme, à couvercle peu bombé, est classique et se singularise par ses éléments rapportés. Les anses simples décrivent une large courbe qui tient à la fois de l'oreille humaine et du point d'interrogation; une zébrure d'or en accentue l'importance. La prise du couvercle, assurée par une grosse graine de pavot dressée au-dessus de feuilles en relief, est rehaussée de couleurs au naturel. Tout, depuis la marque jusqu'à la conception du décor, est tributaire de Meissen. C'est un rare exemple d'imitation de la marque aux épées croisées sur porcelaine de Vincennes, alors que celle de Tournai l'a couramment utilisée pendant une courte période. Forme et encadrements des cartels, paysages animés polychromes d'une très grande finesse d'exécution, insectes ombrés étalés sur le fond et fleurettes imitent la porcelaine de Saxe à s'y méprendre. Malheureusement non datée, si cette écuelle est antérieure à 1753, la fleur de lis de la marque ne saurait être considérée comme le signe de Taillandier entré à Vincennes en août 1753, à l'âge de dix-huit ans, après avoir travaillé à Sceaux.

10 POT À LAIT TRIPODE COUVERT. Fond blanc, décor polychrome. Vincennes, s.d. H. 14,5, ∅ 15, larg. 16,9. Sans marque. MNCS (inv. 1838).

Cette forme, très proche d'un modèle de Meissen (voir catalogue d'exposition à Munich 1966, nº 294), se situe probablement au tout début de la fabrication de Vincennes. L'absence de marque a longtemps fait attribuer ce «pot à lait» à la fabrique de Capo di Monte. Son décor particulièrement évolué n'était pas étranger à cette interprétation. D'autres décors, tel celui du «seau à bouteille» conservé au British Museum (voir fig. 40), ne surprennent pas moins et attestent l'extraordinaire habileté des peintres de la première époque, dont la formation à titre de décorateur sur porcelaine était récente. On remarque ici l'absence d'or, compensée par le filet brun, les rehauts pourpres et le décor en continu qui emprunte des sujets mythologiques peints à l'aide de teintes un peu ternes. A propos des personnages représentés, les noms de Vénus et Enée ont été suggérés.

11 POT À PÂTE. Fond blanc, décor polychrome. Vincennes, s.d. H. 10,8, ∅ 8,9. Marque peinte n° 1 avec point central. MNCS (inv. 23412).

L'inventaire de 1752 cite des moules de «pot à pâte» et de «pot à pommade». Par comparaison systématique, il a été constaté que «le pot à pâte» était vendu beaucoup plus cher (de «15 l. en 2e grandeur fleurs» à «120 l. bleu céleste fleurs») que le «pot à pommade» évoluant entre «3 l. 10 s. fleurs» et «96 l. enfans camaieux fleurs», encore que ce dernier décor ait justifié un prix plus élevé. Sans doute y avait-il une différence qui nous échappe. Le «pot à pâte» concerné ici présente deux caractères rares à Vincennes. La forme comporte un pas de vis au col afin de recevoir un couvercle soit en porcelaine, soit en métal. Le décor «à la haie et à l'écureuil», dans le style créé au XVIIe s. par Kakiemon, près d'Arita au Japon, est exceptionnel dans la production de la manufacture française, à laquelle il a pu être transmis par l'intermédiaire de Meissen qui l'a utilisé largement.

---

12 SOUCOUPE. Fond blanc, décor polychrome. Vincennes, s.d. Larg. 13,2. Sans marque. MNCS (inv. 23173).

Cette «soucoupe» ou «coupelle», dont le pourtour décrit cinq lobes encadrant un bassin lisse, est très particulière par sa forme unie et assez profonde et par son décor. Il serait vain de chercher à l'associer à un gobelet de forme définie sauf si l'on rencontrait le même décor. Celui-ci, très élaboré, est inhabituel et s'inspire visiblement d'un modèle extrême-oriental. Le jeu de fond, formé de filets rouges croisés contenant des points bleus, occupe une large zone au pourtour. Il est interrompu par un cartel central rond et dentelé contenant une branche de type oriental et par cinq réserves chantournées, s'inscrivant dans l'inclinaison des lobes, où sont peints des oiseaux, des branches, des papillons et des insectes. Une «coupelle» semblable est conservée au Victoria and Albert Museum de Londres.

---

13 BOÎTE À THÉ. Reliefs blancs. Vincennes, s.d. H. 14, long. 8, larg. 5,5. Sans marque. Paris, Musée des A.D. (inv. 19537).

Le modèle en plâtre de cette forme, conservé à la Manufacture de Sèvres, a été enregistré au XIXe s. sous le nom de «boîte à thé des Indes» qui n'apparaît pas dans les textes du XVIIIe. La forme répète celle d'une boîte unie dont les archives de la Manufacture conservent un dessin portant une inscription relative à la «comande du 19 févrÿe 1753». Les angles de la boîte, construite sur plan rectangulaire, sont chanfreinés par de larges sillons qui suivent toute la hauteur et se continuent sur le rétrécissement supérieur. Le principe est le même que pour la «caisse carrée» (voir fig. 48). Le rétrécissement des côtés qui en résulte crée une impression d'allongement. Les reliefs rappellent les «blancs de Chine» par les branches de prunier fleuri que vient butiner un insecte.

14 GOBELET ET SOUCOUPE À RELIEFS. Fond blanc, points d'or. Vincennes, s.d. Gobelet: H. 8, ∅ 7,5; soucoupe: ∅ 13. Sans marque. Paris, Musée des A.D. (inv. 6303).

Cette tasse sans anse, de proportion élevée, correspond à la forme du «gobelet Calabre à reliefs» mentionné pour la première fois dans une cuisson de couverte défournée le 4 mai 1756 (I.F. ms. 5674). Les reliefs fleuris sont alternativement dorés ou laissés en blanc pur simplement marqués par un point d'or au cœur des fleurs. Le fond entièrement ponctué d'or suivant une disposition en quinconce est, dans la soucoupe, détérioré par le frottement de la tasse, et les pois d'or des fleurs ont aussi sauté. Cette usure atteste, s'il en est besoin, la vulnérabilité de la couverte tendre de la porcelaine de Vincennes et la difficulté d'assurer la solidité de l'or.

15 VASE DUPLESSIS À FLEURS. Blanc. Vincennes, s.d. H. 39, larg. 20,3. Sans marque. MNCS (inv. 8905).

Cet exemplaire précède en date les vases de même forme datés 1755 (voir fig. 69). Sa taille et son couvercle sont deux éléments exceptionnels. Il était vraisemblablement destiné, s'il n'avait été victime d'un fâcheux coup de feu, à être peint au naturel sur les reliefs ou doré, comme les nombreux exemples répandus à travers le monde et parfois assemblés en garniture de trois ou de cinq de différentes tailles. Tous sont stabilisés par un socle de porcelaine attenant, qui simule ici un rocher moussu garni de feuillage. La présence inhabituelle d'un couvercle invite à rapprocher cette pièce de l'«urne Duplessis» citée dans les inventaires de moules de 1754 en cinq grandeurs. Par ailleurs, le couvercle perforé transforme, en quelque sorte, ce vase d'ornement en pot-pourri. Ceux-ci sont mentionnés, sans précision de forme, dès le premier inventaire de 1752. Cette forme a parfois été nommée au XVIIIe s.: «vase Duplessis à fleurs balustre».

16 VASE À FLEURS EN RELIEF. Fond blanc, décor polychrome. Vincennes, s.d. H. 10, ∅ 11,5. Sans marque. Limoges, Musée A.-D. (inv. ADL 1325).

Cette sorte de boule, à base et ouverture larges, présente des cannelures verticales qui se trouvent presque complètement masquées par des branchages chargés de feuilles et de fleurs en ronde bosse peintes au naturel avec une remarquable minutie. Les fleurs, d'assez grandes dimensions, sont semblables à celles que Vincennes a produites en grande quantité à ses débuts et qui firent une partie de son succès initial. Le nom de «vase à fleurs en relief» peut s'appliquer à des formes diverses. Un bel exemple, non coloré, posé sur un magnifique socle de bronze entre deux groupes de sculpture émaillée, accompagne le célèbre «bouquet de la Dauphine» composé de quatre cent soixante-dix fleurs montées sur des branchages (voir pl. I).

17 POT-POURRI. Fond blanc, décor polychrome. Vincennes, s.d. H. 13, larg. max. 12,5. Sans marque. Paris, Musée des A.D. (inv. 28599), legs Gould.

Parmi les différents pots-pourris qui sortirent de la Manufacture de Vincennes se distingue un groupe spécial composé d'un petit vase ovoïde, perforé, entouré de branches feuillues et fleuries en relief, posé sur une terrasse rocheuse d'où s'élève un tronc d'arbre brisé. On serait tenté de qualifier les pièces de ce groupe de «pots-pourris à l'arbre» si les inventaires de 1752 ne citaient, dans la liste des pièces tournées réunies au magasin de vente, une formule appropriée: «Pots-pourry fleurs de relief.» L'abondance du décor en ronde bosse est accusée par une riche polychromie: section du tronc d'arbre et tiges brunes, feuilles vertes cernées de noir, fleurs roses et bleues et grosse rose rouge sur le couvercle perforé et très bombé. Les Manufactures de Saint-Cloud, Chantilly et surtout Mennecy ont fabriqué des pots-pourris à fleurs de relief concurremment avec Vincennes en s'inspirant probablement de modèles saxons qui, eux-mêmes, avaient subi l'influence de l'Extrême-Orient.

---

18 ASSIETTE. Fond blanc, décor polychrome et or. Vincennes, s.d. ∅ 25,7. Marque peinte n° 1; signe indéterminé. Paris, Musée des A.D. (inv. 4577).

Le motif de vannerie en faible relief qui orne la surface de l'aile à bord légèrement dentelé de cette assiette lui a attiré les noms de «à ozier entrelacé» ou «à berceaux». Celui-ci qualifie mieux et de manière plus imagée les sortes d'arceaux décrits par les joncs. Presque simultanément, les moules d'«assiettes à ozier entrelassé» sont cités dans l'inventaire de 1752 et dix-huit «assiettes à berceaux» font partie d'une cuisson en biscuit du 29 mars 1753 (I.F. ms. 5673). Quelques variantes font ajouter en complément: «à ornements» ou «à rubans». La disposition du motif en relief suivant un mouvement de festons appelle tout naturellement un décor de guirlandes composées de fleurettes en vert et or. Au centre, sur un tertre supportant un arbuste, un oiseau perché et un autre posé se disputent avec une évidente véhémence.

---

19 ASSIETTE. Fond blanc, décor en camaïeu pourpre et or. Vincennes, s.d. ∅ 25. Marque peinte n° 1 avec trois points. Paris, Musée des A.D. (inv. 2643).

Le motif de vannerie très simple en léger relief qui court le long de l'aile à bord dentelé de cette assiette justifie son nom «à osier». C'est un décor courant, apparu très tôt, probablement sous l'influence de Meissen qui, à l'instar de bien des fabriques de faïence, l'a abondamment pratiqué. La Manufacture de Chantilly l'a aussi adopté. Le modèle, en biscuit de pâte tendre, est encore conservé dans les archives de la Manufacture de Sèvres. L'inventaire de 1752 cite des moules et contre-moules d'«assiettes à ozier»; quarante et une sont enregistrées dans une cuisson de biscuit du 28 mars 1753 (I.F. ms. 5673). Les livraisons qui se succèdent révèlent des prix de vente compris entre «6 l. à fleurs» et «36 l. à paysage en camaïeu». C'est probablement à celui-ci qu'il convient d'estimer cette assiette où le bassin est décoré d'une vue de jardin sans figure.

20 ASSIETTE «GAUFFRÉE». Fond blanc, décor carmin et or. Vincennes, s.d. ∅ 25,4. Marque peinte nº 1; en creux, nº 36. Paris, Musée des A.D. (inv. 4786).

Cette assiette se rattache à un groupe de pièces empruntant le même type de «reliefs gauffrés». La forme ronde et plate de l'assiette évoque une fleur épanouie dont la corolle serait composée de trois cercles de pétales de longueurs différentes agités par un mouvement de rotation. Le cœur et la rosace centrale sont bordés d'or et soulignés de peignés carmin. La seconde rosace aboutit dans le galbe sans délimitation colorée tandis que la plus excentrique se perd dans la dentelure inégale du bord à filet d'or, où un nouveau peigné carmin accentue les courbes et le dessin des pétales. Les «assiettes gauffrées» apparaissent dans une cuisson de biscuit défournée en mai 1756 (I.F. ms. 5673). Il n'est pas exclu que cette forme ait été comprise dans un lot d'«assiettes différentes moulées» sorties de fournées antérieures.

21 SALIÈRE FEUILLE DE VIGNE. Fond blanc. Vincennes, s.d. H. 4, long. 7,8, larg. 6,5. Sans marque. MNCS (inv. 5837), don Petitet.

Ce charmant petit objet a été assimilé à une salière par association d'idées avec la vente en rebut en juin 1756 de «3 salières à feuilles de vigne 6 l.». Il faut cependant convenir que ses reliefs ne rappellent qu'imparfaitement ce type de feuille. On les imaginerait très bien interprétés pour une pièce d'orfèvrerie. Le fait que cette pièce n'ait pas été décorée peut être imputé à l'absence d'un complément, par exemple un couvercle que son bord semble appeler, qui lui aurait conféré une autre destination.

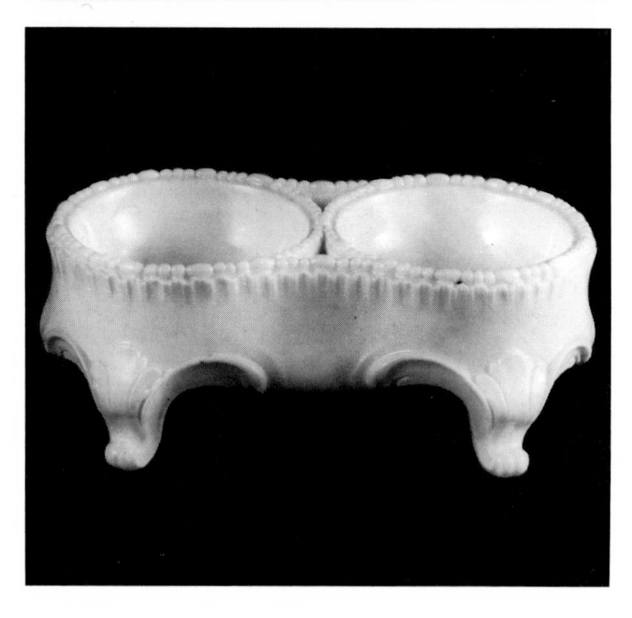

22 SALIÈRE DOUBLE. Fond blanc. Vincennes, s.d. H. 4,4, long. 12,2, larg. 7. Sans marque. MNCS (inv. 5387), don Petitet.

Le 28 septembre 1754 «4 salières poivrières (moulées)» sortaient d'une fournée de biscuit (I.F. ms. 5673). D'autre part, l'inventaire des pièces rentrées au magasin de vente, établi le 1.1.1755, mentionnait une «salière nouvelle double». Il n'est pas impossible que les deux dénominations aient concerné un même type de pièce. Bien que les reliefs soient différents, cet objet est dans le même esprit que la «salière feuille de vigne» ci-dessus. Sa forme très élaborée témoigne d'une recherche approfondie et la frise de godrons qui cerne le bord évoque des modèles d'orfèvrerie de même que les reliefs en rocaille des pieds en consoles. Par un raffinement supplémentaire, le bord est entièrement surmonté d'un cours d'oves et de perles.

23 COUPELLE. Fond blanc, décor d'or. Vincennes, s.d. H. 4,1, long. 8,2, larg. 6. Sans marque. Paris, Musée des A.D. (inv. 22630).

La destination de ce curieux objet reste obscure. Il semble difficile de l'assimiler à une salière, à moins que le modèle ait cherché à s'assortir avec les «seaux à bouteille Duplessis» (voir fig. 29). Cette coupelle évoque plutôt un «baguier»; les pièces nommées ainsi, depuis le défournement de biscuit du 18 juin 1753 (I.F. ms. 5673) et dans les inventaires postérieurs, ne sont pas gratifiées du moindre détail. Quatre pieds de deux sortes soutiennent la coupe oblongue godronnée. Sur les côtés, ce sont des dauphins cambrés sur eux-mêmes, têtes en bas et queues montant le long du récipient. Sur chaque face s'épanouit un faisceau de roseaux projetant ses feuilles et ses graines en relief sur la coupe. Seuls sont dorés les animaux et le filet bordant le récipient.

---

24 CUILLER À SUCRE. Fond blanc, décor d'or. Vincennes, s.d. Long. 19. Sans marque. Copenhague, coll. C.L. David.

Les cuillers à sucre étaient en fabrication au plus tard en 1752, puisque l'inventaire d'octobre de cette année-là en signale deux exemplaires en biscuit prêts à être mis en couverte. Si l'on compare le dessin signé Duplessis que conserve la Manufacture de Sèvres, avec cette cuiller à sucre en porcelaine, on mesure la différence entre un modèle, inventé par un orfèvre dans l'esprit du métal, et sa traduction soumise aux exigences d'une technique tout autre. Le mouvement des côtes végétales, enlacées avec souplesse et terminées en feuilles rocaille du manche, a été respecté sans créer de difficulté majeure. Il en a été autrement pour les perforations du cuilleron, réduites à leur plus simple expression par des trous ronds alors que le dessin proposait des motifs fins et ouvragés.

---

25 POT À SUCRE À RELIEFS. Fond blanc, décor polychrome et or. Vincennes, s.d. H. 14, Ø 11,5. Marque peinte n° 1 avec trois points. Paris, Musée des A.D. (inv. 4310).

Ce pot à sucre ovoïde donne l'impression de sortir d'un calice à six sépales partiellement superposés et bordés de guirlandes en relief rehaussées de peignés d'or. Le bord découpé en arcades reçoit un couvercle décrivant le mouvement inverse. Six nervures, naissant au-dessus de l'intersection des feuilles, montent en diagonale sur le couvercle bombé pour rejoindre la base de la prise formée par une fleur de zinnia au naturel. De petites branches porteuses de fines fleurettes polychromes garnissent les compartiments du pot et suivent les nervures du couvercle. Ce pot à sucre appartient à un groupe de pièces. En font partie: la tasse ci-après et un poêlon de la Wallace Collection (voir Verlet, 1953, pl. 7) qui présentent le même décor en relief. Aucune mention spéciale ne permet de reconnaitre ce type d'objet parmi les «pot à sucre à contours gravés, pot à sucre à reliefs, pot à sucre ouvragé» cités dans l'inventaire de 1752.

26 TASSE ET SOUCOUPE À RELIEFS. Fond blanc, décor polychrome et or. Vincennes, s.d. Tasse: H. 7,1, ∅ 8,2, larg. 10,1; soucoupe: ∅ 13,4. Marque peinte nº 1 avec points. Paris, Louvre (inv. OA. 8040), legs G. Heine.

Cette tasse et sa soucoupe comportent les mêmes reliefs que le pot à sucre précédent. Le bord et le pied de la tasse ondulent pour suivre les six compartiments verticaux asymétriques. Le plus grand charme de la tasse est l'anse constituée par un papillon butinant un bouquet de fleurs peintes au naturel, comme les branches fleuries ornant les compartiments. Le pourtour de la soucoupe répète le même dessin. Les courts reliefs laissent au milieu une large surface plane pour recevoir un petit bouquet peint qui en garnit le centre. Le mouvement de rotation donné à la soucoupe par la courbe des reliefs soulignés par des peignés d'or, bien que d'esprit différent, fait penser à l'«assiette gauffrée» (voir fig. 20).

27 POT À FLEURS (d'une paire). Fond blanc, décor polychrome et or. Vincennes, s.d. H. 13,4, long. 24,3, larg. 14. Marque peinte nº 1 ornée d'un point central. MNCS (inv. 24427[1,2]).

Les «cuvettes à fleurs» citées pour la première fois dans un défournement de biscuit du 28 décembre 1752 (I.F. ms. 5673) étaient impossibles à terminer avant les premiers mois de 1753. Les «caisses à fleurs» paraissant encore plus tard, l'idée s'est imposée que des pièces du type de celle-ci avaient pu être désignées sous le nom de «pot à fleurs». On trouve effectivement mention, dans l'inventaire de 1752, de «pots à fleurs ovales» parmi d'autres «moyens ou grands». Tout, dans l'aspect de ce «pot à fleurs» chargé d'éléments rocaille moulés, évoque l'élégance des dessins de Duplessis conservés dans les archives de la Manufacture de Sèvres et porte son empreinte à l'égal des pièces «du Roy». Bien que les textes citent des exemplaires à paysages en camaïeu, ceux que l'on connaît sont tous à décor de fleurs, notamment, dans une collection particulière, un grand «pot à fleurs» peut-être unique, formant pièce centrale entre ceux-ci, qui a figuré à l'exposition «Porcelaines de Vincennes» (cat. nº 154). Les paires conservées au Fitzwilliam Museum à Cambridge (G.-B.) et Toledo Museum of Art (USA) sont aussi décorées de fleurs.

28 SAUCIÈRE-LAMPE DUPLESSIS. Fond blanc, décor polychrome et or. Vincennes, s.d. H. 12,3, long. 23,6, larg. 10,6. Marque peinte nº 1 avec deux points et petite croix centrale. Paris, Louvre (inv. Th. 1194), coll. Thiers.

La forme oblongue de cette saucière, vue ici en perspective, s'inspire d'une lampe antique. Un dessin très proche, dans les archives de la Manufacture de Sèvres, porte sur la face l'inscription: «Saussière en forme de lampe faite suivan l'ordre de la comande du 19 fevrÿe 1753» et au revers «Duples» indiquant l'auteur. Bien que les reliefs et le pied y soient différents, il semble difficile de ne pas évoquer Duplessis devant l'abondance des éléments réunis pour constituer l'anse qui rejoint le bord relevé du corps. Ce sont des roseaux, gonflés de sève et leurs graines, peints au naturel, liés par un ruban jaune et rose. Une gerbe de fleurs en peinture polychrome y prend naissance et se déploie le long du récipient dont le bec est conçu pour servir de verseur.

29 DEUX SEAUX À BOUTEILLE DUPLESSIS. Blanc uni. Vincennes, 1751? H. 23,2 et 23,4, larg. 23,1 et 23,5, épaiss. 22,4 et 22,1. Sans marque. Limoges, Musée A.-D. (inv. ADL 3344 et 3345).

S'il est normal de penser à Duplessis devant ces «seaux à bouteille», on ne peut manquer d'évoquer les formes à puissants reliefs du «service aux cygnes» fait à Meissen vers 1740 pour le comte de Brühl. On aimerait connaître l'artiste qui modela les pièces issues des «deux moules plâtre de grands seaux de la 1re forme de M. Duplessis» cités dans l'inventaire d'octobre 1752. En admettant qu'ils aient été à reliefs, ils pourraient correspondre à ceux-ci dont le profil concorde avec un dessin de Duplessis fait pour le service de Louis XV. Par ailleurs, cette forme fut peut-être rectifiée à la demande de Hulst, plus soucieux du décor peint que des ornements en relief, comme l'indique un passage de la lettre écrite à Boileau le 7 octobre 1751: «... [le dessin D] fera merveille sur les nouveaux seaux de M. Duplessis, pourvu que les grands offrent assez de champ sur les flancs qui doivent en être ornés. Je ne voudrais pas qu'ils se perdissent dans les espèces de goulottes qui bordent ces flancs des deux côtés...» (H. 1).

30 VASE À FLEURS. Fond blanc, décor polychrome et or. Vincennes, s.d. H. 16,2, ∅ 8,8. Sans marque. Paris, Musée des A.D. (inv. 4625).

Ce petit vase à l'allure rustique est peut-être une version antérieure et plus simple de celui qui correspond au dessin «demande par Mons Marmé 1757» (voir fig. 82). Presque également large à la base et au col, ce vase-ci rond et uni est renflé à la manière des «vases Duplessis» (voir fig. 15). Ses anses, formées par un rinceau plat montant de la base, se relèvent et se divisent en deux sections qui viennent se rattacher à l'épaulement par une palmette sobre. Les mêmes anses ont été remarquées sur un vase de forme comparable mais sillonné d'un paire de nervures verticales sur chaque face (vente de M.X., Drouot, 12-15 décembre 1910, nº 118). La même forme, nervurée, a été exécutée à Chantilly. Le décor de cet exemplaire dénote une recherche particulière par ses zones en pointillé bleu cernant le haut et le bas et par la disposition des guirlandes de fleurs polychromes.

31 VASE À FLEURS À OREILLES. Fond blanc, décor polychrome et or. Vincennes, s.d. H. 16,1, ∅ 10,9. Marque peinte nº 1. MNCS (inv. 22429).

Enregistré sous ce nom au XIXe s., ce vase, dont la Manufacture de Sèvres conserve le modèle publié par Troude (pl. 95), est conçu pour recevoir un oignon. A la partie supérieure, l'intérieur est muni d'un cercle de moindre circonférence maintenu de place en place par de petites attaches en forme de cercles minuscules. Une telle disposition est essentiellement favorable à la croissance d'une plante dont l'oignon peut respirer tandis que les racines trempent dans l'eau. La forme de ce vase est en elle-même un peu maladroite, le piédouche très large l'alourdit en lui assurant toutefois une parfaite stabilité. Cependant, cette pièce possède un charme que renforce la peinture naïve des fleurs dont les couleurs s'enfoncent profondément dans la couverte. Des peignés et rehauts bleus ainsi qu'un filet d'or complètent le décor.

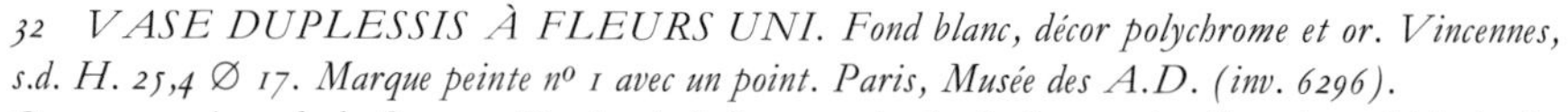

32 VASE DUPLESSIS À FLEURS UNI. Fond blanc, décor polychrome et or. Vincennes, s.d. H. 25,4 ∅ 17. Marque peinte nº 1 avec un point. Paris, Musée des A.D. (inv. 6296).

Ce vase est issu de la forme «Duplessis à fleurs uni» (voir fig. 107), elle-même dérivée du «vase Duplessis à fleurs» (voir fig. 15). Une des principales différences intéresse le bord décrivant huit lobes. Cette amorce de division a parfois été soulignée par un décor de lignes verticales se perdant au-dessus du renflement du corps (voir Verlet, 1953, pl. 6). Cette disposition donne une certaine rigidité compensée par la souplesse des anses enroulées. Ces anses, du plus pur goût rocaille, s'harmonisent d'autant mieux avec la netteté de la forme qu'elles sont ici dépourvues des petites fleurettes en ronde bosse qui souvent les accompagnent. Le pied étroit n'est pas élargi par un socle de porcelaine comme pour d'autres vases dans le même cas (voir fig. 69 et 132); il est enserré dans une monture en cuivre doré formant terrasse d'où s'élèvent des branches garnies de feuillage en cuivre peint au naturel. Ce «vase Duplessis à fleurs uni» constitue l'élément central d'une garniture de cinq vases montés pareillement. Le décor de fleurs polychromes parsemées contraste avec la petite frise dorée dans le genre de Meissen.

33 GOBELET. Fond blanc, décor polychrome et or. Vincennes, s.d. H. 7,1, ∅ 7,2, larg. 9,5. Marque illisible. Paris, Musée des A.D. (inv. 4628).

Cette tasse conique présente le même profil que le «gobelet à cuvier», mais elle est dépourvue des arceaux qui encerclent le haut et le bas de celui-ci. Sa taille supérieure à la normale répond probablement à la désignation «gobelet à la Reine», dont la Manufacture de Sèvres conserve un modèle à couvercle et qui fut réalisé en deux grandeurs. Il n'est pas impossible que cette tasse-ci ait à l'origine reçu un couvercle qui a disparu. Bien que des gobelets seuls aient été livrés, on peut supposer qu'elle s'associait avec une soucoupe. L'anse en volute, de conception très originale, prend appui au seul niveau supérieur. La volute, tournée sur elle-même, se divise en deux branches qui s'écartent pour s'attacher séparément par une étroite palmette sur la surface de la tasse à la manière d'une oreille d'écuelle. Une dent de loup dorée, cernée d'un filet bleu comme les rehauts de l'anse, orne le haut de ce gobelet et un filet d'or le bas. Trois groupes de petites branches fleuries posés verticalement complètent le décor.

34 ÉCUELLE ET PLATEAU. Fond blanc, décor polychrome et or. Vincennes, s.d. Ecuelle: H. 13,6, long. 20, larg. 13,8; plateau: long. 25,9, larg. 13,8. Marque peinte nº 1 très ornée sous le plateau. Paris, Louvre (inv. Th. 1225-1226), coll. Thiers.

L'écuelle à quatre lobes correspond peut-être à l'«écuelle à 4 pans» dont les moules figurent dans l'inventaire de 1752. Le plateau ovale rappelle les formes dessinées par Duplessis. Outre sa qualité d'exécution, cette pièce est remarquable par la composition de la prise du couvercle réunissant poisson, coquillage et végétaux marins, rehaussés de polychromie comme les anses à feuillage de l'écuelle. Le plateau, encadré de rocailles également colorées, se creuse au centre d'une cavité, bordée de bleu lapis, pour recevoir l'écuelle. P. Verlet (1953, p. 98) a proposé de rapprocher cette pièce d'une vente faite par Lazare Duvaux le 18 août 1752 à «Mme. la Duchesse de Lauraguais: Une écuelle de porcelaine de Vincennes peinte à fleurs avec un groupe de poissons sur le couvercle, 120 l.». Des plateaux de forme identique accompagnent des écuelles rondes conservées au Musée Condé à Chantilly, en fond vert (voir Brunet, 1978, nº S. 1) et dans la Huntington Collection, à San Marino (USA), en fond rose (voir Wark, 1962, pl. 113-114). Ces plateaux sont datés 1757 et 1758.

35 BASSIN OU PLAT À BARBE. Fond blanc, décor polychrome et or. Vincennes, s.d. H. 11, long. 36,2. Marque peinte nº 1 très ornée surmontant une fleur de lis. MNCS (inv. 9386).
Dans l'inventaire des moules de 1752 figurent des «plats à barbe à gaudrons et unis». Quatre en biscuit sortent du four le 28 décembre 1752 (I.F. ms. 5673) et un en blanc est signalé entre les mains des peintres, sans référence à l'une ou l'autre forme. Les mentions de livraison à Vincennes indiquent, pour les décors de fleurs, des prix très différents échelonnés entre 22 et 60 l. qui tiennent peut-être compte du type de forme. De nombreux «plats à barbe» ont été fabriqués dans la Manufacture Royale. Le Musée des Arts Décoratifs en possède un daté 1771 qui pourrait correspondre au type «à godrons»; son décor, chiffre exclu, est semblable à celui du service de Mme Du Barry (voir fig. 187). A propos de cette pièce, P. Verlet (1953, p. 215) rappelle que sept «bassins à barbe» furent vendus en 1771, dont deux de 120 l. au roi et au marchand Poirier. Mme Du Barry était cliente attitrée de Poirier. Par ailleurs, elle achetait encore le 14 décembre 1782 «1 bassin à barbe 84 l.» (Vy. 8 fº 226 vº). Louis XVI, après 1777, en acquit plusieurs à ce prix.

---

36 POT À SUCRE. Fond blanc, décor polychrome et or. Vincennes, s.d. H. 9,3, long. 10,8, larg. 10,2. Marque peinte nº 1 avec point central. Paris, Louvre (inv. Th. 1239), coll. Thiers.
La forme quadrilobée de cette pièce à couvercle correspond à celle du «gobelet à quatre pans ronds» dont le moule figure dans l'inventaire de 1752. Le modèle, conservé à la Manufacture de Sèvres, a été inventorié au XIXe s. sous le nom de «tasse Saxe» accompagné de la date fantaisiste «1784». De toute évidence, qu'il s'agisse de pot à sucre ou de tasse, probablement destinés à aller ensemble, la forme imite celle de pièces courantes à Meissen depuis 1730-1735 et constamment répétées par cette fabrique au cours du siècle. Sur ce pot à sucre, qui doit dater des débuts de la fabrication, l'influence de la manufacture saxonne ne se limite pas à la forme. Le décor de fleurs ombrées à tiges courtes, jetées sans ordonnance apparente, s'en inspire de très près; on sent que l'artiste de Vincennes qui les a peintes n'était pas encore dégagé des modèles étrangers.

---

37 DEUX VASES INDIEN E. Fond blanc, décor polychrome et or. Vincennes, s.d. H. 16,3, Ø 11,3. Marque peinte nº 1 avec trois points. Paris, Louvre (inv. OA. 8042), legs G. Heine.
Enregistré au XIXe s. sous ce nom inexpliqué et publié par Troude (pl. 96), le modèle de cette forme subsiste. Comme elle a été réalisée également à Chantilly et à Mennecy et que des exemplaires connus peuvent être rapprochés de «vases Chantilly» signalés dans l'inventaire de 1752 et souvent mentionnés dans les ventes effectuées à Vincennes, on est tenté de lui restituer ce nom (voir cat. exposition «Porcelaines de Vincennes», p. 144). Cependant, une autre forme pourrait justifier les mêmes déductions (voir fig. 82). Ce type de vase à col rétréci et bord évasé semble aussi conçu pour recevoir un oignon de plante. Il s'agit, en tout cas, d'une des premières formes produites à Vincennes avant 1753, comme l'attestent ces exemplaires non datés, décorés de fleurs polychromes, dans le goût botanique, ombrées et chatironnées, qui restent sous l'influence de Meissen.

38 THÉIÈRE. *Fond blanc, décor polychrome et or. Vincennes, s.d. H. 11,5, ∅ 10, larg. 15,4. Marque peinte nº 1 avec point central. Paris, Musée des A.D. (inv. 6301).*

Bien loin d'avoir la forme d'une simple boule, cette théière ronde, cintrée vers le bas, présente un caractère oriental. Elle est élargie par le bec prenant naissance assez bas et par l'anse très proéminente, qui s'attache au corps en trois endroits. Entre ses extrémités, qui s'épanouissent en palmettes, cette anse décrit une boucle qui vient se poser sur le corps vers le milieu de la hauteur en renforçant l'impression de solidité. Une fleur en bouton domine le couvercle à peine bombé. Les fleurs peintes au naturel conservent un caractère botanique mais leur groupement révèle un souci de composition. Des branches légères et des graminées contribuent à la délicatesse du bouquet.

39 ÉCUELLE ET PLATEAU RONDS. *Fond blanc, décor polychrome et or. Vincennes, s.d. Ecuelle: H. 12,5, ∅ 13,3, larg. 17,9; plateau: ∅ 19. Marque peinte nº 1 exceptionnelle très ornée, au milieu d'un encadrement en camaïeu violet fait de branchages où s'est posé un faisan. Paris, Musée des A.D. (inv. 25189).*

La forme est comparable à celle de l'écuelle de la fig. 9 posée sur un talon plus accentué. La prise du couvercle réunit de gros fruits jaunes et verts assortis de feuilles en relief. Les anses, richement travaillées, simulent des palmes torsadées qui adhèrent au corps par une double attache et supportent de très petites fleurs en relief. La bordure du plateau décrit douze lobes légèrement aplatis. Le décor utilise de nombreux éléments aquatiques, végétaux et animaux: des poissons aux canards en passant par anguilles, reptiles, et oiseaux échassiers ou non. On y reconnaît, par la légèreté et la finesse d'interprétation, l'influence de Meissen également marquée par les minces bordures rappelant de délicates ferronneries ou de la dentelle. La polychromie générale douce, toute en nuances fines, donne à cette pièce un caractère de rare distinction. Une écuelle et sa soucoupe presque identiques sont conservées au Metropolitan Museum of Art de New York (inv. 50.211.168-169).

40 SEAU À BOUTEILLE. *Fond et décor polychrome. Vincennes, s.d. H. 16, ∅ 18,8, larg. 24. Sans marque. Londres, The British Museum, coll. Franks (inv. 506).*

La forme, comparable à celle du «seau à bouteille ordinaire», comporte une bordure à mouluration plus saillante sous laquelle s'attachent les anses simulant des fragments de branches très proéminentes. Du feüillage et des graines peints au naturel en dissimulent les attaches sur le corps. Le fond polychrome, où domine une teinte violacée, évoque un tissu à décor composé distribué en quinconce qui n'est pas sans parenté par sa disposition avec les plaques angulaires de la «table pour le Turc» (voir fig. 66). Les cartels ovales à contours dentelés et soulignés de filets pourpre violacé sont entièrement consacrés à des scènes mythologiques. Sur cette face: Persée délivre Andromède; au revers: Vénus entourée d'amours. Les deux scènes sont peintes d'après des tableaux de Lemoyne conservés à la Wallace Collection.

41 SEAU À VERRE. Fond blanc, décor polychrome. Vincennes, s.d. H. 11,3, ∅ 18,2. Sans marque. Paris, Musée des A.D. (inv. 28693), legs Gould.

La forme massive de ce «seau à verre ordinaire», à profil cintré vers la base reposant sur un mince talon, s'achève par un bord sans mouluration. Les anses, composées d'un fragment de tronc d'arbre tordu en arceau, s'attachent au récipient par des branches chargées de feuilles et de petits fruits en relief peints au naturel. Le décor n'est pas de moindre intérêt. Le peintre habile resté anonyme s'est servi de couleurs fines rouge pourpré et verts très nets pour traduire des scènes animées «chinoises». Sur la face, «la pêche» est empruntée à une gravure de Huquier, faisant partie d'une série de chinoiseries d'après Boucher. Lazare Duvaux vendit le 19 septembre 1752 à «M. Jacquemin ... Deux seaux de Vincennes moyens peints à Chinois 216 l. ...» Peut-être ressemblaient-ils à celui-ci?

---

42 POT-POURRI POMPADOUR. Fond blanc, décor en camaïeu rose et or. Vincennes, s.d. H. 28, ∅ 16,5. Marque peinte n° 1 ornée, avec trois points et sommée d'une sorte de fleur de lis? Paris, Louvre (inv. OA. 10304).

Le «pot-pourri Pompadour» est déjà cité dans l'inventaire de 1752 en quatre grandeurs. Ce type de forme créée par Duplessis (voir pl. IX) a connu un succès considérable et les mentions de livraisons abondent, en couleurs et tailles variées, de 1753 à 1758. Les prix, en blanc à décor de fleurs, sont en général de 72 l. en 4e grandeur, 120 l. en 3e, 144 l. en 2e. La 1re grandeur est rarement signalée. Cet exemplaire correspond à la 2e grandeur. Son décor en camaïeu pourpre, très particulier, allie les amours ailés soutenant des guirlandes, les fleurettes et les insectes. Une fleur de lis peinte surmonte chaque perforation du couvercle. On est tenté d'assimiler cette pièce à une livraison à Lazare Duvaux, portée au 31 décembre 1753: «1 pot-poury Pompadour 2e enfans camaïeux 144 l.» (Vy. 1 f° 27 v°).

---

43 VASE PARSEVAL. Fond bleu lapis, décor polychrome. Vincennes, s.d. H. 11,5, ∅ 11,3. Marque peinte n° 1 fleurdelysée. Paris, Louvre (inv. OA. 10301).

Cinq petits dessins au trait, avec variantes du pied, portent des mentions permettant de donner le nom de «vase Parseval» à ce type de pièce médiciforme. Ces inscriptions précisent: «vase Parseval n° 2 fait en 1755 avec le pied ord. et fait avec le dit pied» et «en 1781 demande pour Bellevüe avec le pied marqué sy-dessous». Les mêmes indications se répètent pour le «n° 3». Les réserves ménagées dans le fond bleu lapis sont décorées d'un côté du chiffre royal peint en violet et de l'autre des initiales MA également sous une guirlande de fleurs polychromes. L'entourage doré des cartels combine des lignes et éléments rocaille. Les livraisons de «vases Parseval», du nom de l'un des associés de la Compagnie de Vincennes, se rencontrent au cours du XVIIIe s. en biscuit ou décorés. Aucune d'elles ne mentionne de chiffre. On sait que sont livrés «dudt jour [17 décembre 1753] à M. de Verdun 2 vases Parseval lapis paysage 15/30 l.». Peut-être s'agissait-il d'une seconde grandeur, puisque M. de Verdun obtenait un peu plus tard «1 vase Parseval 1ere lapis paysage 18 l.» (Vy. 1 f° 21 et f° 50 v°). Mme Lair, marchande, achetait en 1759 des «vases Parseval de Vincennes en biscuit» vendus 7 l. 10 s. (Vy. 3 f° 11).

44 POT DE CHAMBRE ROND. Fond bleu lapis, décor d'or. Vincennes, s.d. H. 12, ∅ 17. Marque peinte n° 1 à épines avec un point. Paris, Musée Jacquemart-André.

L'inventaire des effets remis par Charles Adam à Eloi Brichard le 18 octobre 1752 (I.F. ms. 5673) dénombre « 11 pots de chambre » en magasin. L'inventaire des moules signale des « pots de chambre de différentes façons, ronds, unis ». Par sa pâte lourde et épaisse, celui-ci appartient aux premières fabrications de Vincennes. Sa forme est exactement la même qu'un exemple plus petit et dépourvu d'anse conservé au Musée de Sèvres. Ce « pot de chambre » porte des traces de frottement mais est resté complet. Son fond bleu nuageux est lapissé d'or pour mieux imiter la richesse du lapis-lazuli. L'entourage du cartel et le décor d'or ont un caractère pseudo-oriental. L'encadrement déchiqueté, qui évoque la chauve-souris, rappelle aussi les bronzes de la « table du Turc » (voir fig. 66). Cependant, les oiseaux sont des faisans de races connues au XVIIIe s. Déjà, en 1750, Lazare Duvaux vendait à « Mme la Duchesse de Brancas, pour Mme la Dauphine: 2 pots de chambre de Vincennes 48 l. » (Courajod, II, n° 424). Et le 26 décembre 1751 « à Mme de Pompadour: 1 pot de chambre rond de Vincennes en blanc et bleu 36 l. » (*ibid.*, n° 989).

45 JATTE RONDE. Fond bleu lapis, décor polychrome et or. Vincennes, s.d. H. 6,5, ∅ 16,5. Marque peinte n° 1. Boulogne-sur-Mer, Musée des Beaux-Arts et d'Archéologie (inv. L. 424), legs Ch. Lebau.

Parmi toutes les mentions de « jattes » diversement qualifiées, il est difficile pour cette « jatte ronde » de distinguer s'il s'agit de la « jatte tournée » citée dans l'inventaire de 1754, ou de la « jatte ronde unie d'après celle en rond de relief » dont les moules et modèles existaient avant le 1.1.1757. L'abondance du décor d'or: dents de loup et surtout riche entourage des cartels, indépendamment de la peinture des oiseaux et végétaux exécutée de main de maître, font de cette pièce une œuvre très évoluée que l'on aimerait pouvoir situer avec plus de précision.

46 POTS-POURRIS À JOUR. Fonds bleu lapis et blanc, décor polychrome et or. Vincennes, s.d. H. 19,5, ∅ 11,5. Marque peinte n° 1; Thévenet père. Paris, Musée des A.D. (inv. 28582), legs Gould.

Ces précieux objets de forme renflée sont portés par quatre pieds rocaille de même inspiration que le socle du « vase à têtes d'éléphant » (voir pl. XIV). Le col ajouré est sillonné d'un ruban doré. Trois fleurs d'oranger au naturel composent la prise du couvercle également perforé. Cette abondance de perforations invite à identifier cette forme aux « pots-pourris à jour » dont les inventaires de 1752 citent les moules et, parmi les pièces en biscuit, « 1 pot-pourri à jour et 1 en bleu »; ils signalent aussi la présence, en blanc, entre les mains des peintres, de « 1 pot-pourri à jour 1ere 60 l., 1 pot-pourry sans être à jour 3e 25 l. ». De nombreuses mentions de livraisons en trois grandeurs, entre 60 et 300 l., paraissent au cours des années suivantes, notamment à Mme de Pompadour et à Lazare Duvaux. Celui-ci en acquiert plusieurs, entre autres à deux reprises « 2 pots-pourris à jours 3e gr. lapis oiseaux colorés 120 l. », description convenant à ceux-ci pour la taille, la couleur de fond et le décor. Deux « pots-pourris à jour » figuraient encore dans une liste de « pièces de la fabrication de Vincennes » au 1er octobre 1759.

---

47 *THÉIÈRE. Fond bleu lapis, décor d'or. Vincennes, s.d. H. 13,7. Sans marque. Londres, coll. part.*

Un dessin correspondant à cette forme, conservé dans les archives de la Manufacture de Sèvres, porte l'inscription: «théière à la reine nº 2 rectifie suivan l'ordre de la comande du 19 fevrÿe 1753.» Les «théières à la Reine», inscrites dans la fournée de biscuit du 28 mars 1753 (I.F. ms. 5673), étaient probablement les premières à tenir compte de la rectification d'une forme exécutée antérieurement. L'aspect de cette curieuse pièce, évoquant une bouée de navire, est provoqué par la réunion de deux cônes joints par la base, suivant le même principe que pour l'«arrosoir» (voir fig. 73). La ligne du cône inférieur très bas se prolonge par un bec rigide. Le couvercle pointu achève le cône supérieur. Toutes les lignes sont droites sauf celle de l'anse. Ce désaccord a été évité pour la réalisation d'une théière de mêmes forme et dimensions qui a reçu une anse angulaire. Cette dernière a fait partie de l'ancienne collection Pierpont Morgan et se trouve au Wadsworth Atheneum à Hartford (voir Chavagnac, 1910, nº 56). Le charme de cette théière-ci est complété par le très riche encadrement des cartels contenant des oiseaux volants en or bruni à l'effet.

---

48 *CAISSES CARRÉES. Fond bleu lapis, décor polychrome et or. Vincennes?, s.d. H. 15,3, larg. 10,5. Marque peinte nº 1 en double trait continu. Hartford, Wadsworth Atheneum (inv. 17963-17964).*

Comparées à la «caisse carrée» du Musée de Sèvres (voir fig. 62), celles-ci montrent une recherche supplémentaire par les angles creusés d'une cannelure analogue à celle des «boites à thé» (voir fig. 13). Les quatre panneaux paraissant plus étroits, l'ensemble devient plus élancé. On ne sait quand cette innovation s'est produite. Dans le catalogue de la collection Pierpont Morgan (Chavagnac, 1910, nº 59), l'attribution à Vincennes a été basée sur la lourdeur et l'épaisseur de la pâte. L'argument est très plausible, mais les pièces ont pu rester en magasin sans être terminées. Il semble difficile d'admettre les encadrements sablés d'or et les guirlandes entrecroisées symétriquement dans les cannelures avant les années 1760. La marque, à elle seule, ne justifie pas une date antérieure à 1753, la lettre-date pouvant être omise. Le cas n'est pas rare. Le style des paysages est malaisé à localiser dans le temps, il appartient davantage à chaque artiste qu'à une période déterminée. Une paire de «caisses carrées», de même forme mais plus petites, se trouve au Musée Ile-de-France à Saint-Jean-Cap-Ferrat.

---

49 *TASSE. Fond bleu céleste et blanc, décor d'or. Vincennes, s.d. H. 6,2, ∅ 7,4, larg. 9,5. Marque peinte nº 1. Paris, Musée des A.D. (inv. 6281).*

Cette tasse, nettement conique, est encerclée de deux paires de cordons qui ont justifié son appellation de «gobelet à cuvier». Un dessin en deux grandeurs, conservé dans les archives de la Manufacture de Sèvres, porte l'inscription: «gobelet à cuvier servant en uny et à serceaux fait suivan l'ordre de la comande du 19 fevrÿe 1753.» Une mention, qui concerne «87 gobelets à cuvier» compris dans le défournement des pièces en couverte le 19 octobre 1752 (I.F. ms. 5674), atteste l'existence d'un modèle antérieur sans qu'il soit possible de déceler la différence éventuelle. Cette pièce est probablement un des premiers exemples de fond bleu céleste. Seule l'anse angulaire est réservée en blanc; le ruban qui l'entoure en spirale, les cerceaux et les dents de loup au bord et à la base du gobelet forment l'unique décor d'or rehaussant la couleur monochrome de cet objet particulièrement précieux.

50 POT À LAIT HÉBERT. *Fond bleu céleste, décor polychrome et or. 1753. H. 12. Marque peinte nº 1 (A); en creux, nº 2. Waddesdon Manor, coll. Rothschild (cat. nº 3).*

L'aspect un peu lourd de ce petit «pot à lait Hébert», dont la ligne souple et renflée caractérise les diverses pièces désignées par le nom du marchand-mercier Hébert, tient peut-être à l'absence de couvercle. On ne saurait affirmer qu'il en ait jamais eu un, ce détail n'étant pas mentionné même quand il s'agit de pots à lait en cours de décoration et entre les mains des peintres. L'inventaire du 1.1.1754 en dénombre cinq sous cette rubrique, évalués 6 l. pièce. Le charme de ce petit objet tient en partie à l'anse torsadée attachée par de sobres motifs rocaille et surtout à sa riche décoration. Le fond bleu céleste, spécialement prisé en 1753, est interrompu par de vastes cartels animés par des amours peints en coloris supportés par des nuages. L'encadrement de ces réserves, composé de palmes et de fleurs en or, fait écho à l'anse et à la dent de loup bordant l'ouverture, tandis qu'une frise dorée, par une suprême recherche, orne l'intérieur.

51 SEAU À LIQUEURS. *Fond bleu céleste, décor polychrome et or. 1753. H. 14,8, ∅ 15,4, larg. 21. Marque peinte nº 1 (A); en creux, nº 3. Paris, Musée des A.D. (inv. 28714).*

La hauteur de ce récipient permet de le classer parmi les «seaux à liqueur» destinés à rafraîchir une bouteille unique de liqueur. Son profil et ses reliefs le rangent dans la série des formes inventées par Duplessis pour le «service du Roy». L'exécution n'a pas suivi exactement le dessin initial conservé dans les archives de la Manufacture de Sèvres, mais l'a simplifié en éliminant du culot quatre éléments en forme de coquille. La forme renflée, simplement compartimentée en quatre larges lobes, se pose sur un piédouche mouluré qui suit le même parti. Les anses s'attachent par des extrémités en rocaille sobre. Dans le fond bleu céleste sont réservés de larges cartels emplissant toute la largeur du panneau central et entourés d'une riche bordure de palmes et fleurettes d'or. Deux oiseaux en coloris, l'un perché sur un arbuste, l'autre posé à terre, se disputent. Forme et décor sont dégagés d'influences étrangères et expriment le goût français.

52 POT À EAU LIZONNÉ. *Fond blanc, décor polychrome et or. 1753. H. 20,4, ∅ 12,7. Marque peinte nº 1 (A); Siou jeune. MNCS (inv. 1867).*

De cette forme, la Manufacture de Sèvres conserve un dessin et les modèles en deux grandeurs, sous le nom de «pot à eau à côtes». On trouve le «pot à eau lizonné» en 1re et 2e grandeurs inscrit pour la première fois parmi les «modèles dont il n'y a pas encore de moules» dans l'inventaire du 1.1.1754. Une erreur a pu se glisser, attendu que le présent exemple, daté 1753, a forcément été tiré dans un moule. La surface côtelée caractéristique de toutes les pièces «lizonnées» ne se prête pas au tournage (voir fig. 8). A part cette particularité superficielle, ce pot ressemble par son profil à l'une des formes de «pot à eau ordinaire» qui a été constamment rectifiée. Primitivement fort lourde, elle s'est allégée par l'allongement du col. Un semis de fleurettes ou petits bouquets polychromes gracieusement jetés, quelques rehauts sous le bec, des filets à dent de loup en or constituent tout le décor de ce «pot à eau lizonné». Une monture d'argent retient le couvercle.

53 TASSE LITRON COUVERTE ET SOUCOUPE. Fond bleu céleste, décor polychrome et or. 1753. Tasse: H. 14,5; soucoupe: ∅ 18,8. Marque peinte nº 1 (A); Genest. Paris, Petit Palais, coll. Tuck (inv. 122).

Les «gobelets à litron» de cette taille et couverts sont rares, soit qu'ils aient été livrés sans couvercle soit que celui-ci ait disparu. L'inventaire des moules en 1752 cite cette forme en «1ere gr. et moyens». Cet exemplaire, s'il n'est pas réellement de première grandeur, s'en approche certainement. Au cours du temps, les trois grandeurs primitives ont été modifiées et des intermédiaires ajoutées. Le fond bleu céleste est parsemé de cartels dont les contours sont appropriés aux branches fleuries qu'ils encadrent, bordés de minces rocailles jouant de courbes et de contre-courbes dorées comme les bordures en dent de loup. La forme de l'anse réservée en blanc reste très simple. Une petite fleur en ronde bosse constitue la prise du couvercle. Le principe décoratif de cartels asymétriques adaptés au sujet contenu est une idée empruntée à la porcelaine chinoise de l'époque Kien-Long.

---

54 FROMAGER ET PLATEAU. Fond blanc, décor polychrome et or. 1753. Fromager: H. 6,7, larg. 16,3; plateau: ∅ 23,8. Marque peinte nº 1 (A); en creux, fromager: nº 4; plateau: nº 5. Paris, Louvre (inv. Th. 1189-1190), coll. Thiers.

Un dessin annoté: «suivan l'ordre de la comande du 19 fevrÿe 1753» avertit que «ces tait si sevent pour Les fromage et Les beurÿer en gasÿ il sera grave sur le marly le meme dessin du repersse du fromager». Sans doute s'agit-il d'une modification, puisque les moules et un modèle en soufre figurent déjà dans l'inventaire de 1752. Des «fromagers en 1ere et en 2e gr.» sont signalés entre les mains des peintres au 1.1.1754. Le récipient perforé suivant un joli dessin, destiné à laisser égoutter le fromage frais, est porté sur des pieds ronds; il repose dans un plateau profond à profil particulier. Séparé de l'égouttoir, le plateau a parfois été confondu avec une assiette creuse. Il en diffère cependant, si on l'imagine en coupe, par le rétréci tombant droit et non suivant une ligne galbée comme celle d'une assiette. Se basant sur les livraisons faites à Lazare Duvaux en 1753, P. Verlet (1953, p. 200) a indiqué les prix de fromagers et plateaux comparables: 48 l. en 1re grandeur, comme celui-ci, 42 l. en 2e grandeur.

---

55 PLATEAU TRIANGULAIRE. Fond bleu céleste, décor polychrome et or. Vers 1753-1760. Larg. 22. Sans marque; Rosset; en creux, nº 6. Waddesdon Manor, coll. Rothschild (cat. nº 7).

S. Eriksen (1968, p. 48) a signalé que ce plateau à rebord arrondi, désigné sous le nom de «plateau triangle», pouvait entrer dans la composition d'un service de table, ou bien servir de support à un petit déjeuner qualifié alors «déjeûner triangle». Dans l'inventaire des moules de 1752 sont signalés des «platteaux en triangle petits» sans plus de détail mais qu'il convient de différencier des «platteaux à placer les idem [petits pots à confiture]» dont la forme n'est d'ailleurs pas spécifiée. Cet exemplaire ne peut manquer de retenir l'attention par la ligne pure de ses contours en accolades peu accusées. La couleur du fond bleu céleste très prisée aux alentours de 1753, la délicatesse du travail de l'or bruni à l'effet des éléments encadrant le cartel qui suit la forme tréflée du plateau et la qualité des fleurs peintes au naturel sont caractéristiques des belles productions de Vincennes. Toutes ces qualités évoquent la période durant laquelle la Manufacture fabriquait le premier service de Louis XV.

56 *VASE À RELIEF TURC (d'une paire). Fond violet et blanc, décor polychrome et or. 1753. H. 21,5. Marque peinte nº 1 (A). Coll. part.*

En plus de sa forme élevée à six pans, renflée et resserrée à la base et au col, ce vase à couvercle présente la particularité d'être partiellement en fond violet. Cette couleur exceptionnelle a permis de le rapprocher d'une mention relevée dans une fournée de peinture (I.F. ms. 5676) sortie le 23 février 1754: «6 vases à reliefs turcs, fleurs» dont «quatre à fond violet picassés et les fonds inégaux.» Une série de pièces «pour le Turc» sont livrées en septembre 1753 à M. Aulagnier. S'il y paraît «1 tasse à boire fleurs en relief avec caractères turcs nº 5 400 l.», il n'y est pas question de vases d'un prix assez élevé pour se rapporter à celui-ci. Cette pièce exceptionnelle attire non seulement par sa forme rare et son fond violet, mais encore par la finesse des minuscules fleurs en relief sur lesquelles les couleurs brillantes donnent une illusion d'émail.

57 *NAVETTE. Fond bleu lapis, décor en camaïeu rose et or. 1753. Long. 14. Marque peinte nº 1 (A). Londres, coll. part.*

Dès le premier inventaire de 1752, on trouve, parmi les pièces en biscuit, mention de «1 navette». Six, dans le même état, sont inscrites au 1.1.1755 et trois sont comptabilisées «3 et 9 l.» au magasin de blanc. Au 1.1.1757, au magasin de vente de Sèvres, «provenant tant des pièces qui restaient à Vincennes au 1.1.1756, que celles fabriquées pendant la dite année», on rencontre des navettes estimées de 120 à 168 l. Enfin, lors de la dissolution de la Compagnie Eloi Brichard, au 1er octobre 1759, celles qui figurent dans l'inventaire s'échelonnent de 72 à 168 l. Il s'agit d'objets essentiellement féminins que les dames utilisaient pour enrouler du fil, et le mouvement se prêtait à mettre de jolies mains en évidence. Paradoxalement, on remarque une livraison «du 13 Xbre 1754 à M. de Machault, 1 navette bleu céleste enfans colorés 240 l.» (Vy. 1 fº 59 vº).

58 *VASE. Fond jaune, décor en camaïeu bleu et or. Vers 1753. H. 18,4, ∅ 10. Marque peinte nº 1; en creux, nºs 7 et 8. Londres, Victoria and Albert Museum (inv. c. 386-1921), Currie Bequest.*

Considéré depuis le pied jusqu'au col, ce vase présente un profil sinueux élargi au maximum vers le milieu, comparable à celui du «vase à oreilles» (voir pl. XIII). Le projet des deux formes figure sur un dessin conservé dans les archives de la Manufacture de Sèvres. Ce vase-ci est simplement esquissé. Son col rétréci uni s'évase régulièrement vers le bord et s'achève par une dentelure ondulante en plan et en élévation. Les festons les plus bas, légèrement creusés de godrons vers l'intérieur, alternent avec les plus élevés surmontant des godrons extérieurs. Les anses disproportionnées, entièrement rapportées, donnent l'impression d'un modèle indépendant adapté et non créé pour ce vase. Leurs attaches ont déterminé le tracé de l'encadrement des réserves, composé d'éléments rocaille habilement enchaînés. Cet entourage doré s'harmonise heureusement avec la peinture en camaïeu bleu représentant un amour ailé à demi couché sur un nuage et tenant un masque, allusion probable à la comédie, mais certainement inspiré par une gravure de Boucher.

59 SEAU À BOUTEILLE *(d'une paire). Fond bleu lapis, décor d'or. 1754. H. 18,5. Marque peinte nº 1 (B) avec des points dont un en bleu sous couverte près du pied; en creux, nºs* 9, 10 *et* 11. *Waddesdon Manor, coll. Rothschild (cat. nº 9).*

La forme de ce «seau à bouteille» est peut-être assimilable à celle de «seaux à bouteille tournés» cités dans l'inventaire de 1752. Plusieurs dessins, conservés dans les archives de la Manufacture de Sèvres, font état d'une rectification survenue en 1753, génératrice d'une seconde version possédant une mouluration plus accentuée au bord; c'est celle qui a été le plus utilisée pendant tout le XVIIIe s. L'image permet de juger l'ampleur de l'anse. Nul doute que son dessin ait été l'œuvre de Duplessis. L'impression de solidité des attaches accrochées à la moulure du bord est accentuée par l'effet de saillie assurant l'équilibre des riches rocailles qui, par un mouvement inverse, viennent se fixer sur le corps du seau.

---

60 TASSE COUVERTE. *Fond bleu céleste, décor polychrome et or. 1754. H. 6,9, ∅ 7, larg. 10. Marque peinte nº 1 (B) avec quatre points; en creux, nº* 12. *Paris, Musée des A.D. (inv. 38690), legs Gould.*

Cette petite tasse basse à deux anses et couvercle est un objet de toilette, un pot à fard, qui figure dans les inventaires sous le nom de «tasse à toilette». Ces tasses s'accompagnent d'une soucoupe, le plus souvent à bague peu profonde, parfois unie. La forme renflée du récipient est proche de celle du «gobelet Bouillard» (voir fig. 122). L'inventaire de 1752 signale qu'une «tasse à toilette et platteau» en blanc se trouvent entre les mains des peintres pour être décorés. Celui du 1er octobre 1759 enregistre, parmi les pièces existantes au magasin de vente, des «tasses à toilette» de prix variant entre 12 et 96 l. Celle-ci justifierait un prix élevé à cause des anses chantournées, du fond bleu céleste mis à la mode en 1753, de la fleur délicate en ronde bosse formant la prise du couvercle, des riches encadrements d'or des cartels et des oiseaux en coloris peints avec subtilité.

---

61 PLATEAU. *Fond bleu céleste, décor polychrome et or. 1754. ∅ 32. Marque peinte nº 1 (B); Bardet. Paris, Musée des A.D. (inv. Gr. 220), coll. Grandjean.*

Parmi les dessins de Duplessis que conserve la Manufacture de Sèvres, celui de ce plat rond porte l'inscription: «plateau de pot à oglio ancien uni.» Les moules et modèle qui existent encore sont désignés de même. Comme la couleur et le décor sont identiques à ceux du «service du Roy», dont Duplessis avait dessiné les formes, il n'est pas impossible que ce plateau, associé au «pot à oglio du Roy», ait fait partie de l'ensemble. Le modèle en soufre, en deuxième grandeur, est signalé dans l'inventaire du 1.1.1754; l'année suivante paraissent les moules du «pot à oglio du Roy et platteau en 1ere, 2e et 3e gr.». Les motifs soulignant la partie dentelée du bord prennent, dans le fond bleu céleste, un relief particulier sous l'effet d'un léger retrait. La forme des quatre cartels fleuris suit le mouvement en accolade du contour. La composition de leur encadrement abondamment doré utilise un élément décoratif néo-classique nouveau: des sequins enfilés. Le «service du Roy» livré en décembre 1755 (Vy. 1 fº 119 vº) fut exposé dans une salle éclairée par les soins de Lazare Duvaux (Vf. 2, du 9 avril 1754).

62 CAISSE À FLEURS CARRÉE. Fond bleu lapis, décor en camaïeu bleu et or. 1754. H. 13,6, larg. 11. Marque peinte nº 1 (B); M indéterminé. MNCS (inv. 22951), don des Amis du Musée.

La Manufacture de Sèvres conserve encore deux moules de «caisse» ou «caisse carrée». Cette forme a été exécutée en deuxième grandeur depuis 1753 et en première et troisième un an plus tard. Les trois «caisses à fleurs carrées» figurant dans deux fournées de biscuit antérieures au 18 juin 1753 (I.F. ms. 5673) étaient donc de deuxième grandeur. C'est, par comparaison avec d'autres caisses, la grandeur de celle-ci. La forme est inspirée par les caisses à orangers en bois utilisées dans les parcs et jardins pour permettre le transport des fragiles arbustes, rentrés en serre pour la période hivernale. De nombreuses gravures des XVIIe et XVIIIe s. représentent de telles caisses. Les «caisses carrées» de porcelaine sont toujours percées de cinq trous dans le fond et, dans certaines fournées, systématiquement accompagnées de «platteaux pour». Fabriquées en grande quantité, ces pièces sont peu décrites. On est tenté de rapprocher celle-ci d'une livraison «au S^r^. Bailly, du 29 X^bre^ 1755, 1 idem [caisse 2e gr.] lapis enf. idem [camayeux] 168 l.» (Vy. 1 fº 109 vº).

63 DEUX VASES HOLLANDAIS. Fond blanc, décor en camaïeu bleu et or. 1754. H. 18,3, long. 18,4, larg. 13,6. Marque peinte nº 1 (B); Vielliard. MNCS (inv. 23180).

Le «vase hollandais» (voir pl. XVIII) se compose de deux parties: un vaste cornet, prolongé par un pied perforé pénétrant dans un socle-cuvette large et aéré. Ces deux «vases hollandais», de dimensions moyennes, correspondent à la seconde des trois grandeurs mentionnées. Le modèle a connu des variantes de proportions au cours du demi-siècle pendant lequel on l'a répété. La vue de profil les fait paraître plus élancés qu'ils ne le sont en réalité. Les prix ont évolué entre 36 l. pour un spécimen blanc et filet or, et 600 l. pour un de «1ere gr. verd oiseaux», ou un autre «verd enfans colorés» (Vy. 2 fº 48). Ceux-ci qui, sur les faces, sont décorés d'enfants en camaïeu bleu et chairs rehaussées, peuvent être rapprochés d'une livraison «au Sr Bailly, décembre 1755, 2 vases à l'holandoise 2e enfans camaïeu chairs colorees 168 l.» (Vy. 1 fº 105). Le peintre Vielliard a interprété à sa manière les enfants d'après des gravures de Boucher et copié, en camaïeu bleu sans rehauts colorés, les trophées des côtés dans le *Livre nouveau de différents trophées inventés par A. Watteau et gravés par Huquier* (voir Belfort, 1977, p. 66-73).

64 CAISSE À FLEURS OVALE. Fond blanc, décor en camaïeu bleu et or. 1754. H. 12,7, long. 28,6, larg. 14,5. Marque peinte nº 1 (B); en creux, nº 13. Paris, Fondation Salomon de Rothschild (inv. R. 781).

Un dessin, conservé à Sèvres, très proche de cette forme, suggère le profil en trois grandeurs. Il porte l'intéressante inscription: «Caisse à fleurs, du 28 8bre 1753 du goust de Mos. Huls.» Simultanément, un trait esquisse le plan, droit en arrière et lobé devant, dans lequel on lit «caise à fleur de M. Huls». Aucune «caisse à fleurs» livrée à M. Hulst ne figure dans les registres de ventes en 1753 et 1754. Il se contente modestement de «2 baignoires d'yeux et 1 soucoupe lizonnée». «1 gobelet à cuvier et soucoupe» lui est offert en présent (Vy. 1 fº 38). Dans le catalogue de l'exposition «Porcelaines de Vincennes», nº 57, T. Préaud a proposé d'identifier cette forme-ci à celle de la «caisse à fleurs unÿe», longtemps confondue avec la «cuvette Verdun», en se basant sur des différences de prix relatifs à des décors équivalents et a remarqué que le nom «caisse à fleurs unÿe» convient parfaitement à cette forme. De plus, certains décors concordent avec des mentions d'archives.

---

65 COFFRE. Fond bleu céleste, décor polychrome et or. Vincennes, s.d. (vers 1753/1754). H. 18,5, long. 40, larg. 24,3. Marque non visible. Londres, The Wallace Collection (inv. XXII^{B} 51).

Grâce aux poinçons relevés sur la très riche monture en argent doré, P. Verlet (1953, p. 200) a daté celle-ci 1754-1755. Les plaques peuvent être antérieures d'une année. Six «pièces de coffre» dont «3 b. et 3 cassées» sont signalées dans un défournement de biscuit du 10 mars 1753 (I.F. ms. 5673). Dans le fond bleu céleste, les réserves oblongues sont entourées de beaux motifs dorés et contiennent des fleurs très variées finement peintes. Une mention de livraison pourrait concerner les plaques de ce coffre «du 15 9bre 1754 à M. Aulagnier 6 pièces pour un coffre bleu céleste fleurs 480 l.» (Vy. 1 f° 54). P. Verlet *(op. cit.)* a noté que le même acquéreur a repris le 10 janvier 1757 une nouvelle «plaque de coffre bleu céleste fleurs 120 l.», peut-être pour une réparation.

---

66 PLATEAU DE TABLE EN CINQ MORCEAUX. Fond blanc, décor bleu céleste, polychrome et or. Vers 1754. Plaque centrale: long. 39, larg. 31. Marque invisible. Paris, coll. part.

Depuis octobre 1752, les inventaires signalent une «table en cinq pièces». Huit morceaux de table mis en couverte sortent du four le 19 mars 1753. Ensuite paraissent dans un défournement de biscuit du 22 février 1754 «5 pièces moulées d'une table pour le Turc» (I.F. ms. 5674 et 5673). L'inventaire du 1.1.1755 répète, parmi les «pièces pour le Turc», les deux ensembles précités, l'un mentionné: «5 pièces de table désassorties 20 l.» et l'autre «100 l.» Ce dernier reparaît en mars 1755, livré «à M. Aulagnier 1 table en 5 morceaux bleu céleste fleurs 1200 l.» (Vy. 1 f° 80 v°). Les concordances de couleurs ont incité S. Eriksen à supposer que ce dessus de table avait pu être «pour le Turc» (correspondance avec l'auteur). Ajoutons que la monture en bronze, dont les méandres les plus aigus sont épousés par la découpe des plaques de porcelaine, entrait peut-être pour sa part dans le prix de 1200 l., beaucoup plus élevé que ceux d'autres livraisons pour le Turc et qu'elle avait peut-être été exécutée sous la conduite directe de Duplessis, sinon par lui-même.

---

67 ÉCRITOIRE. Fond blanc, décor polychrome, filets et rehauts bleus et or. 1755. Long. 29,5, larg. 18,8. Marque peinte n° 1 (C). Paris, Louvre (inv. OA. 6502).

Le galbe et les reliefs du plateau de cette écritoire présentent les caractères propres aux modèles dessinés par Duplessis, notamment les palmes se joignant pour former les anses, ainsi que les petites rocailles. Cette pièce, composée de cinq éléments, pourrait correspondre à «l'écritoire sculptée» sortie du four de biscuit le 10 juin 1755 ou, plus précisément encore, aux «écritoires composées de cinq pièces» figurant dans les défournements des 29 octobre et 30 décembre 1755 (I.F. ms. 5673). Quatre cavités rondes, ménagées dans le plateau chantourné, reçoivent les godets. L'un d'eux, destiné à l'encre, est muni d'un couvercle orné d'un petit cachet et de pastilles de cire de plusieurs couleurs. Les deux godets surmontés de couvercles ajourés devaient contenir la poudre servant à sécher l'encre.

68 FONTAINE (accompagnée de sa cuvette). Fond blanc, décor en camaïeu bleu et or. 1755. H. 35, larg. 20, prof. 13. Marque peinte nº 1 (C). Hartford, Wadsworth Atheneum (inv. 1917. 994).

Les archives de la Manufacture de Sèvres conservent un dessin avec inscription: «fontaine pour Mame la dauphine fait du 6 Mars 1754» et un modèle, publié par Troude (pl. 88) sous le nom de «fontaine à roseaux». Des moules et modèles de «fontaine uni» et «fontaine à rozeaux» sont signalés dans l'inventaire du 1.1.1755, ainsi qu'une «cuvette de fontaine» en biscuit prête à être mise en couverte. Trois fontaines et cuvettes furent livrées en 1755 et 1756, dont à Lazare Duvaux «1 fontaine, enfans camaieu chairs colorées, encadrés, 1 jatte 600 l.» (Vy. 1 fº 119). Le 29 août 1756, le marchand revendait «à M. le Dauphin: une fontaine et sa cuvette de porcelaine de Vincennes, peinte en blanc et bleu, la garniture en vermeil. 720 l.» (Courajod, II, p. 293). L'ensemble passa à Madame Louise et la cuvette fut probablement accidentée. Le Musée de Sèvres possède une fontaine seule, datée 1757, à fleurs en camaïeu bleu (inv. 23714).

68bis CUVETTE (de la fontaine fig. 68). Même décor. Reconstitution effectuée en 1786 pour remplacer l'original. Long. 33, larg. 24. Marque peinte nº 1 (ii); Rosset; initiales du doreur Prévost. Ibid.

Pour remédier à la disparition de la cuvette originale décorée en même temps que la fontaine, on livra au roi: «du 31 Mai 1786, 1 cuvette de fontaine 192 l. Madame Louise» (Vy. 10 fº 49 vº). Un inventaire de 1792 signale, dans le Cabinet de géographie à Versailles: «1 fontaine à laver les mains en porcelaine de Sèvres... 600 l.» Une autre fontaine, garnie d'un dauphin en relief comme le modèle, accompagnée de sa cuvette, appartient à la collection David à Copenhague (voir Verlet, 1953, pl. 20).

69 PAIRE DE VASES À FLEURS. Fond blanc et bleu lapis, décor polychrome et or. 1755. H. 19, ∅ 10. Marque peinte nº 1 (C); Levé. New York, The Frick Collection (inv. 34.9.4 et 5).

Cette forme de vase, que des auteurs aussi autorisés que Chavagnac et Grollier (1906, p. 146) ont proposé d'appeler «vase de Vincennes», semble désignée au XVIIIe s. sous le nom de «vase Duplessis à fleurs balustre» (voir fig. 15). Le profil renflé entre col et pied étroits a donné naissance à un groupe de vases à multiples variantes. Ce sont des vases à fleurs qui, malgré les enrichissements, ne deviennent pas objets de pur ornement. Le pied étroit est stabilisé par un socle bas attenant, rond et dentelé, composé ici d'une couronne de coquilles en relief. Les anses formées de lianes enlacées dorées se perdent sous une garniture de fleurettes en ronde bosse colorées. Les zones bleues crantées du col et du pied retiennent les extrémités de guirlandes de fleurs polychromes qui décrivent un mouvement en diagonale peu fréquent sur cette forme; on le rencontre pourtant sur un exemple du Musée des Arts Décoratifs à Paris (inv. 31866).

70 *VASE MÉDICIS. Fond bleu céleste et blanc, décor polychrome et or. 1755. H. 28, ∅ 24,4. Marque peinte en or n° 1 (C) avec quatre points. Paris, Louvre (inv. OA. 7608), legs Salomon de Rothschild.*

Aucune mention de «vase Médicis» ne peut correspondre à ce vase ni à ceux de même type connus actuellement. Par ailleurs, des «vases Le Boiteux» sont signalés au magasin de vente en 1752 (voir cat. exposition «Porcelaines de Vincennes», p. 144). Plusieurs ventes effectuées sous ce nom semblent s'accorder avec des vases de forme comparable conservés soit au Louvre (inv. Th. 683; voir Verlet, 1953, pl. 8), soit dans la collection royale britannique (voir Laking, n° 1), soit au Metropolitan Museum of Art de New York (inv. 50.211.183). Cet exemplaire-ci est probablement le plus tardif. Il emprunte son principal attrait à la délicate polychromie du bouquet d'assez grosses fleurs en ronde bosse lié par un nœud de ruban. L'abondant décor d'or complète sa richesse. P. Verlet (*op. cit.*, p. 198) a proposé de l'identifier à une livraison «Comptant, 8 octobre 1757, 1 vaze de relief b.c. fleurs 360 l.».

---

71 *PLAT HÉBERT. Fond bleu céleste et blanc, décor polychrome et or. 1755. Long. 28,5, larg. 23,2. Marque peinte n° 1 (C) et une fleur trilobée; en creux, n°* 1. *Paris, Louvre (inv. OA. 9591), don du comte A.J. de Noailles.*

Ce plat à bords lobés répète exactement la forme du «plateau Hébert» (voir pl. III). L'inventaire de 1752 cite les moules de «plat Hébert». La forme ovale peu allongée est admirablement utilisée pour situer une large volute rocaille asymétrique à extrémités déchiquetées qui évoque un mouvement de vague. La couleur bleu céleste, particulièrement intense, est enrichie de branches fleuries en or qui suivent la ligne tournante. D'épaisses hachures d'or soulignent les extrémités découpées du motif et tout le bord du plat. De longues branches fleuries polychromes, peintes sur la partie blanche, complètent et équilibrent ce savant décor.

---

72 *BEURRIER ET PLATEAU. Fond bleu lapis, décor polychrome et or. 1755. Beurrier: H. 7,2, ∅ 11; plateau: ∅ 20. Marques peintes n° 1 (C); beurrier: quatre points; en creux, n°* 14 *et* 15. *Plateau: un point; en creux, n°* 4. *Paris, Musée des A.D. (inv. 31678), legs Heidelbach.*

Les dessins d'origine, en 1re et 2e grandeurs conservés à la Manufacture de Sèvres, concernent simultanément les formes du beurrier et du fromager dont la ligne extérieure est semblable. Le plateau du beurrier est simplement moins creux. Un modèle en biscuit de pâte tendre a survécu. Les dessins portent l'inscription: «beurÿe et plato 1re premier grandeur rectifie suivan l'ordre de la comande du 19 fevrÿe 1753 ... Ces tait si sevent pour Les fromage et Les beurÿer» (voir fig. 54). Le récipient et le plateau de cet exemplaire sont indépendants; il arrive qu'ils soient soudés l'un dans l'autre (voir fig. 218). Le plateau seul, séparé de son beurrier, peut être confondu avec une assiette creuse dont le bord se relèverait sans l'intermédiaire d'un galbe. Les oiseaux volants, peints sans grand souci ornithologique, animent les cartels richement encadrés de branches fleuries en or, réservés dans un fond bleu lapis particulièrement nuageux.

73 ARROSOIR. Fond blanc, décor polychrome et or. 1755. H. 23,4 larg. 29,8. Marque peinte nº 1 (C); Caton; en creux, nºs 4 et 16. MNCS (inv. 21593).

L'inventaire du 1.1.1754 signale des moules «d'arrosoirs» en deux grandeurs. Le premier, sorti du four de biscuit en septembre 1754, considéré comme pièce de caractère exceptionnel, fut «pris au sortir du four par Messieurs de la Compagnie» (I.F. ms. 5673). Dans la fournée du 4 novembre 1754, parmi les pièces tournées, «deux arrosoirs en 1ère et 2e gr.» sortent avec la mention «bon». La forme, composée de deux cônes tronqués réunis par la base, est habilement complétée par une anse simple et souple. La pomme, à l'extrémité du goulot, imite un bouquet de myosotis au naturel où le cœur de chacune des fleurs serrées les unes contre les autres est perforé pour laisser passer l'eau en pluie. Les mentions de livraisons à Lazare Duvaux et à divers acquéreurs renseignent sur le prix de cet unique type d'arrosoir plusieurs fois répété entre 1755 et 1761, avec le même décor de filets bleus et or et fleurs en coloris, vendu 120 l. en première grandeur et 108 l. en deuxième (voir Verlet, 1953, p. 201). Le profil de cette pièce répond au même principe que la forme de la théière «à la Reine» (voir fig. 47).

74 BROC. Fond blanc, décor polychrome et or. 1756. H. 18,7. Marque peinte nº 1 (D), signe non identifié; en creux, nºs 17 et 59. Waddesdon Manor, coll. Rothschild (cat. nº 20).

La forme de ce pot à eau a probablement été connue depuis sa création sous le nom de «broc ordinaire». Autant qu'il est possible de l'assimiler aux «brocs (grands) et 2e, 3e, 4e gr.» signalés dans l'inventaire des moules de 1752, on peut considérer que quatre tailles étaient déjà fabriquées ou prêtes à l'être. Le modèle en plâtre, qui existe encore à la Manufacture de Sèvres, est un peu plus petit: H. 17 cm, ce qui, compte tenu du retrait de la porcelaine, donnerait environ H. 15 cm à la pièce cuite. Par ailleurs, un exemplaire, daté 1753, conservé au Victoria and Albert Museum de Londres, mesure H. 23 cm. Celui reproduit ici, qui s'intercale entre les deux, pourrait correspondre à la seconde ou à la troisième grandeur si l'on imagine celle qui manque de taille supérieure ou inférieure. Ces sortes de brocs étaient généralement livrés avec des cuvettes. Leur forme essentiellement stable s'adapte à merveille à une pièce d'usage. Le décor de fleurs polychromes peu abondantes est enrichi par une dent de loup et des filets d'or.

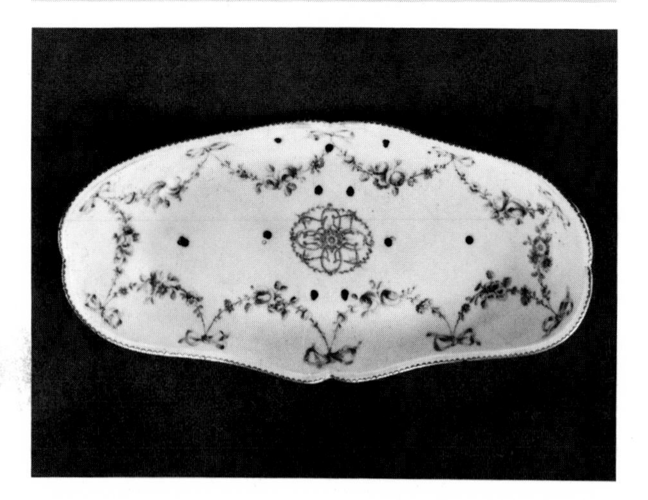

75 PLATEAU DE PORTE-HUILIER. Fond blanc, décor en camaïeu rose. 1756. Long. 27,6, larg. 14. Marque peinte nº 1 (D) avec un point; Bardet; en creux, nº 18. MNCS (inv. 5941).

Cette forme de plateau allongé à contours en accolade a servi aussi bien à la présentation de «déjeuners en porte-huilier» (voir fig. 85) qu'au «porte-huilier» muni de carcasses (voir fig. 278), soit en porcelaine, soit en métal. Six moules de «porte-huilier» figurent dans l'inventaire du 1.1.1755, sans précision de destination. Outre cette pièce-ci, où onze trous expriment clairement qu'elle a été prévue pour être munie de carcasses, le Musée de Sèvres conserve un autre plateau de «déjeuner en porte-huilier», daté 1754 (inv. 18541), année probable de la création du modèle. Plus tardif de deux ans, ce plateau-ci est peint en camaïeu rose, de guirlandes fleuries suspendues à des nœuds de ruban et, au centre, d'un disque décoré de motifs entrelacés où le principal élément de décor n'est autre que le chiffre royal en or.

76 SAUCIÈRE ROCAILLE. Fond blanc, décor polychrome et or. 1756. H. 12, long. 26, larg. 20. Marque peinte nº 1 (D). Paris, Musée des A.D. (inv. 24047), don D. David-Weil.

Vue en perspective, la «saucière Duplessis» (voir pl. X) évoque un effet de vague projetée sur un récif et se retournant pour former les anses, l'une ajourée, l'autre pleine. Le modèle original, encore conservé à la Manufacture de Sèvres, a été enregistré au XIXe s. sous le nom de «saucière rocaille». Au même moment, d'autres types de pièces, répondant à ce caractère, ont été baptisées «Duplessis». Tel est le cas pour une assiette chantournée à reliefs appelée «assiette Duplessis à ornements». Si l'on se réfère à la série de dessins du maître établis pour des pièces de service à la Manufacture de Vincennes, il est évident que l'idée de cette saucière ne peut pas lui être contestée. Il a pu la concevoir primitivement pour l'orfèvrerie. Si l'on songe aux complications de moulage du modèle, d'estampage dans les moules à pâte, sans oublier l'épreuve des cuissons successives: en biscuit, en couverte, en peinture et dorure, et si l'on imagine les multiples manipulations, on reste saisi devant la réussite d'un tel tour de force. La polychromie discrète et vive: peignés bleus, rehauts rouge et or, concourt à l'harmonie de l'ensemble.

---

77 CORBEILLES PLEINES. Décor bleu céleste, blanc et or. S.d. (vers 1756). H. 7,5, Ø 13,4. Sans marque. New York, The Frick Collection (inv. 34.9.17 et 18).

Les modèles de ce type d'objet, de forme ronde ou ovale, ont été enregistrés au XIXe s. sous le nom de «corbeille tulipe» qui ne se rencontre pas au siècle précédent. La création de ce genre de corbeille pleine, en deux grandeurs, remonte au plus tard à 1755, comme le prouvent les exemplaires connus datés. Un, en fond carmin, est conservé à Wooburn Abbey (voir Eriksen, 1965). Un autre, en fond vert, se trouve au Musée des Arts Décoratifs à Paris (inv. Gr. 200) et un autre encore, bleu céleste comme ceux-ci mais plus grand, est passé en vente assez récemment (New York, Parke Bernet, 23 avril 1977, nº 44). Les registres de vente contemporains indiquent, parmi les achats du marchand Lair, «du 31 Août 1757, 2 corbeilles pleines 30/60 l.», et au comptant, «du 8 septembre 1757, 3 corbeilles pleines 120/360 l.» (Vy. 2 fº 33 et 34 vº). Ces prix très différents impliquent probablement des différences de grandeur, de forme et de couleur.

---

78 PETITE JARDINIÈRE. Fond bleu céleste, décor polychrome et or. S.d. (vers 1756). H. 9, Ø 14,5. Marque peinte nº 1 avec signe indéterminé; en creux, nº 19. New York, The Frick Collection (inv. 34.9.19).

Construit sur plan circulaire quadrilobé, ce petit vase large et bas s'apparente aux corbeilles non découpées fabriquées depuis 1756 (voir ci-dessus). L'objet est conçu pour reposer directement sur une surface plane. Deux câbles en saillie marquent la base. Le fond bleu céleste pénètre à l'intérieur en suivant le mouvement du bord. Les quatre cartels, alternativement entourés de rocailles et de guirlandes dorées, se rejoignent dans le sillon creusé entre les lobes. Un oiseau exotique polychrome, perché dans un paysage simplifié, garnit chacun des deux cartels principaux. Dans les autres voltigent des oiseaux fantaisistes. Parmi les pièces en biscuit défournées le 22 décembre 1756 sont inscrits «2 vases en forme de corbeille» (I.F. ms. 5673). Par ailleurs, le 30 septembre 1757, «2 corbeilles unies, fleurs 30/60 l.» étaient achetées par M. Shonen, caissier de la Manufacture, pour M. de Montarant. Ces mentions pourraient concerner des pièces de la forme de celle-ci.

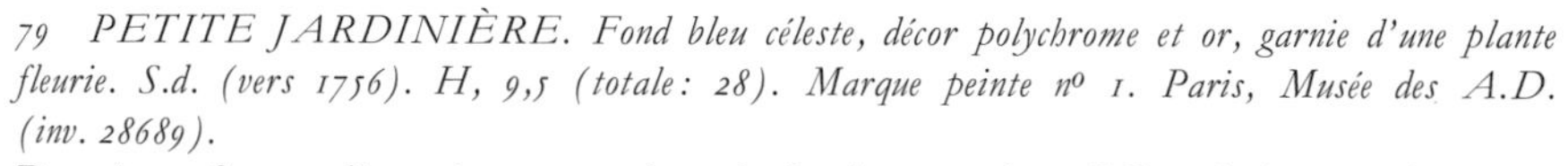

79 PETITE JARDINIÈRE. Fond bleu céleste, décor polychrome et or, garnie d'une plante fleurie. S.d. (vers 1756). H, 9,5 (totale: 28). Marque peinte nº 1. Paris, Musée des A.D. (inv. 28689).

De mêmes forme, dimensions et couleur de fond, cette pièce diffère de la précédente par son décor de fleurs substituées aux oiseaux. Elle a le mérite de contenir une plante en métal supportant diverses fleurs en porcelaine. Un magnifique narcisse jaune éblouissant justifierait à lui seul la renommée des fleurs de Vincennes. Sur ce chapitre, Orry de Fulvy atteignit son but: contrecarrer l'importation des fleurs de Meissen. Lazare Duvaux entra dans le jeu en garnissant des vases de porcelaine chinoise ou saxonne avec des fleurs françaises. Dès octobre 1748, il fournissait à M. Boucher de Saint-Martin «un vase de porcelaine blanche de Vincennes avec 2 perroquets à côté sur une terrasse ... portant un bouquet de plusieurs branchages imitant la nature garni de fleurs de Vincennes assorties à chaque plante» (Courajod, II, nº 24). Cette description évoque, en plus modeste, le célèbre bouquet que la Dauphine adressa à l'Electeur de Saxe, son père, en 1749 (voir pl. I). Elle-même, en mai 1749, faisait poser par Duvaux, «à la cheminée de son cabinet à Versailles, 1 paire de bras à 3 branches composé de branchages ... avec fleurs de Vincennes...» (*ibid*, nº 226).

80 VASES GOBELET À CÔTES. Fond vert et blanc, décor polychrome et or. S.d. (vers 1755/1756). H. 14,6, larg. 14,1. Sans marque. MNCS (inv. $15048^{1 \text{ et } 2}$), don Audéoud.

Ainsi nommée au XIXe s. et publiée par Troude (pl. 101), cette forme est assimilable aux vases «cannelés», «à cannelures» ou «à corcet», dont moules et modèles en plâtre, ainsi que deux exemplaires au magasin de blanc, sont signalés dans l'inventaire du 1.1.1755. Les ventes à Lazare Duvaux en 1755 et 1756 révèlent six grandeurs. Les prix s'échelonnent entre 72 et 432 l. l'unité, suivant taille et décor (Vy. 1 fº 114 et 119, et Vy. 2 fº 12/15). Un couvercle de réassortiment, livré à Madame Victoire en 1756 (Vy. 2 fº 10), atteste la présence courante d'un couvercle, côtelé comme le corps du vase. Les livraisons, nombreuses au cours des années suivantes, cessent à partir de 1763; ce qui n'exclut pas l'éventualité que de pareilles pièces aient été simplement désignées: «vases d'ornement.» Les plus anciens connus, datés 1754, se trouvent au Kunstindustrimuseum de Copenhague. De 1755, on peut citer une paire conservée au Wadsworth Atheneum de Hartford (cat. nº 84), où une fraction du décor en bleu lapis caillouté est soulignée par une frange dorée d'un curieux effet.

81 BROC ET JATTE. Fond vert et blanc, décor polychrome et or. 1756. Broc: H. 19, larg. 14,6; jatte: long. 29,4, larg. 22. Marque peinte (sur la jatte seule) nº 1 (D). Paris, Musée des A.D. (inv. Gr. 228), coll. Grandjean.

La Manufacture de Sèvres conserve moules et modèles en plâtre, en trois tailles, de ces «broc et jatte feuille d'eau» créés sous ce nom en 1756. L'inventaire du 1.1.1758 comptabilise les moules du broc en 1re et 2e grandeurs. La 3e n'apparait que l'année suivante au magasin de blanc. On apprend que les brocs non décorés valent suivant la taille: 24, 18 et 12 l., et les jattes 18 et 12 l. Pour celle-ci, il n'est pas question de 3e grandeur. Les inventaires des années suivantes sont muets au sujet de ce type de pièces assez surprenantes par le parti, presque «modern style», tiré d'un élément naturel, composé et équilibré avec une imagination d'orfèvre. On pense toujours à Duplessis. Les fractions colorées en vert soulignent les reliefs limitant les contours des feuilles et forment l'encadrement découpé des réserves. On peut supposer que la première mention de livraison à Lazare Duvaux, au cours du second semestre 1757, de «2 brocs Roussel et feuille d'eau verds fleurs, 2 jattes bords de relief et idem 600/1200 l.» concernait, pour moitié, des pièces comme celles-ci (Vy. 2 fº 49 vº).

---

82 VASE À FLEURS MARMET. Fond bleu lapis et vert, décor polychrome et or. S.d. (vers 1757). H. 17, larg. 13,5. Marque peinte nº 1; Fontaine. Paris, Musée des A.D. (inv. Gr. 206), coll. Grandjean.

La forme de ce vase, dont le modèle survit, correspond au profil donné par un dessin, conservé à la Manufacture de Sèvres, portant l'inscription «demande par Mons Marmé 1757 2 piesse a ansse premiere et seconde grandeur». L'anse est esquissée ainsi que le plan, marquant le départ des six côtes verticales, dans lequel on lit «rosette». Les détails, telles les anses, de ce vase et son profil révèlent une recherche d'élégance plus grande que celle d'un modèle antérieur assez proche (voir fig. 30). Le décor, très riche, juxtaposant les couleurs «safre et verd» et le réseau d'or caillouté, était en vogue aux alentours de 1757/1758 (voir pl. XVI). La Manufacture de Chantilly a exécuté une forme de vase presque pareille à celle-ci.

83 POT À SUCRE À LA REINE. Fond jaune, décor en camaïeu bleu. 1757. H. 9,8, ∅ 11,3. Marque peinte nº 1 (E); Mutel. Limoges, Musée A.-D. (inv. ADL 2954).

La forme de ce «pot à sucre» conique est nommée «à la Reine» par l'inscription portée sur un dessin, en deuxième grandeur, conservé à la Manufacture de Sèvres et daté de la commande du 19 février 1753. Son profil répète celui, visible sur un autre dessin, de «pot à sucre à cerceaux» destiné à accompagner le «gobelet à cerceaux» ou «à cuvier» (voir fig. 49). Les moules de «pot à sucre à la Reyne» en deuxième grandeur paraissent dans l'inventaire du 1.1.1756. C'est encore une création de Vincennes. Les proportions qui produisent ici un effet de lourdeur ont pu être modifiées au cours du temps. Le fond jaune de ce «pot à sucre à la Reine» et ses paysages en camaïeu bleu en font un objet précieux malgré l'absence d'or, les filets étant également bleus. On peut supposer, étant donné sa date: 1757, que cette pièce n'a pas été tout à fait terminée.

84 TASSE ET SOUCOUPE À RELIEFS. Fond blanc, décor bleu et or. 1757. Tasse: H. 6, ∅ 7,5; soucoupe: ∅ 12. Marque peinte nº 1 (E); signe indéterminé; en creux, tasse: nº 20 et 21; soucoupe: nº 22, 4 et 20. Paris, Musée des A.D. (inv. Gr. 234), coll. Grandjean.

Le profil piriforme de la tasse caractérise les formes «Hébert» dont la dénomination fait probablement référence au marchand-mercier de la rue Saint-Honoré, très réputé aux alentours de 1750. Les «gobelets Hébert» à reliefs et soucoupes sont plus rares que les pièces unies de forme semblable. Les tiges porteuses de fleurs conventionnelles sont plus raides que celles d'un «gobelet Calabre» antérieur (voir fig. 14). Les reliefs restent entièrement blancs et le semis de fleurs en camaïeu bleu comble les parties planes. La soucoupe à cinq lobes, le plus souvent associée à cette forme de tasse, est creusée d'une bague qui empêche le déplacement afin de protéger les reliefs du frottement. Une large dent de loup et des rehauts d'or aux attaches de l'anse torsadée ajoutent un caractère précieux à l'apparence de ce petit objet.

85 DÉJEUNER EN PORTE-HUILIER. Fond vert, décor polychrome et or. 1757. Plateau: long. 27,8; pot à sucre: H. 9; tasse: H. 7,2. Marque peinte nº 1 (E); Morin; en creux, nºs 24 et 25. Waddesdon Manor, coll. Rothschild (cat. nº 25).

La dénomination de ce déjeuner provient de la forme du petit plateau allongé qui, en réalité, a été conçu pour supporter deux burettes maintenues par des carcasses (voir fig. 278). Eriksen (1966, p. 80) a rapproché ce déjeuner à fond vert, décoré d'amours sur des nuages polychromes, d'une livraison faite à Lazare Duvaux pendant le premier semestre 1758: «1 Déjeuner Porte huillier verd enfans 288 l.» Le 15 juillet de la même année, le marchand revendit à M. le Président Ogier, ambassadeur de France au Danemark, «1 déjeuner vert peint à enfans, chairs colorées 288 l.». Un déjeuner en porte-huilier pouvait inclure une tasse et un pot à sucre de formes diverses. Un exemple, daté 1753, conservé au Musée des Arts Décoratifs à Paris (inv. 36945), comporte, comme celui-ci, une «tasse Hébert», mais au lieu du «pot à sucre Hébert» un «pot à sucre Bouillard»; son décor en camaïeu violet le situe parmi les rares travaux de Vincennes utilisant cette couleur.

86 VASE HOLLANDAIS NOUVEAU. Fond bleu céleste, décor polychrome et or. S.d. (vers 1757). H. 20, larg. 15, prof. 12,5. Sans marque. Paris, Musée des A.D. (inv. 28703), legs Gould.

Construit suivant le même principe que le «vase hollandais» (voir pl. XVIII), le «nouveau» apparaît dans les moules et modèles inventoriés au 1.1.1759: «vaze hollandais nouveau rond 1ere, 2e, 3e, 4e et 5e gr. et vaze hollandais nouveau ovale» également en cinq tailles. Ces mentions s'accordent avec un dessin d'origine portant deux inscriptions: «vaze à l'holandeze rond et à 8 pans nº 4 fait en 1758 et vase à l'holadoese et à 8 pans nº 5 fait en 1758.» Les comptes rendus des cuissons ne distinguent pas les formes «ancienne et nouvelle». Dans l'inventaire du 1er octobre 1759, le magasin de blanc possède des «vases hollandais nouveaux» en 1re, 2e et 3e gr. estimés 24, 18 et 15 l. Plus tard, dans l'inventaire général des porcelaines trouvées ... au 1.1.1774, quatre grandeurs sont encore mentionnées. Les exemplaires connus dans les collections mondiales mesurent entre H. 29 et 17 cm. Compte tenu des retraits variables de cuisson, ils représentent les cinq grandeurs. Ce vase-ci pourrait correspondre à la 3e ou à la 4e. Il n'est pas possible de le reconnaître parmi les livraisons trop imprécises.

87 CUVETTE À MASQUES. Fond vert, décor polychrome et or. 1757. H. 24, long. 34,2. Marque peinte nº 1 (E); Mutel. Collection royale britannique (Laking, nº 15).

Le plus ancien exemplaire connu de cette forme est daté 1754 (voir Eriksen, 1968, p. 136). Cependant, la première mention de «1 cuvette à fleurs masquées b[on]» n'apparaît que dans une cuisson en biscuit du 3 décembre 1755 (I.F. ms. 5673). La «cuvette à masques» constitue le thème initial d'une série de variations, dépourvues ou non de masques, allant du grand «pot-pourri gondole» (voir pl. XII) à la petite salière en forme de canot (voir fig. 89). Le support de style rocaille fut très rapidement inventé pour servir de base à diverses pièces d'ornement. Il emprunte un plan soit quasi rectangulaire pour les pièces ovales comme celle-ci, soit carré pour les pièces rondes (voir pl. XIV). Cette pièce-ci est remarquable par sa couleur verte et son décor en coloris: une chasse dans un paysage, qu'entoure une riche bordure d'or. On sait, par des ventes effectuées en 1756 et 1757, que des «cuvettes à masques bleu céleste, fleurs» valaient 528 et 360 l.; rien n'indique des différences de taille. Une autre «bleu céleste oiseaux» est portée 480 l. (Vy. 2 fº 3, 28 et 29). La plus célèbre, en fond rose, appartient à la Wallace Collection (voir Verlet, 1953, pl. 27).

---

88 SUCRIER NAVIRE. *Fond blanc, décor bleu, polychrome et or. 1757. Sucrier: H. 14, long. 17,3, larg. 15,5; plateau: long. 24, larg. 15,5. Marque peinte nº 1 (E); initiale G indéterminée; en creux, nº* 23. *Paris, Musée des A.D. (inv. 7090).*

Le modèle en plâtre de ce sucrier ovale, conservé à la Manufacture de Sèvres, a été enregistré au XIXe s. sous le nom de «sucrier navire». La base affecte la forme d'un canot sans avant ni arrière. La mouluration qui suit le bord supérieur rappelle celle de la «cuvette à masques» ci-dessus qui, simplifiée, viendrait buter sur l'armature saillante de l'esquif. Le mouvement est accusé par des pales soulignées ici par des peignés bleus. L'inspiration du couvercle provient de la même source que celle du «vaisseau à mât» (voir pl. XXIII et XXIV). Etant donné les noms variés donnés à cette pièce par les différents services de la Manufacture à la même époque, il est tentant de rapprocher cet objet d'un «sucrier gondole et platteau pour» dont le moule est signalé dans les travaux antérieurs à l'inventaire du 1.1.1758. La date de cette pièce-ci est d'ailleurs en concordance. Son décor simple et délicat s'harmonise bien à la forme recherchée. Par ailleurs, deux sucriers de même forme, décorés en 1778, ont été signalés par Eriksen (1968, p. 136).

89 SALIÈRES. *Fond blanc, décor en camaïeu rose et or. 1757. H. 4, long. 10, larg. 6,5. Marque peinte nº 1 (E); signe incomplet de Fontaine. Hartford, Wadsworth Atheneum (inv. 1917. 990/1000).*

Le modèle de ces charmantes salières n'a pas survécu parmi ceux que conserve la Manufacture de Sèvres. Etant donné la parenté signalée entre les pièces qui précèdent et la terrine ci-après, il est peut-être permis d'identifier cette forme à la «salière à gondole» dont les moules en plâtre sont inscrits dans l'inventaire du 1.1.1758, comme ceux du sucrier. Ces salières sont, à échelle réduite, presque pareilles à la base du sucrier, sauf une légère différence au milieu de la ligne du bord. Dans les livraisons, ces petits objets isolés, vendus le plus souvent aux marchands, ne sont pas décrits. Lazare Duvaux, dans son livre-journal, n'est guère plus prolixe. Peut-on penser que la «salière à contours» qu'il vendit le 20 juillet 1757 à Mme la Princesse de Robesque était de même forme que celles-ci?

90 TERRINE GONDOLE. *Fond blanc, rubans verts, décor polychrome et or. 1758. Vienne, Hofburg.*

La création de cette forme remonte au plus tard à 1756; les moules et modèle de la «terrine gondole et son platteau» sont inscrits dans l'inventaire du 1.1.1757, en même temps que ceux du «pot-pourri gondole» (voir pl. XII). La similitude des récipients est évidente et celle de la base des couvercles également. Le sommet est ici composé d'un groupe de légumes traités avec réalisme, qui forme la prise. Le plateau (non reproduit), très chantourné, suit la même ligne ondulante. Cette terrine a fait partie du service offert par Louis XV à l'impératrice Marie-Thérèse. Toutes les pièces sont décorées de rubans verts entrecroisés qui ménagent des cartels plus ou moins grands sillonnés de guirlandes de fleurs polychromes. Sur le corps de la terrine, les plus vastes contiennent des enfants portés par des nuages et ceux des extrémités du couvercle, des trophées. L'intérieur du couvercle est décoré suivant le même principe que l'ensemble des pièces. Deux «terrines gondole et plat» figuraient dans le service pour la somme de 1500/3000 l., la totalité, comprenant cent quatre-vingt-cinq pièces, atteignait 24768 l. (Vy. 2 fº 85).

91 PLATEAU TRIANGLE. *Fond blanc et rose, décor polychrome et or. 1758. H. 3,5, long. 20. Marque peinte nº 1 (F); en creux, nº 20. Paris, Musée des A.D. (inv. Gr. 241), coll. Grandjean.*

Ce plateau, tout en lignes courbes, suit le même plan triangulaire à angles arrondis et en accolade que le plateau de Waddesdon Manor (voir fig. 55). Mais il est entouré d'un haut bord relevé et ajouré suivant un motif en arcades interrompu par trois palmettes inscrites dans la partie infléchie des trois côtés. Des «platteaux à jours» étaient déjà signalés dans l'inventaire de 1752. Ils étaient parfois destinés à présenter un déjeuner qui prenait alors le nom de leur forme. Celui-ci est isolé et comporte un riche décor en fond rose partiel décrivant au centre une hélice à contours tourmentés par une profusion de courbes et de contre-courbes. Celles-ci sont soulignées par une bordure d'or en rocailles. La zone blanche, décorée de tiges fleuries en coloris, s'arrête à peu de distance du bord cerné d'une bande rose.

92 PETIT SEAU. *Fond blanc, décor polychrome et or. 1758. H. 10, ∅ 12, larg. 14,5. Marque peinte nº 1 (F); signe attribué à Dubois. Paris, Musée des A.D. (inv. 5139).*

Les dimensions de ces sortes d'objets les assimilent aux «seaux à verre» destinés à rafraîchir un verre unique. La forme légèrement ovoïde s'élève en six lobes au-dessus d'une base ronde et s'évase près du bord qui décrit des ondulations en suivant le mouvement des lobes. De très petites anses latérales, à peine saillantes, s'attachent au bord, se retournent et viennent s'écraser sur le corps par une palmette à rehauts bleus. Des filets bleus et or soulignent la base et le bord. De petits groupes de fleurettes simples sont jetés sans ordre apparent, au gré du décorateur. Cette forme a été choisie pour les seaux ronds de diverses grandeurs du service «à petits vases et guirlandes» de Mme Du Barry, livré en 1771. Chacun des trente-six seaux à verre valait 60 l.

93 VASE À OIGNON. *Fond bleu lapis, décor polychrome et or. 1758. H. 13,8, larg. 9,2. Marque peinte nº 1 (F) et une étoile à cinq branches indéterminée; en creux, nº 26. Waddesdon Manor, coll. Rothschild (cat. nº 31).*

Ces sortes d'objets étaient appelées «vazes à oignon» ou «piédestaux à oignons» ou simplement «piédestaux». Un «piédestal à oignon» figure parmi les moules faits en 1756 et onze sont inventoriés au magasin de blanc au 1er octobre 1759. Parmi les livraisons en 1758 et 1759, un certain nombre de «vazes à oignons» et de «piédestaux» sont signalés. En décembre 1758, Mme Duvaux, veuve du marchand, achète «2 pieds d'Estaux lapis 240 l.» et, le 29 du même mois, elle vend à la Reine «... Deux vases à oignons de même [porcelaine de France gros bleu] 240 l.» (Courajod, II, p. 383). Eriksen (1968, p. 92) a proposé de reconnaître celui de Waddesdon Manor pour l'un d'eux. D'autre part, il a contesté l'attribution de l'étoile à cinq branches à Bienfait ou à Caton qui ont utilisé une étoile différente pour marque. En 1758, le premier, appointé seulement 24 l. par mois, n'était peut-être pas en mesure de peindre un amour et des trophées de la qualité de ceux de ce vase. Le second n'est guère plus vraisemblable.

94 DÉJEUNER BATEAU. Fond bleu céleste, décor polychrome et or. 1758. Bateau: H. 5,5, long. 28, larg. 12,5; pot à sucre: H. 10, ∅ 7,7; tasse: H. 6, ∅ 7,2. Marque peinte nº 1 (F); Vielliard; en creux, pot à sucre: nº 27; *tasse: nº* 28. *Paris, Musée Cognacq-Jay (cat. nº 957).*

Ce déjeuner est composé d'un plateau en forme de barque à fond plat et extrémités relevées avec bords coupés droit. On pourrait l'assimiler aux «platteaux à raves», cités parmi les moules inscrits dans l'inventaire de 1752 ou, mieux encore, aux cinq «batteaux» en 1re et 2e gr. comptabilisés au dépôt de blanc au 1.1.1755. Cette dernière mention semble prévaloir pour nommer cet ensemble «déjeuner bateau». Dans le fond sont ménagées deux bagues rondes destinées à retenir la «tasse Hébert» (voir fig. 85) et le «pot à sucre Bouret». Cette variété prouve une fois de plus le peu de souci d'accorder entre elles les formes des diverses pièces d'un déjeuner. Les cartels, richement encadrés de fleurettes en or, sont décorés d'enfants en coloris interprétant des gravures d'après Boucher.

---

95 LORGNETTE. Fond blanc, décor vert et or, fleurs polychromes. S.d. (vers 1758/1760). H. 8, ∅ 5. Sans marque. Paris, Louvre (inv. OA. 7856).

Dès l'origine, la Manufacture de Vincennes a fabriqué des lorgnettes de tailles diverses. Une grande, estimée 15 l., existait en couverte cuite en 1752. Une «lorgnette blanc et or frize» sortit du four de peinture en 1753 (I.F. ms. 5676). Six autres figurèrent dans une cuisson en biscuit du 1er août 1754 (*ibid.*, ms. 5673) et dix-neuf, estimées à 1 l., se trouvaient au magasin de blanc au 1.1.1755. En réalité, l'objet comporte un cylindre de porcelaine et celui-ci est maintenu entre deux bagues d'ivoire retenant les verres entourés de carton vert. Le décor de rubans verts ponctués d'or, croisés en losanges et contenant des fleurs, situe cette pièce après 1756. Lazare Duvaux vendit en 1756 quelques lorgnettes de Vincennes garnies d'or (voir Verlet, 1953, p. 210) et, en 1757 et 1758, divers objets à rubans verts, notamment à Mme de Pompadour.

---

96 POTS-POURRIS À BOBÈCHES. Fond rose et bleu céleste, décor polychrome et or. 1759. H. 24. Marque peinte nº 1 (G) avec quatre points. New York, Met. Museum (inv. 58.75.94/95).

La forme en plâtre, dite au XIXe s. «flambeau forme vase», correspond vraisemblablement au «pot-pourri à bobèches» mentionné dans une cuisson en biscuit du 27 juillet 1759 (I.F. ms. 5673). Il n'est pas impossible que ce type de pièce ait également été désigné: «pot-pourri girandole»; moules et modèles en sont inscrits dans l'inventaire du 1er octobre 1759. Les bobèches ajourées appellent une monture. Un pot-pourri de même forme, sans bobèches, a été reproduit par Garnier (pl. 35). Parmi les livraisons, on relève, en décembre 1762, «au Roy à Versailles 2 pots-pourris à bobèches 360/720 l.» (Vy. 3 fº 114). La couleur n'est pas mentionnée. D'autres ventes en 1760 et 1762 indiquent «verd» ou «rose et verd». On remarque dans une fourniture à Mme de Pompadour «du 25 [juin 1762] ... 2 id. [pots pourys] à bobèches id. [verds Chinois]» (Vy. 3 fº 115). Le décor de ces pièces-ci, attribué à Vielliard, interprète des éléments empruntés à la 4e fête flamande, gravée par J. Ph. Le Bas d'après un tableau de David Téniers le Jeune, du Cabinet de M. le Comte de Choiseul. Au revers, un riche groupement floral garnit le cartel.

97 POT-POURRI URNE À FACETTE. Fond rose et vert, décor polychrome et or. 1759. H. 34. Marque peinte nº 1 (G). Paris, Musée des A.D. (inv. Gr. 246), coll. Grandjean.

Nommé ainsi au XIXe s., ce vase a été publié par Troude (pl. 96). Un dessin conservé dans les archives de la Manufacture de Sèvres suggère une anse en serpent, non retenue ici, et le décor perforé très varié attestant la destination de «pot-pourri». La forme, à profil sinueux, s'élargit aux deux tiers de la hauteur, des côtes contribuent à l'élancer, le pied et le couvercle prolongent les lignes du corps, agrémenté d'anses peu saillantes. Cette pièce est également remarquable par la juxtaposition des fonds rose et vert en vogue dans les années 1759/1760. D'un côté, une «ténière» est peinte dans le cartel allongé cerné de rocailles à peignés d'or, de l'autre côté, un bouquet composé en hauteur s'adapte à la ligne générale du pot-pourri.

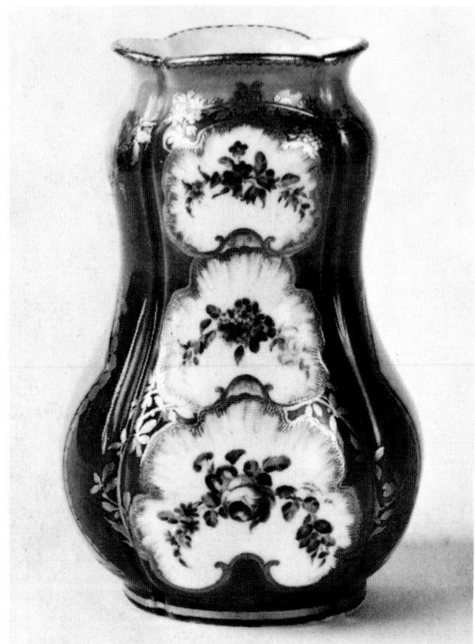

98 VASE INDIEN E. Fond rose et vert, décor polychrome et or. 1759. H. 15,3, ∅ 10. Marque peinte nº 1 (G); Taillandier. Paris, Musée des A.D. (inv. 28581), legs Gould.

Cette forme créée avant 1753 (voir fig. 37) n'a pas été abandonnée rapidement et le décor primitif de simples fleurs jetées a fait place à une composition d'une extrême richesse. On ne saurait dire si c'est la forme qui fait valoir le décor ou l'inverse, tant l'harmonie est complète. Le peintre a su placer et équilibrer, avec un rare talent, les cartels qui suivent un dessin de coquilles de tailles dégradées où les nervures ombrées s'achèvent en épais peigné d'or soulignant les contours. La juxtaposition des fonds rose et vert se retrouve comme sur le pot-pourri précédent; les guirlandes fleuries suivent le mouvement des coquilles. La qualité du décor d'or laisse supposer l'intervention d'un doreur habile associé au peintre Taillandier.

99 COMMODE RECOUVERTE DE PLAQUES DE PORCELAINE. Fond vert, décor polychrome et or. 1758/1760. Plaques: marque peinte nº 1 (F et H); signes divers. Paris, coll. part.

Cette commode, estampillée B.V.R.B., est ornée de quatre-vingt-dix plaques de porcelaine enchâssées dans un réseau de bronze doré. P. Verlet (1953, nº 39, p. 206), après avoir constaté au revers des plaques les lettres-dates correspondant à 1758 pour l'ensemble et à 1760 sur une, a relevé parmi les ventes du premier trimestre 1760: «à M. Poirier: 77 plaques, fond verd fleurs 15/1155 l.; 19 plaques, fond verd plein 6/114 l.» Pour assumer une dépense aussi considérable, tout porte à penser que Poirier avait reçu une commande sérieuse. L'acheteur de ce meuble quasi royal fut probablement le prince de Condé. L'inventaire général des meubles du Palais-Bourbon, fait en 1779, signale dans l'«appartement de S.A.S. Madame la Duchesse de Bourbon ... art. 16. Salon de musique ... une commode en mosaïque en porcelaine de Sève fond vert de Saxe à cartouches fond blanc ornés de fleurs encadrés d'une vignette dorée, lesd. mosaïques encadrées en cuivre doré d'or moulu. Lad. commode de quatre pieds ½ de long sur le derrière couverte de sa table de marbre fin» (arch. Musée Condé 117D 27, p. 31).

99bis Détail de la commode fig. 99.
A la faveur d'un démontage, P. Verlet *(op. cit)* a relevé non seulement les lettres-dates, mais encore les marques d'une dizaine de peintres différents parmi lesquels: Binet, Fontaine, Noël, Rosset, Taillandier, Thévenet père, Vavasseur, sans parler des signatures qui ne sont pas identifiées. On voit, sur cette image, la forme exacte d'une plaque dont les contours correspondent rigoureusement aux lignes de la monture de bronze ciselé et doré, ainsi que le bâti de bois qui les soutient. On distingue mieux aussi le décor du cartel blanc quadrilobé cerné d'une ligne d'or chevauchée par de fines branches de feuillage qui effacent toute rigidité. Les marques d'assemblage tracées au revers des plaques prouvent la précision apportée à la préparation de l'ouvrage. Cette commode, «l'un des plus extraordinaires meubles rehaussés de «porcelaine de France» qui ait été fait...» (Verlet, *op. cit.*), a figuré à l'Exposition Louis XV, à la Monnaie de Paris en 1974 (cat. nº 431), non loin du «vaisseau à mât» (voir pl. XXIII) et de la «fontaine à cuvette» (voir fig. 68 et 68bis).

---

100 BOUGEOIR. Fond blanc et bleu céleste, décor polychrome et or. 1760. H. 7, Ø 12, long. 15,7. Marque peinte nº 1 (H); Taillandier. New York, The Frick Collection (inv. 34.9.33).
Les bougeoirs sont désignés trop vaguement pour permettre de distinguer les formes «ordinaire, ancienne, nouvelle». Le prototype de la coupelle de celui-ci, en biscuit tendre du XVIIIe s., est conservé parmi les modèles de la Manufacture de Sèvres. Il s'enfle au centre d'une petite mortaise destinée à recevoir bobèche et bassinet (douille), en porcelaine ou en métal, de forme variable. Un bougeoir, conservé au Louvre (inv. OA. 6243), le démontre: à coupelle semblable est associée une douille plus simple. Les zones bleu céleste de cet exemplaire-ci soulignent le bord mouluré de la coupe et, sur la douille, réservent une partie blanche dessinant un large cours de postes chargées de guirlandes en coloris comme le fond de la coupe. Lazare Duvaux vendait couramment des bougeoirs. Le 29 décembre 1757, il délivrait «à Mme la Marq. de Pompadour ... un bougeoir en porcelaine de France, vert et guirlande, la bobèche dorée 60 l.» (Courajod, II, nº 2.982).

---

101 MARRONNIÈRE OVALE ATTENANTE À SON PLATEAU. Fond vert et rose, dorure. Vers 1760. H. 14, long. 26. Marque peinte nº 1. Hartford, Wadsworth Atheneum (inv. 1917.1011).
Dans le matériel de fabrication, les «marronnières» n'apparaissent que dans l'inventaire du 1.1.1758: «unies et platteau pour» et «à compartiments idem». Un an plus tard, les moules d'une «marronnière contournée et son platteau» sont enregistrés. L'inventaire des pièces existant au magasin de vente du 1er octobre 1759 signale des marronnières à 300 et 360 l. Ce prix élevé pourrait convenir à celle-ci, doublement justifié par le délicat travail de perforation qui ne laisse subsister qu'un entrelacs de deux rubans, l'un rose en dents de scie croisées, l'autre vert ondulant à travers ce motif. Le double jonc chevauché par un cordon doré qui cerne le bas du récipient rappelle celui des «corbeilles pleines» (voir fig. 77). L'association des couleurs verte et rose était en vogue aux alentours de 1760.

102 CUVETTE À FLEURS. Fond rose et vert, décor polychrome et or. 1760. H. 12,5, long. 26,3. Marque peinte n° 1 (H); Dodin; en creux, n° 29. *Waddesdon Manor, coll. Rothschild (cat. n° 41).*

Un dessin de cette forme porte l'inscription: «Caise à fleurs unÿe Contourne fait le 7 Mars 1754 par ordre de Mos de Verdun plus en juillet fait 2e et 3e grandeur.» Logiquement, la «cuvette à fleurs unie» en biscuit prête à être mise en couverte estimée 20 l. et celle en dépôt au magasin de blanc 30 l. devaient être de la plus grande taille. Mais à la même date figurent déjà des moules de «caisse à fleurs Verdun 1ere, 2e, 3e gr.». L'ambiguïté de l'inscription sur le dessin a soulevé diverses hypothèses quant à la dénomination de cette forme: «Verdun ou unÿe»? Les opinions de P. Verlet (1953, p. 201) et de S. Eriksen (1968, p. 84) restent prudentes. Il est à noter que la présence simultanée de «2 cuvettes à fleurs unis» suivies de «2 idem Verdun» dans un défournement de biscuit du 3 décembre 1755 (I.F. ms. 5673) semble indiquer une différence. La «cuvette unÿe» disparaît des registres en 1760 et l'autre dure jusqu'en 1774. Cet exemplaire-ci est à rapprocher d'une vente au roi à Versailles en décembre 1760 «1 cuvette Verdun idem [roze et verd] 528 l.» (Vy. 3 f° 43).

103 ÉCRITOIRE. Fond vert et blanc, décor polychrome et or. S.d. (vers 1760). H. 17, long. 38, prof. 27. Munich, Residenzmuseum.

Le dessin original de Duplessis, publié par G. Levallet (1922, p. 60), qui a servi de modèle à cette forme, est toujours conservé à la Manufacture de Sèvres. Au moins trois écritoires de ce type ont été réalisées. La plus célèbre, en fond vert, aux armes de Madame Adélaïde et médaillon à l'effigie de Louis XV, se trouve à la Wallace Collection. La troisième, en fond bleu lapis, rose et vert, appartient à une collection particulière. P. Verlet (1953, p. 211) a cru pouvoir identifier celle de Munich, décorée d'une scène dans le goût de Téniers et garnie en argent doré au poinçon de Paris 1760/1761, avec une vente faite à Versailles en décembre 1760: «A Madame de Pompadour, 1 écritoire à globes verd Tesnière 960 l.» (Vy. 3 f° 45). Dans les globes céleste et terrestre se trouvent, à gauche un poudrier, à droite l'encrier. La couronne royale centrale sert de poignée à une sonnette. Par l'équilibre de ses lignes chantournées, cet objet est un chef-d'œuvre du style rocaille.

104 ÉCUELLE ET PLATEAU. Fond blanc, décor vert, polychrome et or. 1760. Ecuelle: H. 15,2, ∅ 16,2, larg. 21,6; plateau: H. 6,3, long. 31,8, larg. 21,6. Marque peinte n° 1 (H); Tandart; en creux, écuelle: nos 6 *et* 30. *Londres, The Wallace Collection (inv. XXII A 38/39).*

La forme de «l'écuelle ronde» à couvercle bombé et prise composée, comme les anses, de branches torsadées porteuses de feuilles et graines, est la plus répandue. Elle a été exécutée en porcelaine tendre et dure. Le plateau ovale, à contour ondulant, légèrement quadrilobé, serait aussi très courant si le pourtour n'était élargi d'une riche bordure moulurée, chargée de rocailles, agrémentée de palmes en relief et de petites fleurs en ronde bosse. Le même principe se retrouve sur la cuvette du «broc Roussel» conservé au Petit Palais (voir fig. 105). Le décor de cette écuelle et de son plateau, abondant mais fin et délicat, est représentatif du style de transition entre l'ampleur des rocailles, inventées par les ornemanistes de l'époque Louis XV et la minceur des éléments, empruntés par ceux de la période suivante. Parmi les ventes faites aux marchands dans le premier trimestre 1760, on relève notamment: «1 idem [écuelle] et idem [platteau] guirlandes, 120 l.».

105 *BROC ROUSSEL ET CUVETTE. Fond rose, décor polychrome et or. S.d. (vers 1760). Broc: H. 16; cuvette: long. 25,8, larg. 19,5. Marque peinte nº 1; en creux, nº* 31. *Paris, Petit Palais (inv. Tuck 98).*

Le modèle du broc survit en plusieurs tailles: «uni, à reliefs, à anse torsadée ou non.» La forme, inscrite dans l'inventaire fait au XIXe s. «broc Roucelle», est signalée ainsi dès l'origine. «2 brocs Roussel» figurent dans un défournement de biscuit du 22 novembre 1753 (I.F. ms. 5673). Le «broc Roussel» s'accompagne de jattes rondes ou ovales comme celle-ci qui, de plus, est garnie d'une bordure de reliefs, composée de moulurations, rocailles et fleurettes. La couleur rose situe ces pièces aux alentours de 1758/1760. L'entourage doré des cartels est souligné de carmin. Un broc et une cuvette semblables mais en fond bleu lapis caillouté, datés 1757, se trouvent dans la Wallace Collection (inv. XII. Lon. 162). On sait que Louis XV offrit en 1758, en dehors du service aux rubans verts (voir fig. 90), «à S.M. l'Impératrice ... 1 broc Roussel lapis enfans et jatte à bords de relief 480 l.» ainsi qu'un autre «broc Roussel roze fleurs et jatte feuille de choux 384 l.». La différence de prix, malgré le fond rose, prouve la valeur supérieure de la «jatte à bord de relief» (Vy. 2 fº 85 vº).

106 *CUVETTE À FLEURS. Fond rose marbré, décor polychrome et or. 1760. H. 12 et 14, long. 26,3. Marque peinte nº 1 (H); Micaud. Paris, Petit Palais (inv. Tuck 96).*

Ce modèle, apparenté à la «caisse à compartiments» (voir pl. XVI) mais sans cloison, ne semble pas avoir laissé de trace dans les archives de la Manufacture. Sa forme ovale offre la particularité d'être plus élevée à l'arrière qu'à l'avant. Son bord mouvementé s'achève aux extrémités sous des rocailles formant les anses qui descendent un peu sur le corps, recouvert d'un fond rose vermiculé de bleu lapis, de pourpre et d'or. Le cartel oblong, cerné d'une bande d'or bruni à l'effet, contient un magnifique arrangement de branches fleuries qui disparaissent sous une profusion de fruits: luxuriantes grappes de raisins et grenades fermées ou éclatées. Sans même consulter la marque, on reconnaît le pinceau de Micaud, l'un des meilleurs «fleuristes» du XVIIIe s. durant une carrière longue d'un demi-siècle. Une tradition prétend que cette pièce a fait partie des présents offerts par Louis XVI à Tipoo-Saïb en 1788. L'écart de dates ne peut manquer de surprendre.

107 *VASES DUPLESSIS À FLEURS UNIS. Fond rose ponctué de bleu, décor polychrome et or. S.d. (vers 1760). H. 17 (sans socle en bronze). Marque peinte nº 1; en creux, nº* 32. *Paris, Petit Palais (inv. Tuck 93).*

Parmi les variantes de vases «Duplessis à fleurs», dont le prototype pourrait être celui du Musée de Sèvres (voir fig. 15), cette forme-ci est la plus simple et correspond au modèle «uni» publié par Troude (pl. 100). On retrouve le même col uni largement évasé, la surface lisse et même les courtes anses rocaille. Mais le pied du modèle en plâtre s'arrête au-dessus du niveau de la couronne de coquilles et son instabilité est flagrante. Les réalisateurs en ont eu conscience et ces sortes de vases sont toujours complétés par une base fortement élargie, soit sur le thème de la coquille, soit sur un amalgame rocheux comme le vase du Musée de Sèvres précité. La forme remonte à l'époque de Vincennes, avant 1753, et les mentions continuent bien au-delà, trop imprécises pour permettre une identification. Ces vases ne sont pas datés, mais leur fond rose émaillé d'œils-de-perdrix bleu lapis, carmin et or, l'effet de mosaïque entre les cartels encadrés d'un large filet d'or bruni à l'effet les situent vers 1760. On aimerait connaître l'artiste qui a peint les charmants paysages sans indiquer sa marque.

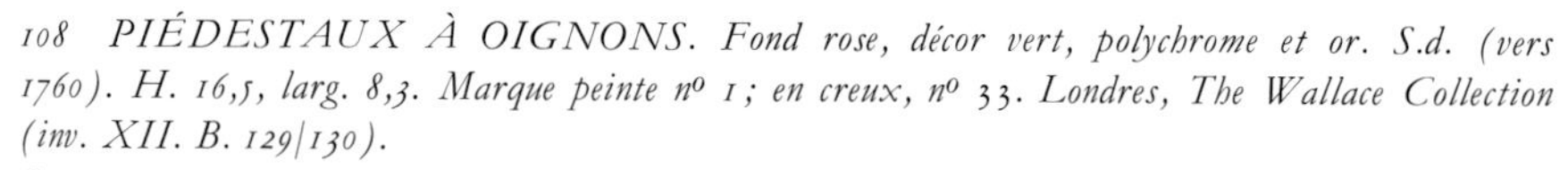

108 PIÉDESTAUX À OIGNONS. Fond rose, décor vert, polychrome et or. S.d. (vers 1760). H. 16,5, larg. 8,3. Marque peinte nº 1; en creux, nº 33. *Londres, The Wallace Collection (inv. XII. B. 129/130).*

Ces vases, ou «piédestaux à oignons» sur plan carré, s'élèvent en s'élargissant suivant le principe de la gaine propre à supporter un buste. Comme beaucoup de formes étroites, ils sont stabilisés par un large socle mouluré. La partie supérieure, par une succession de moulures, passe du carré à l'ouverture ronde destinée à supporter l'oignon de plante. C'est la même formule que pour les piédestaux plus larges à profil renflé vers la base (voir fig. 93). Le type de décor en fond rose et encadrements verts a été une des réussites qui ont marqué les alentours de 1760. Les groupes de fleurs apparaissent dégagés des influences orientale et botanique. Plusieurs «piédestaux en gaine» en biscuit à 18 l. et en bleu céleste à 108 l. sont livrés à Poirier en 1760. Plus précisément, à Versailles, le 30 décembre 1760, sont livrés «à Madame Louise, 2 piédestaux en guaisnes Rozes et verds, 120/240 l.». Il semble possible de les identifier à ceux-ci. Des pièces similaires de forme et de couleurs datées 1759 sont conservées au Metropolitan Museum of Art de New York (coll. Kress, inv. 68.75.92/93).

109 TABATIÈRE OVALE. Fond vert, décor polychrome. S.d. (1760/1773). H. 3,6, long. 7,3, larg. 5,8. Waddesdon Manor, coll. Rothschild (cat nº 42ª).

L'histoire de cet objet, dont les réserves dans le fond vert sont quadrilobées, a été retracée par Eriksen (1968, p. 122). La plaque supérieure représente deux petites chiennes, d'après un tableau de J.J. Bachelier exposé au Salon de 1759 (nº 57). Il s'agit probablement de «Inès et Mimi», chiennes favorites de Mme de Pompadour. Sur un collier se devinent les armoiries de la marquise, présomption appuyée par une livraison de Lazare Duvaux du 4 mai 1757 en sa faveur de «Deux colliers à plaques d'or ... gravé au nom des chiens» pour lesquels il avait «remaillé un des écussons et fourni le velours». La plaque inférieure a emprunté son modèle à un dessus de porte, peint par Bachelier pour le Château de Choisy. Dans la vente après décès, en date du 26 avril 1773, du joaillier Jacquemin, qui agit à titre d'expert pour l'inventaire des biens de la marquise, parurent (nº 770) «Six plaques de porcelaine de Sève...» dont la description correspond à celle de cette tabatière. On peut en déduire que les plaques livrées à Mme de Pompadour étaient restées non montées jusqu'en 1773, ce que confirment les poinçons de Paris pour 1772-1773.

110 VASE URNE BOILEAU (d'une paire). Fond bleu céleste, décor polychrome et or. S.d. (vers 1760/1765). H. (sans socle) 39,7, larg. 19,3. Sans marque peinte; en creux, nº 34. *Londres, The Wallace Collection (inv. XX/XXI, 5).*

C'est probablement au XIXe s. que ce vase a reçu cette dénomination. Le dessin au trait, coté, d'un seul profil, précise tous les détails des moulurations qui encerclent le pied, le corps et le couvercle. Aucune indication autre qu'une inscription postérieure au XVIIIe s. «vase urne Boileau» ne l'accompagne. La forme étrange de ces pièces, à base étranglée, donne une impression d'instabilité. Rien de précis ne permet de dater ces vases dont les médaillons sont décorés d'attributs guerriers: dans l'un est inclus un bouclier aux armes royales. Un exemplaire, en fond vert, est cité dans la vente du baron Seillière (Paris, Galerie Georges Petit, 5/10 mai 1890, nº 374) «provenant de la collection Demidoff». Dans l'un des médaillons peints en grisaille figure le buste de Louis XV. Un exemplaire en fond vert, sans date, a fait partie de l'ancienne collection Hodgkins (voir *Les Arts,* mai 1909, p. 1-32).

---

111 CUVETTE COURTEILLE. *Fond rose marbré de bleu, décor polychrome et or. 1761. H. 15, long. 25. Marque peinte n° 1 (i); Dodin. New York, Met. Museum (inv. 54.147-24), don Thornton Wilson 1954.*

En identifiant une jardinière de cette forme-ci, datée 1780, en fond bleu céleste, peinte par Morin, dorée par Le Guay, avec la «cuvette Courteille» citée dans la cuisson de peinture du 22.1.1781 (Vl'.1 f° 142) et concordant avec couleur, peintre et doreur, S. Eriksen (1968, p. 296) a justifié le nom sous lequel il convient de désigner cet objet. Auparavant, P. Verlet (1953, p. 212) avait proposé de l'appeler «cuvette à tombeau». Normalement, une différence devrait exister puisque dans une cuisson en biscuit effectuée entre septembre et novembre 1755, figurent à la suite: «1 cuvette à fleurs tombeau» et «2 idem Courteille». La première mention de celle-ci est antérieure et remonte au 18 juin 1753, dans le même document (I.F. ms. 5673). Le dessin du XVIIIe s. que conserve la Manufacture de Sèvres indique trois grandeurs et porte l'inscription: «caise à fleurs/fait en juillet 1759 2e et 3e gr.» La plus grande existait donc antérieurement. Cette forme tient son nom de M. de Courteille, Intendant des Finances, qui, en 1753, reçut en présent: «1 caisse à fleurs Courteille» (Vy. 1 f° 23).

111bis CUVETTE COURTEILLE *(revers de la pièce fig. 111).*

Cette forme n'est pas à double face. Le revers diffère par le dessin des pieds en rocaille et le décrochement moins accentué entre le panneau central, non bombé mais plat, et les montants saillants délimitant les côtés sur lesquels montent des palmes qui se recourbent pour former les anses. La moulure du bord, réservée en blanc, paraît épaisse. Le cartel rond central, orné de fleurs orientales, est plus petit que celui de la face occupant tout le panneau du milieu (voir ci-dessus). Une scène chinoise s'y déroule: dans un décor approprié, deux jeunes femmes en compagnie de leurs enfants se livrent à des occupations familières. Ce type de décor se remarque sur une douzaine de pièces des années 1761/1763, de formes et en fonds divers, parfois rose marbré de bleu et or comme ici. R. Freyberger (1970/1971, p. 29-44) en a cherché la source parmi les émaux chinois, en rappelant que les ateliers de Canton produisaient simultanément des émaux et de la porcelaine décorée. Il a aussi évoqué l'existence de deux meubles à hauteur d'appui, estampillés B.V.R.B., garnis de porcelaines de Vincennes, faits en 1748 pour Machault d'Arnouville, Contrôleur des Finances (voir Watson, 1966, p. 246-254).

---

112 CAISSE À FLEURS B. *Biscuit. H. 18,5, long. 29, épaiss. 15. Sans marque. Modèle. MNS (inv. U.3 - Vases 1740-1780 — n° 123).*

Cette forme, proche parente de celle de la «cuvette Courteille», a été désignée au XIXe s. sous le nom de «caisse à fleurs B» et publiée par Troude (pl. 130). Ce modèle, conservé à la Manufacture de Sèvres, a la particularité d'être en biscuit de pâte tendre du XVIIIe s. Le fait, peu fréquent, n'est pas unique (voir fig. 204). Cet exemplaire est d'autant plus précieux qu'aucune pièce décorée de la même forme ne nous est connue. La «caisse à fleurs B» diffère de la «cuvette Courteille» essentiellement par le mouvement ondulé qui accuse les peignés en relief terminant, de chaque côté, le haut du panneau central. Par ailleurs, elle est à double face et ne présente pas une face et un revers comme la plupart des caisses à fleurs, parfois désignées comme «caisses de cheminée». Cette forme remonte probablement aux environs de 1753, comme les «caisses Courteille» et «caisses en tombeau». On souhaiterait pouvoir l'assimiler à ces dernières.

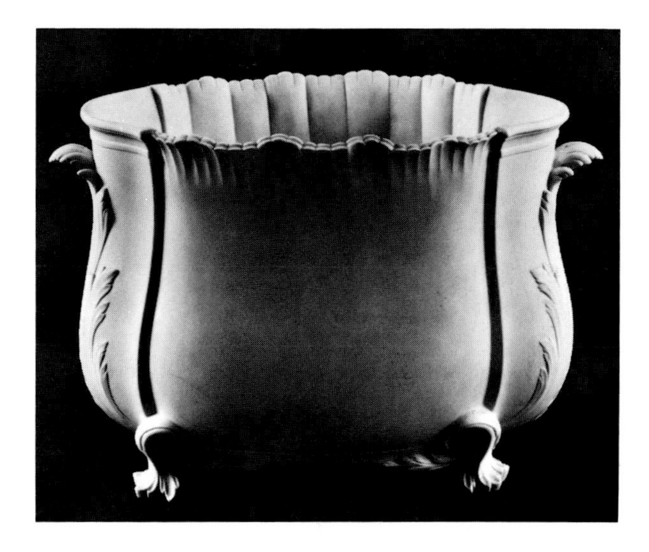

113 SAUCIÈRE. Fond bleu lapis et blanc, décor polychrome et or. 1761. H. 10, long. 23, larg. 18. Marque peinte nº 1 (i) ; Noël. Paris, Musée des A.D. (inv. Gr. 254), coll. Grandjean.
Dans l'inventaire de 1756, on voit apparaître une «saucière à deux becs» en deux grandeurs. Il s'agit peut-être de cette forme longtemps utilisée au cours du XVIIIe s. D'un dessin souple et équilibré, elle semble presque rassembler les deux moitiés avant de la saucière-lampe, qui seraient soudées et prolongées par deux anses à l'allure de lanières croisées terminées par des palmes. Une petite saillie supplémentaire, destinée à poser le pouce, montre la recherche du détail utilitaire. Le dessin des cartels asymétriques s'inscrit dans les lignes constructives de l'objet et dégage l'attache des anses rehaussées d'or épais. Toute la dorure de cette pièce particulièrement riche atteste le soin particulier d'un doreur habile qui n'a pas marqué son œuvre.

114 SOUCOUPE À PIED DOUBLE. Fond blanc, décor polychrome. 1761. H. (totale) 7, ∅ plateaux 22 et 14. Marque peinte nº 1 (i) ; en creux, nº 35. Paris, Musée des A.D. (inv. Gr. 259), coll. Grandjean.
La forme de ce plateau à deux niveaux est semblable à celle de la soucoupe à pied simple (voir fig. 146). Mais sur celle-ci des motifs en relief ornent l'intersection des festons. Les deux plateaux sont bordés de douze dents décalées d'une demi-dent d'un étage à l'autre. On distingue les pieds bas et festonnés suivant le même rythme que les surfaces plates. La superposition semble appeler une garniture de gâteaux ou de fruits secs plutôt que des tasses à glace comme le plateau unique. Le décor peint souligne de peignés bleus la bordure intérieure et sème des groupes de fleurs polychromes sans ordonnance apparente. Dans le service offert par Louis XV à la duchesse de Bedford, ambassadrice d'Angleterre, en 1763, se trouvaient des soucoupes à pieds doubles.

115 ASSIETTE. Fond bleu céleste et blanc, décor polychrome et or. 1761. ∅ 24,7. Marque peinte nº 1 (i) ; Noël ; en creux, nº 36. Waddesdon Manor, coll. Rothschild (cat. nº 47).
Le modèle de cette assiette, décrivant six grandes et six petites dents, a été un des plus répandus au XVIIIe s. L'alternance des dents est soulignée au galbe par six paires de nervures. Les reliefs, formés de rocailles sobres, contribuent à appeler un rythme tiercé du décor ainsi que les cartels allongés qui alternent avec les parties en fond uni sur lesquelles viennent se terminer des branches fleuries en or bruni à l'effet. Les oiseaux exotiques environnés de végétation ne sont peut-être pas l'œuvre du peintre Guillaume Noël, spécialiste de fleurs et probablement responsable du groupe placé au centre du bassin.

116 PLATEAU À TROIS POTS DE CONFITURES. Fond blanc, mosaïque et décor polychrome et or. 1761. Plateau: long. 21,5: pot: H. 9. Marque peinte nº 1 (i). Paris, Musée Jacquemart-André.

Le plateau en triangle à bords en accolades existait avant 1753 (voir fig. 55). L'idée d'y fixer trois pots ovoïdes à couvercles pour les confitures est probablement plus tardive. Dans un défournement de couverte du 28 mars 1760 (I.F. ms. 5674) figurent «2 platteaux triangles garnis de leurs tasses. moulé». Il parait possible de les assimiler à cette pièce-ci. Le décor de mosaïque à triangles alternés bleus et blancs est semblable à celui du service offert par Louis XV, en 1760, à l'Electeur Palatin, qui comprenait deux cent vingt-deux pièces. Celui-ci ne comportait pas de plateaux à trois pots de confitures, mais quatre pots à confitures indépendants (Vy. 3 fº 29). Trois ans plus tard, le service offert à la duchesse de Bedford en comptait deux. Le modèle du décor de mosaïque a fait son apparition en 1756 (voir cat. exposition «Porcelaines de Vincennes», nº 332). Il connut un grand succès.

---

117 BRAS DE CHEMINÉE. Fond blanc, bleu et vert. S.d. (vers 1761). H. 43, larg. 26, prof. 20. Londres, Victoria and Albert Museum.

L'inventaire du 1.1.1761 mentionne moules et modèle de «bras de cheminée Duplessis». Celui de l'année suivante signale au magasin de blanc «2 bras de cheminée 36/72 l.». Les premiers furent exécutés au cours de l'année 1761 et vendus à Versailles en décembre 1761 où Mme de Pompadour acheta «2 bras de cheminée verd et or 192/384 l.» (Vy. 3 fº 85). Parmi les ventes effectuées, à des prix évoluant entre 150 et 240 l., de 1760 à 1765, les «bras de cheminée» blancs, verts, bleus et or sont impossibles à distinguer. On sait d'autre part que la marquise possédait en son Hôtel à Paris (actuel Palais de l'Elysée) «une paire de bras à trois branches, de porcelaine de France, couleur de roze, vert et bleu lapis, les bobèches en bronze doré, prisée 200 l.» (voir Verlet, 1953, p. 212). Par ailleurs, dans l'inventaire de ses biens, fait le 18 octobre 1764, figurent dans le grand cabinet d'angle du Château de Ménars «2 bras de cheminée à 3 bobèches de cuivre doré d'or moulu, le corps des bras en porcelaine de Sèvres, prisés 600 l.» (voir Dauterman, 1964, p. 212). Les exemples survivants sont rares. Le Musée Camondo à Paris en conserve une paire en bleu et blanc (cat. nº 217).

---

118 POT-POURRI MYRTE (d'une garniture de trois). Fond rose marbré, décor polychrome et or. S.d. (vers 1762). H. 28. Marques en creux nos 22 et 37. New York, The Frick Collection (inv. 18.9.11).

Le modèle encore existant, nommé «pot-pourri myrthe», est désigné au XVIIIe s.: «pot-pourri feuilles de mirtre» en 1761, «à feuillage» en 1762 et parfois «vazes mirthe». Un dessin contemporain propose trois tailles, qui ont été réalisées. Cet exemplaire correspond à la seconde grandeur. La ligne ondulante disparait sous une profusion d'éléments en relief: larges rocailles suivant un trait ferme évoquant les dessins de Duplessis, abondant feuillage masquant les perforations. Le couvercle ajouré s'agrémente de minuscules fleurs en ronde bosse. Cette forme et ses accessoires sculptés, de style nettement rocaille, accueillent cependant, autour du pied rigide, un élément néo-classique: une grecque peinte. Le décor d'une variété exceptionnelle comprend un fond rose à parties fouettées et mosaïquées en bleu et or rappelant un réseau de riche dentelle. La forme du cartel suit la ligne de profil du vase. La peinture représente la *Première veue de Charenton* gravée par Le Bas d'après un tableau de Boucher.

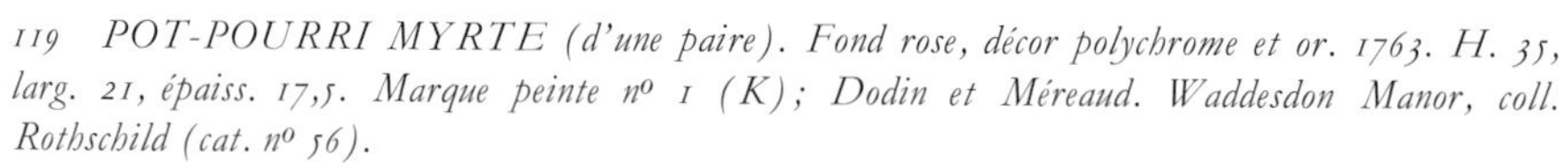

119 POT-POURRI MYRTE (d'une paire). Fond rose, décor polychrome et or. 1763. H. 35, larg. 21, épaiss. 17,5. Marque peinte nº 1 (K); Dodin et Méreaud. Waddesdon Manor, coll. Rothschild (cat. nº 56).

Ce «pot-pourri myrte» diffère du précédent par une plus grande sobriété de reliefs. La ligne générale élargie vers le haut s'en dégage d'autant mieux et apparente ce type de forme à celle du «vase Hébert à cartels» (voir pl. XXVIII). La palmette perforée qui accompagne le mouvement rétréci du col produit un effet plus lourd que les feuillages, tandis que les anses dépouillées s'imposent avec toute leur vigueur. Le fond rose uni, enrichi de feuillages en or peint, laisse place à deux larges réserves dont le dessin s'inscrit précisément dans le profil apparent de la forme générale. Le plantureux bouquet qui emplit le cartel peut être considéré comme marquant le revers du vase si l'on admet les scènes à personnages pour la face. Sur cette paire de vases, les modèles empruntés sont des gravures de A. Laurent d'après des tableaux de Boucher peints en 1739 pour l'Hôtel de Soubise, où ils sont encore: *Le pasteur complaisant* et *Le pasteur galant* (voir Eriksen, 1968, nº 56).

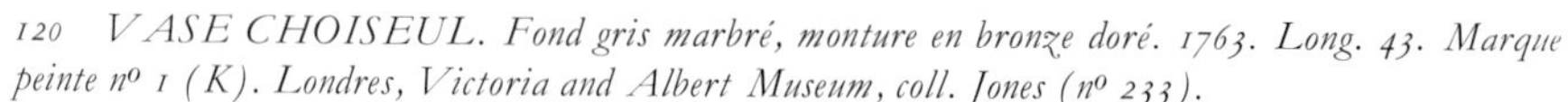

120 VASE CHOISEUL. Fond gris marbré, monture en bronze doré. 1763. Long. 43. Marque peinte nº 1 (K). Londres, Victoria and Albert Museum, coll. Jones (nº 233).

Le dessin, non daté, conservé à la Manufacture de Sèvres, propose deux profils: l'un semblable à ce vase-ci, l'autre plus resserré reposant sur son pied par l'intermédiaire d'un carré orné de perles. Les moules et modèle du «vase Choiseul» apparaissent dans l'inventaire du 1.1.1762. Celui de 1764 en inscrit trois en biscuit prêts à être mis en couverte, comptabilisés de 36 à 108 l. A la fin de l'année 1763, «2 vases Choiseul bleu nouveau et 1 gobelet et sa soucoupe idem» d'une valeur de 786 l., sont offerts en «présent à M. le Commissaire du Roi» (Vy. 3 fº 158). En 1766, «un vase Choiseul bleu et or 360 l.» est vendu comptant. Aucune mention ne fait allusion à un fond imitant le marbre gris veiné, seul et exceptionnel décor de cet exemplaire-ci. Malgré la très riche monture en bronze, la beauté de la porcelaine ne peut manquer d'être remarquée. La même collection conserve une paire de «vases Choiseul bleu nouveau» montés comme le gris marbré, avec une lourde bordure et des anses en serpents de bronze doré. Ils ne sont pas datés mais sont peut-être à rapprocher de la livraison de 1763.

121 POT À LAIT. Fond bleu nouveau, décor polychrome et or. 1763. H. 10. Marque peinte nº 1 (K). Waddesdon Manor, coll. Rothschild (cat. nº 58).

Ce pot à lait, de forme peu fréquente, est associé à un «déjeuner Duvaux», ainsi nommé à cause de la forme de son plateau (voir pl. XXXI). La Manufacture de Sèvres ne conserve pas de dessin de ce type de pièce et aucun élément du magasin des modèles ne s'y rapporte. Tout au plus pourrait-on le rapprocher d'un «pot à lait ordinaire» qui aurait subi quelques rectifications, notamment celle du bec formant saillie à la base. Comme l'ensemble des pièces composant le déjeuner auquel appartient ce pot à lait, sa peinture emprunte une figure isolée extraite de la gravure par Le Bas de la «4e fête flamande» d'après le tableau de Téniers qui appartenait au Comte de Choiseul.

122 *TASSE BOUILLARD et SOUCOUPE. Fond bleu nouveau, décor polychrome et or. 1763. Tasse: H. 6,2; soucoupe: ∅ 13,4. Marque peinte nº 1 (K); en creux, nºs* 38 *et* 39. *Waddesdon Manor, coll. Rothschild (cat. nº 58).*

Le dessin du XVIIIe s. correspondant à cette forme de tasse porte l'inscription: «goblet pour Le dejeune boilliard fait suivan La Commande du 19 fevrÿe 1753.» Il s'agit donc d'une «tasse Bouillard» qui a reçu le nom de l'un des associés de la Compagnie dès l'origine. D'autres pièces l'ont aussi porté; des moules de «vase Bouillard» sont signalés dans l'inventaire de 1756. La forme très simple de cette tasse et de sa soucoupe contraste avec les contours chantournés du «plateau Duvaux» (voir pl. XXXI) destiné à la recevoir. C'est une forme ovoïde un peu lourde très bien adaptée à sa fonction. Cette qualité lui a valu d'être maintes fois répétée. La tasse est revêtue d'un riche fond bleu nouveau qui, chronologiquement, succède au bleu lapis dont il se distingue surtout par son apparence unie. La peinture polychrome des cartels ronds est peut-être l'œuvre de A.-V. Vielliard, qui, à la même époque, a fait de nombreux emprunts aux gravures d'après David Téniers. On reconnaît dans la soucoupe un buveur solitaire isolé de la «4e fête flamande» gravée par Le Bas.

---

123 *SERVICE DE TOILETTE. Reliefs vert et or, fleurs polychromes. 1763/1764. Boîtes: H. 10,2, ∅ 13,3; H. 10,8, ∅ 8,3; H. 5,8, ∅ 7,6; dessus de brosse: long. 16,8, larg. 7,6; vergette: long. 7,6, ∅ 3,8. Marques peintes nº 1 (K ou L); Parpette?; en creux sous les boîtes: nº* 40. *Londres, The Wallace Collection (inv. XXII. A. 40/47).*

Cette garniture de toilette comprend actuellement huit pièces: six boîtes, du type reproduit, la brosse et la vergette. Celle-ci est destinée à chasser la poussière et la poudre tombée sur les corsages (voir Verlet, 1953, p. 208). Les formes de ces objets suggèrent, par leurs reliefs décoratifs, en partie soulignés en vert, un travail d'orfèvrerie. L'or joue un rôle de grande importance par les rehauts et les peignés donnant un effet de coquille. Le caractère unique de cet ensemble et ses dates ont permis à P. Verlet de le rapprocher d'un achat du marchand Rouveau au cours du troisième trimestre 1767. On apprend les prix de la boîte à poudre 84 l., du dessus de vergette 36 l., du porte-brosse 18 l., de la boîte à mouches 42 l. et du pot à pommade 60 l. On ignore à qui le marchand revendit ces objets, dignes de figurer sur une toilette royale, comme le voudrait une tradition non confirmée.

---

124 *CRACHOIR. Fond blanc, décor en camaïeu bleu et or. 1764. H. 11, ∅ 13. Marque peinte nº 1 (L). MNCS (inv. 23065).*

Déjà inscrits dans l'inventaire de 1752, les crachoirs ont, par la suite, probablement subi des modifications. Un dessin conservé à la Manufacture de Sèvres porte l'inscription: «crachoer fait du 28 fevrier 1753 par ordre de Mons. Boelon» et l'on note des moules et modèles de «crachoirs nouveaux» dans l'inventaire du 1.1.1757. Celui du 1er octobre 1759 en signale à 18 l. existant au magasin de vente. En 1770, ceux qui sont inventoriés sous la même rubrique sont portés pour 15 à 60 l. Aucune description ne renseigne sur leur décoration. Deux autres dessins également conservés dans les archives de la Manufacture, datés 1788, rappellent que de nouveaux modèles de crachoirs, appelés «gourgoulis», furent faits «pour plaire à Mr Les Indiens». Il s'agissait alors de pourvoir en objets divers les ambassadeurs de Tipoo-Saïb (voir Brunet, 1961, p. 277).

125 VAISSEAU À MÂT. Fond bleu nouveau et blanc, décor polychrome et or. 1764. H. (sans le socle en bois doré) 39,2, long. 38. Marque peinte n° 1 (L). Baltimore, The Walters Art Gallery (inv. 48.559).

Enregistré au XIXe s. et publié par Troude (pl. 92), le modèle de la partie principale de cette forme subsiste. Il a l'avantage de proposer deux profils légèrement différents qui s'achèvent d'un côté par un masque, comme celui de la «cuvette à masques» (voir fig. 87), et de l'autre par un masque vomissant un beaupré, comme celui de cet exemplaire de «pot-pourri vaisseau». Sur le couvercle du modèle, auquel manquent le mât terminal et la flamme, le dessin des perforations, qui simulent des écailles, diffère de celles-ci suggérant des cordages. C'est, parmi les exemples de «vaisseaux à mât» connus, le seul offrant cette particularité. Les moules et modèle «en 3e gr.» apparaissent seulement dans l'inventaire du 1.1.1759 qui signale aussi au magasin de blanc un exemplaire «en 1e gr. 60 l.». Dans le matériel de fabrication, de 1759 à 1764, il est fait allusion à trois grandeurs. Autant qu'il est possible, en faisant la part des retraits variables de cuisson, de comparer les dimensions des dix exemplaires connus en diverses collections, celui-ci pourrait être de deuxième grandeur. Voir pl. XXIII et XXIV.

126 VASE BASSINOIRE. Fond bleu nouveau, reliefs blancs, décor d'or. S.d. (vers 1763/1765). H. 14, long. 30. Marques en creux: CD et n° 42. Londres, The Wallace Collection (inv. GS. et V. 42).

La Manufacture de Sèvres conserve le dessin de cette forme, qui donne uniquement les contours et les graduations des épaisseurs. Ce trait risque de tromper sur la date de création du modèle à cause de l'inscription: «vase bassignoire 1ere demande par M. Salmon L^{e} d'un pouce de diametre plus que le model ord^{re} et de 9 lignes plus haut ce 10 Aout 1787, c'est pour mettre en bleu.» Il s'agit probablement d'une reprise de la forme nue destinée à être montée (voir fig. 258). La forme en plâtre, enregistrée au XIXe s., est signalée en deux grandeurs. Dans une vente faite à Londres (Christie's, 30 mai 1963, n° 58) est apparue, datée 1763, une paire de pièces semblables à cet exemplaire-ci bleu roi et blanc mais sans les couvercles. Cette constatation s'accorde de près avec l'opinion de Laking qui, au sujet des deux paires de «vases bassinoires», non datés, de deux tailles différentes, conservés dans la collection royale britannique, a proposé: «vers 1765» (n°s 62 et 64). R. Cecil, Conservateur de la Wallace Collection, estime que ce vase-ci «par son style et sa décoration se situe vers 1760/1765» (discussion avec l'auteur).

---

127 VASE À PANNEAUX. Fond bleu nouveau, décor polychrome et riche dorure. S.d. (vers 1765/1775). H. (sans socle) 47,3, larg. 26,7. Marque en creux, n° 67. Londres, The Wallace Collection (inv. IV A 18).

Deux dessins non légendés de cette forme indiquent deux tailles; le plus petit témoigne des hésitations et repentirs qui ont abouti au modèle définitif encore conservé à Sèvres et publié par Troude (pl. 111). Trois grandeurs ont été exécutées. Les mentions de «vases à panneaux» sont rares dans les archives de la Manufacture. L'inventaire du 1.1.1774 indique, en porcelaine tendre au magasin de blanc: «1 vase à panneaux en guirlandes 1ere 120 l.». Aucun matériel de fabrication n'étant signalé, la date de création reste problématique. En majorité, les exemplaires connus ne sont pas datés. Une paire de la collection royale britannique, remontant à 1761 (Laking, n°s 38-39), est considérée par Eriksen (1974, pl. 270) comme la plus ancienne. La Wallace Collection possède une paire (XII. 57-58) marquée de l'année 1766; une autre de 1767 se trouvait dans une collection parisienne il y a quelque temps. La plupart des «vases à panneaux» sont décorés de marines. Cet exemplaire-ci, de grande taille, serait à rapprocher d'une livraison «au Roy pendant l'année 1775 ... 1 vase paneau 1ere marine 720 l.» (Vy. 6 f° 116).

---

128 ÉTAGÈRE À COQUILLES. Fond blanc, peignés bleus, décor polychrome et or. 1765. H. 32. Marque peinte nº 1 (M); Catrice. Vente à Mentmore, Sotheby's, 24 mai 1977, nº 2071.
A propos de quatre étagères analogues, conservées au Palais Pitti à Florence, S. Eriksen (1973, p. 60), bénéficiant d'informations données par P. Verlet, a écrit une étude détaillée des «platteaux à huitres avec coquilles» réalisés par le marchand Poirier à l'aide de quatre plateaux et soixante-seize coquilles achetés à Sèvres en 1760. Il en acquit encore en 1761. En 1765 furent vendus à M. Beaujean: «4 platteaux à huitres 60/240 l. et 78 Coquilles 7 l. 10 s./585 l.» (Vy. 4 fº 51 vº). Il est à remarquer que les étagères de Florence comptent, comme celle-ci, dix-huit coquilles mais sont dépourvues de la coupelle ronde la couronnant. De plus, le plateau du bas est plus richement décoré de trophées musicaux, encerclés par un peigné bleu décrivant le motif classique dit «feuilles de choux».

---

129 VASES DANEMARK À ORNEMENTS. Fond vert, décor polychrome et or. S.d. (vers 1765). H. 21,6, larg. 17,5. Marque peinte nº 1. The Wernher Collection, Luton Hoo, Bedfordshire, Angleterre.
Enregistré sous ce nom au XIXe s., le modèle en plâtre de cette forme ovoïde a survécu au magasin de la Manufacture de Sèvres. Exceptionnellement, le couvercle en est détachable, ce qui suggère l'éventualité de livraisons avec ou sans couvercle. Parmi les moules nouveaux inventoriés au 1.1.1765 figurent ceux du «vase D'anemarck à gauderon». Cette dénomination convient mieux à ces vases-ci qu'à la forme dite aussi «danemark» citée à propos des vases de Baltimore répondant à ce nom (voir fig. 167). Il peut alors paraître judicieux de dater l'origine de ce type de forme vers 1764/1765. Les sujets militaires étaient fréquents à cette époque et le peintre Morin excellait dans ce genre. Une vente au comptant «du 12 novembre 1765, 2 idem [vases] du Dannemark soldats 480/960 l.» (Vy. 4 fº 53) pourrait concerner ces vases-ci.

---

130 VASE ALLEMAND UNI. Fond bleu nouveau, décor polychrome et or. S.d. (vers 1765/1770). H. 21,5. Sans marque. Vente à Londres, Christie's, 1er juillet 1965, nº 27 (anc. coll. Earl of Harewood).
Le modèle en plâtre de cette forme, publié par Troude (pl. 114) sous ce nom, n'indique pas les cannelures qui encerclent l'encolure ni le cours d'oves près du bord. Un autre modèle de mêmes proportions, dit: «vase allemand à cartels et cannelures, ou à ornements», comporte, outre ce genre de garnitures, une guirlande de feuilles et des rubans en relief entourant les cartels ovales. Une paire de ce type «orné», datée 1765, à fond vert, malheureusement privée de couvercles, est conservée à la Wallace Collection (inv. IV^{b} 163/164). Une autre paire, datée 1766, se trouve à Goodwood House (voir Eriksen, 1974, pl. 277). Sur l'exemplaire reproduit ici, les cannelures, qui évoquent des pots-pourris, les oves et les anses réservées en blanc, sont rehaussées d'or. Les cartels ovales, encadrés d'une double bordure d'or, sont ornés de scènes galantes sur la face et de guirlandes au revers. Il n'est pas impossible que des vases de ce modèle aient été considérés comme des «cassolettes».

131 VASE GREC À FESTONS. Fond bleu céleste, blanc et décor d'or. S.d. (vers 1765/1766). H. 30, larg. 23. Marque peinte nº 1. Paris, coll. Nicolier.

Le modèle en plâtre, qui existe à la Manufacture de Sèvres, a été inscrit sous ce titre dans l'inventaire du XIXe s. qui signale deux grandeurs dont une à reliefs en cire. Un dessin également conservé ne porte aucune mention, mais permet d'apprécier les deux tailles. Ce vase comporte, outre les grecques, d'autres reliefs sculptés : guirlandes, rubans et médaillons. On trouve mention, dans l'inventaire du magasin de blanc du 1.1.1764, de «5 vases grecques et à guirlandes 72/360 l.». Il est tentant de rapprocher ce vase bleu céleste d'un présent «du 31 décembre 1766, à M. de Machault, 1 vase grec à médaillons 2e gr. bleu céleste, 600 l.». Cet exemplaire n'est pas unique. A notre connaissance, le Musée de l'Ermitage en conserve un, daté 1764, en fond vert. Un autre, en fond bleu, sans date, a figuré dans une vente faite à Londres (Sotheby's, 4 mai 1965, nº 57).

132 VASE CORNET. Fond bleu céleste, décor polychrome et or. S.d. (vers 1763-1768). H. 38, ∅ 14. Marque non visible. Philadelphie, Philadelphia Museum of Art (inv. 39.41.57).

L'inventaire du 1.1.1764 cite des moules nouveaux et modèle de «vase à cornet 1ere et 2e gr.». Le modèle en plâtre survivant est de même taille que ce vase-ci. Comparé à celui qui existe à Wooburn Abbey, daté 1763, haut de 43,5 cm (voir Eriksen, 1974, pl. 272), il équivaut à la 2e gr. C'est un amalgame de souvenirs rocaille et d'éléments néo-classiques, une boule à base resserrée, stabilisée par un socle élargi à dents de scie, qui est flanquée d'anses arrondies. Un collier à grecques en relief cerne la base du haut cornet évasé où alternent des bandes pleines et ajourées. La peinture, encadrée d'une grecque dorée, représente le groupe du «Sabot cassé» créé par Falconet, édité en biscuit à Sèvres depuis 1760. Le sujet dessiné par Falconet fils a été gravé par Mesnil. Il semble possible d'assimiler ce vase à une livraison «du 17 Mai 1768 A Madame Louise 2 vases à cornets bleu céleste 360/720 l.» Un autre vase de mêmes forme, couleurs et hauteur, décoré d'une «ténière», existe au Worcester Art Museum (Massachusetts).

133 DÉJEUNER LOSANGE. Fond vert, décor polychrome et or. 1766. Plateau: H. 6, long. 36,8, larg. 28; théière: H. 12,7, larg. 16,5; pot à sucre: H. 9,2, ∅ 7; tasse: H. 6,7, larg. 9,8; soucoupe: ∅ 13,3. Marques peintes nº 1 (N); Asselin. Londres, The Wallace Collection (inv. XII.B.132).

On reconnaît les formes de la «théière Verdun» (voir pl. III), du pot à sucre et de la tasse «Hébert» (voir fig. 85). Le plateau en forme de losange, exactement semblable à un exemple de Waddesdon Manor (voir fig. 170), justifie le qualificatif «à jour» qui accompagne parfois les mentions de plateaux de différentes formes. Le fond vert, très richement orné de guirlandes dorées, colore aussi les chevrons qui courent le long du bord où les fleurons sont réservés en blanc souligné d'or. Les cartels des pièces empruntent leur sujet à des gravures d'enfants d'après Boucher. Celui du plateau est très différent. Au cours de l'année 1764, la Manufacture avait acquis diverses gravures, notamment pour 4 l. *L'Aveugle trompé*, par Laurent Cars d'après un tableau de Greuze. Le peintre Asselin l'a utilisée en éliminant curieusement le principal sujet, l'aveugle, si bien que l'attitude des deux complices perd sa signification. D'autres détails sont respectés, notamment le pot à lait renversé.

---

134 CAISSE À FLEURS RECTANGULAIRE. *Fond bleu nouveau, décor polychrome et or. 1766. H. 14,5, long. 19,7, prof. 13,5. Marque peinte no 1 (N); Chabry; en creux, no 20. Waddesdon Manor, coll. Rothschild (cat. no 71).*

Un dessin du XVIIIe s. montre cette forme en plan et en élévation et en trois grandeurs. Il porte l'inscription: «Cuvete à fleurs fait En juillet 1759 2e et 3e grandeur.» Le modèle en plâtre survivant a été nommé par Troude (pl. 130) «caisse à fleurs A», nom qui n'apparaît pas dans les textes du XVIIIe s., ce qui rend difficile de déterminer la date de création. Un jeu savant de lignes souples donne un solide équilibre à cette pièce où persistent des éléments rocaille et des coquilles. Les exemplaires connus sont de deux grandeurs, celle-ci étant la plus petite. Des garnitures de trois pièces existent, notamment à la Wallace Collection, qui possède aussi l'exemplaire le plus ancien, daté 1757, en grande taille; outre son fond vert et rose remarquable, il a la particularité d'être décoré de réserves oblongues, alors que cette forme appelle le plus souvent des cartels rectangulaires comme ici. Une large bordure en or bruni à l'effet encadre une scène mythologique, allusion à l'Amour désarmé.

---

135 CASSOLETTE DUPLESSIS. *Fond bleu nouveau et décor d'or. 1766. H. 21,7, long. 32,5, larg. 20,8. Marque peinte no 1 (N). Londres, The Wallace Collection (inv. XX.59).*

La Manufacture de Sèvres conserve le modèle de cette élégante forme ovale, enregistrée au XIXe s. sous la dénomination de «vase cassolette Duplessis», nom qui ne figure pas dans les textes du siècle précédent. La première cassolette citée dans les registres de ventes apparait en 1760: bleu céleste 240 l., livrée à Poirier (Vy. 3 fo 32). Aucune description n'accompagne celles acquises par Bertin à Versailles en décembre 1764 pour un prix plus élevé: «336/672 l.» (Vy. 4 fo 33). L'exemplaire reproduit ici est décoré d'une résille d'or voilant le fond bleu foncé qui est éclairé par des parties blanches à la ceinture perforée et à la torsade suivant les anses. Dans l'ancienne collection Hodgkins, à la Walters Art Gallery à Baltimore, se trouvent rassemblés une «cassolette Duplessis» non datée, décorée de fleurs, et une paire de vases ovoïdes, datés 1767, dont le fond bleu nouveau est revêtu d'une résille d'or exactement semblable à celle-ci. La composition de ce jeu de fond n'est pas sans rappeler, avec des moyens différents, celle des plaques angulaires de la «table pour le Turc» (voir fig. 66).

---

136 ŒILLÈRE. *Fond bleu nouveau, décor polychrome et or. S.d. (vers 1765/1770.) H. 4,5. Marque peinte no 1; Siou l'aîné?; en creux, no 43. Waddesdon Manor, coll. Rothschild (cat. no 67).*

Des «baignoires d'yeux» en couverte cuite, estimées 1 l., sont signalées dans l'inventaire de 1752. Les livraisons faites par la Manufacture évoluent entre 3 et 10 l. Lazare Duvaux en fournissait à ses clients, notamment à Mme de Pompadour «du 16 mars 1754 ... une baignoire idem [blanc et or] (pour Madame) 6 l.» et «du 20 [juin]: Mme la Dauphine, livré à Mme Dufour, sept baignoires de Vincennes en blanc et or, 42 l.». Mme Dufour était dame de la Dauphine. La baignoire, en fond bleu nouveau, décorée de fleurs en coloris probablement par Siou l'aîné, devait normalement être plus coûteuse. Les «baignoires d'yeux» sont mentionnées tout au long du siècle. Mme Du Barry, beaucoup plus tard, après avoir bénéficié de livraisons considérables pendant les années 1768/1774, achetait le 24 août 1780, parmi de modestes objets: «1 baignoire d'yeux 4 l.» (Vy. 7 fo 252).

137 VASE EN BURETTE. Fond vert et blanc, décor polychrome et or. S.d. (vers 1766). H. 32,5, ∅ 12, larg. 16. Marque peinte nº 1; Tandart. Paris, coll. Nicolier.

Cette version de «vase en burette» n'a laissé aucune trace parmi les modèles conservés à la Manufacture de Sèvres. Par rapport aux pièces de même type, la forme ovoïde est, dans l'ensemble, plus élancée. Le col plus bas, le bec au contraire plus relevé et le bord se soulevant à l'arrière pour se rouler sur lui-même vers l'intérieur, donnent une grande souplesse. L'anse indépendante s'attache sur l'épaule, décrit une large courbe et revient se poser vers la mi-hauteur sans rien modifier au profil. Le fond vert est très abondamment orné de larges dents de loup, bandes festonnées, palmes et guirlandes en or bruni à l'effet. Les couronnes entrelacées sont alternativement composées de roses mélangées et de bleuets accompagnés de petites feuilles. Tandart s'est fait une spécialité de ce genre de décor en couronnes de fleurs disposées de cette manière. Aucune mention de «vase en burette» en fond vert ne figure parmi les livraisons.

138 VASE EN BURETTE (d'une paire). Fond bleu nouveau et blanc, décor polychrome et or. S.d. (vers 1766). H. 29,5, ∅ 11. Marque invisible. Paris, Louvre (inv. OA. 10262/3).

Dans l'inventaire des modèles de la Manufacture de Sèvres, établi au XIXᵉ s., figure «1 pot à eau nº 5» qui répond à cette forme-ci avec une anse en dauphin. Il ne s'agit pas d'une pièce d'usage mais d'un vase d'ornement en forme de burette. Huit burettes sont signalées au magasin de blanc dans l'inventaire du 1.1.1767; aucun indice ne permet d'en déceler la forme exacte, sujette à variantes. Les deux grandeurs connues situent celle-ci parmi la première. Le décor de couronnes enlacées, composées de roses et de bleuets au naturel, varie peu; celui-ci est le plus simple et Tandart l'a souvent répété. La dorure riche et abondante comprend de longs peignés sous le col. En décembre 1766, à Versailles, «2 vases en burette Bᵉᵘ Nᵉᵃᵘ 96/192 l.» étaient livrés au roi (Vy. 4 fº 104). Une paire de «vases en burette» comme celui-ci, mais en seconde grandeur, a fait partie de l'ancienne collection J.P. Morgan (Chavagnac, 1910, nº 126). Une autre paire, en seconde grandeur également, mais en fond vert, est entrée dans les collections nationales françaises grâce au legs Salomon de Rothschild.

139 VASE EN BURETTE (d'une paire). Fond bleu nouveau, décor polychrome et or. S.d. H. 27,6, larg. 13,7. Sans marque peinte; en creux, nº 44. Londres, The Wallace Collection (inv. XVII. A 19/20).

En publiant une pièce de cette forme, Garnier (pl. 6) l'a intitulée «burette». Les moules et modèles, conservés en plusieurs grandeurs à la Manufacture de Sèvres, ont été enregistrés au XIXᵉ s., parmi les objets d'usage, sous le nom de «pot à eau mosaïque». Le terme «mosaïque» désigne des ornements en relief composés d'un double chevron simulant des triangles alternés. Le col de la burette reproduite par Garnier est cerné de chevrons peints entre deux colliers d'oves semblables à ceux-ci. Le profil de ce vase à haut col et panse renflée se brise sous celle-ci qui semble reposer dans une cupule plus étroite. L'anse relevée décrit une boucle retenue par un des colliers avant de venir s'achever sur le corps par un relief en feuille. De toute évidence, il s'agit d'une pièce décorative riche et élaborée. Le décor de couronnes de fleurs s'agrémente de nœuds de rubans. On peut rapprocher ces objets d'une livraison du 31 décembre 1767, en présent «à M. de Machault 2 vases en burette, bleu nouveau à couronnes 300/600 l.» (Vy. 4 fº 139).

140 VASE OVOÏDE. Fond bleu nouveau, décor d'or. 1767. H. 33,5. Marque peinte nº 1 (O). Baltimore, The Walters Art Gallery (inv. 48601).

La forme de ce vase n'a pas laissé plus de traces dans les archives et parmi les modèles de la Manufacture de Sèvres que celle du «vase pendule à dauphins» du Musée de Sèvres (voir fig. 234), les deux présentant une parenté. Cet œuf parfait, juché sur un pied curviligne de la plus stricte simplicité, s'achève au sommet par un col étroit à bord ondulant. Deux lanières opposées en prolongent de faibles portions en s'élevant et se retournant pour venir s'attacher sur la base du rétrécissement par un rivet simulé. La tranche du bord de ces lanières est creusée d'un sillon attestant l'intervention d'un mouleur-repareur habile. Le réseau d'or vermiculé, qui englobe complètement la surface bleue, basé sur une économie hexagonale, combine les points, les pois, les petis cercles unis et les cercles ondulés avec une étonnante science de la perspective. Le motif se répète exactement sur une «cassolette Duplessis» conservée à la Wallace Collection (voir fig. 135).

---

141 VASE À JET D'EAU (d'une paire). Fond bleu nouveau et blanc, décor d'or. S.d. (vers 1766/1770). H. 43,2, larg. 27,3. Marque peinte nº 1; en creux, nºs 44 *et* 45. *Londres, The Wallace Collection (inv. I.15/16).*

Aucun modèle, ni dessin de cette forme ne subsistent dans les archives de la Manufacture de Sèvres. Des noms descriptifs qui lui ont été donnés «vase colonne à fontaine et dauphins» ou bien «vase à jet d'eau», il semble préférable d'adopter le second. De nombreux autres modèles comportent des dauphins et cet élément à lui seul ne peut désigner une forme. Une paire de «vases à jet d'eau» semblable, sans monture ajourée sous le couvercle, existe à la Walters Art Gallery de Baltimore (cat. nº 55); la marque, s'il en est, n'est pas visible. Des «moules nouveaux» du «vase à jet d'eau» et un modèle sont enregistrés dans l'inventaire du 1.1.1766. On est d'autant plus invité à les rapprocher de ces vases-ci que la même année on livre «au Roi 2 vases à jets d'eau Bleu et or 720/1440 l.» (Vy. 4 fº 104). Le prix très élevé devait être justifié par un travail important.

---

142 VASE À CÔTES TORSES DE MILIEU. Fond bleu nouveau, blanc et décor d'or. S.d. (vers 1765/1770). H. 38,8, ∅ 27,3. Marque peinte nº 1; en creux, nº 41. *Londres, The Wallace Collection (inv. XII. Lon. 182).*

Inscrite sous ce nom dans l'inventaire du XIXᵉ s., qui signale un modèle à ornements en cire aujourd'hui disparu, cette forme a été publiée par Troude (pl. 91). Il est tentant, étant donné son aspect, de l'identifier avec un «vase à côtes à relief» comptabilisé au magasin de blanc au 1.1.1767 pour 72 l. L'inventaire du 1.1.1770 indique parmi les pièces en biscuit prêtes à être mises en couverte «un vase à côte, 60 l.». De toute évidence, ce modèle est prévu pour constituer une garniture avec le «vase à côtes torses de côté» (voir ci-après). Les côtes, formant des consoles torses au relief généreux, font paraître mièvres les guirlandes dorées issues des perforations pratiquées au sommet des cannelures. Ces guirlandes soutiennent de petits médaillons ovales décorés de profils à l'imitation de camées clairs sur fond foncé, qui symbolisent d'un côté un poète et de l'autre une femme. Ce genre a été particulièrement en vogue dès avant 1769. Un exemplaire, de plus petite taille, existe dans la collection royale britannique.

143 VASE À CÔTES TORSES DE CÔTÉ. Fond bleu céleste et blanc, décor polychrome et or (anses en bronze). 1767. H. 40,5, larg. 21,5. Marque peinte nº 1 (O); Noël; en creux, nºs 40 et 47. Collection royale britannique (Laking, nº 74).

Le principe de côtes en relief alternant avec des cannelures torses a été adopté pour plusieurs formes de vases, témoin celui qui précède. Sur celui-ci, le principe est strictement observé de la base au sommet sans rupture, même à l'endroit où la ligne du profil marque une cassure. Le modèle en plâtre, publié par Troude (pl. 91), a été exécuté en deux grandeurs. Ce vase-ci correspond vraisemblablement à la plus petite. Les exemples de même forme qui existent sont décorés de manière plus simple par opposition de côtes bleues et de cannelures blanches sans préjudice de dorure plus ou moins riche; on peut citer la paire du Musée des Arts Décoratifs à Paris (inv. 8829) et celle du Museum of Art de Philadelphie, don Mrs. Morris Hawkes. Cet exemplaire-ci a un charme particulier par sa couleur d'un bleu très pâle proche du bleu turquin et ses guirlandes de fleurs polychromes. La monture en bronze doré à têtes de boucs contribue à en faire une pièce de grande classe.

144 CASSOLETTE À FESTONS. Fond beau bleu et blanc, décor polychrome et blanc. S.d. (vers 1767). H. 20, long. 25,5, larg. 18. Sans marque. Waddesdon Manor, coll. Rothschild (cat. nº 78).

Cette forme ainsi nommée au XIXe s. n'a peut-être pas été connue sous cette désignation au siècle précédent, bien que certaines pièces aient été appelées d'après un détail ajouté, comme on peut le constater avec le «vase à anses carrées» (voir fig. 175). Le modèle en plâtre survivant a été publié par Troude (pl. 112). Des moules nouveaux et modèle de «vase en cassolette 2e gr.», estimés respectivement 30 l., paraissent dans l'inventaire du 1.1.1765. Rien ne semble s'opposer à ce que ces moules nouveaux aient servi, au cours de l'année 1764, pour la préparation des «2 vases en cassolettes» livrés en décembre «à M. Bertin 336/672 l.». S. Eriksen (1968, p. 230) a pensé pouvoir apparier la «cassolette à festons» de Waddesdon Manor avec un pendant daté 1767 conservé au British Museum et décoré par Dodin d'une peinture complémentaire, également inspirée par une gravure de Demarteau d'après une pastorale de Boucher. Cette très riche pièce est un pot-pourri, les quatre-feuilles inscrits dans le croisillon étant partiellement découpés.

145-149 CINQ PIÈCES DIFFÉRENTES FAISANT PARTIE DU MÊME SERVICE. Fond bleu céleste, décor d'oiseaux polychromes et or. 1766-1767. Marques peintes nº 1; signes divers. Waddesdon Manor, coll. Rothschild (cat. nº 75).

145 PLATEAU BOURET (cat. nº 75E). Larg. 20,7. Aloncle.

Cette sorte de plateau, supporté par un pied très bas, est désigné sous le nom d'un associé de la Compagnie de Vincennes. Le «plateau Bouret» apparaît dans l'inventaire du 1.1.1757, qui en signale trois en biscuit, trente-quatre en couverte et vingt-sept au magasin de blanc estimés 9 l. Cette pièce est destinée à supporter des tasses à glace. Son pourtour d'un dessin agréable l'assimile presque à une pièce d'ornement. Les zones bleues suivent la ligne du contour et le cartel trilobé central rappelle la figure triangulaire de l'ensemble, complétant une composition savamment équilibrée. Au revers, une inscription précise que l'oiseau juché sur ses hautes pattes est un «pluvier éperonné».

---

146 SOUCOUPE À PIED *(du même service) (cat. nº 75^G). H. 3,5, ∅ 23. Chappuis.*

Ce plateau rond à bord festonné comptant douze dents est désigné dans les textes du nom de «soucoupe à pied». Parfois s'y ajoute une précision comme: «soucoupe à pied pour des glaces ou fruits secs» ou encore «soucoupe à pied pour confitures sèches». On peut penser que les fruits étaient alors disposés en pyramides telles que l'on en voit sur les «buffets» peints notamment par Al.-Fr. Desportes. Vu de profil, ce plateau est porté par un pied peu élevé dont le contour dentelé suit, en moindres dimensions, le même dessin que le pourtour supérieur. L'inventaire de 1756 en signalait déjà parmi les pièces existant au magasin de blanc. Le plus souvent, cette pièce était accompagnée de six ou mieux sept tasses à glace. Par exemple, le service de Mme Du Barry comptait quatre soucoupes à pied et vingt-huit tasses à glace. Il existait aussi des pièces de cette forme à deux niveaux (voir fig. 114). Celle-ci est décorée suivant une répartition des fonds plus simple que sur le «plateau Bouret» ci-dessus, mais la dorure entourant le cartel central est encore plus large. L'oiseau représenté est une «perruche face de bleu».

---

147 POT À CONFITURE *(du même service) (cat. nº 75^G). H. 9. Evans.*

Ce petit récipient pourrait être confondu avec un pot à sucre. Après avoir identifié le service auquel il appartient à une livraison faite le 31 décembre 1767 à «Mrs Bouffet et Dangirard pour Mr Le Maréchal de Razomouski», S. Eriksen (1968, p. 208) en a publié la composition dans laquelle entraient «2 pots à confitures idem [Bceu Cte oiseaux] 36/72 l.». La forme conique très simple est seulement cernée en haut et en bas d'une moulure unie. C'est, compte tenu de proportions différentes, ce qui le distingue par exemple du «pot à sucre à la Reine» (voir fig. 83). Ce pot à confiture est décoré de deux cartels et le nom des oiseaux représentés est inscrit en dessous. Celui qui est visible sur l'image est un «manakuin A gorge noire».

---

148 TASSE À GLACE *(du même service) (cat. nº 75^J). H. 6,5.*

Les tasses à glace apparaissent dans les inventaires du 1.1.1756 parmi les moules établis au cours de l'année précédente. La forme de ces gobelets à anse épaisse, montés sur pied bas et large, a peu changé au cours du XVIIIe s., si ce n'est pour le service commandé par Catherine II de Russie pour lequel toutes les pièces empruntaient de nouveaux modèles créés spécialement pour elle. Etant donné le rapport de dates et le haut niveau social auquel s'adressaient ces objets de luxe, à une époque où la fabrication de la glace artificielle n'existait pas, on est tenté de supposer que les tasses à glace ont été créées pour faire partie du service personnel du roi. La seconde fraction de ce service, livrée le 31 décembre 1755, comprenait: «45 tasses à glace 36/1620 l.». (Vy. 1 fº 119 vº). Par la suite, ces pièces accompagnèrent les services de dessert d'apparat. Celui que Louis XV offrit en 1758 à l'Impératrice d'Autriche en comptait vingt-huit. Leur nombre correspondait souvent à un multiple de sept. Dans le cartel, visible sur l'image, l'oiseau est une «pie des Indes».

149 COMPOTIER COQUILLE (du même service) (cat. nº 75C). H. 22, larg. 22,5. Evans.
Dans l'inventaire de 1752, on relève parmi les pièces moulées citées au magasin de vente: «compotiers coquille forme nouvelle 1ere, 2e, 3e gr.» Trente-trois en 1re et trente-quatre en 2e gr. évalués 12 et 10 l. pièce, attendaient au magasin de blanc au 1.1.1755. Il est probable que ces mentions correspondent à cette forme-ci. La réserve des modèles en conserve encore un spécimen en biscuit de pâte tendre. Délaissant les méandres de la coquille Saint-Jacques naturelle, celle-ci répond, par ses éléments de style rocaille, à un dessin d'artiste vraiment digne de Duplessis. Cette forme a connu un succès prolongé pendant tout le XVIIIe s. Le service de Louis XVI, commandé en 1783, en prévoyait plusieurs à 480 l.; quatre furent effectivement livrés et existent encore (voir pl. LV). Celui-ci fait partie du service de vingt-quatre couverts comptant cent huit pièces, dont cent trois survivent à Waddesdon Manor. Dans la livraison du 31 décembre 1767, les compotiers sont facturés 72 l. L'oiseau représenté sur celui-ci est une «pie noire des Indes».

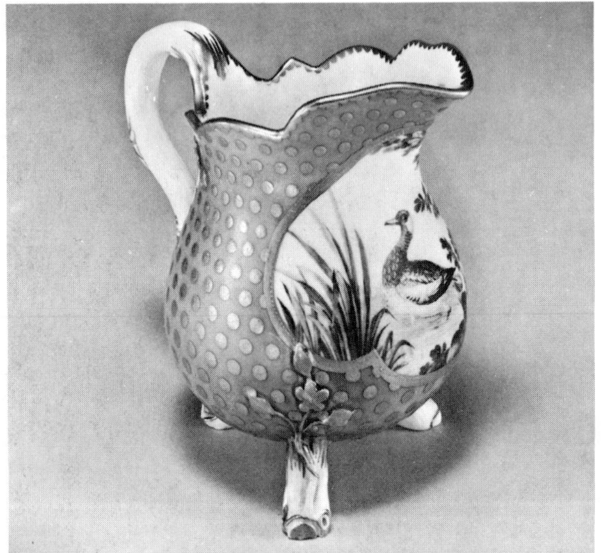

150 POT À LAIT TRIPODE. Fond bleu céleste, décor polychrome et or. 1767. H. 11,8, ∅ 8,8, larg. 12,7. Sans marque. New York, The Frick Collection (inv. 34.9.23).
Ce petit pot non daté appartient à un déjeuner marqué en 1767. Aucun dessin d'origine ne nous est parvenu, mais le modèle en plâtre a survécu. Dans l'inventaire du 8 octobre 1752 (I.F. ms. 5674) figure déjà: «1 petit pot à lait à trois pieds.» Dans un défournement du 15 novembre *(ibid.)* sont incluses de pareilles pièces en trois grandeurs, attestant leur existence dès ce moment. L'allure stable et confortable, les détails délicats, tels que la découpure du bord, la naissance de l'anse et son attache ainsi que les pieds simulant de petits troncs d'arbre porteurs de menues branches se posant en relief sur la panse, ont valu à cette forme charmante un succès considérable pendant tout le XVIIIe s. Les exemples survivants, diversement décorés, sont innombrables en porcelaine tendre et même en porcelaine dure. Un pot à lait de ce type fait partie du «déjeuner aux armes de Paul Petrovitch» en porcelaine dure, conservé au Musée de Sèvres (inv. 5273).

151 SEAU À GLACE. Fond bleu céleste, décor polychrome et or. S.d. (vers 1767/1770). H. 20,5, larg. 22. Sans marque. Waddesdon Manor, coll. Rothschild (cat. nº 77).
Le seau à glace, importante pièce d'un service de table complet, se compose de trois parties: le seau proprement dit, porté sur des pieds très courts et garni d'anses, une cuvette peu profonde s'emboîtant à l'intérieur et un couvercle à haut rebord muni d'une prise élevée. Par cette disposition, on peut maintenir au frais, entre deux lits de glace, un mets placé dans la cuvette intérieure dite «écuelle». L'inventaire du 1er octobre 1759 signale un moule et un modèle de «seau à glace 2e et écuelle pour le dit». Dans le service aux rubans verts offert par Louis XV à l'impératrice Marie-Thérèse en décembre 1758 (voir fig. 90), se trouvait: «1 seaux à glaces 432 l.» Rien ne précise sa grandeur. Dans les services d'apparat livrés par la suite, on en relève au moins une paire et parfois deux. Le service commandé par Catherine II de Russie en comptait dix (voir fig. 223).

---

152 VASE BOUTEILLE (d'une paire). Fond bleu nouveau, décor polychrome et or. 1767. H. 43. Marque peinte n° 1 (O); Dodin. San Marino, Henry E. Huntington Library.

Aucun indice dans les archives de Sèvres ne permet de reconnaître cette forme parmi les rares «vases bouteille ou flacons» livrés dans les années 1767/1775. Les exemples analogues appartenant soit à la collection royale britannique (Laking, n° 41), soit signalés dans l'ancienne collection Adolphe de Rothschild par Garnier (pl. 6 et 30), tous en fond bleu foncé, ne sont pas datés. Une paire plus petite, présentant de légères différences, provenant de l'ancienne collection Lionel de Rothschild, est passée en vente à Londres le 4 juillet 1946 (Christie's, cat. n° 86). Le sujet peint dans le cartel de ce vase-ci copie une gravure de Gaillard d'après un tableau de Boucher: *L'Agréable Leçon,* exposé au Salon de 1748, dans une suite de quatre pastorales. L'inspiration était tirée d'un ballet-pantomime de Favart: *La Vallée de Montmorency,* qui influença de nombreuses manufactures de porcelaine européennes (voir Zick, 1965). Depuis 1752, la Manufacture de Vincennes, sous le titre du «fluteur Boucher», éditait un groupe en biscuit, se référant aux mêmes sources.

---

153 VASE RUCHE (d'une paire). Blanc et or. S.d. (vers 1768/1769). H. 24,8, Sans marque. Cambridge, Fitzwilliam Museum (inv. C 3 A & B-1955).

Deux modèles de ruches en plâtre, publiés par Troude (pl. 86), survivent dans le magasin de la Manufacture de Sèvres. De construction très différente, ces deux spécimens sont simplement désignés par les numéros 1 et 2. La paire de «vases ruche n° 1» du Musée de Cambridge est absolument semblable au modèle. Cette pièce simule un travail de vannerie. La porcelaine blanche est dorée sur les bandes verticales, les épis de blé et la section des brins de paille imitant une toiture en chaume qui constitue le couvercle; la prise aussi emprunte les mêmes éléments tordus sur eux-mêmes. Dans l'inventaire du 1.1.1769 sont enregistrés, en biscuit prêts à être mis en couverte: «2 ruches et leurs bazes 48/96 l.» Une mention de livraison en décembre 1769 pourrait se rapporter à ces vases: «à Monsgr le duc de Praslin 2 vazes en ruches 240/480 l.» (Vy. 4 f° 193).

---

154 VASES ÉTRUSQUES À CARTELS. Fond bleu nouveau, décor polychrome et or. S.d. (vers 1768). H. 40, ∅ 18. Sans marque. Paris, Louvre (inv. OA. 10256/10257).

Cette forme ovoïde, à goulot bas rétréci et se retournant partiellement pour constituer les anses, publiée par Troude (pl. 105), a été signalée au XIXe siècle «en plâtre à ornements en cire». Dans l'inventaire des moules nouveaux et modèles du 1.1.1769 figure «1 vaze etrusque 2e». La première mention de livraison ne parait qu'en 1772: «au Roi, à Versailles, 2 vases bleu céleste étrusques arabesques en or 240/480 l.» (Vy. 5 f° 41). Les deux vases du Louvre ne sont pas datés par la marque habituelle, mais, dans la scène de bivouac où un militaire courtise une jeune femme, on peut, sur un pichet, lire la date plausible «1768». Sur un exemplaire en fond vert de l'ancienne collection Hodgkins (cat. n° 38), actuellement à la Walters Art Gallery de Baltimore, on observe une inscription «1768» sur le fond d'un tonneau. Même remarque est possible sur une paire vendue à Londres (Christie's, 6.12.1960, n° 68) où la date «1769» correspond à la lettre-date de la marque. Ce curieux phénomène a été constaté plusieurs fois sur la même forme.

155 TASSE À LAIT À DEUX ANSES ET SA SOUCOUPE. Fond bleu céleste, décor polychrome et or. 1768. Tasse: H. 13; soucoupe: ∅ 18,7. Marque peinte nº 1 (P); Boulanger et Fallot (?). Paris, Petit Palais (inv. Tuck 123).

Cette grande tasse à déjeuner correspond au «goblet à lait» dont la Manufacture de Sèvres conserve plusieurs dessins et moules, mentionnés en quatre grandeurs depuis 1752. Presque tous ces modèles comportent un couvercle et deux anses; certains sont unis, comme cet exemplaire-ci, d'autres à reliefs, gravés ou à côtes. Cette tasse conique, fort simple, est de très grande taille et pour cette raison mériterait peut-être d'être assimilée au «gobelet à laict de chopine» cité dans l'inventaire de 1752, parmi une liste de quatorze appellations différentes difficiles à discriminer. En 1768, une partie des formes primitives survivaient. Celle-ci en est un bel exemple par ses couleurs, la qualité de ses fleurs peintes, le décor d'or et la jolie fleur en ronde bosse qui coiffe le couvercle.

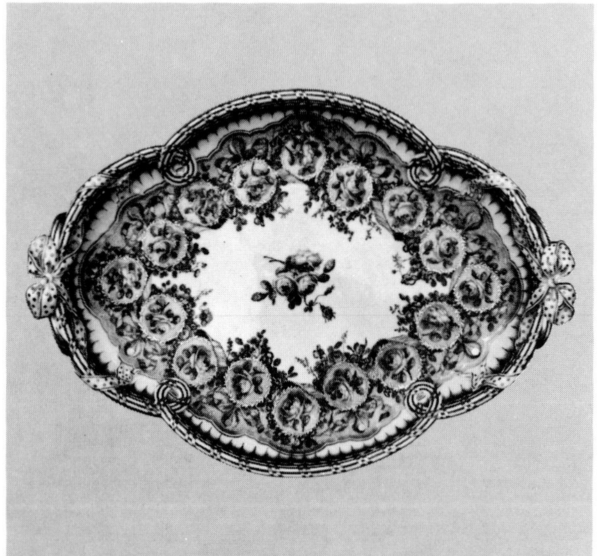

156 PLATEAU OVALE POLYLOBÉ. Fond blanc, décor polychrome et or. 1768. Long. 38,2, larg. 26,2. Marque peinte nº 1 (P); Méreaud jeune; en creux, nº 48. Waddesdon Manor, coll. Rothschild (cat. nº 84).

Les innombrables mentions de «platteaux» les plus divers sont trop vagues pour permettre de les différencier. Leur figure générale donnait le nom aux déjeuners «triangle, losange», etc. Ce plateau s'inscrit dans un ovale à contour trilobé. Le bord mouluré qui forme des boucles sur lui-même est souligné par une dentelure en léger relief marqué d'un peigné. Un nœud de ruban ponctué d'or s'attache à chaque extrémité sur une anse à peine saillante. Ce modèle a été maintes fois répété, en porcelaine tendre et dure. Il a notamment été choisi pour le déjeuner aux armes de Paul Petrovitch, conservé au Musée de Sèvres (inv. 5273). Le type d'ornementation en petites roses isolées, peintes dans de larges pastilles réservées dans le fond, a été interprété de diverses manières, notamment pour des vases à monter en fond uni vert ou bleu. Le contrefond ponctué et sillonné de rubans visible ici correspond peut-être à un paiement «en extraordinaire» à Méreaud jeune en 1768 pour avoir «fait en rozes entourées de rubans le fonds d'étoffes riches». Et Drand, la même année, a contribué à «sabler en or les rozes faites» sur diverses pièces (F. 10).

157 MORTIER. Fond bleu céleste, décor polychrome et or. 1768. H. 17,2. Marque peinte nº 1 (P); Pierre jeune. Waddesdon Manor, coll. Rothschild (cat. nº 83).

Le mortier, au XVIIIe s., était l'accessoire habituel du bol à punch inclus dans de riches services de table. Il se caractérise par sa forme ronde, ses parois verticales et un rebord approchant de l'horizontale. Des moules de «mortiers gravés» sont déjà inventoriés en 1752 et, au 1.1.1755, «3 mortiers à punch 30/90 l.» sont comptabilisés au magasin de blanc. Les pièces les plus coûteuses d'un service, après le «pot-à-oille et son plateau», sont la «jatte à punch et mortier». Presque tous les services d'apparat en comportaient deux, témoin le service du cardinal prince Louis de Rohan (Vy.5 fº 33 vº). Cependant, des «jattes à punch et mortier» indépendants étaient acquis par les marchands, comme Mme Lair, pendant les six premiers mois de 1768 et même par Bachelier qui revendait des pièces de porcelaine en bénéficiant de la même remise de 9% que les marchands. Par ailleurs, une «jatte à punch et mortier, fleurs, 240 l.», était livrée à Mgr le Duc de Choiseul en 1769. Les mêmes pièces dans le service de Mme Du Barry atteignaient 600 l.

158 POT DE CHAMBRE OVALE. Fond blanc, décor polychrome et or. 1768. H. 11, long. 22,5. Marque peinte nº 1 (P); Levé; en creux, nº 49. MNCS (inv. 13216).

Des «pots de nuit» de différentes façons sont inscrits dans l'inventaire des moules de 1752 et simultanément paraissent des «pots de chambre ovales à 10 l.» parmi les pièces en couverte cuite. Les livraisons se répètent tout au long du XVIIIe s. Dans le «livre-journal» de Lazare Duvaux (Courajod, II, nº 1220), le 20 septembre 1752: «S.M. le Roy. Posé au pavillon de Verrières ... 4 pots de chambre de Vincennes ovales, en blanc et bleu, 96 l.» Vers la fin du siècle, la forme n'est pas toujours précisée. Le nom de «bourdaloue» pour désigner ce genre d'objet semble remonter au milieu du XVIIIe s. P. Verlet a signalé la mention de pots de chambre en faïence «à la Bourdaloue» dans un inventaire fait en 1742 à l'Hôtel Titon Faubourg Saint-Antoine (cité par A. Pecker, 1958, p. 128). Cet exemple-ci est de la plus belle qualité de porcelaine de Sèvres imaginable. Le large ruban bleu foncé, chargé d'une série de motifs dorés et bordé d'un large filet bruni à l'effet, décrit des boucles qui s'inscrivent harmonieusement dans la forme.

---

159 VASE FIL ET RUBAN (OVOÏDE). Fond bleu nouveau, décor polychrome et or. 1768. H. 33,7, larg. 21,6. Marque peinte en or, nº 1 (P). Londres, The Wallace Collection (inv. XXV. c. 34).

La forme en plâtre de ce vase a été enregistrée et signalée en deux grandeurs dans l'inventaire fait au XIXe s. Troude (pl. 113) l'a aussi publié sous le nom de «vase fil et ruban» qui ne se rencontre pas au siècle précédent. La forme ovoïde à col cintré s'achève, sous le couvercle bombé uni, par une couronne simulant un ruban torsadé autour de fines baguettes qui lui a peut-être valu sa dénomination. Le profil général classe ce vase dans le même groupe que le «vase Duplessis à côtes» dont les anses sont de même dessin (voir pl. XIX) et le «vase à consoles» (voir pl. XLII). Les divers exemplaires connus correspondent effectivement à deux tailles et celui-ci à la plus petite. Il a le mérite exceptionnel d'être daté. Dans son fond bleu nouveau entièrement caillouté d'or est réservé un large cartel ovale suivant la ligne du profil. La scène peinte en coloris représente un groupe de musiciens, emprunté à la comédie italienne, peut-être par l'intermédiaire d'une gravure d'après Watteau.

---

160 VASE À COLONNE. Fond bleu nouveau et blanc, décor d'or. 1768. H. 55, Ø 21,3. Marque peinte nº 1 (P); en creux, nº 44. Londres, The Wallace Collection (inv. XII Lon. 181).

Un dessin conservé à la Manufacture de Sèvres a été enregistré au XIXe s. sous le nom de «vase grec à colonne». Il donne scrupuleusement le profil de cette urne basse surmontée d'une haute colonne cannelée et indique les parties en relief et en creux. Garnier (pl. 37) l'a appelé «vase à col cylindrique et à canaux». On remarque l'apparition dans l'inventaire du 1.1.1768 de «moules nouveaux et modèle d'un vase à colonnes» susceptible de correspondre, étant donné la concordance de date, à ce modèle-ci. Le qualificatif «grec», appliqué probablement au XIXe s. à des formes du siècle précédent, concerne un ensemble de vases, à profils différents, ornés d'une grecque en relief, par exemple le «vase grec à festons» (voir fig. 131) et le «vase cornet» (voir fig. 132). On remarque aussi, sur ces types de vases, l'abondance des éléments empruntés à la grammaire décorative classique, spécialement les cannelures et les postes.

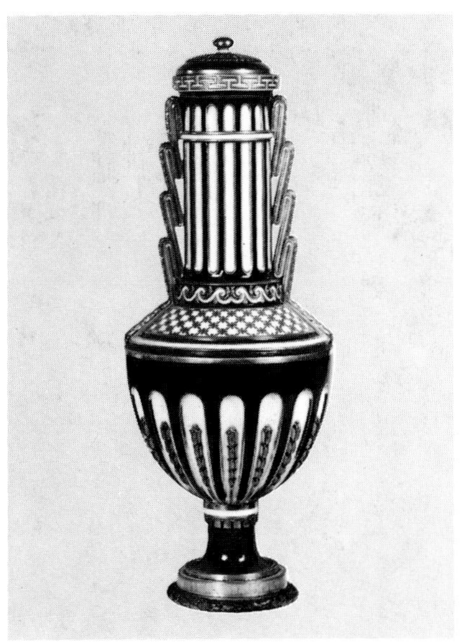

161 CAISSE À FLEURS CARRÉE (d'une paire). Fond bleu céleste, décor polychrome et or. 1769. H. 14,5, larg. 11. Marque peinte nº 1 (Q); Asselin. New York, The Frick Collection (inv. 34.9.33).

La forme de cette «caisse carrée» simule quatre plaques appliquées sur quatre montants de section elliptique, formant les pieds et surmontés de boutons. Dans l'inventaire du 1.1.1766 paraissent des «moules nouveaux et modèle» de «caisses 2e gr. à angles arrondis» qui correspondent probablement à ce type spécial peu répandu. Une paire, datée 1766, se trouve au Musée Ile-de-France à Saint-Jean-Cap-Ferrat. Sur celle-ci, datée 1769, une réserve ovale, ménagée dans le fond bleu céleste, contient, sur une face, un amour porté par un nuage et, sur chacune des trois autres, des trophées variés. Le peintre Asselin, en 1769, reçut 245 l. pour «travaux extraordinaires»: «avoir peint sur diverses pièces des enfans en camaieu et en coloris, médaillons etc.» (F.11). La vogue des «caisses carrées» dura des origines de la Manufacture de Vincennes à la fin du règne de Louis XVI. Elles étaient encore assez appréciées en 1782 pour être comprises parmi les pièces choisies par le prince Bariatinski pour le comte et la comtesse du Nord: «2 caisses fond vert 120/240 l.» (Vy.8 fº 181).

162 VASE À BANDES (d'une paire). Fond bleu foncé, décor polychrome, en grisaille et en or. 1769. H. 42,5. Marque peinte nº 1 (Q); Méreaud jeune; en creux, nºs 34 et 47. Waddesdon Manor, coll. Rothschild (cat. nº 86B).

Cette forme a été enregistrée au XIXe s. et publiée par Troude (pl. 108) sous ce nom. C'est un exemple, entre autres, d'un type de vase baptisé d'après les ornements sculptés qui le garnissent. Le «vase à bandes» est, en réalité, une version du «vase Falconet de côté» (voir fig. 173) habillé de bandes verticales de cuir boutonnées, roulées sous le col, accompagnées de chutes de feuilles de chêne et glands issues de la dernière boutonnière des bandes. Le col cannelé rappelle la tendance néo-classique fréquente sur les créations de Falconet. La première mention de «vase à bandes» en 1re et 2e gr. figure dans l'inventaire des moules et modèles nouveaux du 1.1.1770. Celui-ci, daté 1769, est donc un des premiers réalisés en 1re gr. dans ces moules. Son décor spécial est assorti à celui du «vase console» (voir pl. XLII). A Versailles, en fin 1773, on livre «à Monseigr le comte de Provence ... 2 vases à bandes 360/720 l.» (Vy. 5 fº 134 vº). Parmi les exemplaires connus, on peut citer ceux de la collection royale britannique, en 1re gr. et, en taille inférieure, ceux de la donation Kress au Metropolitan Museum of Art de New York.

163 VASE À PALMES (d'une paire). Fond bleu foncé, décor polychrome, en grisaille et en or. 1769. H. 41,5. Marque peinte nº 1. Waddesdon Manor, coll. Rothschild (cat. nº 86C).

Dans l'inventaire du 1.1.1769, des moules nouveaux et le modèle du «vase à palmes en relief» sont inscrits ainsi que «2 vases à palmes montantes en biscuit prêts à être mis en couverte 60/120 l.». Le modèle en plâtre, enregistré au XIXe s. sous son nom original, est signalé avec des ornements en cire qui ont disparu. Les palmes en relief existent sur le modèle survivant. Le décor spécial de cette pièce, qui fait partie d'une garniture de cinq ayant pour centre le «vase console» (voir pl. XLII), permet de le retrouver dans les «travaux extraordinaires» de 1769: «Le Sr Genest ... 2 idem [vases] à palmes à 4 têtes 6/12 l.» Dans le même document, Bertrand, peintre de fleurs, est mentionné pour avoir peint diverses pièces «en fleurs incrustées sur le fond bleu» (F.11). D'autres vases empruntent un décor similaire (voir ci-dessous). P. Verlet a suggéré que la série exceptionnelle de vases de formes variées, assortis par la couleur de fond et le principe du décor, pourrait avoir été livrée au roi en décembre 1769, au nombre de douze, sous le nom vague de «vases d'ornement» d'une valeur de 432 à 720 l.

164 VASES CHINOIS (?). Fond bleu foncé, décor polychrome, en grisaille et en or. 1769. H. 48,6 et 47,6 (sans socle), larg. 18,8. Marque peinte n° 1 (Q); Micaud. Londres, The Wallace Collection (inv. I.18/19).

Il est embarrassant de choisir un nom général à cette forme qui semble en avoir reçu plusieurs dès l'origine. Au 1.1.1769, des «moules nouveaux et 2 modèles de vases chinois en 2e et 3e gr.» sont enregistrés et la 1re gr. l'année suivante. Le modèle en plâtre survivant comporte des anses à têtes de Chinois. Plusieurs dessins proposant le même profil en sont dépourvus. L'un d'eux montre le même culot à petites anses angulaires et anneaux que ces vases-ci. Dans les «travaux extraordinaires» de 1769, on peut les reconnaître parmi ceux de Genest: «... 2 vazes idem [à pieds de globes] avec deux médaillons en sacrifice 2 têtes et ornements 46/92 l.» (F.11). Effectivement, le médaillon principal sur la face représente une scène de sacrifice peinte en grisaille, ceux des côtés des têtes en camée clair et au revers des attributs. Les mêmes scènes de sacrifice se retrouvent sur des vases de même forme conservés au Victoria and Albert Museum, collection Jones (n° 149). Par leur décor général, ces vases-ci se rattachent à la série mentionnée ci-dessus. La forme, maintes fois répétée, existe en de nombreuses collections, en porcelaine tendre ou dure.

165 VASE À ANSES TORSES. Fond bleu foncé, décor polychrome, en grisaille et en or. S.d. (vers 1769). H. 35,9, ∅ 14,9. Marque en creux, n° 34. The Wernher Collection, Luton Hoo, Bedfordshire.

En publiant la forme en plâtre survivante de ce vase, Troude (pl. 94) a pris soin d'ajouter «modèle de Bachelier». Nombre de formes lui sont dues, si l'on en croit les mentions variées de «vase Bachelier à anses élevées, tire-bouchon, tortillées» et le paiement de 72 l. qu'il reçut pour «trois modèles en plâtre de vases sans ornements acquis dans le courant de 1765» (I.7). Cet exemplaire est plus dépouillé que le modèle précité, orné d'un cartel rond et de feuilles en relief sur le col, le culot et le pied; les anses et le couvercle sont pareils. Le haut col cylindrique à cannelures en biais rappelle, avec une interprétation différente, les «vases à côtes torses» (voir fig. 142 et 143). Par ses couleurs et son type de décor, ce «vase à anses torses» se rattache à la même série que les vases ci-dessus. Il est même curieux de constater que, pour mieux s'assortir au «vase à palmes», des palmes peintes en trompe l'œil entourent la base du culot. Des vases de cette forme se rencontrent dans les collections américaines, anglaises et françaises.

166 VASE LÉZARD. Fond bleu foncé, décor de camées, polychrome et or. S.d. (vers 1768-1770). H. 38. Marque non visible. Vente à New York, Christie's, 11 novembre 1977, n° 37.

Le modèle en plâtre de ce vase a probablement été enregistré sous ce nom par erreur. L'inventaire du XIXe s. cite, sous la même désignation, une autre forme, voisine de celle du «vase cyprès Furtado» (voir fig. 211), munie d'une anse figurant un lézard grimpant, comme on l'a vu sur une tasse de Vincennes (voir fig. 5). Deux dessins, conservés dans les archives de la Manufacture de Sèvres, concernent ce vase-ci sans esquisser aucun lézard; ils donnent strictement le galbe en faisant varier l'importance du renflement. Des lignes horizontales, situant le collier et la bande ornementale, accusent l'impression de toupie suggérée par cette bouteille très bombée dont la base semble s'introduire dans un support à cannelures encerclées par un collier uni. Le très riche décor du vase utilise des cours d'oves blanches et or, soit en guirlandes auxquelles sont suspendus quatre médaillons en relief peints de têtes en camée, soit en lignes posées sur des rubans entrecroisés. Des cabochons bleu céleste s'enchâssent dans les losanges formés par les rubans. Des guirlandes dorées limitent les parties du fond bleu foncé ponctuées d'or.

167 VASES DANEMARK À CARTELS. Fond vert, décor en grisaille et en or. S.d. (vers 1768/1770). H. 34,2. Marque invisible. Baltimore, The Walters Art Gallery (inv. 48.613).

Enregistré sous ce nom au XIXe s., le modèle en plâtre survivant de cette forme ovoïde a été publié par Troude (pl. 97). Des moules nouveaux de «vase Danemark à cartouches de relief» figurent dans l'inventaire du 1.1.1765 où «9 vases danois» sont signalés au magasin de blanc. Parallèlement, dans un défournement de couverte du 30 décembre 1764 paraissent «4 vases danois» (I.F. ms. 5675) et, au 1.1.1766, «6 vases Danemarck à ance» existent en biscuit prêts à être mis en couverte. Les cartels de ces vases, effectivement en relief, sont attachés par une bande à anneaux passant sous les anses. Il paraît raisonnable de dater la forme de 1764 environ. Toutefois, les sujets de la face et les trophées en grisaille du revers pourraient repousser ces exemplaires-ci vers 1768/1770. La peinture en grisaille représente un sacrifice à Pomone sur un vase et à Flore sur l'autre, allégories aux saisons, qui ne sont pas sans ressemblance avec les «médaillons en sacrifice» ornant les «vases chinois ou à pied de globe» de la Wallace Collection datés 1769 (voir fig. 164).

168 VASE BACHELIER RECTIFIÉ (d'une paire). Fond bleu foncé, décor d'or. 1769. H. 45, larg. 24. Marque peinte nº 1, avec inscription «1769»; en creux, nº 17. Londres, The Wallace Collection (inv. I.21/22).

Cette forme, enregistrée au XIXe s. sous le nom de «vase Bachelier rectifié», existe encore, dépouillée de ses anses, au magasin des modèles. Deux dessins anciens en proposent le profil en deux grandeurs. L'inventaire du 1.1.1766, outre la mention de paiement fait à Bachelier pour fourniture de trois modèles de «vazes sans ornements», signale des moules nouveaux de trois «vazes Bachelier» dont un «rond à 2 anses élevées» pourrait être identifié avec ce vase-ci. Cette forme a été exécutée en trois grandeurs. Parmi les exemplaires connus en 1re gr., rappelons la paire de la collection Swan (voir pl. L) et deux paires qui ont fait partie de la vente faite à Mentmore, le 24 mai 1977 (Sotheby's, cat. nos 2081 et 2082); l'une était datée 1767. L'inventaire du 1.1.1769 signale les moules nouveaux du «vaze Bachelier à anses élevées 2e et 3e gr.». Il est donc normal que des vases de la taille de ceux-ci, en 2e gr., qui se situent entre ceux de Boston et ceux de Waddesdon Manor plus petits (voir fig. 198), ne puissent être datés avant 1768 au plus tôt. Leur riche décor d'or se retrouve sur d'autres formes.

169 VASES CANNELÉS À BANDEAU. Fond bleu céleste, décor polychrome et or. S.d. (vers 1770). H. 35. Marque en creux, nº 47. New York, Met. Museum, Kress Collection (inv. 68.75.116/117).

Le modèle de cette forme n'a pas survécu au XIXe s. où il a été enregistré et publié par Troude (pl. 99) sous le nom de «vase tulipe». Aucune mention du XVIIIe s. ne confirme cette appellation. De nombreux «vases cannelés» figurent dans les inventaires de matériel depuis 1755 jusqu'en 1770, sans indice permettant de les différencier. A partir des environs de 1768, bien des vases comportent des colonnes ou fragments de colonnes cannelées. De fait, l'inventaire du 1.1.1768 signale des moules nouveaux et un modèle «du vase à colonnes cannelées», sans préciser lequel. La majorité des exemplaires connus de cette forme ne sont pas datés. Un seul, d'une paire, conservé au Musée Condé à Chantilly, porte la lettre-date «Q» de 1769; de plus, son décor l'associe à la série évoquée ci-dessus (voir fig. 162-165) et aux travaux de Genest en cette année-là. Ces exemplaires-ci, par leur fond bleu céleste et leurs décors de pastorales d'après Boucher, s'apparentent aux pièces antérieures, mais contrastent avec elles par leur forme toute empreinte de néo-classicisme.

170 PLATEAU LOSANGE. Fond blanc uni ou ponctué, décor polychrome et or. 1769. Long. 37,7, larg. 27,7. Marque peinte nº 1 (Q); Méreaud jeune. Waddesdon Manor, coll. Rothschild (cat. nº 85).

Un plateau en losange, conservé dans le magasin de la Manufacture de Sèvres, bien que très mutilé, conserve le souvenir de deux versions de cette forme. A l'une de ses extrémités seulement, on reconnaît le motif de charpente qui constitue l'anse et maintient, en apparence, le travail de perforation qui laisse subsister des fleurons végétaux alternés. Les bâtons rompus dessinant des chevrons contrastent, par leur rigidité, avec la ligne souple, légèrement ondulée, du pourtour. La forme de cet exemplaire est exactement semblable à celle du plateau du «déjeuner losange» (voir fig. 133). Le décor, très différent, est de type analogue à celui du plateau polylobé, daté 1768, de la même collection (voir fig. 156), mais un peu simplifié. Dans le fond ponctué d'or, seule une réserve ronde sur deux est garnie d'une petite rose et les rubans noués sont moins abondants. Parmi les travaux «en extraordinaire» de Méreaud jeune en 1769 sont signalés des décors «en rozes détachées» (F. 11).

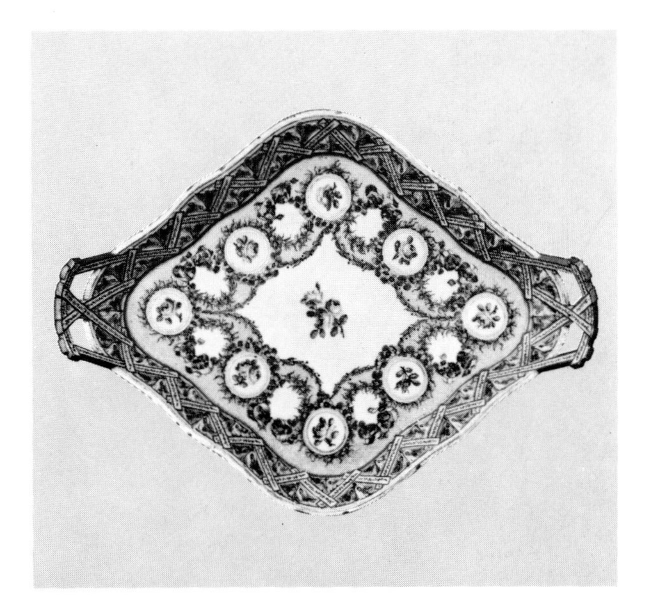

---

171 VASE DE MILIEU. Fond bleu foncé et blanc, décor d'or. S.d. (vers 1770). H. 25, larg. 30. Sans marque. Paris, Musée Jacquemart-André (inv. 1178bis).

Enregistrée au XIXe s. sous ce nom incomplet, cette forme basse et lourde est signalée dans l'inventaire des modèles «à reliefs en cire». C'est le cas d'un certain nombre de prototypes ornés de reliefs délicats qui ont le plus souvent disparu, mais ici rien n'a survécu. Si l'on se reporte aux différents vases dits «grec à festons, à colonne, à ornements» (voir fig. 131, 160, 236), celui-ci, bien que dépourvu de «grecque», présente une certaine parenté d'inspiration. La plupart du temps, ces vases ne sont pas datés. Il semble qu'il faille les situer, sous toute réserve, dans une décade ayant pour centre 1770. Les éléments néo-classiques abondent et une grande recherche préside à tous les détails, qu'il s'agisse du motif en flèche séparant les godrons blancs du pied, du sablé d'or des cannelures du culot, des oppositions de bleu et d'or et du point blanc des rosaces de la ceinture, jusqu'au support cylindrique bleu vermiculé d'or qui soutient le couvercle. Garnier (pl. 27) a reproduit un exemplaire de cette même forme en fond bleu céleste appartenant à la collection royale britannique. Elle existe aussi dans la Wallace Collection.

---

172 VASE DE MILIEU FALCONET. Fond bleu foncé, blanc et décor d'or. S.d. (vers 1770/1780). H. env. 35. Anc. coll. Lecomte-Ullmann.

Baptisé de ce nom au XIXe s. et reproduit par Troude (pl. 110), le modèle en plâtre existe encore. Il évoque le style d'ornemanistes tels Delafosse ou Petitot. Bien que l'on soit fort mal renseigné sur les formes inventées à Sèvres par Falconet, on sait cependant qu'il en créait de nouvelles dès 1763 (voir Eriksen, 1968, p. 176), et qu'il était influencé par le néo-classicisme alors en vogue. De nombreuses formes de vases empruntent une colonne plus ou moins élevée. Ici, c'est une combinaison de cassolette et de colonne cannelée, avec addition d'anses angulaires, décorée en relief d'un cours de postes à la ceinture et ornée de lourdes guirlandes. L'allure pompeuse de cette pièce est renforcée par les oppositions de parties blanches et bleues et la dorure en plein des guirlandes imitant le bronze. Le décor peint se résume à une petite frise précise d'un dessin sans caractère spécial.

173 VASES FALCONET DE CÔTÉ. Fond bleu foncé, reliefs blancs et décor d'or. H. 42,5. Baltimore, The Walters Art Gallery (inv. 48.561).

Enregistré sous ce nom au XIXe s. et publié par Troude (pl. 92), le modèle en plâtre de cette forme, sans les anses mais avec des cannelures au col et sur le couvercle, existe encore dans le magasin de la Manufacture de Sèvres. Rien ne semble s'opposer à ce que Falconet en ait été l'inventeur comme pour d'autres formes généralement pourvues de cannelures. Ce détail n'a pas été retenu à l'exécution. Il a persisté pour la réalisation des «vases à bandes» (voir fig. 162) dont la forme de base est semblable à celle-ci. Un vase de même forme que ces exemplaires-ci, non daté, en fond bleu céleste, décoré d'une peinture mettant en scène Vénus et l'Amour, se trouve à Florence, au Palais Pitti. S. Eriksen (1973, p. 89) le situe avec vraisemblance dans les années 1770/1775, mais, s'il admet que Falconet soit l'auteur de la forme elle-même, il s'étonne que le sculpteur, témoignant de tant de goût par ailleurs, lui ait ajouté des têtes de satyres aussi disproportionnées.

174 VASES GOBELET DUPLESSIS. Fond vert, décor blanc, polychrome et or. S.d. (vers 1770/1780). H. 42, ∅ 21,6. Marque invisible. Londres, Victoria and Albert Museum, coll. Jones (cat. nº 142).

Enregistrée sous ce nom au XIXe s. et publiée par Troude (pl. 93), cette forme n'a sans doute pas été désignée ainsi au siècle précédent. Un rapprochement avec les moules et modèle nouveaux du «vase gobelet monté», estimés respectivement 48 et 168 l. dans l'inventaire du 1.1.1761, n'est pas à rejeter à priori mais, faute d'indication complémentaire, reste pure hypothèse. L'architecture de cette curieuse forme révèle une imagination stimulée par les ouvrages, publiés après 1750, qui ont fourni aux orfèvres, bronziers et artistes divers, une profusion d'idées pour construire et orner des modèles en réaction contre les lignes tourmentées rocaille. S'il faut ici retenir le nom de «Duplessis», il est clair qu'il désigne le fils, ardent promoteur d'éléments néo-classiques comme les frettes qui soutiennent le bord du gobelet. Au-dessus, l'effet de tissu cloqué retenu par un ruban croisé n'en paraît que plus étrange. Le thème des peintures des cartels, l'Amour vainqueur et l'Amour vaincu, a été traité différemment sur des vases «à serpents Leriche» datés 1787 (voir fig. 269). Tel qu'il est représenté ici, l'Amour vainqueur figure sur une tasse de la même collection.

175 VASE À ANSES CARRÉES. Fond vert et blanc, décor polychrome et or. S.d. (vers 1768/1775). H. 37, ∅ 22. Marque peinte nº 1. Paris, Louvre (inv. OA. 10197).

Ce nom de vase figure dans les archives de Sèvres depuis 1768 où, parmi les «travaux extraordinaires»: «le Sr Cuvillier met en fond bleu un grand vase à anse quarrée, 18 l.» (F. 10). Des moules nouveaux et le modèle du «vaze à ances quarrés» sont inscrits dans l'inventaire du 1.1.1771. Le modèle en plâtre existant a été enregistré de même au XIXe s. Cette persistance permet de supposer qu'il s'agit de la même forme cylindrique à bandeau saillant, porté par un culot à nervures et godrons en relief; un large col évasé, alourdi par une moulure en quart de rond, soutient un couvercle bombé à profil de cloche; une guirlande de feuilles s'accroche aux anses angulaires. Des amours dans un paysage agrémentent le cartel allongé. On est incité à rapprocher cette pièce à fond vert d'une livraison, en décembre 1773 «à Madame Victoire 2 vases anses quarrés 432/864 l.» (Vy. 5 fº 134). Cette princesse avait une prédilection pour la couleur verte. Un vase de même forme, plus grand, a fait partie de la collection Chappey (voir: *Les Arts,* février 1905, p. 10); d'autres, de même taille que celui-ci, se trouvent à la Walters Art Gallery de Baltimore et dans la collection royale britannique.

176 VASE BACHELIER À ANSES ET À COURONNES. Fond bleu foncé et blanc, décor polychrome et or. S.d. (vers 1765/1775.). H. 47, ∅ 17,5. Londres, Victoria and Albert Museum, coll. Jones (cat. nº 148).

La forme en plâtre, intitulée ainsi au XIXe s., publiée par Troude (pl. 90), survit en deux grandeurs au magasin des modèles. Deux dessins anciens existent et l'un d'eux est légendé: «vase droit.» Les inventaires citent divers «vases Bachelier». Des moules et modèles nouveaux pour le «vase Bachelier à couronnes» figurent dans celui du 1.1.1767, sans référence aux modèles acquis en 1765 (voir fig. 168). Sur la forme en plâtre, le bandeau supérieur porte une frise d'ondes croisées en relief, éliminées à l'exécution, et le bandeau inférieur des rosettes, remplacées ici par une frise de cannelures. D'autre part, les anses basses ont cédé la place à des anses arrondies encadrant le corps. La moulure supérieure, qui reçoit directement le couvercle, élargit et alourdit la forme générale. Cette impression disparait devant la beauté du décor peint en miniature, digne de Dodin, qui reproduit une gravure de Gaillard d'après un tableau de Boucher: *Jupiter et Callisto.* Une tradition voudrait que ce vase ait fait partie des présents offerts par Louis XVI à Tipoo-Saïb en 1788. Les archives de Sèvres ne la confirment pas.

177 VASES FLACON À RUBANS. Fond beau bleu, décor d'or. S.d. (vers 1770/1775). H. 38. Sans marque. Paris, Louvre (inv. OA. 10258).

Le modèle survivant de cette forme a été enregistré au XIXe s.: «vase bouteille à côtes». En effet, six côtes verticales divisent toute la hauteur de ces vases, se prolongent sur le pied à base lobée et s'achèvent au ras de l'ouverture très rétrécie du sommet. Cependant, l'addition du ruban blanc, ceinturant le haut col et noué en laissant descendre des pans, invite à rapprocher cette forme d'une mention portée dans l'inventaire des moules et modèles du 1.1.1767: «vase flacon 2e ... vase flacon à rubans.» Dans l'inventaire général des pièces trouvées dans la Manufacture, établi en 1774, figurent «2 idem [vases] à rubans beau bleu plein 240/480 l.». Ils pourraient correspondre à une livraison «du 13 dud. [may] 1774. A M. l'Abbé de Breteuil, 2 vases bouteilles rubans fond beau bleu plein 240/480 l.» (Vy. 5 fº 150 vº). L'abbé de Breteuil aimait sans doute ce genre de forme: il avait acquis l'année précédente «1 vase bouteille beau bleu en rebut peint 36 l. et un autre 48 l.» (Vy. 5 fº 71). S'il s'agit de la même forme, on peut supposer qu'elle présentait de grandes difficultés de fabrication.

178 BOÎTE À SAVONNETTE. Fond blanc ponctué d'or, décor polychrome et or. 1770. H. 12, ∅ 9. Marque peinte nº 1 (R); Noël. Paris, Louvre (inv. OA. 8050), legs Georges Heine.

Cette boîte de forme sphérique, ouverte au milieu de la hauteur, est agrémentée au sommet et à la base de godrons en relief. Le bouton du couvercle, rayé de bleu et d'or, cherche à produire le même effet en trompe l'œil. Par comparaison avec des pièces d'orfèvrerie, P. Verlet (1953, p. 214) a révélé sa destination d'objet de toilette parmi lesquels figurent des boîtes à savonnette à parois pleines et à éponge percées de trous. Ces boîtes en porcelaine étaient souvent vendues aux marchands et, au cours du premier semestre de l'année 1770, P. Verlet a noté, achetées par Poirier, «six boëte à eponge ou savonette» aux prix de: 30, 36, 42, 60 et 78 l. Un décor presque semblable, de clochettes bleues et rouges en teintes dégradées et de guirlandes de fleurs sur fond ponctué, se retrouve sur les pièces d'un déjeuner losange qui a également fait partie du legs Georges Heine.

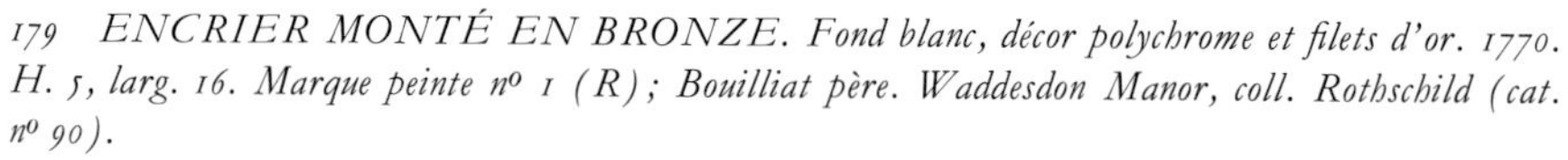

179 ENCRIER MONTÉ EN BRONZE. *Fond blanc, décor polychrome et filets d'or. 1770. H. 5, larg. 16. Marque peinte nº 1 (R); Bouilliat père. Waddesdon Manor, coll. Rothschild (cat. nº 90).*

S. Eriksen (1968, p. 258) a relevé quatre «écritoires Poirier» vendues en 1770/1771 au marchand Poirier aux prix de 48 ou 60 l. Cet encrier-ci a pu en faire partie. Poirier, client assidu de la Manufacture de Sèvres, s'était fait une spécialité d'assumer le montage de plaques de meubles (voir fig. 99). Le nom donné à cet encrier, désigné comme «écritoire», laisse supposer qu'il a été créé pour lui. Celui qu'il vendit à Mme de Pompadour le 28 décembre 1770 pouvait être de ce type: «un petit écritoire à main en porcelaine de France, à petits barbeaux et bordure haut et bas, montée en bronze doré d'or moulu, 192 l.» (voir *Gazette des Beaux-Arts*, septembre 1962, p. 375). La différence de prix était justifiée par la monture. La forme très spéciale est composée de deux parties de porcelaine, celle du dessus formant une sorte de couvercle largement perforé pour laisser place aux divers godets. Le décor est désigné sous le nom de «rozes et myrthes». Un encrier semblable, qui a fait partie de l'ancienne collection J.-P. Morgan (voir Chavagnac, 1910, nº 157), s'est trouvé vendu à New York le 23 avril 1977 (Sotheby's Parke Bernet, nº 43).

180 VASE ŒUF LOUIS XV. *Fond vert et blanc, décor d'or. S.d. (vers 1768/1770). H. (avec socle) 44,2, larg. 22. Sans marque peinte; en creux,* nº 44. *Londres, The Wallace Collection (inv. XII. C. 147).*

Les vases «en œuf» ou «en forme de l'œuf», signalés depuis 1767 dans le matériel de fabrication — moules et modèles —, sont trop incertains pour être identifiés aux types de pièces établies à partir de la forme même de l'œuf. Les mentions de livraisons sont aussi obscures. C'est donc en considérant la pièce, portant en médaillon l'effigie de Louis XV, que l'on peut la situer aux alentours de 1768/1770. Présenté dans une monture basse surélevée par des anses plus hautes, cet œuf vert, garni de guirlandes de feuilles de chêne et glands dorés maintenues par un ruban blanc, est surmonté d'une couronne royale en porcelaine où la fleur de lis a été refaite en métal. Au revers, à la place du profil royal, une pendule au nom de Lepautre a été intégrée. Son cadran (addition postérieure) parait ovalisé par la guirlande qui l'entoure (voir Verlet, 1953, pl. 67). L'effigie de Louis XV provient d'un dessin de Bouchardon, conservé au Cabinet des Dessins du Louvre, qui a servi pour une série de médailles du règne.

181 VASES À BOULONS. *Fond bleu céleste, décor polychrome et or. S.d. (vers 1770?). H. 36,9 et 37,4, larg. 19,1. Marque peinte nº 1; en creux, nº* 41. *Londres, The Wallace Collection (inv. XXV, a, 8/9).*

Le modèle en plâtre survivant de cette forme a été enregistré au XIXe s. sous le nom de «vase à boulon». Sans doute correspond-il aux moules nouveaux du «vase à roulons» et au modèle du «vase à boutons» signalés dans l'inventaire du 1.1.1770. Aucune autre mention ne le désigne sous l'un quelconque de ces noms au cours des années suivantes. Les vases de la Wallace Collection sont les seuls exemples connus de l'auteur. Le décor assez sobre se compose de deux anses formées d'un bouton en saillie soutenant une guirlande de feuilles de laurier. Le fond bleu céleste uni laisse place à de vastes cartels où, sur la face, des amours se livrent à des occupations assez indéfinissables, soit avec un glaive et des flèches, soit avec du matériel maritime n'excluant pas une corne d'abondance d'où s'échappent des pièces de monnaie. Au revers sont peints des trophées appropriés. Rappelons, au sujet de la forme de ces vases, que Troude (pl. 94) a reproduit un «vase Pongon» de ligne très voisine, qui diffère surtout par les anses mais ne fait l'objet d'aucune mention au XVIIIe s.

---

182 VASE À GLANDS. Fond vert, décor polychrome et or. S.d. (vers 1770/1775). H. 43,2, larg. 24,2. Marque peinte en or, nº 1; Vincent; en creux, nºs 25 et 44. Londres, The Wallace Collection (inv. XII. C. 152).

Ce type de vase correspond à une forme enregistrée au XIXe s., non sans raison, sous le nom de «vase à gland», bien que le modèle ne comporte pas cette garniture mais seulement les feuilles d'acanthe en relief de la base du culot. Des moules nouveaux et le modèle du «vase à glands 2e gr.» figurent dans l'inventaire du 1.1.1769, ce qui semble impliquer l'existence antérieure d'une 1re gr. Les exemplaires connus confirment la réalisation en deux tailles, celle-ci étant la plus grande. Dans la vente de la collection du Dr Annella Brown, à New York, le 23 avril 1977 (Sotheby's Parke Bernet, nº 54), a figuré un «vase à glands» daté 1768, décoré en fond bleu spécial et suivant les mêmes techniques que la garniture de cinq vases de formes différentes, conservée à Waddesdon Manor (voir pl. XLII). Ces particularités s'observent sur des pièces datées 1768/1769. Le décor peint dans le cartel représente une scène mythologique: Mars et Vénus. Au revers est figuré un trophée militaire. Le Metropolitan Museum of Art de New York, collection Kress (cat. nº 55a,b), conserve une paire de «vases à glands» en 2e grandeur.

---

183 CASSOLETTE À MÉDAILLONS (posée sur un socle en biscuit). Fond bleu foncé, blanc et décor d'or. S.d. H. (totale) 42; cassolette: H. 18,5, ∅ 20. Sans marque peinte; en creux (dans le biscuit), nº 50. Paris, Louvre (inv. OA. 9588).

Il paraît très difficile de dater cette cassolette, dont le modèle a été publié par Troude (pl. 112). Elle pourrait être antérieure à son support. Les «vases à médaillons», cités dans l'inventaire des moules en 1764, ne sont pas décrits et peuvent concerner d'autres formes. Celle-ci emprunte des éléments à la grammaire ornementale classique, tel le cours d'oves réservé en blanc. Le fond bleu foncé à œils-de-perdix en or, déjà exécuté en 1758 (voir Verlet, 1953, pl. 34/35), est resté longtemps en vogue. On le remarque encore sur le «vase écritoire» daté 1772 (voir fig. 193). D'autres «cassolettes à médaillons» sont conservées à Leningrad, Musée de l'Ermitage, et à Baltimore, Walters Art Gallery (inv. 48.954a,b). Le socle en biscuit qui supporte celle-ci diffère de tous les modèles encore conservés à Sèvres. La marque en creux qu'il porte a été attribuée à Brachard aîné, ce qui semble contestable si l'on préfère l'opinion suggérant de reconnaître le visa de Bachelier (voir Brunet, 1953, p. 24 et 36). L'exécution de ce biscuit est remarquable.

---

184 VASE FLACON À MOUCHOIR (d'une paire). Fond bleu foncé et blanc, décor d'or. S.d. (vers 1765/1775). H. 26,7, larg. 13,3. Marque peinte nº 1 ornée; en creux, nº 34. Londres, The Wallace Collection (inv. XXII, 11).

Enregistrée sous ce nom au XIXe s., cette forme a été publiée par Troude (pl. 95). La Manufacture de Sèvres conserve deux dessins dont un légendé: «flacon de M. Poirier 1775 du 11 juillet, 2 pareille dont 1 fond vers et 1 idem bleu du Roy, en petites roses.» Ce dessin a probablement été établi pour satisfaire une commande de Poirier postérieure à la création du modèle. S. Eriksen (1974, pl. 279) a publié un vase semblable à celui-ci (sans monture), non daté, mais qu'il a de sérieuses raisons de situer vers 1765/1766. Cette forme peut avoir un rapport avec les moules nouveaux et modèle de «vase en flacon 2e» inscrits dans l'inventaire du 1.1.1767. En raison des noms variés donnés, d'un service à l'autre, à la même forme au même moment, on peut rester perplexe devant la nomenclature des vases compris dans une fournée de couverte antérieure à octobre 1768 et préférer identifier ceux-ci aux «3 vases écharpe» plutôt qu'aux «2 vases flaccons» inscrits presque à la suite (I.F. ms. 5675). Le décor en cercles ponctués d'or sur le fond bleu se répète sur l'écharpe blanche rayée.

185 *VASE FLACON À CORDES. Fond bleu céleste, décor polychrome et or. 1771. H. 37. Marque peinte nº 1 (S); Morin. Paris, Petit Palais (inv. Tuck 110).*

Cette forme, dépouillée de tout ornement en relief, enregistrée au XIXe s. sous le nom de «vase à fleurs buire», existe encore dans le magasin des modèles de la Manufacture de Sèvres. Elle a été identifiée par P. Verlet (1954, p. 237) à propos d'une livraison de décembre 1772 «à Mme Victoire 2 vases flacons verd pastoralles 432/864 l.», qu'il a reconnnus dans la collection Kress conservée au Metropolitan Museum of Art de New York (inv. 58.75.68/69). Dans l'inventaire du 1.1.1767, apparaissent des moules et modèles nouveaux de «vase en flacon, en flacon à cordes, en flacon à rubans». Le qualificatif «à cordes» convient à ce type de vase. La date 1771 de cet exemplaire-ci est très normale par rapport à celle de la création du matériel de fabrication. Indépendamment de la beauté du fond bleu céleste et de la qualité parfaite de l'or enrobant les cordes et les anneaux du couvercle, ce vase présente dans le cartel de la face exactement la même «marine» que deux vases «cassolette Bolvry ovale» de la collection royale britannique (voir fig. 188). Hannover (1924, t. II, p. 537) a signalé que cette forme a été copiée par la fabrique de Coalport en Grande-Bretagne.

186 *PLATEAU À DEUX POTS DE CONFITURES. Fond blanc, décor polychrome et or. 1771. Pots: H. 9; plateau: long. 24, larg. 17. Marque peinte nº 1 (S); Tandart. Paris, Petit Palais, coll. Dutuit (inv. 1228/29).*

Les plats et les plateaux ovales peuvent être confondus. Les uns et les autres se rencontrent, sans description, dans les plus anciens inventaires. La forme ovale polylobée à bord mouluré de celui-ci et ses dimensions l'apparentent étroitement à un plat long à rubans verts, daté 1756, du Musée de Sèvres (inv. 16900). On a répété ce modèle pendant tout le XVIIIe s. Il est plus délicat de déterminer quand est venue l'idée d'y fixer deux godets ovoïdes pour en faire un «plateau à deux pots de confitures». Le service bleu lapis caillouté d'or décoré de fleurs, offert par Louis XV au roi de Danemark Christian VII à l'occasion de sa visite à la Manufacture de Sèvres en 1768, comprenait deux fois «2 platteaux à 2 pots de confitures 120/240 l.». C'était un prix égal à celui du «seau à topette» du même service où l'assiette valait 36 l. Par la suite, presque tous les services de dessert comportaient plusieurs «plateaux à deux pots de confitures».

187 *PIÈCES DU SERVICE DE MADAME DU BARRY. Fond blanc, décor de cassolettes bleues, guirlandes polychromes et or. 1771. Assiette creuse: ∅ 24; coquetier: H. 4,3, ∅ 4,8; salière triple: H. 8,5, larg. 10,5. Marques peintes nº 1 (S). MNCS (inv. 23245), legs Forsyth Wickes; (inv. 22618), don anonyme; (inv. 16489), legs Papillon.*

Le service fut exécuté à l'époque où s'affirmait la faveur de Mme Du Barry. Les formes utilisées existaient, mais le décor fut créé pour elle. Plusieurs modèles furent envisagés; la Bibliothèque de l'Institut de France conserve un dessin d'Augustin de Saint-Aubin portant l'inscription: «Projet d'un service pour être exécuté à Sèvres pour Madame Du Barry 1770.» Les archives de la Manufacture en possèdent un fac-similé, ainsi que plusieurs dessins originaux du même auteur; sur l'un d'eux, dans une frise d'amours et de guirlandes sinueuses, des tambourins portent le chiffre DB (voir Préaud, 1970). Livré le 29 août 1771, le service de Mme Du Barry comprenait trois cent vingt-deux pièces d'un prix total de 21438 l. Chaque assiette marquée, comme les pièces principales, d'un chiffre: D en or et B en fleurs, valait 42 l. et chaque salière en trois parties 48 l. Les coquetiers, livrés ultérieurement, atteignaient 9 l. (Vy. 5 fº 17; Vy. 8 fº 176; Vy. 9 fº 124 vº).

188 CASSOLETTE BOLVRY OVALE. Fond bleu foncé, décor polychrome et or. S.d. (vers 1771). H. 21, long. 29, larg. 17,7. Marque peinte n° 1; en creux, n° 51. Collection royale britannique (Laking, n° 87).

Le modèle de cette pièce a été enregistré au XIXe s. sous le nom de «cassolette Bolvry ovale». Un dessin, sans commentaire, correspond aux dimensions de la forme en plâtre: H. 18 cm, long. 26 cm. Ces mesures, inférieures à celles de cet exemplaire-ci, laissent supposer la réalisation de deux grandeurs. L'hypothèse est aussi appuyée par l'existence au Musée de Sèvres d'une cassolette analogue, en porcelaine dure, qui, sans couvercle, n'a que 15 cm de haut. Des moules et un modèle de «pot-pourri ovale uni» sont signalés dans l'inventaire du 1.1.1766 et, dans celui de 1767, les mêmes pièces en blanc sont estimées 42 l. Cependant, s'il s'agit réellement du même type de forme, on constate que «4 pots-pourris ovales» en biscuit prêts à être mis en couverte sont comptabilisés pour 60/240 l., peut-être étaient-ils plus grands? Charles-François Bolvry, repareur à partir de 1754, devint modeleur en 1769 puis chef des repareurs et tourneurs de 1774 à 1806. Il fut attaché à l'atelier de pâte dure et créa diverses formes. Cette pièce, qui porte son nom, est décorée de la même scène marine que le «vase flacon à cordes» ci-dessus.

---

189 VASE BOUC À RAISINS (d'une paire). Fond bleu foncé, reliefs blancs, décor polychrome et or. S.d. (vers 1770/1780). H. 35. Sans marque peinte; en creux, nos 34 et 22. Waddesdon Manor, coll. Rothschild (cat. n° 99).

C'est sous ce nom que le modèle de ce vase, publié par Troude (pl. 105), a été enregistré au XIXe s. Il ne semble pas avoir été désigné ainsi au siècle précédent. Des moules et modèles «a têtes de bouc» sont maintes fois signalés depuis 1762, sans qu'il soit possible d'imaginer les formes. Dans deux fournées successives de pièces en couverte de l'année 1767, on remarque des «vazes à boucs» et des «vazes à raisins» (I.F. ms. 5675). Aucun élément n'apporte de certitude sur la date d'exécution de ces vases dont le contour légèrement sinueux s'élargit au maximum aux deux tiers environ de la hauteur. Il disparait sous une profusion de détails en relief habilement dorés en plein ou simplement rehaussés. L'expression réaliste des têtes de boucs est bien différente de celle qui se voit sur le «vase à têtes de boucs» conservé dans la même collection (voir pl. XXIX). La bacchante accompagnée d'un amour, peinte dans le cartel, reste dans le style de Boucher, qui a interprété le sujet.

---

190 VASE BALLON (?). Fond bleu foncé, décor polychrome et or. S.d. (vers 1772/1775). H. 32. Anc. coll. James de Rothschild (vente Paris, Palais Galliéra, 1.12.1966, n° 33).

Aucun modèle de cette forme ne survit. Malgré plusieurs dessins apparentés et leurs inscriptions dont: «vase forme ronde à monter de M. de Gramont ce corps et couvercle seulement» et autres esquisses plus complètes en plusieurs tailles sans légende, on ne sait comment nommer ce type de vase. Parmi les moules nouveaux et modèles, inventoriés au 1.1.1767, on relève: «vase Blon» en deux grandeurs. «Vase ballon» peut logiquement désigner cette pièce. En 1773, on livre «à M. Darnaud 1 vase ballon beau bleu caillouté d'or 360 l.» (Vy. 5 f° 79) et en 1790, au duc de Gramont, plusieurs «vases ballon», dont un à 600 l. (Vy. 11 f° 32 v° et 63 v°). On pourrait aussi rapprocher cette forme d'un autre modèle, composé d'une sphère unie posée sur un pied, qualifié: «vase comète» dans l'inventaire du XIXe s. et désigné «vase comette» dans le matériel du 1.1.1769; il n'est connu que par une ancienne photographie. Son nom concorde avec le passage en 1768 de la comète de Halley. L'encolure cannelée perforée et les anses sont assorties à celles du «vase allemand» (voir fig. 130).

191 SUCRIER DE MONSIEUR LE PREMIER. Fond bleu céleste, décor polychrome et or. 1772. H. 12, long. 23,5, larg. 15. Marque effacée. MNCS (inv. 21899[1]).

La forme oblongue de ce sucrier, attenant à son plateau, est signalée sous ce nom dans les services importants où elle alterne avec les mentions «sucriers et plateaux». Elle ne diffère pas de celle des deux éléments indépendants, l'un étant simplement posé dans l'autre. Le couvercle, suivant les cas, comporte ou non une encoche pour livrer passage à la cuiller à sucre. Dans une série de dessins gouachés, émanant de la Manufacture de Sèvres, appartenant au Cooper Union Museum de New York, celui du sucrier correspondant à celui-ci porte l'inscription: «sucrier tenant au plateau dit de Mr le Premier» (inv. 1938.88.8314). Par son décor, ce sucrier se rattache au service de dessert «bleu céleste oiseaux et chiffre» livré au Cardinal Prince de Rohan le 7 septembre 1772 (Vy. 5 f° 33 v°). Huit «sucriers de Mr le Premier à 126/1008 l.» s'y trouvaient inclus. Le chiffre LPR orne le centre des assiettes mais n'apparaît pas sur la majorité des autres pièces.

192 VASE FONTAINE DU BARRY (d'une paire). Fond bleu foncé et blanc, décor d'or. S.d. (vers 1772). H. 42, larg. 25. Sans marque. Collection royale britannique (Laking, nos 111/112).

L'inventaire du 1.1.1772 enregistre des moules nouveaux «du vaze Dubarry à guirlandes 150 l., modèles idem 300 l.». Ces mentions s'accordent avec l'apparence de ce vase-ci dont la Manufacture de Sèvres conserve un dessin légendé: «Tout le vase en bois a 19 pouces 6 lignes ou 234 lignes. Il faut le faire de 275 lignes.» La partie supérieure du dessin manque. Le modèle en plâtre survivant, publié par Troude (pl. 89), a gardé son couvercle, qui manque ici. Ce vase, d'une extrême richesse par les éléments sculptés qui s'y incorporent ou ressortent en forte saillie, s'apparente à divers modèles élargis par un important bandeau ainsi qu'à ceux ornés de cannelures ou de godrons en spirale (voir fig. 165, 143). Les quatre visages humains joliment coiffés et sortant de collerettes froncées font penser à Lancret; ces têtes alternent avec des nœuds de ruban pour retenir des guirlandes de fleurs en festons. Toute cette garniture dorée en plein imite le bronze doré. Des vases de mêmes modèle et dimensions, sans couvercles et en biscuit à reliefs dorés, sont conservés au Museum of Fine Arts de Boston (voir Dauterman, 1969, p. 44).

193 VASE ÉCRITOIRE UNI. Fond bleu foncé, reliefs blancs, décor polychrome et or. 1772. H. 45,7, long. 39, larg. 27,3. Marque peinte n° 1 (T). Collection royale britannique (Laking, n° 130).

Sur un dessin, non légendé, de cet important vase néo-classique, l'anse et le motif en relief de la ceinture sont simplement ébauchés. Le magasin des modèles de la Manufacture de Sèvres conserve deux exemples de même profil enregistrés au XIXe s. sous les noms de «vase écritoire uni» et «vase écritoire à bas relief». Ce dernier, dans un encadrement répondant à la figure géométrique du cartel, est orné d'une scène d'enfants jouant, sculptée en bas relief. Troude n'a pas publié ces formes et cet exemplaire-ci semble le seul survivant de cette curieuse invention. Le fond bleu foncé à œils-de-perdrix en or est du même dessin que celui de la «cassolette à médaillons» (voir fig. 183). Le cours d'oves, réservé en blanc, n'est pas doré, à l'inverse des autres lignes horizontales; le bandeau inférieur, décoré de manière originale, combine un fond sablé d'or où courent des postes, avec une ceinture de fines baguettes en relief reliées par un ruban en spirale. Les amours musiciens peints en coloris remplacent les enfants du modèle «à bas relief».

---

194 VASE DE CÔTÉ DU ROI. Fond bleu foncé et blanc, décor polychrome et or, reliefs dorés. S.d. (vers 1772/1776). H. 42,3, ∅ 22,8. Marque peinte nº 1. Londres, The Wallace Collection (inv. XXI. 8).

Enregistré sous ce nom au XIXe s., le modèle est signalé «en bois avec ornements en cire». Il a disparu mais un modèle en plâtre a été tiré des moules, en vue de le répéter au XIXe s. Le dessin au trait conservé à Sèvres porte quelques suggestions de décor en relief, mais aucune inscription n'aide à le dater. Une paire de vases comparables à celui-ci pour forme et couleurs, datée 1776, appartient au Musée de Sèvres (inv. 23215). Les couvercles ont disparu. Un autre exemplaire, conservé à la Huntington Library à San Marino, en fond bleu céleste, est plus petit et apporte ainsi la preuve de deux grandeurs exécutées à l'origine. Un autre exemplaire en blanc et or, peut-être en porcelaine dure, est signalé appartenant au National Trust d'Uppark (Sussex). Les cannelures torses du pied et droites au col sont des éléments fréquemment rencontrés et les fleurs et feuillages en relief accentué, sinon complétées en pastillage, se voient parfois, notamment sur les vases «à trois cartels» (voir fig. 202) et «à l'amour Falconet» (voir fig. 235).

---

195 VASES URNE dits «URNE BACHELIER». Fond bleu foncé et blanc, décor polychrome et or. S.d. (vers 1770/1780). H. 40,9, ∅ 22,6, larg. 27,3. Marque peinte nº 1; LG; en creux, nº 46. Londres, The Wallace Collection (inv. XXII. 19/20).

Un dessin au trait, conservé à la Manufacture de Sèvres, donne le profil de la forme nue en indiquant avec précision les moindres baguettes et moulures. Dans le socle suggéré en deux largeurs, on lit: «sauque quarre.» Au sommet du couvercle, différent de celui du vase réel, le dessinateur a esquissé une rose sur sa branche, idée qui n'a pas été retenue. Une écriture postérieure a tracé: «vase urne Bachelier», nom sans correspondance exacte au XVIIIe s. Le modèle en plâtre a disparu. Trop de vases sont désignés «Bachelier» suivi d'un qualificatif quelconque pour être un signe distinctif. De grosses guirlandes de roses, attachées au-dessus du médaillon blanc peint d'attributs polychromes, viennent couronner deux masques féminins tenant lieu d'anses. Le parti de médaillon ovale peint et suspendu n'est pas sans rapport avec le décor du «vase de côté du Roi» ci-dessus et le «vase œuf Louis XVI» (voir fig. 220). Les grosses guirlandes de roses se retrouvent autour du «vase à trois cartels» (voir fig. 202). Le mouleur-repareur Bono était souvent chargé de ces travaux délicats.

---

196 VASE SOLAIRE (d'une paire). Fond bleu foncé et blanc, décor en camée, polychrome et or. 1772. H. 40, larg. 20. Marque peinte nº 1 (T). Londres, The Wallace Collection (inv. XXI. 13/14).

L'inventaire du XIXe s. signale le modèle en plâtre en deux grandeurs. Troude l'a reproduit (pl. 102). Le dessin préparatoire ne porte aucune inscription. Ce nom existait au XVIIIe s. puisque l'on a livré à Versailles en 1772 «à Madame Adélaïde 2 vases solaires 3e gr. fond verd 216/432 l.» (Vy. 5 fº 43). Cette mention, qui ne peut pas concerner les «vases solaire» de la Wallace Collection, mais peut-être ceux, plus petits, de la collection Jones du Victoria and Albert Museum (cat. nº 131), nous apprend l'existence d'une troisième taille. Bien que plus sobres dans leurs détails, ces vases répondent à la même conception que les «vases antiques ferrés» (voir pl. XLIII). Tous présentent quatre médaillons répartis sur la face, le revers et les côtés. Chacun d'eux offre une surface à décorer. Ici, une double mouluration diminue cette surface. Le médaillon, à profil en camée, s'accorde avec les autres influences néo-classiques perceptibles dans les reliefs de ces vases. Garnier (pl. 43) a reproduit un vase semblable de la collection royale britannique.

197 THÉIÈRE. Fond blanc, décor polychrome et or. 1773. H. 9,5, ∅ 8, larg. 15. Marque peinte n° 2 (U) et « 1773 »; Lécot. Porcelaine dure. MNCS (inv. 4670).

Cette curieuse théière est constituée par une fraction de cylindre dont le plan décrit douze festons qui se traduisent par douze bourrelets ronds soudés. L'anse et le bec imitant des tiges de bambou invitent à la nommer «théière bambou». Elle s'intégrait peut-être dans un «déjeuner bambou», puisque l'inventaire des modèles cite un «sucrier bambou». Le décor de Chinois peints en coloris et cernés d'or confirme le goût de l'exotisme latent qui a régné avec plus ou moins d'intensité tout au long du XVIIIe s. Un des meilleurs spécialistes de ce genre de décor, Lécot, a, la même année, décoré une tasse «Calabre» de personnages chinois en or rehaussés de touches de couleurs (voir Verlet, 1953, pl. 78). Mme Du Barry appréciait ce genre d'ornementation. En plus d'un déjeuner à personnages chinois de 600 l., acquis le 7 juillet 1773 (Vy. 5 f° 135 v°) et de diverses pièces à «figures chinoises» qui suivirent le 31 août, elle se faisait livrer «du 14 juillet 1779 1 theyere n!f Chinois 144 l.» (Vy. 7 f° 152). Le déjeuner «fenouil» créé en 1906 répondait pour ses formes à une même inspiration (voir fig. 454).

198 VASE BACHELIER RECTIFIÉ. Fond bleu céleste, décor polychrome et or. S.d. (vers 1773/1780). H. 46 (sans le socle carré détachable). Marque peinte n° 1; Boulanger père et Vincent; en creux, n° 52. Waddesdon Manor, coll. Rothschild (cat. n° 96).

Par rapport aux vases de forme identique de la Wallace Collection (voir fig. 168), celui-ci répond à la 3e grandeur. Il n'est malheureusement pas daté. Son remarquable décor d'or justifie pleinement la présence de deux doreurs. Le délicat travail de l'or bruni à l'effet, donnant un effet de modelé, incombait à un artiste très habile. La frise inférieure, composée de rinceaux en S successifs, est un travail d'art au même titre que la peinture en miniature de la scène champêtre. S. Eriksen (1968, p. 268) a suggéré qu'une étrange pièce de la Wallace Collection (inv. XX/XXI. 15) pourrait correspondre, en partie, à la fraction supérieure d'un vase faisant pendant à celui-ci, qui aurait été accidenté et remonté autrement. On note mêmes profil et anses; la couleur du fond, les guirlandes d'or et l'encadrement des cartels où les peintures dénotent un caractère comparable, soutiennent cette hypothèse. En l'admettant, on pourrait identifier cette éventuelle paire de vases à une livraison, en décembre 1773 à Versailles «à Msgr. Le Comte de Provence, 2 vases Bachelier 720/1440 l.» (Vy. 5 f° 134 v°).

199 VASE BARIL (d'une paire). Fond bleu céleste et blanc, décor polychrome et or. 1773. H. 35. Marque peinte n° 1 (U); J.P. Boulanger; en creux, n° 53. Waddesdon Manor, coll. Rothschild (cat. n° 95).

Le modèle en plâtre de cette forme, qui a survécu, mais n'a pas été reproduit par Troude, mesure H. 43 cm, ce qui devrait correspondre à une taille supérieure à ce vase-ci. Enregistré au XIXe s. sous le nom de «vase baril», il ne semble pas l'avoir porté au siècle précédent; on ne le rencontre ni dans les inventaires ni dans les registres de livraisons. Des deux exemplaires conservés dans la même collection, seul celui-ci est daté 1773. Le nom qui lui a été décerné a peut-être été inspiré par les bandes qui encerclent sa partie médiane légèrement conique comme les cerceaux d'un tonneau. Par son allure générale, ce vase s'apparente au «vase Bachelier» cylindrique ci-dessus; mais l'épaule, creusée de godrons entre des arêtes saillantes se rétrécissant vers le col, paraît moins lourde. L'ampleur et la souplesse des anses et du culot en feuilles d'acanthe apportent à cette forme toute classique l'élégance caractéristique de l'époque de transition. La peinture emprunte un détail du tableau de P.J. Loutherbourg, *L'Amant curieux*, exposé au Salon de 1771 (voir Eriksen, 1968, p. 266).

200 *VASE OCTOGONE (d'une paire). Fond bleu foncé et blanc, décor polychrome et or. 1773. H. 29,2, larg. 15,2. Marque peinte nº 1 (U); LG et LB. de Lebel jeune. Londres, The Wallace Collection (inv. XXI. 4/5).*

Le modèle en plâtre, encore existant, de ce vase a été enregistré un siècle plus tard sous le nom qui le désignait déjà au XVIIIe. Dans l'inventaire du 1.1.1770 sont inscrits des moules nouveaux et modèles du «vase 8gne 1ere et 2e gr.» estimés respectivement 60 et 48 l. Cette précieuse indication prouve que cette forme a été, sinon exécutée, du moins prévue en deux tailles. Faute d'élément de comparaison, on ne peut déterminer à laquelle correspondent les vases de la Wallace Collection. Dès l'apparition de cette forme nouvelle, on la trouve mentionnée dans les travaux «en extraordinaire» de Genest, chef des ateliers de décoration. En 1769, il décore: «1 vaze 8togo 1ere a bandes en différents trophées et têtes en bas relief 72 l.» qui ne correspond à ceux-ci ni par la date ni par le décor (F. 11). Deux «vases octogones» en fond bleu foncé, avec des chutes de fleurs et, sur un panneau, des amours voltigeant dans des guirlandes, ont fait partie de la collection Dickins (voir *The Connoisseur,* septembre 1906, «Virtuoso», «The Dickins Collection of Porcelain»).

---

201 *VASE FONTANIEU CONIQUE (d'une paire). Fond bleu céleste, décor polychrome et or. 1773. H. 31, Ø 14,2, larg. 16,5. Marque peinte nº 1 (U); Dodin et B. Collection royale britannique (Laking, nos 143/144).*

Cette forme copie très fidèlement un modèle de Fontanieu, dessinateur et graveur à l'eau-forte qui, après le *Livre des treize feuilles,* publia en 1770 une seconde suite de quarante-sept pièces *Collection de vases...* (voir Fontanieu, 1770). Chaque forme de vase y est dessinée au trait et répétée chargée de tous ses ornements. Le modèle de ce vase-ci figure aux planches 21 et 22. Le prototype en plâtre existe au magasin des modèles. Un dessin aquarellé, en fond vert, en tout point conforme, décoré d'amours dans le cartel, a survécu dans les archives de Sèvres. Les mentions de livraisons, à partir de 1772, citent trois grandeurs de «vases Fontanieu» sans préciser s'il s'agit de la forme «conique» ou «cylindrique» (voir fig. 216). Une vente «du 1 Aout 1775 à M. le Baron Buchevale 2 vases Fontanieux 360/720 l.» (Vy. 6 fº 22 vº) pourrait être rapprochée de ces vases-ci. Mesdames de France semblent avoir apprécié ce type de vases. Après en avoir reçu deux en 1re gr. de 600/1200 l. en 1772, elles en reprirent deux plus modestes de 240/480 l., en 1776.

---

202 *VASE À TROIS CARTELS. Fond bleu céleste et or, décor polychrome et or. 1773. H. 43, Ø 19. Marque peinte nº 1 (U); signe supposé de Fallot. Philadelphie, Philadelphia Museum of Art (inv. 39.41.59a,b).*

Les éléments survivants qui concernent cette forme offrent des variantes de détails et de dénomination. Le modèle en plâtre, dépouillé de tous les reliefs, porteur d'un couvercle différent, a été qualifié au XIXe s.: «vase fontaine à cartels.» Un dessin ancien porte l'inscription «vase de côté à quadrillé» et propose un culot garni de feuilles d'acanthe. Une mention de livraison «du 25 janvier 1775 A M. le Comte de Zernichev 2 vases à trois cartels et guirlandes, fond rouge, figures 840/1680 l.» (Vy. 5 fº 218) fournit un nom descriptif qui sied à merveille au modèle de ce vase. L'acquéreur fit copier la forme à la Manufacture Impériale russe qui était en quête de techniciens et d'artistes pour stimuler ses fabrications. La division du bandeau en trois cartels hexagonaux dont les pointes s'entrecroisent permet de voir dans leur totalité les sujets localisés dans un peu moins du tiers de la circonférence. La *Récréation champêtre* peinte sur la face de ce vase est empruntée à une gravure de Gaillard d'après une œuvre de Le Prince (voir *The Philadelphia Museum Bulletin,* mars 1944, p. 105).

203 *VASES À CULOT. Fond bleu foncé, décor polychrome et or. 1774. H. 33. Marque peinte nº 1 (V); Boulanger père. San Marino, Henry E. Huntington Library.*

Cette forme de vase ne semble pas avoir laissé de trace dans les archives de la Manufacture de Sèvres. Le modèle, disparu, n'a pas été publié par Troude à une époque antérieure à divers et dangereux déménagements. A propos de ces vases-ci, R.R. Wark (1962, p. 109) écrit: «Un vase très similaire à celui qui est sur la droite, et probablement identique, est reproduit par Garnier (pl. 31) comme appartenant à la collection de la duchesse d'Uzès. Le type est nommé *à culot*.» La date de ces vases et l'initiale du doreur ne permettent pas la moindre hypothèse. On craindrait de témoigner trop d'imagination en les rapprochant d'un «vase reliquaire» estimé 96 l., cité dans l'inventaire du magasin de blanc du 1.1.1774. Il faut donc se borner à analyser leurs éléments néo-classiques: perles, godrons tiercés, cordons sur lesquels s'enroule une guirlande de feuilles, qui sont associés à des anses gardant une attache rocaille. Les cartels sont animés par des enfants dans le goût de Boucher, interprétés avec la fantaisie que les artistes de la seconde génération, tel Asselin, apportaient à ce genre de peinture.

204 *SEAU À LIQUEURS. Fond blanc, décor polychrome et or. 1774. H. 11,5, long. 31, larg. 15,3. Marque peinte nº 1 (V); Chappuis et Pierre jeune; en creux, nº 54. MNCS (inv. 21738).*

La forme oblongue et gracieuse de cet objet l'a parfois fait confondre avec une «cuvette à fleurs» alors qu'il s'agit d'une pièce de service de table. Normalement, ce seau est muni d'une cloison médiane ajourée permettant de rafraîchir simultanément deux flacons de liqueurs. Le modèle, en biscuit de porcelaine tendre, subsiste dans les réserves de la Manufacture de Sèvres. Le décor en deux zones rachète la banalité du semis de roses au naturel par une large partie décorée de points roses et or en mosaïque. «Les armoiries accostées de deux griffons surmontées d'une couronne de marquis se lisent: «d'or à la bande d'azur chargée de trois sardines d'argent qui est *Sartine*».» P. Verlet (1953, p. 216) a noté que la livraison du «service de Sartine», service armorié, ne figure pas dans les registres de Sèvres et supposé qu'il avait peut-être été offert en présent par la Manufacture en reconnaissance des services que le lieutenant de police lui avait rendus en la protégeant de ses rivales. Un service de même décor, mais non armorié et en porcelaine dure, se trouve au Palais de Pavlovsk où il est appelé «service de Paris».

205 *VASES À FEUILLES DE LAURIER. «Fond Taillandier» rose, décor polychrome et or. S.d. (vers 1775). H. 30,6, larg. 17,5. Marque peinte nº 1; en creux, nº 55. The Wernher Collection, Luton Hoo, Bedfordshire.*

La forme en plâtre, enregistrée sous ce nom au XIXe s., a été publiée par Troude (pl. 105). Bien que les archives de la Manufacture de Sèvres possèdent trois dessins s'y rapportant, ils n'apportent aucun élément précis pour déterminer la date de création du modèle. Il est peut-être permis de le rapprocher des «vazes à lauriers» dont les moules nouveaux et le modèle paraissent dans l'inventaire du 1.1.1772. Aucun des exemplaires connus n'est daté, mais les auteurs qui les ont publiés les ont situés de 1770 à 1775 (voir Dauterman, 1964, nº 49a,b, et Wark, 1962, pl. 105). Tous ces vases sont de la même taille que ceux-ci. Les dates supposées sont en concordance avec ce qui précède et s'harmonisent avec le genre de décor visible ici. Le «fond Taillandier», c'est-à-dire à pastilles blanches réservées dans un fond de couleur et cernées de points d'une autre teinte, a été très en vogue dès les environs de 1770 et au-delà. Les pastilles ponctuées de bleu et d'or dans le fond rose laissent place à quelques parties blanches et à de vastes cartels entourés d'une guirlande verte, contenant des paniers de fleurs.

---

206 VASE MOMIES À ORNEMENTS OU SPHINX. Fond bleu foncé et blanc, décor polychrome et or. S.d. (vers 1775/1780). Anc. coll. Lecomte-Ullmann, Paris.

Cette forme ovoïde a été enregistrée au XIXe s. et publiée par Troude (pl. 87, H. 43) sous le même nom que le vase de type Médicis orné suivant la même inspiration (voir fig. 225). Sur ce vase-ci, les anses simples, collées à la paroi, servent de consoles à des têtes d'un style pseudo-égyptien assez mal défini. L'effet décoratif recherché est fourni par le diadème posé en pointe sur le front, relevé en coquille et retombant derrière les oreilles pour s'achever par des glands. Le couvercle, à côtes torses bleues et blanches très ouvragées, soulignées de cours d'oves et de perles dorées, contraste avec la surface unie du vase. L'effet voulu respecte en tout point le modèle en plâtre encore existant. Dans l'inventaire du magasin de blanc de 1774 figurent «2 vases momies 1ere 192/384 l. et 1 idem 2e 144 l.». Dans le fond bleu foncé uni de ce vase, le cartel réservé suit la ligne du galbe de la pièce. Son encadrement se compose d'une double bande d'or, la plus large brunie à l'effet. La peinture délicate est encore dans la tradition des pastorales de Boucher. Un vase de même forme se trouve dans la Wallace Collection.

---

207 ÉCUELLE ET PLATEAU RONDS. Fond blanc, décor polychrome et or. 1775. Ecuelle: H. 11,5, ∅ 12,7, larg. 16,5; plateau: ∅ 21, larg. 22,5. Marque peinte n° 1 (X); Bulidon. Paris, Musée des A.D. (inv. 36924).

La forme ronde du récipient s'est affinée depuis celle qui existait à Vincennes (voir fig. 9). La ligne du couvercle marque une recherche particulière en se creusant d'une gorge qui suit le bord mouluré comme celui du plateau. Les anses horizontales des deux pièces, en oreilles ajourées, reflètent l'influence directe de l'orfèvrerie. La prise simule une grenade éclatée. Tous les reliefs sont dorés en plein. Le décor abondant couvre en grande partie la surface blanche par des guirlandes colorées et des ornements dorés. Une frise d'ondes mêlées de fleurs stylisées dorées s'inscrit dans le galbe provoqué par la ligne brisée du couvercle.

---

208 VASE OVALE. Fond blanc, décor polychrome et or. S.d. (vers 1775/1780). H. 37,5, long. 29,5, larg. 22,2. Marque peinte n° 2; Castel, Sinsson et Vincent. Porcelaine dure. Londres, The Wallace Collection (inv. XII. Lon. 185).

Aucun élément subsistant dans les archives de la Manufacture de Sèvres ne peut permettre de dater cette étrange forme, dont le modèle en plâtre existe encore. Ce vase a la particularité de posséder un double couvercle, dont un, en large entonnoir renversé, rappelle le «vase ovale Mercure» (voir pl. XXXIII). Si on lui ôte ce couvercle, sa partie inférieure l'apparente à certaines cassolettes rondes ou ovales surmontées d'une ceinture, susceptibles de servir de piédestal à une sculpture. Quelques modèles ont existé mais ne semblent guère avoir été exécutés. Il est donc délicat de dater, même approximativement, ce vase. Son exécution, en porcelaine dure, le situe après 1770, et les marques des peintres qui ont collaboré à sa décoration repoussent cette date de trois ans au moins: Philippe Castel n'est entré à Sèvres qu'en 1772 et Nicolas Sinsson en 1773. Les cartels, groupant les attributs de l'Amour ou des fleurs et des fruits, sont de beaux exemples du talent de ces deux artistes, sans exclure le doreur F.-H. Vincent. En effet, le travail de dorure, soit sur les reliefs, soit en plein, réclamait un grand savoir-faire.

209 VASE DE MADAME ADÉLAÏDE (d'une paire). Fond bleu céleste, décor d'or. S.d. (vers 1775). H. 31,2, larg. 14,5. Marque peinte nº 1; Boulanger père; en creux, nº 56. Collection royale britannique (Laking, nºs 159/160).

Enregistrée sous ce nom au XIXe s. et publiée par Troude (pl. 99), cette forme est signalée dans l'inventaire avec des reliefs en cire. Elle tient de l'amphore, par son absence de pied, et fait penser à un bulbe à large col, soutenu par un trépied constitué par des consoles reposant sur un socle triangulaire comparable à celui du «pot-pourri triangle» (voir pl. XXVI). Ces trois consoles s'élèvent par de riches feuilles d'acanthe qui épousent le galbe du corps et viennent se perdre sous les festons dessinés par trois guirlandes en fort relief, attachées, sous un collier, à trois boutons par d'étroits rubans gaufrés. Le décor d'or souligne le trépied blanc et abonde en motifs d'une savante composition sur le fond bleu céleste limpide. Les guirlandes en plein or simulent le bronze doré. La couleur du fond ne permet pas d'identifier ces vases avec les «vases Adélaïde beau bleu 360/720 l.» livrés au roi Louis XVI dans le courant de 1775. Cette mention convient mieux aux vases de même forme conservés à Wooburn Abbey (voir Eriksen, 1965, p. 488).

210 VASE NÉO-CLASSIQUE. Fond bleu foncé, décor polychrome et or. S.d. (vers 1775). H. 41,5, ∅ 16,2, larg. 23,4. Marque peinte nº 1; LG. Collection royale britannique (Laking, nº 81).

On ne sait comment nommer cette forme à laquelle ne se rattache aucune indication, ni dessin, ni modèle, ni désignation, mais qui existe avec trois sortes de variantes dans la collection royale britannique. Une paire, datée 1775, à col non cannelé, munie d'anses différentes, est décorée de sujets s'inspirant de gravures dans le goût de Boucher (voir Laking, nº 51). Un autre exemplaire, daté 1775, est privé de la guirlande en relief entourant un cartel peint par Morin (*ibid.*, nº 50). Celui-ci, dont la forme est ornée de reliefs abondants, est parmi les plus riches. La peinture qui orne sa face, une «turquerie», se situe dans un jardin. Sous une sorte de dais, une jeune femme allongée, appuyée sur des coussins, regarde une servante qui lui cueille une rose. L'exécution en est charmante et l'on regrette que le peintre n'ait pas signé son œuvre. On évoque la table de Mme Du Barry, représentant le concert du grand seigneur, livré par Poirier en 1774 pour 3000 l. (voir Molinier, 1898, III, p. 178 et 182). La plaque centrale, de cette table récemment entrée au Musée du Louvre, se rattache à la série de «la vie au sérail» comme le tableau (voir fig. 254).

211 VASE CYPRÈS FURTADO (d'une paire). Fond bleu foncé, décor polychrome et or. S.d. (vers 1775). H. 34,7, ∅ 16,5, larg. 19,5. Sans marque. Collection royale britannique (Laking, nºs 94/95).

Le modèle de cette forme, enregistré sous ce nom au XIXe s., publié par Troude (pl. 116), est encore muni de quelques ornements en cire. L'inventaire de cette époque mentionne un autre «vase cyprès» de forme différente. Cette forme-ci présente la particularité, au sommet du corps ovoïde coupé, d'être coiffée de trois gorges successives se rétrécissant. La dernière constituant le col évasé est séparée par un faisceau de baguettes maintenues par un ruban croisé qui rejoint les anses nées à la base du corps et terminées en riche feuillage. Le fond bleu foncé, décoré de guirlandes de feuilles de chêne dorées et d'une zone en motifs géométriques, ménage un cartel elliptique peint d'une «turquerie» qui semble due au même pinceau que celle du vase ci-dessus. La scène se passe en plein air sous un arbre. Un garçon coiffé d'un turban, mi-assis mi-accroupi sur le sol, s'empare de la main d'une jeune femme assise qui a posé près d'elle un instrument de musique. Ce petit tableau est tout empreint de douceur. D'autres exemplaires de vases de cette forme sont connus, en porcelaine tendre et en porcelaine dure.

212 *VASE DIT «CHINOIS BACHELIER». Fond bleu foncé, décor polychrome et or, reliefs dorés. S.d. (vers 1775/1780). H. 47,5. Marque peinte nº 1; en creux, nº 57. Waddesdon Manor, coll. Rothschild (cat. nº 98).*

Les anses très importantes, attachées à l'épaule de ce vase par un plantureux motif rocaille et chargées de la guirlande en relief partant du cartouche supérieur, rendent méconnaissable la forme de base, conservée au magasin des modèles, où ne sont indiquées que les grandes lignes des canaux. Un dessin du XVIIIe s. porte l'inscription postérieure «Vase chinois Bachelier» et l'inventaire du XIXe l'a nommé «Vase C». Rien ne s'oppose à ce que la forme, inspirée par un modèle oriental, ait été imaginée par Bachelier, responsable de diverses créations (voir fig. 176 et pl. L). Vers 1780, des formes nouvelles ont été désignées par une lettre de l'alphabet (voir fig. 265). Ainsi habillé, ce modèle, devenu rare, est apparu dans des ventes à New York (Sotheby's Parke Bernet, 7 mai 1971, nº 101A, et 20 juin 1974, nº 144). Son fond vert et la scène d'apothicairerie peinte dans le cartel le différencient de ce vase-ci en fond bleu foncé, décoré d'une scène familière. S. Eriksen (1968, p. 272) y a reconnu une gravure publiée en 1775 par Nicolas Ponce: *Les Cerises*, d'après la gouache de P.A. Beaudouin, exposée au Salon de 1765 (nº 100) sous le titre: *Le Cueilleur de Cerises.*

---

213 *VASE DE CÔTÉ DEPARIS nº 1 (d'une paire). Fond vert, décor polychrome et or. S.d. (vers 1775/1785). H. 38,5. Marque peinte nº 1; en creux, nºs 60 et 58. Waddesdon Manor, coll. Rothschild (cat. nº 100).*

Cette forme de vase encore existante a été enregistrée sous ce nom au XIXe s. et publiée par Troude (pl. 104). J.-F. Deparis, repareur, tourneur et créateur de modèles, en est probablement l'auteur. S. Eriksen (1968, p. 278) a rappelé qu'il avait été l'assistant de Duplessis pour l'élaboration des modèles à Sèvres. Entré apprenti en 1746, il parvint au grade de chef des repareurs en 1774 et acheva sa longue carrière en 1797. Cette forme est très proche de celle du vase offert par le roi de Suède à l'impératrice de Russie (voir fig. 231). Plusieurs «vases de côté», sans rapport entre eux, sont signalés dans les registres de la Manufacture et ne sont pas identifiables. Cependant, on est tenté de rapprocher les vases de Waddesdon Manor d'une livraison faite au prince Bariatinsky pour le comte et la comtesse du Nord en 1782: «1 garniture de 3 vases Paris fond verd mignature 1920 l.» (Vy. 8 fº 181). La garniture pouvait inclure un «vase de milieu Deparis» formant le centre. Cette hypothèse est d'autant plus plausible que, à propos de ces pièces, Miss Alice de Rothschild a pris soin d'indiquer: «venant de Russie».

---

214 *POT À EAU ET CUVETTE. Fond bleu céleste, décor polychrome et or. 1776. Pot: H. 19,2, ∅ 12,3, larg. 13,4; cuvette: H. 7,2, long. 27. Marque peinte nº 1 (Y); Choisy; en creux sous le pot: nºs 61 et 59. New York, The Frick Collection (inv. 34.9.42/43).*

La forme du broc à couvercle, dit «pot à l'eau ordinaire», a été signalée pour la première fois par une vente du 21 juillet 1755 (Vy. 1 fº 90 vº). Un dessin d'origine et les modèles en trois grandeurs existent encore; quatre ont été exécutées, la plus petite étant assimilable à un pot à lait. Les montures étaient fabriquées en dehors de la Manufacture de Sèvres. Le modèle de la cuvette ovale à bord chantourné est le plus fréquent. Il accompagne des brocs de plusieurs formes et la réciproque existe aussi. Les deux pièces étaient vendues ensemble ou séparément, généralement sans précision de forme, de grandeur, ni même de décor. Au cours de l'année 1776, où de Choisy peignit les fleurs et fruits de ce pot à eau et sa cuvette, le roi Louis XVI acheta notamment: «1 boc et jatte 168 l.».

215 GOBELET COUVERT ET SOUCOUPE. Fond blanc, décor polychrome et or. S.d. (vers 1776). Tasse: H. 14, ∅ 9, larg. 10,5; soucoupe: ∅ 15,5. Marque peinte nº 1 avec une petite inscription «76»; en creux, nºs 62 et 63. MNCS (inv. 22993¹ à ³).

La forme conique de cette haute tasse existe depuis les origines de la Manufacture à Vincennes, avec une anse comme celle-ci et parfois avec deux anses. La ligne fuyante de la tasse facilite sa pénétration dans la cavité profonde de la soucoupe. Cette pièce justifierait pleinement le nom parfois rencontré: «tasse enfoncée». La soucoupe présente l'originalité d'être creusée de trois godets entourant le centre, dont le contour symétrique et arrondi s'élargit vers le bord. Le décor de vases ou cornets et de rinceaux fleuris, bien que d'un dessin rigide et plus froid, n'est pas sans une certaine parenté avec celui de la boîte à savonnette (voir fig. 178). Une soucoupe de même forme est conservée au Victoria and Albert Museum de Londres.

216 VASE FONTANIEU CYLINDRIQUE. Fond bleu céleste, décor polychrome et or. 1777. H. 40,5, ∅ 15,5, larg. 23,5. Marque peinte nº 1 (Z); M et Lf. Paris, coll. Nicolier.

Comme les vases de même nom mais à profil conique (voir fig. 201), celui-ci copie une forme cylindrique proposée par G.-M. Fontanieu dans la seconde suite de quarante-sept pièces publiée en 1770 (voir Fontanieu, 1770). Les planches 37 et 38 donnent deux aspects du modèle: un dessin de la forme nue et un autre de la forme garnie de ses éléments décoratifs en relief. Le désaccord de proportions, qui saute aux yeux, entre la minceur de la tige surmontant la base et la lourdeur du corps trapu, donne une sensation d'équilibre fragile. Les anses angulaires au sommet et arrondies vers le bas accusent cette impression. Ce vase constitue le centre d'une garniture de trois, ceux des côtés répétant exactement la forme conique déjà signalée. Bien que les marques ne le précisent pas, il est possible d'attribuer la peinture qui orne les cartels à Bouilliat. Parmi ses travaux de 1777 figurent: «1 vase Fontanieu fond bleu céleste, 2 vases idem de côté, groupes de fleurs et fruits» (Vj' 1 fº 27). Cette garniture, n'étant pas désignée sous son nom dans les ventes des années proches de 1777, a dû être comprise dans celles des «vases» indéterminés.

217 POT À OILLE ET PLATEAU «AUX ÉPIS D'OR». Fond blanc, décor polychrome et or. 1777. Marque peinte en or nº 2 (Z). Porcelaine dure. Vienne, Hofburg.

Deux dessins de cette pièce, dus peut-être à Duplessis fils, sont conservés à la Manufacture de Sèvres, ainsi que les moules et un modèle en plâtre publié par Troude (pl. 131). L'abondance et l'élégance des motifs en reliefs dorés constituent un décor fastueux qui ne doit pas laisser oublier la peinture des fleurs au naturel et des trophées. On sait que le peintre Nicolas Sinsson, dans le courant de 1777, exécuta des «groupes et guirlandes» sur «2 pots à oille epied de bled nf et [illisible]» (Vj'1 fº 150). Il peignit aussi des fleurs sur des terrines et plateaux de même modèle. En 1777, Louis XVI offrit à son beau-frère, l'empereur Joseph II qui voyageait en France sous le nom de comte de Falkenstein, entre divers présents: «2 pots à oglio épis en or 900/1800 l.» (Vy. 6 fº 207). Peu après, le roi acquit pour son propre compte «4 pots à oglio épis de bled» au même prix. P. Verlet (1953, p. 217) a signalé plusieurs exemples de terrines de ce modèle, conservées au Kunstindustrimuseum de Copenhague et au Metropolitan Museum of Art de New York.

---

218 BEURRIER. Fond blanc, décor polychrome et or. 1777. Plateau: H. 3,5, ∅ 21; beurrier: H. 5,5, ∅ 11. Marque peinte nº 1 (Z); initiales mc (indéterminées) et de Barré(?). Paris, Musée des A.D. (inv. 32918).

La forme de cette pièce répète exactement celle du beurrier indépendant de son support (voir fig. 72), mais ici le récipient est attaché au plateau. Cette forme est aussi celle qui a été empruntée pour les fromagers (voir fig. 54). Les deux versions de beurrier ont été produites au cours du XVIIIe s. Le décor de cet objet est du type «feuilles de choux» qui existe aussi en relief. Il simule toujours des coquilles fortement soulignées par un peigné bleu encadrant des fleurs ou même des trophées. C'est le même décor «feuilles de choux» qui orne le plateau inférieur de l'«étagère à coquilles» (voir fig. 128).

---

219 VASE MYRTE. Fond vert, décor polychrome et or. S.d. (vers 1777). H. 31,5, ∅ 15,3, larg. 24. Sans marque. Collection royale britannique (Laking, nº 44).

Enregistrée sous ce nom au XIXe s. et publiée par Troude (pl. 88), cette forme pourrait peut-être correspondre au «vase feuille de myrthe» dont moules nouveaux et modèle paraissent dans l'inventaire du 1.1.1766, accompagnés de spécimens en biscuit en 1re et 2e gr. Un dessin d'origine revêtu de l'inscription «vase myrte collet simple» propose une version sans le jeu de lignes qui évase le col pour donner le bord ondulant. Un vase de forme semblable à celui-ci, conservé à la Wallace Collection (inv. XVIII-7), daté 1777, plus grand, porte le signe de Taillandier. Son décor en fond ponctué, avec une corbeille de fleurs suspendue par un ruban au lieu d'être posée sur une table comme ici, invite à le chercher parmi les travaux de cet artiste et de sa femme, spécialistes de ce fond; on y trouve mentionné à chacun d'eux, en septembre puis en novembre 1777: «1 vase feuille d'eau corbeille de fleurs» et «1 vase feuille d'eau, peint à l'attelier, fond pointillé, vu, 18» (Vj'1 fº 246 et 250). Mais peut-on assimiler ces vases au «vase myrte»? Les noms variaient, il est vrai, d'un service à l'autre.

---

220 VASES ŒUF LOUIS XVI. Fond bleu foncé, reliefs blancs, décor d'or. S.d. (vers 1777). H. 42,5. Marque peinte nº 1; Le Guay ou Le Grand. Anc. coll. W. Sainsbury (Londres).

Ce type de vase, basé comme le «vase œuf Louis XV» de la Wallace Collection (voir fig. 180) sur la forme naturelle de l'œuf, se rapporte à deux modèles en plâtre conservés à la Manufacture de Sèvres. L'un, appelé «vase œuf à monter», est entièrement dénué d'ornements, l'autre «vase œuf Louis XVI garni» correspond exactement à ces vases-ci; Troude l'a publié (pl. 123). La garniture, en partie réservée en blanc, comporte des anses angulaires s'élevant au-dessus de masques féminins et revenant s'attacher par des palmes, vers le milieu de chaque face, où elles retiennent de grosses guirlandes et un cadre ovale en feuilles de laurier dorées. D'un côté paraît le médaillon en biscuit de Louis XVI, de l'autre celui de Marie-Antoinette. Sur le fond bleu, le décor d'or d'une extrême richesse emprunte des éléments différents appropriés au roi et à la reine. Le médaillon du roi a été reproduit par E. Bourgeois (1908, I, p. 159) avec la mention: «Inconnu fragment d'un vase œuf.» Ces médaillons, encore édités par la Manufacture de Sèvres en 1978, avaient probablement été modelés par Boizot d'après un modèle officiel.

221 VASES À BANDEAU ET TÊTES DE LIONS. Fond bleu foncé, reliefs blancs, décor polychrome et or. S.d. (vers 1770/1780). H. 40,3, larg. 22,3. Marque peinte nº 1; en creux, nº 64. *Londres, The Wallace Collection (inv. XII. 38/39).*

Ces vases, dont le modèle en plâtre subsiste dans le magasin de la Manufacture de Sèvres, ont, suivant les auteurs qui ont publié des exemples de cette forme, reçu des noms variables. Garnier (pl. 22) a opté pour «vases à culot», Laking (nºˢ 137/138) et Chavagnac (1909) ont préféré «vases ferrés à bandeau et à chaînes». Aucune mention correspondante ne se rencontre dans les inventaires et registres du XVIIIᵉ s. Le profil de ces pièces s'apparente à celui du vase ci-dessous dont elles se différencient essentiellement par le culot uni, les anses en mufles de lions et le rétrécissement cannelé sous le boudin supportant le couvercle en forme de calice renversé. Les feuilles dentelées qui composent le couvercle répondent à une inspiration analogue à celle de la garniture en relief du «vase bassinoire» (voir fig. 126). Aucun exemplaire connu n'est daté. Les têtes de lions sont des accessoires trop indépendants pour justifier un rapprochement avec le matériel de fabrication du «vaze à tête de lion» signalé dans l'inventaire du 1.1.1766.

222 VASE FERRÉ À BANDEAUX (d'une paire). Fond bleu céleste, reliefs blancs, décor polychrome et or. S.d. (vers 1770/1780). H. 34,9, larg. 17,5. Marque peinte nº 1; en creux, nºˢ 34 *et* 23. *Londres, The Wallace Collection (inv. XX. XXI. 3/4).*

La forme en plâtre, enregistrée sous ce nom au XIXᵉ s., a été publiée par Troude (pl. 99). Un dessin préparatoire, conservé dans les archives de la Manufacture de Sèvres, n'est accompagné d'aucune inscription contemporaine. Il suggère toutefois sur le couvercle l'étoile qui a été retenue à l'exécution. Le qualificatif «ferré» est associé à plusieurs formes, notamment à celle du «vase antique ferré dit de Fontenoy» qui a été une des plus répétées au XVIIIᵉ s. (voir pl. XLIII). Le trait commun des divers «vases ferrés» est peut-être les anneaux qui semblent réunir les cartels en relief quelle que soit leur forme et qui peuvent être comparés à des ferrures. Les cartels très allongés de ces vases-ci sont décorés d'un côté d'amours dans un paysage et de l'autre d'une gerbe de fleurs. Les feuilles étroites montant le long du culot rappellent celles qui ornent les couvercles des «vases œuf Louis XVI». Quelques mentions de livraisons, à partir de 1774 (Vy. 5 fº 218), signalent des «vases ferrés»; rien ne permet de les identifier à ceux-ci.

223 ASSIETTE ET TASSES À GLACE DU SERVICE DE L'IMPÉRATRICE CATHERINE II DE RUSSIE. Fond bleu céleste et blanc, décor en camées, polychrome et or. 1778/1779. Assiette: Ø 26,5; tasse à glace: H. 8,5, larg. 7,5. Marque peinte nº 1 (AA); Boulanger père ou Barré et LG. MNCS (inv. 22602 et 22603¹·²).

Le service commandé par Catherine II est le plus important et le plus fastueux que la Manufacture de Sèvres ait réalisé complètement. Il devait comprendre sept cent quarante-quatre pièces pour un prix total de 331 217 l. La livraison de juin 1779 compta en réalité six cent six pièces. Formes et décor étaient spécialement conçus pour ce service. Un album conservé au Cabinet des Estampes de la Bibliothèque nationale, intitulé: *Dessins et devis du service de porcelaine pour l'Impératrice de Russie,* contient les gouaches en coloris des divers éléments. Toutes les formes s'inspirent de modèles «de la Grèce ou de Rome» et l'assiette notamment des «patères antiques». Elle est très plate avec un bassin peu profond et une aile très large. Au centre, l'initiale E en fleurs (Ekaterina) et le chiffre II sous la couronne impériale rappellent la destinataire. Autour, le décor s'assortit à celui des autres pièces. Seules les assiettes et les grandes pièces étaient chiffrées. Une assiette coûtait 242 l. et une tasse à glace 105 l. 10 s. (Vy. 7 fº 202 vº).

224 SEAU À GLACE (d'une paire) du même service. 1778 et 1779. H. 24,5 et 23,2, ∅ 19, larg. 26. Marques peintes nº 1 (AA et BB); Boulanger père ou Barré, FB et LG. Londres, The Wallace Collection (inv. XX/XXI. 8-9).

Bien que la forme spéciale de ce seau à glace diffère des modèles courants, le principe est le même (voir fig. 151). Comme le reste du service, il s'inspire de modèles antiques afin de réagir contre le style rocaille. Les gels qui semblent déborder du couvercle à bord ondulant rappellent la destination du seau qui est muni d'importantes anses en consoles soutenant des têtes de femmes. Le décor emprunte un fond «bleu céleste imitant la turquoise... La Manufacture... est la seule qui soit en possession de cette magnifique couleur», précise l'album de modèles qui ajoute, à propos de la frise d'or, «à fleurons réguliers interrompus par une rosace d'or, ce dessin est tiré d'une des frises d'ornements qui décorent le théâtre antique de Marcellus à Rome». Cette frise est coupée par des médaillons peints en camées où alternent des têtes de profil et des sujets puisés dans la mythologie, l'histoire grecque et l'histoire romaine. Contrastant avec cet ensemble sévère, les zones blanches ornées d'une frise fleurie polychrome apportent une note fraîche.

---

225 VASE MOMIES À ORNEMENTS. Fond beau bleu, décor polychrome et or. 1779. H. 42. Marque peinte nº 1 (BB); Vincent. Baltimore, The Walters Art Gallery (inv. 48.643).

Le modèle en plâtre survivant de cette forme est signalé en deux grandeurs dans l'inventaire du XIXe s., qui cite une autre forme ovoïde sous le même nom en ajoutant «ou sphinx» (voir fig. 206). Celle-ci appartient au groupe des «vases Médicis» et assimilés. Le culot peu proéminent est richement orné de bustes féminins coiffés à l'égyptienne, entièrement dorés, qui terminent les anses montant le long du culot et réservées en blanc comme de minimes portions du pied. L'encolure, cernée de godrons dorés et d'un cercle uni, supporte le couvercle. Dans les cartels elliptiques sont peints: d'un côté, une scène de pêche maritime par Morin (comme celles des vases ci-après) et de l'autre, des fleurs et des fruits dans un parc où s'élève un temple dominant une cascade. On regrette que l'artiste qui a peint ce jardin de rêve n'ait pas apposé sa marque. Le registre des fournées où l'on peut situer ce vase dans celle du «3 8bre 1779», en compagnie des «vases marmitte», ne cite que Morin (Vl' 1 fº 72). Dans la collection royale britannique se trouvent deux vases de même forme et un autre est au Victoria and Albert Museum, collection Jones.

---

226 VASES MARMITE. Fond beau bleu, décor polychrome et or. 1779. H. 33. Marque peinte nº 1 (BB); Vincent. Baltimore, The Walters Art Gallery (inv. 48.641/642).

Cette forme de vase n'a pas laissé de témoin parmi les modèles survivants. Son profil d'allure rustique mérite, semble-t-il, de répondre au nom de «vase marmitte» plusieurs fois rencontré entre 1772 et 1780. Les moules nouveaux et le modèle du «vaze marmitte» figurent dans l'inventaire du 1.1.1772. Deux «vases marmitte» se trouvent dans la dernière fournée de pâte tendre de 1777 (Vc' 1). Morin en «May 1779 [peint] 1 garniture de 3 vases marmitte marine» (Vj' 1 fº 197), qu'il est possible de suivre dans la cuisson du «3 8bre 1779» où sont inscrits ensemble: «1 vase Momie 2 idem marmitte beau bleu, marine, Morin» (Vl' 1 fº 72). Le nom du doreur n'a pas été inscrit, mais Vincent a posé sa marque sous les pièces. Ces vases forment garniture avec le «vase momies à ornements» ci-dessus. Tant sur la face que sur le revers des trois pièces, la qualité des peintures est de premier ordre. Ces exemplaires sont les seuls de cette forme connus de l'auteur.

227 PLATEAU DE DÉJEUNER. Fond blanc, décor polychrome et or. 1779. Long. 48, larg. 36,8. Marque peinte nº 2 (BB); L de Levé; en creux, nº 17. Porcelaine dure. Londres, The Wallace Collection (inv. XII, Lon. 165).

Le contour chantourné de ce plateau n'est plus dans l'esprit des créations de J.-C. Duplessis à l'époque de Louis XV. La bordure en accolade, les feuilles de laurier imbriquées ornant l'arrondi des poignées dans l'axe de la longueur et marquant le milieu de la largeur, ainsi que les palmes symétriques, présentent une certaine rigidité. La guirlande de fleurs qui suit la bordure prend un caractère oriental pour s'harmoniser avec la scène occupant tout le fond de ce grand plateau. Le combat naval, qui réunit d'étranges voiliers, fourmille de détails pittoresques. Les peintres Lécot et Dieu étaient spécialistes de chinoiseries telles que l'on pouvait les concevoir à Sèvres après 1770. Le registre de travaux des peintres stipule que Dieu en 1778 a peint des «batailles chinoises» (Vl' 1 fº 119). Il est probable qu'il a exécuté celle-ci, bien qu'il n'ait pas mis sa marque. La collaboration de Levé, pour les fleurs, est tout à fait plausible. Dieu a peint des scènes de même genre sur des «vases boucs Du Barry» de la collection Spencer à Althorp. Un plateau de même forme, daté 1779, était dans la collection Harewood.

228 BOUGEOIRS. Fond vert, reliefs blancs, décor d'or. S.d. (vers 1780). H. 10,2. Marque peinte nº 1; IN. Waddesdon Manor, coll. Rothschild (cat. nº 110).

Des bougeoirs ont été fabriqués dès l'origine à Vincennes puis à Sèvres. On en rencontre depuis le premier inventaire de 1752. A cette date, en couverte cuite, ils sont estimés 8 l. Trois ans plus tard, quinze sont dénombrés au magasin de blanc et portés pour 9 l. L'année suivante apparait un moule de «bougeoir ordinaire». Un peu plus explicite, l'inventaire du 1.1.1757 enregistre les moules de «flambeaux ronds unis à 20 sols». Des mentions de cette nature sont bien insuffisantes pour distinguer un modèle précis. Les registres de vente ne sont guère plus satisfaisants. Ils indiquent des prix très variables s'échelonnant entre 15 et 48 l., exceptionnellement 60 l. quand il s'agit de fond rose. La forme de ces deux bougeoirs semble indiquer une destination fixe. Essentiellement stables avec leur double base très large, ils ne peuvent pas basculer. On les imagine volontiers encadrant la glace d'une table de toilette ou bien un encrier sur un bureau.

229 VASES DE CÔTÉ DEPARIS nº 2. Fond beau bleu, décor polychrome et or. S.d. (vers 1780). H. 33. Marque peinte nº 1; Lg. New York, Met. Museum, donation Kress (inv. 58.75.77/78).

La forme en plâtre de ce modèle a été publiée sous ce nom par Troude (pl. 116). D'après une inscription portée sur un dessin conservé dans les archives de la Manufacture de Sèvres, il a pu être indiqué au XVIIIe s. sous l'appellation: «vase d'ornement nº 4». Le trait prévoyait des feuilles d'acanthe au culot, des godrons obliques au col et sur le couvercle et proposait deux sortes d'anses. La réalisation, comme il est fréquent, a motivé quelques changements: culot uni et cannelures droites notamment. Deparis, un des pionniers de la Manufacture de Vincennes, «homme sage et cherchant toujours à se perfectionner» (Y. 7 fº 70), devint chef des repareurs en 1774. C'est ensuite qu'il créa plusieurs formes de vases, au moins quatre si l'on en croit le numéro donné au dessin de «vase d'ornement». La partie supérieure, très ornée de reliefs, oblige le décor peint à se réfugier dans la partie basse. Les marines qui ornent la face peuvent être l'œuvre de Morin. C. Dauterman (1934, p. 234) a attribué les trophées nautiques du revers à Nicolas Petit l'aîné. Le doreur signant Lg peut être Le Guay père ou Le Grand.

230 VASE COLONNE DEPARIS. Fond beau bleu, décor polychrome et or. S.d. (vers 1780). H. 38,7. Marque peinte nº 1; LG. New York, Met. Museum, donation Kress (inv. 58.75.79^{a,b}).

Le modèle en plâtre de cette forme, enregistré sous ce nom dans l'inventaire du XIXe s., publié par Troude (pl. 115), existe encore. Il correspond à un dessin «rectifié» conservé dans les archives. On constate que le profil du corps, primitivement plus court et cintré vers la base, a été modifié pour emprunter une ligne ovoïde pure qui caractérise un groupe de «vases De Paris» (ou Deparis) désignés par le nom de leur auteur. Ce vase-ci, surmonté d'une courte colonne cannelée, est à peine élargi par des anses peu proéminentes qui soutiennent deux putti dorés retenant des guirlandes de feuilles de laurier attachées par des nœuds au-dessus des médaillons royaux. On remarque que les effigies de Louis XVI et de Marie-Antoinette répondent à des modèles plus élaborés que ceux choisis pour les «vases œuf Louis XVI» (voir fig. 220). Le décor peint, probablement par Morin, est exactement le même que celui du «vase flacon à cordes» (voir fig. 185). Morin, de 1777 à 1780, exécuta de nombreuses «marines» sur des vases divers, principalement «Paris de milieu et de côtés» (Vj' 1 fº 194 vº).

---

231 VASE OVOÏDE. Fond beau bleu, décor polychrome et or. 1780. H. 50, ∅ 18. Marque peinte nº 1; L. Londres, Victoria and Albert Museum, coll. Jones (cat. nº 134) (inv. 781-1882).

Cette forme s'apparente à celle du «vase de côté Deparis nº 1» (voir fig. 213) par son profil, ses proportions et même ses anses simplifiées. Un dessin peut avoir servi à l'une et à l'autre; le corps, rectifié par un trait à l'encre qui le rétrécit, est coupé sous l'épaule par une bande horizontale en relief qui n'a pas été retenue à l'exécution. Le décor de ce vase présente un intérêt particulier. Le cartel de la face est occupé par une marine; dans un livre ouvert posé sur un tonneau, on peut lire: «neutralité armée 1780. Catherine II. Gustave III», inscription qui a permis d'identifier ce vase. P. Verlet (1953, p. 218) a retrouvé dans les archives de la Manufacture de Sèvres la mention concernant «ce cadeau fait par le roi de Suède à la tzarine en gage d'amitié politique»: «du 31 aoust 1780. Livré à M. le Baron de Staël pour le compte du Roy de Suède, 1 vase beau bleu, marine 720 l.» Le soin apporté à la peinture et au décor en feuilles de chêne dorées qui réchauffe le fond bleu foncé uni justifie ce prix élevé.

---

232 BOÎTE EN FORME D'ŒUF. Fond beau bleu, émaux en relief sur paillons d'or. S.d. (vers 1780/1782). Long. 6,5, ∅ 4,5. Sans marque. Paris, Musée des A.D. (inv. Gr 294), donation Grandjean.

Cet œuf, composé de deux morceaux, s'ouvre en pivotant sur une charnière pour former une petite boîte doublée d'or. A l'une des extrémités et autour de la fente, des pois d'émail translucide posés sur des pastilles d'or incrustées contribuent à donner une allure de bijou précieux à cet objet dont l'utilisation reste indéterminée. Ces émaux, comparables à ceux qui enrichissent le miroir de la toilette offerte à Marie Feodorovna (voir fig. 249), étaient une spécialité de Coteau et du doreur Le Guay. Il n'est donc pas surprenant de trouver, dans les fournées de peinture des 13 novembre et 10 décembre 1780, mention de «2 œufs beau bleu émaillé Coteau Le Guay» et «1 œuf beau bleu émaillé et or Coteau Le Guay» (Vl' 1 fº 130 vº et 135 vº). A partir de 1781, le décorateur Parpette décora aussi en émaux et pour «2 œufs beau bleu émaillés [reçut] 6/12 l.» (F. 23, travaux extraordinaires). Les œufs étaient fabriqués antérieurement. En 1779 était livré au comte d'Artois: «un œuf monté 36 l.» Ce prix semble incompatible avec le décor et la monture d'or de cette boîte-ci.

233 POT À LAIT. Fond blanc, décor polychrome et or. 1780. H. 13,8, Ø (max.) 9,6. Marque peinte nº 1 (DD); initiales de Mme Gérard (née Vauthrin). Paris, Musée des A.D. (inv. 21651).

La forme de ce pot à lait, fortement renflé à la base, présente à la bordure du col une curieuse ligne échancrée de chaque côté entre deux becs symétriques marquant également l'avant et l'arrière. Ce dernier est rendu inutilisable par l'anse géminée qui, reposant sur la partie la plus pansue du pot, vient s'attacher de chaque côté du haut par une crosse. Le décor de «barbeaux», beaucoup moins fréquent sur la porcelaine de Sèvres que sur celle de Paris, y était cependant utilisé depuis 1774 au plus tard, comme le témoigne une livraison: «à Mme la Duchesse de Mazarin, du 25 dudt [juin 1774] 1 gobelet litron bordure en barbeaux 24 l.» (Vy. 5 fº 156 vº). Cette date contrarie une tradition tendant à prétendre que ce type de décor, favori de Marie-Antoinette, a été inventé pour elle à la Manufacture de la rue Thiroux dite «de la Reine» à laquelle la souveraine n'a accordé son patronage officiel qu'en 1776 (voir Plinval de Guillebon, 1972, p. 67).

234 VASE PENDULE À DAUPHINS. Fond beau bleu, reliefs blancs, décor d'or. S.d. (vers 1780/1786). H. 35,5, Ø 14, larg. 19. Marque peinte nº 1; Le Guay doreur. MNCS (inv. 21867).

Une forme de vase ovoïde prolongé par un col rétréci, monté sur un pied simple et flanqué de deux dauphins, a été publiée par Troude (pl. 100) sous le nom de «vase œuf anses dauphins». Ce modèle survivant, plus petit, diffère de ce vase-ci par un allongement évasé en cornet s'élevant au-dessus d'un collier remplaçant les chutes d'eau. Le jet d'eau rappelle celui des «vases à jet d'eau» de la Wallace Collection (voir fig. 141) différents de forme mais accostés de dauphins. Le thème des dauphins revient trop souvent dans les archives de Sèvres pour permettre de dater ce vase à pendule. Notons simplement la présence dans une cuisson de peinture du 5 février 1786 de: «1 vase beau bleu et or doré par Le Guay» (Vl' 3 fº 1) ainsi qu'une livraison du 6 mai 1786 «à M. Dubuisson horloger 1 vase dauphin 240 l.» (Vy. 10 fº 39 vº). Deux vases à dauphins semblables à celui-ci, mais sans pendule et non datés, sont conservés à Londres, Victoria and Albert Museum, collection Jones (cat. nº 145), et à New York, Metropolitan Museum of Art, donation Kress (inv. 58.75.67).

235 VASE DIT «À L'AMOUR FALCONET». Fond beau bleu, reliefs blancs et or, décor polychrome et or. S.d. (vers 1780). H. 43. Paris, Fondation Salomon de Rothschild.

En reproduisant la forme en plâtre de ce vase, qui est surmontée de la figure de «l'Amour Falconet» (voir fig. 313), Troude (pl. 85) a justifié le nom qui lui a été attribué dans l'inventaire du XIXe s. Rien ne prouve qu'elle ait été conçue, ou non, au XVIIIe pour servir de piédestal à la statuette. Le couvercle passe-partout, assez mal assorti, qui termine cette pièce magnifique, pourrait correspondre à une autre interprétation. La conception de cette forme allie diverses tendances. Sa base resserrée, agrémentée de feuilles en relief et décrivant un cercle festonné, réclame un socle pour assurer la stabilité, comme les «vases Duplessis» (voir fig. 69). Les étoffes rayées, drapées, s'apparentent au «vase flacon à mouchoir» (voir fig. 184). Les guirlandes de fleurs pastillées et dorées à l'imitation d'ornements en bronze rappellent plusieurs types de vases, tels: «vase de côté du Roi» (voir fig. 194) ou «vase à trois cartels» (voir fig. 202). La colonne tronquée à cannelures dorées affirme le goût néo-classique sensible sur le «vase colonne Deparis» (voir fig. 230). Tous ces éléments disparates rendent difficile la datation de cette forme.

236 *VASES GRECS À ORNEMENTS. Fond pointillé rose, reliefs blancs et or. 1780. H. 40,3. Marque peinte nº 1 (CC); inscription en creux. Amsterdam, Rijksmuseum (inv. Nr. R.B.K. 17515[a,b]).*

Le modèle en plâtre survivant de cette forme a été enregistré sous ce nom au XIXe s. et publié par Troude (pl. 106). Des inscriptions en creux sous chacun des deux vases précisent: «vase grec rectifier / duplessi» et «vase grec duplessi rectifier». Le modèle ne comporte pas les anses à têtes de lions en bronze doré ajoutées ici mais possède une grecque en relief sur le bandeau supérieur. Ces vases, avec un troisième plus grand, ont fait partie des pièces choisies par le prince Bariatinsky pour les comte et comtesse du Nord en juin 1782: «... 1 garniture de 3 vases rosettes montés en bronze 2400 l.» (Vy. 8 fº 181). Cette dénomination particulière permet de les retrouver dans une cuisson du 10 décembre 1780: «3 vases grecques à Rosasses, fond pointillé, Taillan Boulang» (Vl' 1 fº 135 vº). Des vases tout à fait conformes au modèle en plâtre ont été exécutés avant la rectification spécifiée par les inscriptions en creux. La Wallace Collection en possède deux paires, de taille différente; l'un des exemplaires porte la lettre-date indiquant 1765 (inv. XII. 42).

---

237 *CHOCOLATIÈRE. Fond brun pourpré et rose, décor polychrome et or. 1781. H. 15, ∅ 8. Marque peinte en or nº 2 (DD); L.; en creux, nº 37. Paris, Louvre, coll. Thiers (inv. Th. 1331).*

De forme cylindrique, terminée par deux rétrécissements bombés successifs au sommet, cette pièce en fonds de deux couleurs est munie d'un petit bec droit et d'un court manche réservés en blanc. Une poignée de bois tourné prolonge le manche. Le couvercle est surmonté d'un clapet et d'une poignée pivotante en argent pour permettre l'introduction d'un moussoir qui fait défaut. Bien que n'ayant relevé aucune mention de livraison de chocolatière dans l'année 1781, P. Verlet (1953, p. 218) a noté que «le fond pourpre et le décor de Chinois correspondent exactement à la mode de cette année-là». La couleur rouge s'est également développée au moment où les palettes de porcelaine dure s'enrichissaient de nouvelles gammes de teintes, parmi lesquelles figuraient un «maron nouveau» et une nuance «carmélite». Le décor de Chinois a été attribué à Levé à cause de la lettre L accompagnant la marque. Cependant, on ne trouve pas mention de «Chinois» dans les travaux de Levé, à partir du moment où les registres de travaux des peintres sont conservés, c'est-à-dire 1777. Les spécialistes de ce genre étaient Lécot et Dieu.

---

238 *SALIÈRE À DEUX GODETS. Fond blanc, décor polychrome et or. S.d. (vers 1780/1785). H. 4,5, long. 12, larg. 7,3. Marque peinte nº 1. Paris, Musée des A.D. (inv. 6295).*

Le corps ovale de cette salière, creusé de deux cavités rondes, est supporté par quatre pieds à cannelures s'élargissant de bas en haut pour soutenir la coupe. Leurs bases, encerclées d'une rosace à feuilles pointues, reposent sur un socle rectangulaire à coins arrondis et côtés incurvés. L'idée est ingénieuse et il est regrettable que cette petite pièce ne soit pas datée. Quatre oiseaux peints en coloris sur l'extérieur de la coupe et deux sur le dessus décorent cette salière enrichie d'une dent de loup, de filets d'or, ainsi que de rehauts sur les reliefs.

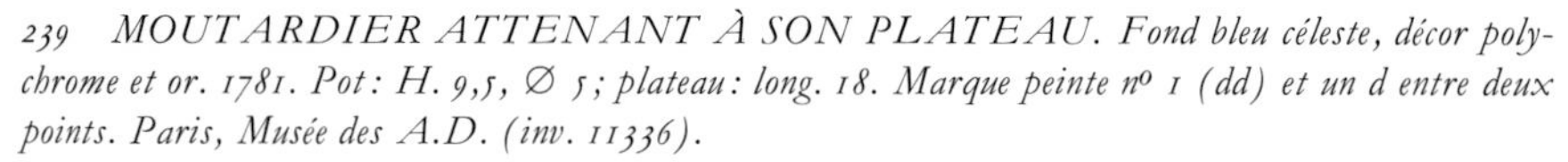

239 MOUTARDIER ATTENANT À SON PLATEAU. Fond bleu céleste, décor polychrome et or. 1781. Pot: H. 9,5, ∅ 5; plateau: long. 18. Marque peinte nº 1 (dd) et un d entre deux points. Paris, Musée des A.D. (inv. 11336).

Des «pots à moutarde» de plusieurs sortes ont été mis en œuvre dès les origines de la Manufacture de Vincennes. L'inventaire de 1752 signale des moules de divers types: «façon de baril», «de différentes grandeurs ovales», «à ornemens de M. Duplessis» ainsi que, en couverte cuite, des «moutardiers à cerceaux et unis» estimés, en cet état, 3 l. Un dessin conservé à la Manufacture de Sèvres porte l'inscription: «moutardie ordinaire rectifie suivan l'ordre de la comande du 19 fevrÿe 1753 nº 1.» En corrélation probable avec cette rectification, l'inventaire du 1.1.1754 mentionne des «modèles en plâtre dont il n'y a pas encore de moules, moutardiers nouveaux». A la même date existent au magasin de blanc: «2 moutardiers Douët 4/8 et 6 platteaux 4/24 l.» Il semble que la forme ait été redressée. Au long du XVIIIe s., les moutardiers soit attenant à leurs plateaux, soit indépendants, ont été associés aux «services d'entrées» ou vendus séparément. Celui-ci par ses date, couleurs, riche décor d'or et fleurs polychromes, pourrait avoir fait partie d'un service «bleu céleste groupes de fleurs» livré à M. Billet, marchand orfèvre, en 1781 (Vy. 8 fº 79).

240 VASE PENDULE BOIZOT. Fond œil-de-perdrix rose, riche dorure sur les reliefs. S.d. (vers 1781). H. 44. Sans marque. Paris, Louvre (inv. OA. 7607), don Salomon de Rothschild.

Deux modèles correspondent à la forme non garnie de cette pièce richement décorée de sculptures en ronde bosse. Ce sont, d'une part, un «vase Boizot urne» uni dont la ligne de profil et le couvercle sont semblables, d'autre part, un «vase Boizot pendule ou à feuilles d'eau» démuni de couvercle mais garni des feuilles en relief figurant sur la pièce de porcelaine non datée. Dans la fournée de peinture du 12 décembre 1781 (Vl'1 fº 188) paraissent «deux vases pendule fond pointillé et or, Taillandier, Le Guay». Le fond rose à petites pastilles blanches réservées, cernées de points rouges, répond exactement au «fond Taillandier». Les bustes d'enfants en ronde bosse, issus de gaines et tenant des guirlandes de feuilles de laurier, peuvent être l'œuvre de Boizot. Ils sont entièrement dorés ainsi que le sommet godronné du couvercle dont le bouton simule une petite coupe portant une grappe. Un «fond Taillandier» rose de même genre se remarque sur une paire de «vases grecs à ornements», datés 1780, du Rijksmuseum d'Amsterdam (voir fig. 236). Un «vase pendule Boizot», à «fond Taillandier» vert, est à la Wallace Collection.

241 VASES DES ÂGES À TÊTES D'ENFANTS. Fond vert, décor polychrome et or. S.d. (vers 1780/1782). H. 36,8, ∅ 15,5, larg. 19. Marque peinte nº 1; Le Guay et Vincent. Collection royale britannique (Laking, nºs 189/190).

Deux formes ovoïdes correspondant à celle de ces vases survivent au magasin des modèles, sous les noms de «vase âges de Paris uni» et «vase œuf de Paris». La première est dépouillée de tout ornement sculpté, la seconde pourvue d'embryons d'anses. Elles ne semblent pas avoir été réalisées sans l'addition de têtes humaines conformément au modèle publié par Troude (pl. 117). Trois sortes d'anses illustrant les trois âges de la vie ont, dès le XVIIIe s., justifié le nom de «vase des âges». Un vase «Paris nf enfans» paraît dans un défournement de porcelaine tendre du 27 juillet 1778, puis le 2 août 1779 «2 vases Paris enfans beau bleu bon à peindre». Dans les fournées suivantes figurent des «vases 3 âges 1ere 2e 3e gr.» (Vc' 1). Par comparaison avec les exemples ci-après, on sait que ces vases-ci sont de 3e gr. Peut-être sont-ils identifiables à «2 vases âges 3e fond verd mignature. Le Guay Vincent» inscrits dans la fournée de peinture du 28 février 1780 (Vl' 1 fº 97 vº). Les scènes s'inspirent de gravures de F.-R. Ingouf, datées 1777, d'après L. Freudenberg.

---

242 VASES DES ÂGES À TÊTES DE JEUNES FEMMES. Fond beau bleu, décor polychrome et or. 1782. H. 42, ∅ 19,9, larg. 24. Marque peinte nº 1 (EE); Dodin et Prévost doreur; en creux: «age 2me 25 Bono.» Collection royale britannique (Laking, nos 223/224/225).

Ces trois «vases âges» de seconde grandeur, à bustes de femmes couronnées de roses, correspondent exactement au modèle survivant publié par Troude (pl. 117) et créé par Deparis. Le petit apprenti, entré à Vincennes à onze ans en 1746, devait être promu chef du département de la pâte tendre, percevoir 1800 l. par mois et être «logé dans la maison» (D. 3). Quel qu'ait été le talent de mouleur et créateur de formes de Deparis, il paraît douteux qu'il ait modelé les têtes souriantes des jeunes femmes. On peut supposer que Boizot, chargé de la direction des ateliers de sculpture depuis 1773, y avait mis la main. Les travaux de Dodin en 1782 comprennent «1 garniture de 5 vases des âges en beau bleu mignature» (Vj' 2 fº 108). On retrouve dans la fournée du «16 Xbre 1782» «5 vases des âges en trois grandeurs beau bleu mignature. Dodin et [illisible]» (Vl' 2 fº 41 vº). Aucune mention de livraison ne permet de les reconnaître. Les miniatures représentent ici «L'accord parfait» suivant une gravure de Helman datée 1777 d'après Moreau le Jeune et «Le Petit Jour», gravé par S. Freudenberg d'après N. de Launay.

---

243 VASE DES ÂGES À TÊTES DE VIEILLARDS (d'une paire). Fond beau bleu, décor polychrome et or. S.d. (vers 1782). H. 49,5. New York, Met. Museum, don de Mrs. Alexander Hosack (inv. 86.7.1ab).

Ces «vases des âges», en première grandeur, s'identifient par leurs éléments sculptés: des bustes d'hommes barbus, au dernier des trois âges de la vie, spécifiés dans la fournée de porcelaine tendre du 18 août 1779 «vases des trois âges. 4. 3 bons. 1 à repasser» (Vc' 1). Mis à part les visages qui diffèrent, ces vases sont étroitement apparentés aux trois à têtes de jeunes femmes ci-dessus. Tout concorde: couleur de fond, dorure en plein sur les reliefs, dessin identique des ornements peints en or. Le style de la miniature est le même. On reconnaît ici le sujet emprunté à une gravure d'après Moreau le jeune: *C'est un fils Monsieur!* faisant partie d'une suite *Pour servir à l'histoire des mœurs et du costume*. Une garniture de trois «vases des âges» en fond vert, de 2e gr., un à têtes d'hommes, deux à têtes de femmes, se trouve au Musée Ile-de-France à Saint-Jean-Cap-Ferrat. On pourrait presque les imaginer en garniture avec les vases à têtes d'enfants ci-dessus tant les décors se ressemblent.

---

244 VASE A DE 1780. Fond beau bleu, décor polychrome et or. S.d. (vers 1780/1784). H. 52,5. Sans marque visible. Baltimore, The Walters Art Gallery (inv. 48.571).

Le modèle en plâtre de ce vase, publié par Troude (pl. 122), fait partie d'une série de formes créées vers 1780, désignées par les premières lettres de l'alphabet suivies de «1780». Inventés peut-être à l'intention de la porcelaine dure, ces vases à l'allure pompeuse ont aussi été réalisés en porcelaine tendre comme cet exemplaire. Le modèle s'apparente à diverses formes «à bandeau» que l'on rencontre depuis les alentours de 1770, comme le «vase fontaine Du Barry» ou le «vase aux tourterelles» (voir fig. 192 et pl. XLIV). Le couvercle de cette pièce diffère de celui du modèle, beaucoup plus plat. Il a été emprunté au «vase B de 1780», ci-après. Les parties réservées en blanc: anses, collier, godrons du culot, ainsi que les reliefs et guirlandes dorés et les rinceaux ornant le bandeau, éclairent le fond beau bleu. Dans le cartel ovale, la peinture en coloris s'inspire d'une gravure de Gaillard d'après un tableau de Boucher: *Jupiter et Callisto* (voir fig. 176). Dans la même collection, un vase de forme et couleurs semblables à celui-ci, mais ne s'appariant pas, est daté 1784.

245 VASES B DE 1780. Fond bleu céleste, décor polychrome et or. 1782. H. 39. Marque peinte nº 1 à épines (EE); Vincent. New York, Met. Museum, donation Kress (inv. 58.75. 110/111).

La forme en plâtre, publiée par Troude (pl. 122) sous ce nom, n'est pas mentionnée ainsi au XVIIIe s. Garnier a intitulé l'exemplaire, en fond bleu foncé, qu'il a reproduit: «vase à mascarons» (pl. 36). Il est évident que, sur ce vase, monté sur pied élevé, à culot ondulant surmonté d'un corselet et coiffé d'un lourd couvercle en cloche, les figures casquées et barbues de la base des anses sont des éléments caractéristiques. On trouve mention de «vases mazquaron en beau bleu à peindre» dans une fournée de pâte tendre du 2 avril 1777 (Vc' 1). Le terme disparaît et ne se retrouve pas dans les travaux des peintres. Parmi ceux d'Asselin figurent en juin 1781 «3 vases nouvelle forme fond bleu céleste mignature» (Vj' 2 fº 16). Il ne paraît pas impossible que cette paire de vases ait entouré une autre pièce centrale. Les peintures des cartels empruntent des sujets mythologiques: Apollon tuant le serpent Python et Daphné transformée en laurier. Le Musée Ile-de-France à Saint-Jean-Cap-Ferrat conserve une paire de vases de même forme, en fond beau bleu et peintures dans le goût de Boucher.

246 GRAND VASE OVOÏDE À BANDEAU (d'une paire). Fond beau bleu, monture et bas-relief en bronze. 1782. H. 109, ∅ 55. Musée du Palais de Pavlovsk (inv. YX. 5539/40-41).

L'année 1782 fut marquée par la visite en France du futur tsar Paul Ier de Russie et de son épouse Marie Feodorovna, voyageant sous le nom de comte et comtesse du Nord. La Manufacture de Sèvres contribua à la fabrication de pièces destinées à leur être offertes. Ce vase et son pendant figurent en premier dans l'énumération du «Présent fait par le Roi au Comte et à la Comtesse du Nord, le 13 juin 1782, 2 vases en beau bleu bas reliefs en bronze à 12000/24000 l.» (Vy. 8 fº 215 vº). Le prix très élevé de ces vases est justifié par le travail de bronze; Th. Duplessis reçut 14000 l. pour «les garnitures de deux grands vases décorés de bas-reliefs dorés» (Vf. 31 fº 15). Ce modèle de vase, répété, en fond vert, avec un bas-relief en biscuit à l'imitation de Wedgwood, a fait partie d'un autre présent fait par Louis XVI au roi de Suède en 1784. Il manque à ce dernier vase, qui jouit d'une monture presque semblable, l'ananas haut dressé sur le bouton du couvercle, qui ajoute une note pittoresque à la grande allure de celui-ci.

247 GARNITURE DE TROIS VASES ŒUF MONTÉS EN BRONZE. Fond bleu lapissé d'or. 1780. Le plus grand: H. 50, ∅ 30; les petits: H. 39, ∅ 23. Marques peintes nº 2 (CC). Musée du Palais de Pavlovsk (inv. YX. 5197/98/99-I).

Un «état des porcelaines choisies par Son Excellence Le Prince Bariatinsky pour les Comte et Comtesse du Nord», en juin 1782, mentionne en tête de liste «1 garniture de cinq vases œuf lapis montés en bronze 3600 l.». La description succincte correspond à ces vases-ci dont la forme équivaut à celle du modèle survivant, enregistré sous le nom banal de «vase œuf à monter», sur lequel deux traits parallèles suggèrent une bande au niveau de la ceinture ajourée en bronze. La monture, de belle qualité, rappelle le principe des «vases âges Deparis» où les trois âges de la vie font appel à des bustes d'enfants, de femmes et de vieillards. Ici aussi, les figures évoquent l'intervention de Boizot qui travailla beaucoup aux modèles destinés aux hôtes princiers. Les guirlandes de feuilles de vignes et grappes de raisins n'ont pas été répétées sur le plus grand de ces trois vases. Les prises des couvercles empruntent le motif d'ananas remarqué sur le très grand vase ci-dessus, avec moins d'exubérance.

248 TASSE LITRON ET SOUCOUPE À PORTRAIT DE PAUL PETROVITCH. Emaux verts et or. 1782. Tasse: H. 7,5. Marque peinte nº 1 (EE). Musée du Palais de Pavlovsk.

Plusieurs gobelets enrichis d'émaux en relief, à portraits du roi, de la reine et de leurs hôtes, faisaient partie des présents offerts par Louis XVI au comte et à la comtesse du Nord. La tasse sur laquelle est peint le portrait resplendit d'émaux verts et or. Un véritable travail d'orfèvrerie entoure la soucoupe suivant un motif de ruban encerclant une bordure dont le dessin figure dans un registre de modèles de décors d'assiettes conservé dans les archives de la Manufacture de Sèvres. Le décorateur Parpette reçut 48 l. pour avoir «émaillé richement» le gobelet et sa soucoupe, et Pithou l'aîné 96 l. pour le «portrait de M. le Comte du Nord (F. 24, travaux extraordinaires). La valeur de cette tasse atteignait 360 l. (Vy. 8 fº 205 vº).

---

249 MIROIR DE LA TOILETTE DE LA COMTESSE DU NORD. Fond beau bleu, émaux colorés, sculptures en biscuit. 1782. H. 100. Musée du Palais de Pavlovsk.

Le plus prestigieux des cadeaux commandés par Louis XVI pour ses hôtes princiers en 1782 fut la toilette offerte à la comtesse du Nord. Le miroir, principale pièce de l'ensemble qui en comptait près de soixante-dix, a été entièrement conçu par Boizot qui en a modelé les figures. L'artiste a su allier aux éléments héraldiques imposés, la grâce de figures féminines et enfantines en biscuit. L'élégance des draperies et la richesse des émaux en relief sur le fond beau bleu contribuent à faire de ce miroir une des plus belles réussites de Sèvres sous le règne de Louis XVI. La petite histoire, qui s'est fait l'écho de l'émerveillement de la princesse, lui prête la remarque: «C'est sans doute pour la reine!» A quoi Marie-Antoinette aurait répondu: «une reine vous l'offre» en lui montrant ses armes, son chiffre et l'aigle bicéphale portant la couronne impériale. Quand la Manufacture de Sèvres a réédité ce miroir, simplement en biscuit, la qualité des sculptures lui conférait encore une indéniable beauté. Les petits sujets d'enfants qui surmontent les «grands carrés» (voir ci-après) sont toujours répétés sous le nom: «enfants du miroir de la toilette».

---

250 AIGUIÈRE ET CUVETTE DE LA TOILETTE DE LA COMTESSE DU NORD. Fond beau bleu, décor d'émaux colorés. 1780/1782. Marques peintes: cuvette: nº 1 (CC); Vincent; aiguière: nº 2. Musée du Palais de Pavlovsk.

Parmi les nombreuses pièces composant la toilette de la comtesse du Nord, à côté d'objets assez inattendus tels que porte-mouchette, sonnettes, écritoire, se trouvent des pièces appropriées sinon d'usage. La fragilité des émaux en relief exclut l'utilisation d'une cuvette comme celle-ci. Toutes les formes ont été créées spécialement et l'inventaire du magasin des modèles cite notamment celui du «pot à l'eau de la toilette» qui d'ailleurs existe encore. Il ne faut pas confondre cette appellation avec les modèles dits «russes» qui désignent des formes inventées pour le service de l'impératrice Catherine II. Indépendamment de la forme hardie de l'anse attachée à ses extrémités par des masques, du bec légèrement cranté et des émaux translucides, la peinture en dorure sur le fond bleu est un travail remarquable qui a été confié aux meilleurs artistes. Pithou l'aîné y contribua; on relève à son actif, en juin 1782, entre autres détails: «vu Eguerre 8 figures 24 l.» (F. 24. travaux extraordinaires) qui peut peut-être s'identifier avec cette aiguière.

251 *GRAND CARRÉ DE LA TOILETTE DE LA COMTESSE DU NORD.* *Fond beau bleu, émaux colorés, décor d'or, monture en bronze, sujets en biscuit. 1782. Musée du Palais de Pavlovsk.*

Les deux grands carrés et deux plus petits étaient les pièces les plus importantes parmi les quelque soixante-dix constituant l'ensemble de «la toilette de la comtesse du Nord». Boizot conçut le tout et créa les groupes sculptés; les meilleurs décorateurs contribuèrent à l'exécution des «bas reliefs en or». Les archives de la Manufacture de Sèvres conservent un «Mémoire des ouvrages en bronze et dorure de Madame la Comtesse du Nord faits et fournis par le Sieur Duplessis à la Manufacture des porcelaines du Roy. Savoire les quatre cages des caré garnie de quatre petis satire chaqune ce qui fait seize satire ... un double aigle qui porte trois couronnes la base du miroire et ces atributs ... trente deux griffes de lyon pour les quatre quarré et neuf griffes plus forte pour porter la base du miroire, huit grands et les cordons pour la draperie ... et a voire fourni la glace pour le tout 6521 l. Pour la garniture des quatre coffres et la neffe en velours bleu galonné d'or fin 192 l.». (I.2 L. III).

252 *PENDULE À PLAQUES DE PORCELAINE.* *Fond blanc, décor polychrome et or. 1776-1782. H. 65, larg. 47. Marques peintes nº 1 diverses. Amsterdam, Rijksmuseum (inv. Nr. R.B.K. 16672).*

Cette pendule, qui provient du Palais de Pavlovsk, a peut-être été montée en 1782 à l'occasion de la visite en France du comte et de la comtesse du Nord. Sa composition réunit des plaques diversement datées et peintes par des artistes différents. Les trois plaques à figures sont signées Dodin, les deux du haut et du milieu datées 1776, celle du bas 1782. Les montants à décor de candélabres des côtés, haut et bas, sont l'œuvre de Pierre jeune en 1782. Les côtés (invisibles sur l'illustration) sont signés Bouilliat et Chauveau 1780. Les peintures des plaques ovale et pseudo-rectangulaire avec base en demi-lune font allusion à l'astronomie: l'amour sur des nuages explore le ciel avec une longue-vue; l'autre, assis dans un jardin près d'un livre ouvert où se lit «Connaissance du Temps», tient une énorme lunette. Des plaques de mêmes formes et sujets traités à peine différemment ornent un baromètre-thermomètre conservé au Metropolitan Museum of Art de New York, donation Kress (inv. 58.75.58/59; voir Dauterman, 1964, p. 263).

253 *ASSIETTE ET COMPOTIERS D'UN SERVICE DE TABLE.* *Fond blanc, rubans bleu céleste, décor polychrome et or. 1782. Assiette: ∅ 24; marque peinte nº 1 (ee); Commelin; en creux nº 33. Compotier carré: larg. 21; marque idem et signe indéterminé. Compotier rond: ∅ 21; marque idem et signe de Mlle Xhrouet. New York, The Frick Collection (inv. 18.9.38,37,35).*

Les formes de ces trois pièces datées 1782 étaient depuis longtemps utilisées. Les contours lobés sont plus sobres que ceux des premières assiettes de Vincennes. Le rythme de six grands festons alternant avec six petits est conservé pour le compotier comme pour l'assiette. C'est d'ailleurs la forme de celle-ci qui a été choisie pour le grand service de Louis XVI. Le décor de rubans, interprété de multiples manières, a également une origine lointaine si l'on pense au service offert par Louis XV à l'impératrice Marie-Thérèse en 1758 (voir fig. 90). Ici les festons, formés par un ruban gaufré bleu céleste, délimitent une zone en œils-de-perdrix or sur blanc qui suit le mouvement des lobes. Un petit triangle bleu habilement posé accuse ce mouvement. Ce modèle a connu un grand succès; à tel point qu'il a été copié par l'atelier parisien Feuillet au XIXe s.

---

254 LE DÉJEUNER DE LA SULTANE. *Tableau polychrome sur plaque de porcelaine. 1783. H. 40,5, larg. 48,5. Marque peinte nº 1 ornée (FF); signature en bas à droite: «Pithou/1783». MNCS (inv. 23275).*

Les plaques décorées destinées à orner des meubles remontent aux origines de la fabrication à Vincennes (voir fig. 66). Les copies de tableaux commencèrent aux alentours de 1761 où le 24 décembre fut livré: «A Mad. de Pompadour 1 tableau 600 l.» sans le moindre détail (Vy. 3 fº 85). La même année 1761, le peintre Dodin reçut un paiement «en extraordinaire» de 96 l. pour «un tableau à personnages» (F. 6). La célèbre série des «Chasses du Roy» d'après Oudry, livrée à Louis XVI le 3 janvier 1782 (Vy. 8 fº 145), était à peine terminée que d'autres sujets furent envisagés. Les peintures relatives à la vie au sérail d'Amédée van Loo parurent attrayantes (voir fig. 210). Le «Déjeuner» et la «Toilette de la Sultane favorite» étaient terminés en 1783. A Versailles, le 2 janvier 1784, le roi acquit au comptant la toilette et le déjeuner; mais finalement ce dernier, d'une valeur de 3000 l., fut porté en vente à crédit à la reine Marie-Antoinette (Vy. 9 fº 76 vº). Dans les travaux de Pithou jeune en 1783 figure: «1 grand tableau la toilette de la sultane» (Vj. 2 fº 220). Les couleurs limpides et la perfection de la peinture affirment la maîtrise de l'artiste.

---

255 PLATEAU DE GUÉRIDON. *Fond blanc, décor polychrome et or. 1783. Ø 35,4. Chauveau doreur. New York, The Frick Collection (inv. 15.5.61).*

Cette grande plaque ronde, décorée d'une corbeille de fleurs suspendue par un ruban bleu attaché à un clou doré, forme la partie supérieure d'un guéridon en bronze doré attribué à Martin Carlin vers 1783. La porcelaine porte encore au revers une étiquette en papier rose jauni sur laquelle est imprimé le chiffre royal semblable à la marque de Sèvres et l'inscription manuscrite 252 l. Le signe du doreur Chauveau figure aussi tracé en or. Grâce à ces indications, il a été possible de retrouver trace de deux plaques de 252/504 l. livrées au marchand Daguerre pendant le premier semestre 1783. Ce sont les seules de ce prix exact mentionnées entre 1780 et 1790 (Vy. 9 fº 22). Dans les cuissons de peinture, on constate que «deux plaques rondes 1ere gr. corbeille de fleurs Bouilliat Chauveau» sont sorties le 2 juin 1783 (Vl' 2 fº 61). De plus, on relève parmi les travaux de Bouilliat «du 20 mai [1783] 2 plaques rondes 1ere gr. corbeille de fleurs et frize sur les bords, vu» (Vj' 2 fº 31). En reprenant le cours des opérations en sens inverse, tout concorde pour suivre les plaques depuis leur décoration jusqu'à la livraison. Une seule est visible ici. Le guéridon en comporte une autre plus petite.

---

256 VASE OVOÏDE MONTÉ EN AIGUIÈRE *(d'une paire). Fond beau bleu, bronze doré. S.d. (vers 1783/1785). H. 42, larg. 23,5. Sans marque. Londres, The Wallace Collection (inv. XVIII. 27/28).*

La richesse de la monture en bronze doré fait passer au second plan la porcelaine en fond beau bleu uni. Trois dessins légendés, conservés dans les archives de la Manufacture de Sèvres, se rapportent à cette forme nue. Sur le premier on lit: «vase pour Monsieur D'aguerre comendé ce 29 juillet 1782 beau bleu en plein.» Le second concerne un agrandissement commandé le 3 août 1785. Le troisième rappelle: «vase pour M. Daguerre donné à faire pareil à un model en bois qui avait sy devant donné ... mais le dit model en bois a été égarré et je l'ai fait faire d'après une porcelaine cuitte ... ce 15 Avril 1785.» Il s'agit à l'évidence de «vases à monter» que la Manufacture fournissait aux marchands-merciers. Daguerre était l'un des principaux clients de cette nature. Le vase, transformé en aiguière par une somptueuse monture, prend l'allure d'un travail d'orfèvre. Son style s'inspire davantage de la Renaissance italienne ou française, que de l'Antiquité gréco-romaine révélée par les études archéologiques du XVIIIe s. Deux paires d'aiguières semblables sont conservées dans la collection royale britannique.

257 VASE OVOÏDE MONTÉ (d'une paire). Fond beau bleu, décor de singeries en or, bronze doré. S.d. (vers 1783/1790). H. 32,4, larg. 19,7. Sans marque. Londres, The Wallace Collection (inv. XX.7-8).

La forme du vase en porcelaine ressemble beaucoup à celle de l'aiguière ci-dessus. Elle s'apparente aussi aux «vases C de 1780» (voir fig. 266). Les dessins que conserve la Manufacture de Sèvres concernent des rectifications tardives. L'un d'entre eux est accompagné de l'inscription: «vase [tourné] 2e gr. unie dont le couvercle a été changé et le pied, il est fait pour être monté et il a été comandé par M. Régnier chez M. Le Riche le 11 juin 1788.» Les «vases à monter» de même forme présentent des différences minimes attestant de continuelles rectifications. La garniture de bronze leur donne un caractère particulier. Si l'on admet que la garniture de bronze de la «cassolette montée» ci-après soit, comme le suggère la mention accompagnant son propre dessin, une création de Thomire, celle-ci, presque semblable, devrait lui revenir. Elle est enrichie par les flèches qui, à la base du culot, alternent avec les feuilles d'eau. La même forme a été montée avec des putti jouant de la trompette. Le même type de décor de singeries en or est visible sur les «vases C de 1780», datés 1786, du Musée de Sèvres (inv. 22461; voir fig. 265).

258 CASSOLETTE. Fond beau bleu uni, monture en bronze. S.d. (vers 1783/1790). Porcelaine seule: H. 15,2, long. 31,8, larg. 18,7. Sans marque. Londres, The Wallace Collection (inv. XX-9).

La Manufacture de Sèvres conserve deux modèles en plâtre de «cassolettes à monter» à pieds et couvercles inexistants ici. Un dessin porte l'inscription: «vase casolette pour être monté par Mr. Tomir fait d'un 10e plus grand que le model ce 20 Avril 1784. Ce trait donne exactement le profil de la porcelaine.» Les mentions de «vases cassolettes» ne font jamais allusion aux montures. Rien ne semble s'opposer à ce que les bronzes dorés de cet exemplaire-ci aient été conçus par Thomire. D'ailleurs, ce type de cassolette ovale richement montée pouvait entrer dans une garniture de trois entre deux cassolettes rondes, montées un peu plus simplement mais assorties. Une telle garniture a figuré dans la vente de Denise Boas à Paris (Galerie Charpentier, 9 juin 1937, nº 82). Une livraison à Madame Adélaïde en 1787 de «2 vases cassolettes 408/816 et 1 vase le milieu 480 l.» pouvait peut-être concerner un ensemble de ce genre (Vy. 10 fº 155). Une cassolette de milieu, ovale, semblable à celle-ci, est conservée dans la collection royale britannique.

259 SEAU CRÉNELÉ DU «SERVICE ARABESQUE MASSON». Fond blanc et rouge violacé, décor pompéien polychrome et or. 1784. H. 21, long. 40. Marque peinte nº 2 très ornée (GG); Armand jeune. Naples, Museo Nazionale Duca di Martina (inv. n. 4407).

Au début de 1783, l'ingénieur et architecte Louis Masson qui, anobli, devint «Le Masson», fut chargé d'élaborer les formes et les décors nouveaux d'un «service arabesque» en porcelaine dure de Sèvres destiné à la reine. Le Masson avait fait un séjour à Rome d'où il était revenu imprégné d'art classique et de goût pompéien, ce qui explique qu'il ait eu l'idée de transposer un sarcophage antique en seau crénelé. La lourdeur de la forme, ornée de reliefs dorés — anneaux, têtes et griffes de lions — est compensée par un décor délicat. Des gouaches en coloris, conservées à Sèvres, en donnent les principaux éléments. Entre deux frises de ruban bleu et rouge ondulant, de fines guirlandes serpentent autour de tiges droites et des paons perchés sur un cordon souple s'affrontent ou s'adossent alternativement. De grands festons relient les parties en relief, et de plus petits soulignent les échancrures supérieures. Le peintre Armand jeune décora un seau crénelé en 1783 et deux en 1784 (Vj' 2 fº 4 et Vj' 3 fº 1). Dans la nomenclature de livraison figurait: «1 ditto [verrière] sans [plateau] 5630 l.» (Vy. 12 fº 72 vº).

260 ASSIETTE OCTOGONE (même service que ci-dessus). 1786. ∅ 23,5. Marque peinte nº 2 (ii). Londres, Victoria and Albert Museum (inv. 4530-1858).

Dans la composition du «service arabesque» entraient des assiettes différentes qualifiées parfois: «à pans» ou «à pans unie» ou «platte à 8 pans» ou encore «arabesque rond dans le fond». Ces diverses formules peuvent correspondre au modèle de cette assiette qui probablement comptait parmi les plus riches. La bordure se divise en huit compartiments où se répète un motif d'amours affrontés autour d'un oiseau aux ailes étendues. Au centre, la figure d'Apollon paraît dans un rond encerclé d'un motif pompéien caractéristique évoquant un vélum ondulant. Après 1786, les archives de Sèvres sont muettes au sujet du «service arabesque» qui avait demandé tant de recherches, fait l'objet de nombreux échanges de vues et réclamé le concours de nombreux artistes. Un mystère plane sur ce qui en advint au cours des années suivantes. La pauvre reine périt sur l'échafaud sans avoir reçu le service. Il faut arriver au 2 décembre 1795 pour trouver la mention finale révélant que le service fut livré «Le 11e Frimaire An IV ... par le Comité de Salut public au Ministre du Roy de Prusse...» pour un prix total atteignant 140000 l. (Vy. 12 fº 72 vº et 73). Le gouvernement de la République reprenait la coutume royale des présents diplomatiques.

---

261 VASES. Fond beau bleu, bas-reliefs en biscuit, monture en bronze doré. 1785. H. 61, ∅ 32. Sans marque. Porcelaine dure. Paris, Louvre (inv. OA. 6614/15), en dépôt au Musée du Château de Versailles.

Ces pièces, réductions des très grands vases exécutés d'après le modèle de Boizot et Thomire datant de 1783/1784, étaient destinées au Cabinet dans l'Appartement intérieur du roi à Versailles. Après divers voyages et un séjour au Louvre, ils ont repris place à l'endroit où ils étaient avant 1792. Leur forme, par le culot ovoïde et la zone supérieure évasée au-dessus d'une partie cylindrique, s'apparente à celle des «vases Médicis». Les variations de ceux-ci ont été innombrables à la fin du XVIIIe s. et au début du XIXe. La richesse de ces deux vases tient non seulement à la qualité du fond beau bleu de la porcelaine et à celle de la sculpture en biscuit, mais pour beaucoup à la finesse du travail de bronze. Les figures féminines qui, posées sur les anses, soutiennent le bord, encadrent avec grâce les bas-reliefs. Ceux-ci représentent sur un vase: La toilette de Vénus et Vénus sur les eaux; sur l'autre: Diane chasseresse et Diane et Actéon. On croit pouvoir reconnaître ces vases dans une livraison à Versailles en 1785 «au Roi 2 vases ornés de bas-reliefs et bronze doré 7500/15000 l.» (Vy. 10 fº 13 vº).

---

262 VASE CONIQUE (d'une paire). Fond écaille noire, monture en bronze doré. S.d. (vers 1785). H. 32,3, ∅ 13, larg. 19,2. Sans marque. Porcelaine dure. Collection royale britannique (Laking, nºs 301/302).

Plusieurs dessins, conservés dans les archives de Sèvres, portent diverses inscriptions. Sur l'un, on lit: «vase serpent Boizot 1ere gr. grandie d'un 10e plus grand que le model nº 24 fait pour monter par Mr. Thomire» et «du 14 mars 1785 4 vases pareil au trait»; sur un autre, quatre grandeurs sont figurées les unes dans les autres. De plus, deux autres dessins, proposant des vases coniques à cols plus ou moins larges, sont légendés comme suit: «Vase demandé par Mme Poupart le 20 Aout 1788, d'après un model en bois donné» et «Vase donné à faire par M. Thomire le 24 juillet 1786 avec plusieurs plaques et cerces hotel etc.». Un modèle en plâtre, qualifié au XIXe s. «vase à monter de Mme Poupart», a survécu et correspond aux profils donnés par les dessins. Si l'on compare ceux-ci avec quelques types désignés «vases Boizot à bas reliefs» reproduits par Troude (pl. 124), la similitude de ligne est évidente. Etant donné ce qui précède, on croit pouvoir attribuer à Thomire l'exécution des bronzes dorés qui constituent l'unique décoration de ces vases et accompagnent la forme très simple de la porcelaine dont la matière imitant l'écaille noire est magnifique.

263 ÉCUELLE RONDE ET PLATEAU OVALE. Fond beau bleu et blanc, décor en camée, polychrome et or. 1786. Ecuelle: H. 6,2, ∅ 14,8; plateau: long. 26, larg. 20,7. Marque peinte nº 1 (ii); Fontaine; en creux, nºs 14 *et* 65. *Paris, Musée des A.D. (inv. 36941).*

La forme ronde du récipient est connue depuis l'époque de Vincennes, ainsi que les anses torsadées et la prise du couvercle en branche d'olivier. Le plateau ovale n'est pas non plus une innovation, mais son contour légèrement chantourné garde une grande sobriété. Le décor chargé abonde en éléments néo-classiques. La frise de postes rouge violacé entremêlées de branchages sur fond blanc apporte une note claire à l'ensemble sévère. Dans le fond bleu violacé, huit médaillons ovales en camée, entourés de larges bandes dorées, sont répartis également sur le bol et sur le plateau. L'imitation de camées en trompe l'œil — figures antiques de profil peintes en grisaille, soit sur fond clair comme sur le «vase à palmes» (voir fig. 163), soit sur fond foncé comme sur le «vase Carrache» (voir pl. XLI) — a souvent été pratiquée à Sèvres depuis les environs de 1768.

264 PENDULE LYRE. Fond beau bleu, monture en bronze. 1786. Sans marque. Porcelaine dure. H. 61, larg. 26. MNCS (inv. 21649).

Ce type de pendule en forme de lyre posée sur un pied ovale à riches moulurations, sommée d'un masque rayonnant, ornée de riches guirlandes et cours de perles en bronze doré, a été répété à plusieurs exemplaires. Le cadran entouré des douze signes du zodiaque en émail est signé «Coteau 1786» et porte le nom de l'horloger Garrigues à Paris. Une livraison au profit de Mme Courieult à la fin de 1785 nous apprend que la lyre seule valait 192 l. (Vy. 10 fº 23). Une pendule lyre, semblable à celle-ci, se trouve au Musée du Louvre (inv. OA. R. 483); son cadran est signé de la même manière «Coteau 1787» et indique le nom de l'horloger Courieult. Elle provient du Château de Versailles où, avant la Révolution, un inventaire la décrivait dans le «Sallon des Jeux: Une pendule de cheminée en porcelaine de Sèvres fond bleu cadran à 4 aiguilles, ornée de rangs de perles et guirlandes de fleurs le haut terminé par un soleil sous verre de 22 pouces de haut». Elle était alors prisée 1600 l.

265 VASES C DE 1780. Fond beau bleu, décor de singeries en ors de diverses couleurs. 1786. H. 29, ∅ 11,5, larg. 15. Marque peinte nº 1 (ii). MNCS (inv. 22461).

Indépendamment du modèle en plâtre publié par Troude (pl. 121), qui diffère de ces vases-ci par le haut de l'encolure mais propose exactement les mêmes profil, composition et ligne des anses, les archives de Sèvres conservent trois dessins. Le plus proche de cette forme ne porte aucune inscription. Les autres concernent des rectifications et indiquent deux grandeurs. Sur l'un des autres, on peut lire: «vase torne 2e gr. unie dont le couvercle a été changé et le pied, il est fait pour être monté et il a été comandé par M. Régnier chez M. Le Riche, le 11 juin 1788.» Tous les dessins gardent le col uni comme ici, à la différence de l'exemplaire plus tardif ci-après conservé au même musée. Le fond beau bleu de ces «vases C de 1780» de deuxième grandeur est décoré de singeries en ors de plusieurs couleurs disposées de manière à s'inscrire dans le mouvement des anses. Ce décor incite à un rapprochement. Le prince de Condé, qui ne faisait que de rares, mais parfois spectaculaires, achats à la Manufacture Royale, acquit aux ventes à Versailles de 1786-1787: «2 vases singes 480/960 l.» (Vy. 10 fº 118 vº).

266 VASE C DE 1780 (d'une paire). Fond beau bleu, décor polychrome et or. S.d. (vers 1785/1795). H. 35,5, ∅ 15,5, larg. 18,5. Sans marque. MNCS (inv. 15491), dépôt du Louvre.

Le profil de ce vase et son encolure moulurée correspondent exactement au modèle publié sous ce nom par Troude (pl. 121). Il diffère par les anses, simplifiées par rapport aux vases précédents, l'attache du pied et l'absence de couvercle. C'est une forme parfaitement ovoïde, achevée par une encolure cintrée qui paraît rapportée et qui garde une ligne très pure. Le décor de fleurs aux tiges liées en bouquet n'offre pas le caractère botanique rigoureux qui se remarque parfois à la fin du siècle (voir fig. 298). Il ne prétend pas à la nature morte composée en tableau mais, malgré une certaine mièvrerie, garde un caractère simple et harmonieux. Toutefois, la forme rigide de la réserve et de son encadrement sobre annoncent un autre style. Au XIXe s., ces vases ont fait partie de l'ameublement du Palais de Fontainebleau.

---

267 VASE ÉTRUSQUE À BANDEAU (d'une paire). Fond vert, blanc et mauve, décor en grisaille, polychrome et or. S.d. (vers 1782/1790). H. 34,3, ∅ 14,5, larg. 18,5. Sans marque. Paris, Musée des A.D. (inv. 5339), dépôt du Louvre.

Ce vase a la particularité de posséder, en guise d'anses, des mufles de lions tenant un anneau. C'est une variante de la forme précédente qui présente, outre un culot et un col plus minces, un bandeau caractéristique. Les reliefs dorés font écho aux palmes, guirlandes et motifs divers qui brillent sur le fond vert doux. Sur la cerce, dans un large cartel, se déroule sur fond blanc une scène peinte en grisaille. Au revers, des arabesques colorées rappellent le style du vase qui suit. Les parties intermédiaires, sur fond mauve orné de palmettes dorées, supportent les têtes en relief. Sur la face, le tableau, qui représente une toilette à l'antique, s'inspire d'une gouache de Lagrenée conservée dans les archives de la Manufacture de Sèvres (inv. F. §5, 1814, nº 393). Le modèle propose un effet de bronze vert en trompe l'œil dont le décorateur a su se dégager pour réaliser une peinture d'aspect plus léger.

---

268 VASE ÉTRUSQUE À BANDEAU (d'une paire). Fond beau bleu et blanc, décor polychrome et or, anses en bronze. S.d. (vers 1782/1790). H. 27,7, ∅ 12. Marque peinte nº 1. Paris, Musée des A.D. (inv. 5340), dépôt du Louvre.

Les vases de forme dite «étrusque à bandeau» diffèrent plus par leurs proportions que par leur construction. Ils sont toujours composés, au-dessus d'un pied rond faiblement mouluré, d'un culot ovoïde, d'une cerce en léger relief et d'un col cintré plus ou moins rétréci. Ici le culot très arrondi et le col épais encadrent le traditionnel bandeau souligné de larges filets d'or. Des motifs pompéiens, dans le goût de Lagrenée, peints délicatement à l'aide de couleurs fraîches, égayent la frise claire. Les ornements d'or sur le fond bleu restent simples. Ces vases ont la particularité d'être montés en bronze avec des anses finement ciselées fixées au col par des rosaces et sur le corps par un cul-de-lampe. Le décor peint est à rapprocher de celui de vases de la collection royale britannique (non reproduits dans cet ouvrage) qui ont fait partie du mobilier du Château de Versailles avant la Révolution (voir Verlet, 1954, p. 202).

269 VASE AUX SERPENTS LERICHE (d'une paire). Fond beau bleu et blanc, décor polychrome et or. S.d. (vers 1787). H. 35,8, ∅ 14,5, larg. 18,3. Sans marque. Paris, Musée des A.D. (inv. 5349), dépôt du Louvre.

Le modèle publié sous ce nom par Troude (pl. 123) remonte peut-être aux alentours de 1787. Un dessin concordant, conservé à la Manufacture de Sèvres, porte l'inscription: «donné à faire par M. Régnier d'après un vase de M. Le Riche que l'on a rectifié pour être monté le 4 avril 1787.» La forme s'apparente à la série des vases dits «étrusque à bandeau». Ce vase en fond beau bleu est enrichi d'ornements dorés composés avec soin. Les anses entièrement dorées imitent le métal. Sur le bandeau, la scène allégorique peinte dans le cartel rectangulaire à coins abattus s'intitule «L'Amour vaincu» d'après un modèle de J.-J. Lagrenée conservé dans les archives de Sèvres avec son pendant «L'Amour vainqueur» (F. § 5, 1814, nos 412/413). Une livraison effectuée en l'an III est peut-être à rapprocher de cette pièce et de son pendant: «au Citoyen Visconti Ministre plénipotentiaire de la République cisalpine 2 vases serpents fond beau bleu arabesques et miniatures 600/1200 l.» (Vy. 12 f° 15 v°). Au XIXe s. ces vases ont fait partie de l'ameublement du Palais de Fontainebleau.

270 VASE AUX SIRÈNES. Fond beau bleu et blanc, décor d'or. S.d. (vers 1785/1787). H. 48,6, larg. 25,5. Marque peinte n° 1; Le Guay ou Le Grand. Londres, The Wallace Collection (inv. I. 23).

Le modèle publié sous ce nom par Troude (pl. 117) néglige celui de Leriche, auteur évident des figures. Ce type en plâtre, simplifié par l'absence de cannelures et de godrons, possède un couvercle. Les figures des sirènes sont exactement conformes. Comme le «vase aux serpents Leriche», il s'apparente aux vases «étrusque à bandeau». Un dessin le concernant, conservé dans les archives de la Manufacture de Sèvres, s'applique à une rectification tardive qu'indique l'inscription: «vase sirenne recti Moi Germinal An 3e Les soc de 4 pouces dix lignes ... arreté qu'ils seront tous exécu en patte de porcelaine dur.» La grandeur du vase et la faible surface de son pied rond réclamaient un socle carré «fait pour y mettre une tige de faire qui passe au travair du pied et du vase et arrete par un écrou des deux bouts». Le principe du socle carré a souvent été adopté pour les vases de la fin du XVIIIe s. La belle frise dorée qui orne le bandeau de ce vase se répète identique sur un exemplaire semblable conservé à la Huntington Collection à San Marino (voir Wark, 1962, pl. 109). On relève en l'an III «livré au Citoyen Meunier 1 vase sirènes beau bleu 2000 l.» (Vy. 12 f° 27).

271 VASE ÉTRUSQUE LERICHE (d'une paire). Fond noir, décor de chinoiseries en ors de couleurs diverses. S.d. (vers 1788/1790). H. 33,5, ∅ 12. Sans marque visible. Porcelaine dure. Collection royale britannique (Laking, nos 286/287).

Un dessin portant l'inscription «vase forme Etrusque prie d'apres une terre antique de chez M. Le Riche ce 30 juillet 1788. 2e grandeur» atteste que cette forme est issue d'un original antique. Aucun modèle, s'il en fut, n'a subsisté, et les livraisons de «vases étrusques» ne semblent pas se rapporter à ce type de pièce qui pourrait avoir son origine parmi la collection de «vases étrusques» rassemblée par Vivant-Denon et entrée à la Manufacture de Sèvres en 1786 pour inspirer de nouvelles formes. Le fond imitant la laque noire était devenu à la mode à la fin de l'Ancien Régime, et les progrès techniques accomplis pour diversifier les fonds sur la porcelaine dure permettaient des effets nouveaux. Les décors d'ors de plusieurs couleurs, déjà empruntés pour orner la porcelaine tendre, connurent un regain de faveur sur la porcelaine dure soit sur fond blanc, soit sur fonds colorés (voir fig. 237 et 294).

272 TINETTE DE LA LAITERIE DE MARIE-ANTOINETTE À RAMBOUILLET. Décor imitant le bois. 1788. H. 48,5. Marque peinte nº 2 (KK); Rosset. Vente à Mentmore, Sotheby's, 24 mai 1977, nº 2079.

La Manufacture de Sèvres conserve dans ses archives une planche de petits dessins rehaussés représentant les divers éléments prévus pour garnir de porcelaines la laiterie de la reine au Château de Rambouillet. Formes et décors étaient de l'invention de J.-J. Lagrenée. La première figure est cette «tinette» surmontée de sa passoire (absente ici). C'était la pièce la plus importante, destinée à égoutter le fromage frais. Pour ce seau, oubliant un instant les allusions au lait répandues à profusion sur les autres pièces, Lagrenée a simplement imaginé un décor en faux bois, rarement réalisé à Sèvres, et placé quatre têtes de béliers en relief. Le peintre Rosset en 1787 reçut 100 l. pour «1 tinette de la laiterie peinte en bois» (Vj' 4 fº 227). Ce seau, en forme de baquet, passa probablement dans la fournée du 26 mars 1787 sous l'indication: «1 cuvette pour la laiterie, sapin, Rosset» (Vl' fº 49). Sur quatre «tinettes» projetées, deux furent peintes et livrées les 25 mai 1787 et 15 mai 1788 (Eb. 1). Les autres restèrent probablement au magasin de blanc (voir fig. 349).

---

273 BOL-SEIN DE LA LAITERIE DE MARIE-ANTOINETTE À RAMBOUILLET (d'une paire). Fond bleu pâle et fond violacé, décor brun foncé. 1788. H. 12,5, larg. 12,2, bol seul ∅ 13,3. Marque peinte nº 2. MNCS (inv. 23399/23400).

Les archives de la Manufacture de Sèvres conservent un «Etat des pièces de la laiterie de la Reine et le nombre qui en a été fait dans l'attelier de porcelaine dure prêt à aller au four lanée 1787. ... 4 tinettes et leurs passoires 378/1512 l. ... 5 jattes en sein de femmes y compris 20 que l'on a fait en pâte tendre et 5 pieds, prix unitaire 40 l.» (Eb. 1). La livraison des pièces de la laiterie, pour une raison inconnue, ne figure pas dans les registres habituels. Mais le même carton contient une feuille de brouillon sur laquelle on lit: «livré en partie le 25 mai 1787 et l'autre le 15 mai 1788, deux tinettes et passoires [voir ci-dessus] ... quatre tétons avec leurs pieds en pied de chèvres.» Aucun détail n'est donné quant aux couleurs et aux décors. Parmi les dessins de Lagrenée relatifs aux éléments destinés à pourvoir la laiterie, où abondent les allusions au lait, certains empruntent des tons violacés et d'autres une couleur de fond bleu pâle qui a été utilisée pour l'un des deux exemplaires. Leur décor brun foncé se compose de rehauts et d'une frise à l'étrusque où de menues flèches séparent des oves allongées. Les pièces de la laiterie se caractérisent par l'absence d'or.

---

274 PLAT CARRÉ DU «SERVICE DES ASTURIES». Fond blanc, décor polychrome et or. S.d. (1789). H. 4, long. 28. Marque peinte nº 2; Pfeiffer et Levé. MNCS (inv. 6827), don du comte Valencia de Don Juan.

Le modèle très classique de ce plat carré subsiste, en moindres dimensions, dans le magasin de la Manufacture de Sèvres. Son plan, simple et recherché, réussit à constituer un carré fait uniquement de lignes courbes. Cet exemplaire fait partie d'un grand service commandé par le prince des Asturies, futur Charles IV d'Espagne, où son initiale C en or s'enlace avec celle de son épouse Louise de Parme, L, en fleurs. Des tours de Castille, aux angles, sont introduites dans le décor de guirlandes qui entourent aussi des paysages animés. Les livraisons du service s'échelonnent sur plus de quinze ans; la première remonte au 10 mars 1775. P. Verlet (1953, p. 220) a situé ce plat dans la livraison du 27 août 1789 «à M. Godon horloger du Roi d'Espagne, Supplément au service des Asturies ... 4 plats quarrés 1ère gr. 150/600 l.». D. Guillemé-Brulon (1975, p. 130) a signalé qu'un ou plusieurs plats carrés ont encore été exécutés en 1791.

275 CUVETTE COURTEILLE (d'une paire). Fond blanc et bleu céleste, décor polychrome et or. 1788. H. 19, long. 29. Marque peinte nº 1 (KK); L.; en creux nº 66. *Collection royale britannique (Laking, nºs 257/258).*

La forme de cette caisse à fleurs datée 1788 a été créée en 1753 (voir fig. 111). L'écart entre les dates atteste la permanence d'un modèle qui a connu le succès. L'illustration montre la face bombée, limitée par des contreforts en saillie s'élevant au-dessus des pieds dont le dessin tient à la fois de l'oreille humaine et de l'escargot. La peinture du décor dans le style pompéien, visiblement inspirée par Lagrenée le jeune, a été attribuée par Laking à Levé père à cause de la lettre «L.» accompagnant la marque. Elle semblerait plutôt revenir à Lécot qui, en 1787, peignit: «2 caisses bleu céleste, arabesques d'après M. Lagrenée» (Vj' 4 fº 159). Ces «caisses» passèrent probablement dans la fournée du 28 novembre ou du 10 décembre 1787, sous la désignation: «2 cuvettes Courteille fond bleu céleste mignature, Caton L'Ecot.» (Vl' 3 fº 75-76). La marque de deux LL accolés, généralement attribuée à Lécot, se réduisait peut-être parfois à un seul L. La suggestion pourrait être renforcée par la remarque faite à propos de la chocolatière décorée de Chinois (voir fig. 237).

276 TROIS PIÈCES D'UN «SERVICE OISEAUX D'APRÈS M. DE BUFFON». Fond pointillé vert, oiseaux et décor polychrome et or. 1784. Assiette: ∅ 20,5; marque peinte nº 1 (GG); Prévost doreur. Tasse à glace: H. 6,5, ∅ 5,8; marque idem. Pot à jus: H. 7,5, larg. 7; marque: un L en or. Paris, Musée Nissim de Camondo (inv. 292/293).

Les premières mentions de services «à oiseaux d'après M. de Buffon» remontent à août et septembre 1782 (Vy. 8 fº 213 et 214), mais ne correspondent pas, par leurs fonds, au «fond Taillandier» vert de ces pièces-ci qui, pour deux d'entre elles, sont datées 1784. Dans la livraison du 15 mars 1787 «à M. de Montmorin, pour les Affaires Etrangères M. Eyden Service pointillé verd et oiseaux Buffon» entraient «60 assiettes 24/1440 l. ... 18 pots à jus 12/216 l.» (Vy. 10 fº 129 vº). L'assiette à douze lobes égaux et le pot à jus ordinaire sont des formes connues depuis les origines de la Manufacture; la tasse à glace a pu être inventée en 1755 (voir fig. 148). Le «fond Taillandier», c'est-à-dire pointillé dans un fond de couleurs, probablement inventé par l'artiste Taillandier, se remarque déjà vers 1770. Les oiseaux sont empruntés aux planches de Buffon et leurs noms sont inscrits au revers des pièces.

277 TROIS SALIÈRES ET UN COQUETIER (même service que ci-dessus). Vers 1786. Salière simple: H. 4, long. 9, larg. 7; marque peinte nº 1; FP en bleu et LF en or. Salière double à anse: H. 7, long. 9, larg. 6,5; marque peinte nº 1. Coquetier: H. 4,3, ∅ 4,7; marque peinte nº 1 (ii). Salière double: H. 3,7, long. 13, larg. 6,5; marque peinte nº 1 (ii); LF en or. Paris, Musée Nissim de Camondo (inv. 293).

Les formes des salières basses, peu modifiées, ont persisté pendant le XVIIIe s., avec ou sans les godrons qui donnent des reliefs à la surface. Une gorge basse creuse le profil; les godets suivent le plan ovale lobé de la salière simple et dessinent des quatre-lobes dans la salière double. Le coquetier ne change pas. La salière ovale en panier est divisée par une cloison médiane qui, sur l'image, est cachée par l'anse. Le modèle à reliefs en osier tressé ainsi que ceux des salières ont survécu. Sur le petit panier, entièrement recouvert par le «fond Taillandier» vert, le cartel renferme un «bouvreuil». Le coquetier est décoré d'un «gros-bec du Brésil» et les salières montrent un «grimpereau des murailles» et un «figuier noir et jaune de Cayenne».

---

278 PORTE-HUILIER À CARCASSES (même service que ci-dessus). 1786. H. 7, long. 27, larg. 13,7. Marque peinte nº 1 (ii); S en bleu et L en or. Paris, Musée Nissim de Camondo (inv. 292).

La forme du plateau a été utilisée soit pour présenter un petit déjeuner de deux pièces dit «déjeuner en porte-huilier» (voir fig. 85) soit pour recevoir des carcasses destinées à maintenir des burettes (voir fig. 75). Les carcasses pouvaient être en métal ou en porcelaine comme c'est le cas ici. Le motif ajouré constitué par des ovales découpés et entrelacés a été fort habilement compris par le décorateur qui a créé une alternance de parties décorées en fond pointillé vert et d'autres réservées en blanc cernées d'or. Le plateau, comme toutes les pièces du service, est entouré d'une zone verte. A chaque extrémité, il est orné d'oiseaux: une «oye de Guinée» et un «grand pingouin des mers du Nord». La livraison du 15 mars 1787 comprenait «2 porte-huiliers 72/144 l.».

---

279 SEAU CRÉNELÉ (d'une paire) (même service que ci-dessus). S.d. (vers 1784/1786). H. 13,5, long. 30, larg. 20,5. Marque peinte nº 1; Le Guay ou Le Grand. Paris, Musée Nissim de Camondo (inv. 292).

Le magasin de la Manufacture de Sèvres conserve encore le modèle de ce seau crénelé. C'est la forme classique de ce type de pièce accompagnant les services depuis qu'il en a existé. Le plan ovale à contour lobé suit le mouvement ondulant de la surface qui rappelle le principe des formes «lizonnées» (voir fig. 52) et, par les jeux de lumière qu'il engendre, donne une apparence de souplesse. Les anses rehaussées d'or, où l'on retrouve l'inspiration de Duplessis père, sont conçues comme celles de la «caisse à fleurs de M. Hulst» datée 1754 (voir fig. 64). Le «fond Taillandier» vert, limité par de larges filets d'or, occupe seulement la zone supérieure. Dans les parties blanches, environnés d'une végétation fantaisiste, les oiseaux peints de chaque côté appartiennent à des races exotiques révélées par les inscriptions: «gobe mouche à gorge pourpre de Cayenne» et «le vitrec ou moteux». A l'intérieur de la pièce, de petites branches fleuries donnent une note aimable à la surface toute blanche. Dans la livraison du 15 mars 1787, figuraient: «2 seaux crennelés 144/288 l.».

---

280 MORTIER (même service que ci-dessus). 1788. H. 18, ∅ 22,5. Marque peinte nº 1 (KK); Rosset; Le Guay ou Le Grand. Paris, Musée Nissim de Camondo (inv. 292).

La forme du mortier est restée la même pendant tout le XVIIIe s. (voir fig. 157) à part quelques créations spéciales. On sait que le mortier accompagnait généralement le bol à punch, pièce très importante dans les services d'apparat. Celui-ci, par son décor et la qualité de ses peintures, pourrait être confondu avec un pot à fleurs. Les oiseaux représentés de chaque côté appartiennent à des races inconnues en France: «le toucan de Cayenne appelé Toco» et «le gros-bec du Canada». En se référant à la livraison du 7 mars 1787 précitée, dans laquelle cette pièce datée ultérieurement n'a pas pu entrer, on sait que le «bol à punch et mortier» atteignaient le prix de 480 l.

281 JATTE RONDE PORTÉE PAR QUATRE PIEDS (d'une paire) (même service que ci-dessus). 1788. H. 20, ∅ 22. Marque peinte n° 2 (KK); Bouilliat (?). Paris, Musée Nissim de Camondo (inv. 292).

Cette forme nouvelle a pu être conçue par Louis Le Masson tellement la ressemblance des têtes de lions en relief avec celle qui orne le seau crénelé du «service arabesque» est évidente (voir fig. 259). Les archives de Sèvres conservent des projets gouachés pour décorer en arabesques les pieds à têtes et griffes de lions qui sont recouverts ici par le «fond Taillandier» vert. Ces pieds reposent sur un socle de plan carré à coins abattus et côtés incurvés. La jatte ronde, maintenue par un large bandeau, semble suspendue entre les pieds. Le souci décoratif oppose les parties constructives vertes et les reliefs dorés, à la cuvette blanche servant de fond uni aux peintures. Les oiseaux exotiques, comme le «senegali» ou la «perruche des Indes orientales», voisinent avec la «perdrix rouge de France», sans souci de réunir les espèces d'un même pays. Des services à oiseaux de Buffon, en fond jaune, ont emprunté la même forme de jatte ronde (Vente à New York, Sotheby's Parke Bernet, 23 avril 1977, n° 72). Signalons, sans en connaître d'exemple, qu'un modèle de salière de forme identique à celle de cette jatte-ci survit dans les réserves de la Manufacture.

282 SAUCIÈRES (même service que ci-dessus). 1793. H. 18,5, long. 26. Marque peinte n° 2 (PP); Bouilliat. Paris, Musée Nissim de Camondo (inv. 292).

Le modèle de ces pièces, enregistré au XIXe s. sous le nom de «saucière Lefébure de 1792», subsiste dans les réserves de Sèvres. En forme de lampe antique, ces exemples rappellent la «saucière lampe Duplessis» (voir fig. 28) mais assagie sous l'influence de la mode du retour à l'antique. Les lignes courbes d'un seul jet sont loin des rocailles de la première époque. Les deux parties de l'anse qui, au départ, sortent de la bordure retournée en crosse, s'unissent en produisant un effet natté et se séparent à nouveau pour venir s'attacher sur le corps par deux larges palmes. Les rehauts d'or abondent et le pied ovale uni est cerné d'un cours de perles dorées. La bande pointillée qui suit le bord laisse une large place pour la peinture des oiseaux. On reconnaît un coq bien français et on devine une «grosse mésange charbonnière». Par une livraison en 1792 «à Mad^e^ Lefébure née Le Clercq», concernant un «service fond Taillandier verd et oiseaux Buffon», on apprend le prix de «2 saucières 144/288 l.».

283 BEURRIER (même service que ci-dessus). 1793. H. 9, long. 23,5, larg. 17,5. Marque peinte n° 1 (PP) avec six points; signe indéterminé; V..d. pour signaler Vandé doreur; en creux, n° 35. Paris, Musée Nissim de Camondo (inv. 292).

Ce beurrier parfaitement ovale, attenant à son plateau assez profond, est une forme nouvelle complètement dépouillée de tout ornement. Dans la composition des services à fond pointillé vert et oiseaux d'après Buffon, conservés dans ce musée, existent aussi des beurriers de même forme détachés de leur plateau. Ils sont d'exécution plus tardive et en porcelaine dure tandis que celui-ci est encore en porcelaine tendre. Le principe du décor est toujours le même. On voit sur le récipient un «petit martin-pêcheur huppé de l'Isle de Luçon». Dans les extrémités du plateau sont peints: «un langara de la Guiane» et «un coq de roche du Pérou». Dans la livraison faite à Mme Lefébure née Le Clercq, en 1792, figuraient «2 beurriers 96/192 l.» (Vy. 11 f° 147 v°).

284 TERRINE ET PLATEAU (même service que ci-dessus). 1793. Terrine: H. 17,5, long. 32,5, larg. 20; plateau: long. 38, larg. 29,8. Marque peinte n° 2 (PP); Bouilliat. Paris, Musée Nissim de Camondo (inv. 258).

Le profil de cette terrine, d'un ovale très pur, est légèrement cintré vers la base, le couvercle au contraire est régulièrement bombé. Les anses rappellent d'une manière plus mièvre celles des seaux à bouteille en usage pendant tout le XVIIIe s. Comme beaucoup de grandes pièces très difficiles à réussir parfaitement, le plateau a subi une légère déformation de cuisson. Les oiseaux peints sur la terrine se nomment: «le couroucou à ventre rouge de Cayenne» et «l'Emerillon de Cayenne»; ceux qui ornent le couvercle sont: «l'hirondelle à tête rousse du Cap de Bonne-Espérance» et «le Cassican de la Nouvelle Guinée». Dans la livraison déjà citée à Mme Lefébure née Le Clercq, figuraient «2 terrines 312/624» et «2 idem 216/432». Dans la collection du Musée Camondo sont conservées deux terrines de tailles différentes. Celle-ci, qui est la plus grande, est probablement assimilable aux deux premières de la livraison.

---

285 POT À LAIT. Fond beau bleu, décor polychrome et or. 1790. H. 14,7. Marque peinte n° 1 (MM); Cornailles. Paris, Louvre, coll. Thiers (inv. Th. 1242).

Ce pot à lait rappelle sous une forme rajeunie les aiguières fréquentes dans la céramique française du XVIIe s. L'inspiration de ce modèle peut aussi venir des brocs créés dès l'époque de Vincennes. En ce cas, ce pot à lait aurait emprunté le bec du «broc Roussel» (voir fig. 105) et le piédouche du «pot à eau à la romaine» (voir pl. VIII) en exagérant la largeur de l'un et de l'autre sous une influence néo-classique. Isolé maintenant, il a probablement fait partie d'un déjeuner. Le fond beau bleu supporte près du bord une lourde frise d'or à rinceaux épais et guirlandes de feuilles. Un vaste cartel ovale, encadré d'une large bande brunie à l'effet suivant un motif de chevrons, contient un panier de fleurs polychromes suspendu par un ruban violet.

---

286 GOBELET CORNET ET SOUCOUPE. Fond noir, décor polychrome et or. 1791. Gobelet: H. 11,3, ∅ 10; soucoupe: ∅ 21,5. Marque peinte n° 1 (NN); Vandé. Paris, Musée des A.D. (inv. 36962).

La forme de cette tasse à l'étrusque, haute, étroite et évasée, porteuse d'anses basses, est celle du «gobelet cornet» dessiné par Lagrenée pour faire partie des pièces de la laiterie de la reine Marie-Antoinette à Rambouillet. Le décor bien différent rend la pièce presque méconnaissable. Abandonnant les gracieuses allusions au lait du projet primitif, l'artiste anonyme a conçu une ornementation sévère sur fond noir, qui consiste en rinceaux pompéiens ocre et bleus disposés suivant un sens géométrique rigoureux. Soutenues par ces motifs légers, des réserves rectangulaires à angles abattus renferment de petits tableaux à l'antique traités en camée; leur lourd encadrement se compose d'une double frise décorée de rais-de-cœur et d'un cours d'oves et de perles. Au centre de la soucoupe, une zone concentrique claire à guirlande de feuilles et menus rayons entoure un médaillon allégorique peint en grisaille.

287 TASSE À L'ÉTRUSQUE ET SOUCOUPE. *Fonds divers, décor polychrome et or. 1791. Tasse: H. 8, ∅ 8, larg. 10,8; soucoupe portée sur un petit pied: H. 4, ∅ 17. Marque peinte nº 1 (NN); Bulidon. Paris, Musée des A.D. (inv. 33377).*

Le bord de cette tasse à l'étrusque, de forme ovoïde, s'achève par une épaisse mouluration en légère saillie. Les anses doubles, attachées au corps vers le milieu de la hauteur, se courbent en S et leurs extrémités réunies par un court rouleau transversal ajoutent à l'originalité de l'objet. Le décor délicat est divisé selon une savante répartition géométrique soulignée par la diversité des fonds de couleurs différentes. L'encadrement noir des cartels polygonaux, orné d'une guirlande de feuilles pointues bleu pâle et or, délimite une surface en fond vert pâle décorée d'un vase garni de fleurs polychromes. Entre les cartels, le fond bleu agate supporte un décor de rinceaux dans le même style probablement emprunté à l'ornemaniste Salembier. L'ensemble reste léger malgré l'accumulation d'éléments variés toujours répartis symétriquement autour d'un axe.

288 TASSE À L'ÉTRUSQUE ET SOUCOUPE. *Fonds lie-de-vin et jaune, décor polychrome et or. 1794. Tasse: H. 9,5, ∅ 11,5; soucoupe: ∅ 17,5. Marque peinte nº 1 (QQ); P. Paris, Musée des A.D. (inv. 31657).*

Directement dérivée des cratères antiques, la forme de cette tasse large et basse, porteuse de deux anses élevées, diffère beaucoup des précédentes. Son fond rougeâtre très particulier supporte un semis de barbeaux dorés, sur la base de la tasse et dans le fond de la soucoupe, ainsi qu'une guirlande dans les bordures. Des zones en fond jaune se trouvent intercalées entre les parties rouge lie-de-vin; leur décor très composé s'inspire des frises gravées par Salembier.

289 GOBELET À ANSES ÉTRUSQUES ET SOUCOUPE. *Fond vert, décor polychrome et or. S.d. (vers 1795). Gobelet: H. 7,8, ∅ 8,4; soucoupe: ∅ 17,8. Marque peinte nº 5; Sophie Chanou et Vandé. Paris, Musée des A.D. (inv. 30269).*

Comme le «gobelet cornet» (voir fig. 286), cette tasse-ci est semblable, par sa forme, au dessin de «gobelet à anses étrusques» inventé par Lagrenée pour la laiterie de la reine Marie-Antoinette à Rambouillet. Le profil ovoïde très simple n'est rendu original que par la forme des anses inspirée par celles de coupes ou de vases antiques. Le décor, bien différent des conceptions de Lagrenée, fait cependant appel à un élément pompéien: le ruban tombant en draperie. La guirlande de roses peintes au naturel dans les frises en fond lie-de-vin garde un souvenir d'antan, tandis que les attributs révolutionnaires peints dans les médaillons font allusion aux temps nouveaux.

290 POÊLON. Fond blanc, décor d'or. S.d. (vers 1795/1797). H. 6, ∅ 8,2. Marque peinte nº 5; Prévost doreur. Porcelaine dure. Paris, Musée des A.D. (inv. 2640).

La forme en plâtre, avec naissance du manche en cire, de cette petite casserole, a survécu dans le magasin des modèles de la Manufacture de Sèvres. Aucun indice ne permet de connaître à quelle date ce type de pièce a été créé. Comme le manche de la chocolatière (voir fig. 237), celui de ce poêlon est préparé pour recevoir un prolongement en bois fixé par une goupille passée dans les trous ménagés sur les côtés. La dorure de la guirlande composée de feuilles et de graines, de belle qualité, est l'œuvre de Henri-Marin Prévost doreur. Cette précision permet de dater ce poêlon au plus tard de 1797, année de la mort de l'artiste.

291 TASSE ET SOUCOUPE. Décor polychrome. S.d. (1794/1800). Tasse: H. 7,3, ∅ 8,3; soucoupe: ∅ 15,7. Marque peinte nº 3; FC; en creux, nº 40. Porcelaine dure. MNCS (inv. 1885).

La forme de cette tasse a pu être inspirée par le profil de certains cratères antiques. La ligne s'évase vers le haut comme celle d'un calice et se brise vers le bas au-dessus de la partie rétrécie qui rejoint le pied. Les deux sections de l'anse divisée s'attachent séparément au niveau supérieur du gobelet et se rejoignent vers le milieu de leur courbe pour venir s'achever dans le prolongement de la base. Une large bague creuse le milieu de la soucoupe unie. Bien que d'époque révolutionnaire, comme l'atteste sa marque, cette pièce offre un décor sans allusion particulière, tout à fait dans la tradition de l'Ancien Régime. L'usage de fond jaune pâle pour la frise des bords et d'un contrefond bleu, limitant les zones blanches à festons alternés, constitue un décor que complètent de petits motifs à répétition et des guirlandes un peu mièvres de fleurs polychromes.

292 DÉJEUNER. Fonds beau bleu et jaune, décor polychrome et or. S.d. (vers 1794/1800). Théière: H. 15,5, larg. 19; pot à lait: H. 16, larg. 11,3; pot à sucre: H. 15, ∅ 11,5; jatte: H. 7,5, ∅ 16,5; tasse: H. 8, ∅ 8,2; soucoupe: H. 4, ∅ 15,7. Marque peinte nº 3; Vincent doreur. MNCS (inv. 6273), legs Al. A. Cart Balthazar.

Le déjeuner complet se compose en réalité de huit pièces, dont quatre tasses et soucoupes. Seul le pot à sucre, comparable à une boule montée sur un pied et rétrécie à l'encolure, n'emprunte pas la forme conique qui caractérise la théière, le pot à lait et la tasse. Cette dernière correspond à l'un des nombreux modèles «à l'étrusque» inventés au cours des deux dernières décennies du XVIIIe s.; sa particularité tient à son pied élevé étroit et élargi à la base. La soucoupe large et incurvée est rehaussée par un talon. Le décor sur fond jaune se compose de guirlandes colorées au naturel, parcourues d'un ruban tricolore rappelant que cet ensemble date de la période révolutionnaire.

293 GOBELET COUVERT ET SOUCOUPE. Fond blanc, décor polychrome et or. 1794/1795. Gobelet: H. 13,5, ∅ 8,3; soucoupe: ∅ 17,5. Marque peinte nº 3 avec A 3ᵉ; Guillaume Noël. MNCS (inv. 17821).

Les archives de la Manufacture de Sèvres conservent une gouache en coloris montrant le modèle exact de la forme et du décor de cette tasse sans anse munie d'un couvercle et s'enfonçant dans la bague profonde de la soucoupe. C'est un gobelet semi-ovoïde élevé, très simple, rehaussé par un pied faisant corps avec le récipient. Le décor, compartimenté selon un rythme quaternaire entre des frises simulant une natte stylisée, se compose de trophées réunissant des éléments chers à la période révolutionnaire. La marque de cette pièce, les lettres RF entrelacées, est encadrée de la lettre A et du chiffre 3ᵉ, ce qui semble pouvoir être interprété: «an troisième». En l'admettant, ce gobelet et sa soucoupe auraient été peints en 1794/1795.

294 VASE OVOÏDE À CORNET (d'une paire). Fond noir, décor de chinoiseries en or et platine. 1792. H. 37. Marque peinte nº 2 (OO); L. New York, Met. Museum, coll. Wrightsman (inv. 1971. 206.23/24).

Le modèle de cette forme, enregistrée au XIXᵉ s. sous le nom de «vase cornet à têtes de morue», publié par Troude (pl. 115), existe encore. Un dessin correspondant à la forme sans anse porte l'inscription ancienne: «vase œuf à cornet Le Riche à tête et griffe de dauphin rectifié pour monté ... demandé ... le 11 juin 1788.» Un second dessin non daté suggère les anses et les bagues à perles de la base du col et du pied. La forme existait antérieurement et la collection royale britannique conserve deux paires de vases, de mêmes profil et anses, respectivement datés: 1780, en porcelaine dure et, 1781, en porcelaine tendre (Laking, nᵒˢ 283-284 et 213-214). Le fond noir imitant la laque s'est développé avec la porcelaine dure, il a même été adopté pour des services de table (voir fig. 300). Les décors en ors de plusieurs couleurs ont déjà été signalés, la nouveauté qui paraît ici est l'emploi simultané d'or et de platine. Les yeux de platine des dauphins dorés produisent un curieux effet.

295 VASE À CARTELS BOLVRY. Fond d'or, décor vert, blanc et polychrome. S.d. (vers 1795/1800). H. 43, ∅ 16,5, larg. 22,2. Marque peinte en or nº 3; LG. Lf.; en creux, dans le socle: SDV Bolvry a cartelles, sous le pied: F.C. Porcelaine dure. MNCS (inv. 15492), dépôt du Louvre.

Le modèle survivant, publié par Troude (pl. 121), a été enregistré au XIXᵉ s. sous le nom de «vase à cartels modèle de Bachelier ou Bolvry à perles». Faute de précision supplémentaire, on peut supposer que Bolvry, devenu chef des repareurs et tourneurs, apporta quelque rectification à un modèle qui existait auparavant. La forme telle qu'elle se présente ici existait certainement en 1782. Dans l'«Etat des porcelaines choisies par Son Excellence le Prince Bariatinsky pour les Comte et Comtesse du Nord» figuraient «2 vases Bolvry à perles, fond pointillé paysage 480/960 l.» (Vy. 8 fº 181). Ils pouvaient former garniture, avec trois «vases grecs à ornements», les fonds pointillés étant assortis (voir fig. 236). Le vase du Musée de Sèvres a fait partie d'une paire et malheureusement son pendant a été détruit. La paire a pu correspondre à une livraison effectuée au profit du Directoire en l'an IV: «2 vases Bolvry fond d'or miniature 900/1800 l.» (Vy. 12 fº 96 vº).

296 VASE ÉTRUSQUE À BANDEAU (d'une paire). Fond beau bleu et blanc, décor polychrome et or. S.d. (vers 1795). H. 38, ∅ 17,5. Sans marque. MNCS (inv. 15490), dépôt du Louvre.

La forme ovoïde à bandeau de ce vase lui a attiré, dans l'inventaire du XIXe s., le nom de «vase étrusque à bandeau». On a déjà constaté que le qualificatif «étrusque» a été donné à diverses formes et différents objets, notamment des vases et des tasses. Ce modèle-ci, publié par Troude (pl. 125), est nettement plus élaboré que ceux à fond vert ou à fond bleu conservés au Musée des Arts Décoratifs à Paris (voir fig. 267 et 268). Les noms de Lagrenée ou de Leriche ont été proposés à propos de la création de cette forme. Un dessin, conservé dans les archives de la Manufacture de Sèvres, porte l'inscription ancienne: «vase forme étrusque fait pour y avoir des bas-reliefs en pâte couleur de bronze le mois Brumaire l'an IV». Cette mention ne concerne pas la forme à proprement parler, mais suggère un décor bien différent de la remarquable peinture qui orne cet exemplaire-ci.

297 AIGUIÈRE ET CUVETTE. Fond beau bleu et blanc, décor polychrome et or. S.d. (vers 1798/1800). Aiguière: H. 25,7, larg. 15; cuvette: H. 10, long. 40, larg. 21,8. Marque peinte n° 5; Micaud et Vincent. Paris, Musée des A.D. (inv. 5359), dépôt du Louvre.

L'aiguière d'allure très classique, à bec pointu, repose sur un pied en forme de cloche qui se remarque sur certains vases, notamment le «vase à têtes d'aigles» ci-dessous. Les extrémités de la cuvette rappellent le principe de la saucière à deux becs (voir fig. 113), mais sa ligne plus rigide reflète le changement de style de la fin du XVIIIe s. La frise de feuilles de laurier, qui court le long de la zone blanche limitée par deux larges filets d'or, dénote la même tendance. Le décor des cartels ovales apporte une note fraîche au milieu du fond bleu uni un peu sévère. Au centre de la cuvette, un panier débordant de fleurs repose sur une table: c'est le type de composition appelée «fleurs en tableau»; aux extrémités, les fleurs sont soit suspendues par un ruban soit rassemblées dans un morceau d'étoffe à rayures qui rappelle notamment la draperie du «vase flacon à mouchoir» (voir fig. 184). Sur l'aiguière, le panier de fruits très variés permet d'apprécier le talent de Micaud.

298 VASE À TÊTES D'AIGLES. Fond beau bleu et blanc, décor polychrome et or. S.d. (vers 1796/1800). H. 37,5, ∅ 18,7, larg. 25,5. Marque peinte n° 7 en or. Paris, Musée des A.D. (inv. 5357), dépôt du Louvre.

Ce vase de forme ovoïde allongée reflète les tendances rigides de la fin du XVIIIe s. par plusieurs détails: le col droit et bas, le couvercle à peine galbé terminé en pointe et le pied à profil de cloche. Les têtes d'aigles mordant un anneau, entièrement dorées, constituent les anses. Etant donné l'époque de cette pièce, le sujet n'a pas valeur de symbole mais reste simplement ornemental. Le bleu sombre du fond est éclairé par la bande blanche du col supportant une frise végétale stylisée dorée et par une large réserve elliptique. Le décor coloré s'inspire des ouvrages botaniques scientifiques publiés à la suite de *Flora danica*, comme le pot-à-oille ci-après. Dans les registres relatifs aux travaux des peintres, en Fructidor an III, «2 vases aigles» sont signalés entre les mains de Massy spécialiste de fleurs (Vj' 6 f° 60 v°).

299 POT-À-OILLE ET PLATEAU DU SERVICE DIT « DE TALLEY-RAND ». Fond beau bleu, décor polychrome et or. S.d. (vers 1795/1800). Récipient : H. 26, ∅ 27, larg. 34 ; plateau : ∅ 44,5. Marque peinte nº 3 ; Pierre jeune. MNCS (inv. 1891).

La forme unie et massive de ce pot-à-oille est rendue plus harmonieuse par le couvercle légèrement infléchi ; elle est complétée par un pied bas et enrichie d'anses dorées, composées de palmes fixées sur le corps et se rejoignant sous un cours de perles. Sur le fond bleu, les frises de palmettes et culots d'or sont interrompues par de grands cartels bordés d'or et décorés de fleurs peintes dans l'esprit botanique à l'instar du célèbre « service Flora Danica » de Copenhague. Les noms des fleurs sont inscrits à l'intérieur du récipient et dans le listel du couvercle ; on reconnaît des pavots et des soucis. Sur le plateau, qui ne porte pas d'inscriptions, on distingue au centre une couronne de capucines et dans les cartels ovales des boules-de-neige, des rhododendrons, des lilas et des jasmins. P. Verlet (1953, p. 22) a rapproché ces pièces d'une livraison « Au Ministre des Relations Extérieures pendant le semestre de vendémiaire an 8. Service en pot-poury. Du 14 au 28 ventose ... 2 pots à oille id. [nouvelle forme fleurs et fruits, beau bleu] 1000/2000 l. ».

300 ASSIETTE. Fond noir, décor polychrome et ors de plusieurs couleurs mêlés de platine. S.d. (vers 1790/1800). ∅ 24,8. Marque peinte nº 7. Porcelaine dure. Paris, Musée des A.D. (inv. 22631).

Cette assiette unie, à galbe peu profond, a la particularité de montrer des scènes familières et jeux d'enfants chinois sur fond imitant la laque. Les sujets sont traités en ors de couleurs variées avec addition de platine. Dans le bassin, tous les éléments polychromes formant la guirlande sont chatironnés d'or. Le doreur Le Guay était spécialiste de ce type de décor. Cette pièce a probablement fait partie de l'un des services « fond noir Chinois en or de couleurs et platine fleurs émaillées » dont le premier fut livré le 6 mai 1791 « A M. de Sémonville Ambassadeur ». Une assiette valait alors 45 l. Celle-ci, qui est postérieure, a peut-être été comprise dans une série de services livrés « Au Citoyen Empaytas » en l'an III et en l'an V, où l'assiette coûtait 54 l. (Vy. 12 fº 32 et 122). A cette époque, les livraisons sont très imprécises. Cet acquéreur était un marchand possédant des comptoirs à Paris et à Berlin.

301 SUCRIER. Fonds noir et blanc, décor polychrome, or et platine. S.d. (vers 1795/1800). H. 12, long. 19,3, larg. 12,3. Trace de marque en or effacée. Porcelaine dure. MNCS (inv. 22487), don de M. Einstein.

Ce sucrier de forme oblongue, complètement unie, portée sur un piédouche élevé, s'il n'a pas fait partie du même service que l'assiette ci-dessus, répond à pareil système décoratif et aux mêmes couleurs. Dans la livraison d'une longue série de services faite au Citoyen Empaytas en l'an III, parmi les pièces composant celui qui correspond au décor chinois, se trouvaient deux sucriers comptés 192/384 l. Ceux qui entraient dans la liste des éléments compris dans le premier service livré à M. de Sémonville étaient désignés : « sucriers de table » et portés pour 180 l. Le sucrier, comme l'assiette, est décoré de scènes chinoises : jeux ou occupations diverses, peintes en ors de plusieurs couleurs et platine, sur le fond noir. Les fleurs des guirlandes polychromes, qui courent sur les parties blanches, sont chatironnées d'or. Indépendamment des peintres spécialistes des décors chinois, Dieu et Lécot, on trouve mention de semblables travaux dans ceux de Didier et de Rosset (Vj' 5 fº 104 et 191).

302 VASE MÉDICIS À TÊTES DE JUPITER. *Fond beau bleu, décor polychrome et or. S.d. (vers 1798/1802). H. 37,8, ∅ 30. Marque peinte nº 7 et deux traits en biais. Paris, Musée des A.D. (inv. 5364), dépôt du Louvre.*

La forme du «vase Médicis» a subi de multiples variations. Déjà réalisé à Vincennes (voir fig. 70), le «vase Médicis», après une période de discrédit, reparut à Sèvres vers les années 1780. Les modèles, conservés dans le magasin de la Manufacture, sont attribués à divers créateurs: Boizot, Le Riche, Lagrenée, ou désignés par un nom étranger aux artistes de l'établissement. Le modèle de celui-ci existe en trois tailles, la plus grande avec des anses. Sa forme a été continuée au XIXe s. L'allure sévère de cet exemplaire bleu foncé, éclairé par de larges filets, guirlandes et reliefs dorés, est rendue plus aimable par le décor des deux cartels presque carrés à angles abattus. D'un côté, une scène à personnages représente la toilette de Vénus à l'antique, de l'autre un habile peintre resté anonyme s'est inspiré d'une nature morte où abondent les fleurs et les fruits. A titre de comparaison, on relève dans la fournée du 11 Pluviose an V «1 vase Médicis beau bleu miniature, fleurs, Bouillat, Le Guay, Weydinger» (Vl' 4 fº 31 vº).

Sculptures

303 DORMEUSE. Email polychrome. S.d. Long. 21,7. Sans marque. Paris, Louvre (inv. OA. 7239).

Ce genre de figurines, par sa polychromie sourde témoignant de l'influence de Meissen, se situe vraisemblablement dans les toutes premières années de la Manufacture de Vincennes, à l'époque où elle faisait travailler des sculpteurs relativement peu connus. Cette charmante jeune femme allongée sur des herbes et qui semble endormie, quoiqu'un regard coquin filtre sous ses paupières, prouve que, dès les premières années, l'esprit de Vincennes est totalement différent de celui du modèle saxon. Il en existe de nombreuses éditions (voir cat. exposition «Porcelaines de Vincennes», Paris, 1977-1978, p. 160-161), polychromes ou blanches, avec ou sans guirlande de fleurs en guise de draperie, l'une ayant même un gros coussin rond sous la tête au lieu de hautes herbes. Les versions simplement couvertes de l'émail laiteux caractéristique de Vincennes soulignent plus subtilement encore la sensualité qui se dégage de ce nu délicatement modelé, opposant l'ampleur des herbes vigoureuses à la finesse de certains détails, en particulier le bandeau triangulaire ornant le front de la jeune femme.

304 CHINOIS SOUTENANT UNE CORBEILLE. Email blanc. S.d. (1752). H. 37. Sans marque. MNCS (inv. 24546).

Le Musée National de Céramique de Sèvres a eu récemment la chance de pouvoir ajouter à ses collections ce groupe dont on ne connaissait jusqu'alors que l'exemplaire rehaussé de dorures et d'ajouts de bronze doré conservé dans la collection royale britannique; presque aussitôt après, un troisième est passé en vente publique (Londres, Christie's, 28 mars 1977, nº 140). Le rapprochement de ces trois groupes permet de mesurer l'importance du travail pastillé librement par rapport aux parties simplement moulées et la grande liberté laissée à chaque repareur, avec la différence de qualité d'un tirage à l'autre qui peut en résulter. On a coutume d'attribuer cette chinoiserie élaborée à Boucher, mais sans qu'on ait pu identifier tableau ou gravure ayant servi de modèle. Comme ce groupe n'apparaît dans les archives qu'en 1752 (voir cat. exposition «Porcelaines de Vincennes», Paris, 1977-1978, p. 158), alors que le seul dessin de Boucher conservé à la Manufacture est daté de 1749 (voir *ibid.*, p. 170), il n'inaugurerait pas la collaboration de l'artiste avec Vincennes, comme auraient pu le faire croire sa réalisation émaillée et son style résolument baroque. Les problèmes d'émaillage constatés sur les trois exemplaires pourraient avoir influé sur la décision de laisser désormais la sculpture en biscuit.

305 CHIEN POURSUIVANT UN CYGNE DANS LES ROSEAUX. Email blanc. S.d. (1752). H. 17,5. Marque en creux n° 70. MNCS (inv. 8054).

Ce groupe d'animaux pris sur le vif se situe à un tournant important dans l'histoire de la Manufacture de Vincennes: d'une part, elle commence à prendre pour modèles des œuvres de peintres, J.-B. Oudry dans le présent cas; d'autre part, elle recourt à de bons sculpteurs de l'Académie de Saint-Luc, Blondeau en l'occurrence, pour assurer le passage fidèle de l'œuvre peinte, gravée ou dessinée, à son correspondant en trois dimensions. Trois groupes animaliers furent ainsi modelés par Blondeau d'après Oudry avant octobre 1752, date où ils apparaissent sur le premier inventaire complet (voir cat. exposition «Porcelaines de Vincennes», Paris, 1977-1978, p. 150, 158). Celui-ci, le plus grand, était flanqué de la «Chasse au canard» et de «Renard et perdreau». Un second exemplaire de ce groupe, vraisemblablement surdécoré au XIXe s., se trouve aujourd'hui à la Walters Art Gallery de Baltimore. Le même sujet a également servi de modèle pour des projets dessinés et peints. Notons enfin que l'inventaire après décès de Mme de Pompadour signale «quatre groupe d'animaux d'après Oudry» parmi les porcelaines et plusieurs tableaux d'Oudry sur le même thème (voir Cordey, 1939, p. 39-40, n° 383; p. 84, n° 1161 et p. 90, n° 1225).

---

306 LA DANSEUSE. Biscuit. S.d. (1752). H. 21,9. Sans marque. MNCS (inv. 20062).

Nous connaissons à la fois des versions émaillées et en biscuit de cette charmante fillette qui relève les pans de sa jupe en esquissant un pas de danse; contrairement à de nombreux autres «enfants Boucher», on ne note aucune opposition entre une première version relativement maladroite connue par des exemplaires émaillés et un état définitif, toujours en biscuit, beaucoup plus habilement travaillé; ces variations sont très intéressantes parce qu'elles renforcent l'hypothèse selon laquelle le passage au biscuit, suscité par des modèles dessinés ou gravés très précis, a contraint la Manufacture de Vincennes à engager de bons sculpteurs. La présente figure, mentionnée pour la première fois dans le *Livre-Journal* de L. Duvaux en août 1752 (voir Courajod, 1873, II, p. 133), serait donc l'une des dernières du groupe entrepris au cours de cette période très importante du passage vers l'adoption du biscuit.

---

307 LES MANGEURS DE RAISINS. Biscuit. S.d. (1752). H. 18,4 (sans le bouquet). Marques en creux nos 50 et 71. Paris, Musée des A.D. (inv. 28601), legs Gould.

L'influence du théâtre sur la statuaire de Sèvres fut très importante tout au long du siècle et commence très tôt, à en juger par ce groupe champêtre inspiré d'une comédie de Favart, *La Vallée de Montmorency* (Zick, 1965, *passim*). Il est vraisemblable que le tableau de Boucher conservé à la Wallace Collection et la gravure de Jacques-Philippe Le Bas reprenant le même sujet sous le titre *Pensent-ils aux raisins?* ont servi d'intermédiaires. Parmi les très nombreux exemplaires connus de ce groupe que les archives nomment simplement «groupe de Boucher», sans le distinguer du «Flûteur» de même inspiration qui lui sert de pendant, tous deux étant vendus 144 l., certains sont encore émaillés, ce qui devrait permettre de dater ce modèle des mois précédant l'adoption du biscuit. D'autre part, la technique du travail libre des détails entraîne des variantes importantes d'un groupe à l'autre; ainsi l'exemplaire reproduit présente une haute corbeille de vannerie et une grande profusion de fleurs et de fruits, aussi bien dans le tablier de la fille que dans le panier du garçon, mais sa base relativement étroite ne laisse place ni au tronc d'arbre ni au chapeau que comportent d'autres versions.

308 L'AUTOMNE. Biscuit. S.d. (1752). H. 14,6. Marque en creux nº 50. Paris, Musée des A.D. (inv. 28699).

Les mentions d'«enfants-saisons» portées dans l'inventaire d'octobre 1752 se rapportent à des figurines très simples à en juger par leur faible prix d'estimation (6 l.) et de vente (3 à 9 l.) (MNS, arch., carton I. 7 (inventaire d'octobre 1752) et registre Vy. 1, *passim*.) Mais une seconde série plus élaborée devait exister dès cette même époque, puisque L. Duvaux vendait le 23 août 1752 à la duchesse de Lauragais «deux figures de Vincennes en blanc, représentant deux enfants des saisons» pour 96 l. (voir Courajod, 1873, II, p. 134). La finesse du modelé de cette petite fille qui relève sa tunique pour y porter des raisins nous fait supposer qu'elle appartenait à cette seconde série dont la Manufacture conserve les quatre modèles (voir Bourgeois, 1913, nºs 77, 282, 340 et 518, pl. 02). Comme tous les exemplaires connus des figures de cette série sont en biscuit, on devrait pouvoir les dater des premiers mois de 1752, un peu après les œuvres dont on connaît à la fois des versions émaillées et en biscuit.

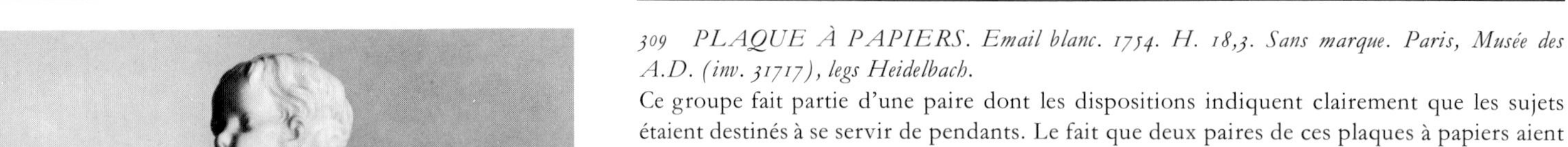

309 PLAQUE À PAPIERS. Email blanc. 1754. H. 18,3. Sans marque. Paris, Musée des A.D. (inv. 31717), legs Heidelbach.

Ce groupe fait partie d'une paire dont les dispositions indiquent clairement que les sujets étaient destinés à se servir de pendants. Le fait que deux paires de ces plaques à papiers aient été livrées le 31 décembre 1754 en présent à Jean-Baptiste Machault d'Arnouville, Contrôleur général des Finances (MNS, arch., registre Vy. 1, fº 68 et 68 vº), explique certainement les divers attributs qui entourent ces figures de jeunes enfants potelés; de même, le goût du destinataire doit être responsable du choix de la sculpture émaillée à une date où le triomphe du biscuit est déjà assuré; cette hypothèse semble corroborée par le fait que les groupes furent ensuite exécutés et vendus en biscuit, comme le signale P. Verlet (1953, p. 200). Nous sommes très bien renseignés sur les divers responsables de ces groupes grâce aux archives qui mentionnent le paiement au sculpteur, Louis-Félix de la Rue: «... 4 septembre 1754 pour deux plaques à mettre sur papier, ornées de deux enfants groupés, avec des attributs de quatre genres différents 768 l.» (MNS, arch., carton F. 2, liasse 2) ainsi qu'au monteur, Duplessis: «... 31 décembre 1754 pour la monture en cuivre doré d'or moulu de quatre plaques à papiers de porcelaine, de 288 l.» (*ibid.*, carton F. 2, liasse 2).

310 L'AMITIÉ AU CŒUR. Biscuit. 1755. Sans marque. H. 26,5. MNCS (inv. 16057).

Le thème de l'Amitié au cœur semble très fréquent à Sèvres vers cette époque, puisque nous en connaissons deux autres versions par Falconet, l'une datée de 1755 et l'autre de 1764 (voir *Les Œuvres de la MNS*, nº 15, pl. 15 et nº 16, pl. 10). Il plut sans doute à Mme de Pompadour, puisqu'elle se fit également représenter ainsi par Jean-Baptiste Pigalle (voir *Gazette des Beaux-Arts,* 1976, mars, «Principales acquisitions des Musées en 1975», p. 11). Quant à la présente sculpture, nous ne pouvons douter qu'elle ait pour sujet la favorite, puisqu'on a noté en marge de la livraison de dix-neuf de ces figures en biscuit à la marquise le 29 décembre 1755: «Les figures de l'Amitié ordonnées par Madame la Marquise de Pompadour étant son portrait, la Compagnie a cru ne devoir point en recevoir le paiement et en a fait prier Madame de Pompadour de le trouver bon» (MNS, arch., registre Vy. 1, fº 110 vº). La marquise dut distribuer généreusement ces effigies, puisque l'on n'en mentionne plus que quatre sur l'inventaire dressé après son décès (voir Cordey, 1939, p. 43, nº 434). Ce portrait est dû à Falconet et doit être l'une des premières occasions où cet artiste (voir Lévitine, 1972, p. 94) a collaboré avec la Manufacture dont il devait bientôt diriger l'atelier de sculpture.

311 LA LANTERNE MAGIQUE. Biscuit. 1757. H. 16. Sans marque. Paris, Musée des A.D. (inv. 8363).

Comme l'a souligné Emile Bourgeois (1906, t. I, p. 41-46), l'arrivée de Falconet à la Manufacture a coïncidé avec l'installation définitive à Sèvres et la mise en place de tout un personnel nouveau de sculpteurs habiles à adapter pour la porcelaine les esquisses en terre cuite de leur chef; l'une des premières sources d'inspiration du nouveau directeur de la sculpture fut la série des enfants édités en biscuit d'après Boucher et qui avait connu un si vif succès; aussi, l'un des premiers aspects de son œuvre à Sèvres se situe-t-il dans la continuation de ce genre, figures ou groupes d'enfants charmants par leur finesse d'observation et leur grâce, souvent inspirés au début par les œuvres de Boucher. Tel est ce groupe, également nommé «La Curiosité» ou «La Lanterne magique montrée à la foire par le savoyard», inspiré, avec son pendant «La Loterie» ou «Le Tourniquet», des scènes de la *Foire de Campagne* peintes par Boucher et gravées par Cochin le fils.

---

312 LE CHIEN QUI DANSE COSTUMÉ EN MARQUISE. Biscuit. 1758. H. 22. Sans marque. MNCS (inv. 20049).

Ce groupe de jeunes enfants qui entourent un montreur d'animaux en train de faire danser un chien costumé relève absolument de la même inspiration que le précédent, puisqu'il fut également modelé par Falconet d'après une scène de la *Foire de Campagne* de Boucher. C'est peut-être en raison de sa relativement grande taille, et donc de son prix de vente élevé, que ce groupe n'a connu qu'une édition limitée, ce qui explique le faible nombre d'exemplaires conservés (voir Eriksen, 1973, p. 63). On ne peut que le regretter devant le charme de cet ensemble habilement mis en scène pour souligner la spontanéité des attitudes enfantines de peur et curiosité mêlées. Ce thème très populaire fut également copié en porcelaine émaillée.

---

313 L'AMOUR. Biscuit sur socle émaillé à fond bleu lapis. 1758. H. 30. Sans marque. Paris, Musée des A.D., legs Gould.

Créé en marbre en 1757 pour l'Hôtel d'Evreux sur ordre de Mme de Pompadour, cette figure fut éditée à Sèvres dès l'année suivante et connut aussitôt un succès qui ne s'est jamais démenti et lui a même suscité un pendant, la «Nymphe» de 1761. C'est que Falconet a su trouver un équilibre harmonieux entre le symbolisme classique de cette figure et des attributs qui l'entourent, soulignant l'aimable menace qu'elle exprime et l'observation sensible de ce nu presque adolescent, réunissant ainsi les deux tendances principales observées dans ses créations pour Sèvres: figures ou groupes mythologiques de style déjà néo-classique dont les exemples les plus célèbres sont le groupe de «Léda» et la figure de la «Baigneuse», et groupes d'enfants finement observés comme dans les deux exemples précédents. Plusieurs des exemplaires connus sont enrichis de socles décorés dont certains portent des guirlandes fleuries ou, comme ici, une sentence exprimant clairement la signification du geste malicieux de l'Amour; en outre, un vase, dont le modèle est attribué à Falconet, semble avoir été conçu à l'origine pour lui constituer un socle plus élaboré encore (voir fig. 235).

314 LE SATYRE COURBÉ. Modèle plâtre. 1760. H. 18. MNS.
Ce petit groupe, dont la terre cuite originale subsiste, est caractéristique d'un autre aspect de l'œuvre de Falconet pour Sèvres: outre ses groupes d'enfants et ses grandes scènes d'inspiration mythologique, quelques modèles comme celui-ci, qui semble avoir été très peu édité, utilisent les thèmes de la mythologie classique pour des compositions de dimensions réduites d'une grande spontanéité d'exécution et d'une extrême vivacité de mouvement. On retrouve, mais peint sur le cartel d'un vase ornemental (voir fig. 190), un sujet absolument semblable.

315 MERCURE AUX TALONNIÈRES. Biscuit. 1770. H. 24. Marque en creux nº 50. MNCS (inv. 22414).
Après le départ de Falconet pour la Russie, l'atelier de sculpture fut confié au peintre Jean-Jacques Bachelier, déjà directeur des travaux de peinture. La Manufacture n'avait plus désormais d'artiste capable de sculpter des modèles spécialement conçus pour elle, et ce au moment même où le néo-classicisme commençait de triompher et où la pâte dure allait être adoptée. Sèvres, déjà sous Falconet, avait à plusieurs reprises rivalisé avec la grande sculpture de marbre; mais ce mouvement s'accéléra ensuite et l'on fit donc appel aux plus célèbres artistes contemporains, au premier rang desquels on peut compter Pigalle. Après l'adaptation, en 1769, de sa «Joueuse d'osselets» avec son pendant, la «Vénus à la coquille», Sèvres édita en 1770, outre une réduction de la figure en pied de «Louis XV en empereur romain» conçue par l'artiste pour la place royale de Reims, une œuvre déjà connue, puisque l'original en marbre du «Mercure» se trouvait chez Frédéric II à Sans-Souci. Une figure assise de «Vénus» lui servit à Sèvres de pendant.

316 DON QUICHOTTE. Biscuit. 1771. H. 40. Sans marque. MNCS (inv. 20545).
Le roman de Cervantès a inspiré au cours du XVIIIᵉ s. plusieurs éditions illustrées et deux séries de tapisseries, l'une par Charles-Joseph Natoire et l'autre par Charles-Antoine Coypel. Cette dernière, popularisée par la gravure, connut un grand succès et fut choisie par Bachelier lorsqu'il décida de faire rivaliser la Manufacture non plus seulement avec la grande sculpture, ce qui supposait seulement une différence d'échelle, mais même avec la peinture ou ses traductions en tapisserie, ce qui impliquait un travail beaucoup plus considérable et délicat. C'est ainsi que Le Riche fut chargé en 1771 d'adapter trois des cartons des Gobelins pour un surtout de table. Il choisit pour la pièce centrale le «Combat de Don Quichotte contre le château des marionnettes», opposant son mouvement théâtral au calme des deux groupes de côté représentant «Don Quichotte et la tête enchantée» ainsi que le «Jugement de Sancho Pança gouverneur de l'île de Barataria».

317 MADAME DU BARRY. Biscuit. 1771. H. 23. Marque en creux: Pajou sc. regis faciebat 1771. *MNCS (inv. 6704).*
Tout comme elle avait succédé à Mme de Pompadour dans le cœur de Louis XV, Mme Du Barry avait repris le rôle de protectrice de la Manufacture à qui elle commanda même un service à son chiffre (voir fig. 187). Il était donc juste que Sèvres rendît hommage à cette belle et fidèle cliente. Le Musée National de Céramique possède ce buste sans aucun doute unique, puisqu'il porte la signature du sculpteur qui a peut-être retouché l'épreuve originale; mais la coiffure aux boucles serrées dut sembler un peu trop sévère et fut remplacée avant l'édition définitive par de souples ondulations ornées de fleurs, plus douces au visage.

318 LA CANTATRICE DU BARRY. Biscuit. 1772. H. 22. Marque en creux n° 73. *MNCS (inv. 23066).*
Tout comme le surtout consacré à l'«Histoire de Don Quichotte», celui qu'inspirèrent les tableaux de Louis-Michel Van Loo exposés au Salon de 1769 témoigne de la vogue de l'Espagne, nouvelle alliée de la France, et marque la volonté de Bachelier de continuer de donner à ses sculpteurs des modèles peints. Les trois groupes principaux du surtout de la «Conversation espagnole» entrepris en 1772 et représentant des groupes de musiciens s'accompagnent de plusieurs figures isolées, parmi lesquelles cette fort élégante cantatrice où la tradition de la Manufacture a toujours voulu reconnaître un portrait de Mme Du Barry.

319 LA BEAUTÉ COURONNÉE PAR LES GRÂCES. Biscuit. 1775. H. 38. Marque en creux n° 72. *Paris, Louvre (inv. OA. 10436).*
A partir de 1773, en même temps que la Manufacture adoptait la pâte dure, l'atelier de sculpture eut de nouveau un directeur, Louis-Simon Boizot. Par le nombre de ses créations, l'œuvre de cet artiste pour Sèvres est considérable et l'on peut, tout comme dans celle de Falconet, y distinguer plusieurs sources d'inspiration. Le présent groupe, créé en 1775, relève nettement d'une mythologie très classique en même temps que de la sculpture d'apparat, de même que le «Triomphe de la Beauté» qui lui fut ensuite donné en pendant; deux groupes de côtés plus petits, l'«Offrande à l'Amour» et l'«Offrande à l'Hymen» vinrent ensuite compléter le surtout. Dans la figure assise de Vénus qui assiste au couronnement de la Beauté, Bourgeois (1906, t. I, p. 138) a voulu reconnaître les traits de Marie-Antoinette, suggérant même que cette apparente allégorie pourrait en fait être une allusion à l'entrée en faveur de la comtesse de Polignac. Le même sujet, dans une disposition un peu différente, fut également utilisé à Sèvres pour un médaillon.

320 *LA FÊTE DES BONNES GENS. Biscuit. 1776 (tirage moderne). H. 40. MNCS (inv. 15239).*
La fin du XVIIIe s. vit se développer dans la littérature, avec Rousseau et Diderot notamment, et dans la peinture avec Greuze, un mouvement moralisateur, vantant les vertus de la vie simple et les bons sentiments. C'est dans ce courant qu'il faut replacer à la fois le renouveau du couronnement des rosières, repris à Salency vers 1764, et l'institution vers 1775 de la Fête des bonnes gens. Le présent biscuit, modelé en 1776 par Boizot et Le Riche et également nommé l'«Heureux vieillard», illustre cette seconde coutume, l'inscription soulignant nettement le parallèle moral établi avec la cérémonie du couronnement de la «Rosière de Salency» qui inspira aux auteurs un groupe correspondant, dont l'inscription «à la vertu récompensée» exprimait nettement l'intention moralisatrice. L'habileté de la composition et des modelés force plus aujourd'hui notre admiration que la théâtralité des attitudes qui paraissaient alors tellement émouvantes.

321 *LE PARNASSE DE RUSSIE. Biscuit. 1779. H. 85. Sans marque. MNCS (inv. 23240).*
En 1778, la Manufacture reçut du prince Bariatinsky la commande d'un service considérable pour l'impératrice Catherine II, toutes les pièces à l'antique devant être spécialement destinées à s'harmoniser avec les décors en camées (voir fig. 223). Pour accompagner ce service, Boizot conçut un surtout monumental, qui exigeait cent dix-huit moules et représentait les Arts, les Sciences et les Lettres rendant hommage à la souveraine sous les traits de Minerve. Désireux d'adapter son œuvre au goût résolument classique du service, sans pour autant tomber dans un désagréable excès de rigueur, Boizot composa de gracieux groupes et figures symboliques dont la disposition rigoureusement ordonnancée, dominée par une haute colonne cannelée, devait assurer le caractère antiquisant. Il semble que la souveraine n'ait guère apprécié le portrait d'elle qui sommait ce monument, en sorte que l'on dut le remplacer par une Minerve de pure invention.

322 *LE PHILOSOPHE. Biscuit. 1780 (tirage moderne). H. 19. MNCS (inv. 15358).*
Les fouilles entreprises en Italie du Sud au XVIIIe s. modifièrent progressivement les conceptions artistiques de l'Europe entière; après l'architecture, les arts décoratifs furent touchés; la mode nouvelle se manifesta de façons diverses, puisqu'elle provoqua aussi bien l'éclosion de formes nouvelles pour des objets déjà connus et employés que la résurrection de types de décors et d'ornements tombés en oubli et de certains objets, quoique beaucoup, détournés de leur utilité originelle, n'aient plus été considérés que pour leur aspect décoratif. C'est ainsi que des «lampes antiques» servirent le plus souvent de support à ce jeune garçon studieux, ainsi qu'à la «Lectrice» qui lui fait pendant. Modelées par Boizot en 1780, ces deux figures connurent aussitôt un grand succès et furent éditées à maintes reprises, aussi bien en bronze qu'en biscuit de porcelaine.

323 FRÉDÉRIC II. Biscuit. 1781 (tirage moderne). H. 38. MNCS (inv. 15249).
Dans son rôle de «peintre officiel», outre les commémorations des grands événements de chaque règne, la Manufacture consacra nombre de médaillons, bustes et figures aux souverains non seulement français mais également étrangers. C'est ainsi qu'à côté des portraits de Louis XVI et Marie-Antoinette, Sèvres avait édité un buste et un médaillon de Joseph II en 1777 et un buste de Catherine II en 1779, tous modelés par Boizot. Il était normal qu'après l'Impératrice chère au cœur des philosophes, on en vint à célébrer Frédéric II de Prusse; pour ce faire, Boizot s'inspira non pas d'une gravure, mais du modèle créé pour la porcelaine par Emmanuel Bardou, sculpteur de la Manufacture de Berlin. Certains exemplaires, comme celui qui est conservé à Versailles, furent enrichis de hauts socles ornés. Les trois premiers sortis de Sèvres furent livrés au comte d'Artois en 1781; un autre fut offert au comte du Nord en 1782; enfin, Louis XVI en acquit un lors de la vente du Jour de l'An à Versailles en 1783. (Tous ces renseignements nous ont été aimablement communiqués par Christian Baulez, conservateur au Musée National du Palais de Versailles et des Trianons.)

324 LA NAISSANCE DU DAUPHIN. Biscuit. 1781 (tirage moderne). H. 40. MNCS (inv. 15325).
Subventionnée par le pouvoir royal, Sèvres se devait de célébrer les plus importants et heureux événements de chaque règne; pour commémorer la naissance du premier dauphin, on fit appel à Pajou, qui choisit de représenter la souveraine et son fils sous l'apparence de Vénus sortant de l'onde avec l'Amour dans ses bras. Sa première version lui valut la lettre que voici: «... M. le comte d'Angiviller, Monsieur, me charge de vous écrire sur les trois objets suivans 1° il est question de changer la physionomie de la tête de la Vénus de M. Pajou, et en lui conservant une belle figure de femme, de faire en sorte qu'elle ne ressemble point à la Reine... 2° M. le comte voudroit aussi faire faire, s'il est possible, un changement a la draperie, qui consisteroit principalement a en supprimer les fleurs de lis... 3° avant tous ces changemens il voudroit que vous fissiez tirer deux figures qui seroient pour lui et qu'il vous recommande de mettre à part...» (MNS, arch., carton H. 2 (correspondance), lettre du 20 janvier 1782.) Les retouches demandées furent faites avant la mise en fabrication; mais il semble que lors d'une réédition largement postérieure, modèles et moules aient été retravaillés, le manteau de la déesse retrouvant ses royales fleurs de lis.

325 MONTESQUIEU. Terre cuite. 1784. H. 40. MNCS (inv. 12978).
Le culte voué par la France de la fin de l'Ancien Régime aux philosophes qui en avaient fait le centre de l'Europe des Lumières s'accompagne d'une admiration rétrospective pour les Français illustres des siècles passés. Vers 1776, le comte d'Angiviller entreprit de passer commande aux meilleurs sculpteurs de figures en marbre des «grands hommes» destinées à orner la nouvelle galerie du Louvre. Le 16 janvier 1782, il écrivait à Régnier, directeur de Sèvres: «... Je crois, Monsieur, vous avoir déjà parlé du dessein où je suis de faire exécuter en porcelaine et en petit les statues des grands hommes que Sa Majesté a déjà fait exécuter en marbre par les principaux sculpteurs de son académie. J'ai en effet lieu de croire que ces morceaux auront beaucoup de succès et seront achetés avec empressement. J'ai donc déjà chargé M. Pierre de demander aux artistes qui ont exécuté ces morceaux des modèles en terre pour former les creux nécessaires...» (MNS, arch., carton H. 2 (correspondance). Le Musée National de Céramique possède encore une riche série de ces modèles de dimensions réduites, à laquelle appartient la présente figure assise due à Clodion. Malheureusement, d'Angiviller s'était trompé et la série fut un échec sur le plan commercial.

326 BAS-RELIEF DIT «DE LA LAITERIE DE RAMBOUILLET». Modèle plâtre. 1787. H. 18. MNS.
Pour essayer de rendre agréable à la Reine le séjour de Rambouillet, Louis XVI entreprit d'y faire construire une laiterie conforme au goût de la souveraine pour les bergeries raffinées. A Sèvres, Lagrenée le jeune fut chargé de dessiner les divers objets aux formes à l'antique destinés à orner le vestibule du pavillon et d'esquisser les décors dont le lait formait le thème central. La tradition de la Manufacture attribue à la même destination, sans doute en raison de la similitude des sujets, deux grands panneaux rectangulaires modelés par un artiste anonyme sur le même thème, ainsi que deux plaques de navettes montrant de jeunes femmes portant des vases. La restauration de la laiterie, actuellement en cours, n'a pas permis de localiser l'éventuel emplacement originel de ces gracieux bas-reliefs.

327 LOUIS XVI. Biscuit. 1785. H. 14. Marque en creux nº 74. MNCS (inv. 22328).
Il semble que la Manufacture ait édité un grand nombre de bustes de Louis XVI et de Marie-Antoinette, mais l'imprécision des archives et la disparition des moules et modèles rendent parfois les attributions hasardeuses. Les documents signalent du souverain un premier buste modelé par Boizot l'année même de l'accession au trône, suivi de deux autres du même artiste: le premier, daté de 1785, doit correspondre au présent exemplaire; il peut avoir été considérablement simplifié en 1789, cette seconde version ayant été choisie lorsque le renouveau du goût pour le XVIIIe s. provoqua une réédition dans les années 1880. La Manufacture possédait également un modèle et des moules anciens signés «Roguier 1794», sans qu'on puisse aujourd'hui savoir s'il s'agissait d'un buste différent, d'un remaniement ou d'une fausse attribution. Enfin, c'est peut-être un nouveau modèle, de taille intermédiaire entre les bustes de 1785 et 1789, qui fut mis au point et enregistré en 1816. On peut noter que dans cette iconographie des souverains, les représentations en pied sont infiniment plus rares que les bustes et surtout les médaillons qui pouvaient être libéralement distribués.

328 L'ESCLAVE. Modèle plâtre. 1789. ∅ 0,9. MNS.
Dès 1787, la Manufacture de Wedgwood avait fabriqué un médaillon absolument semblable, à la demande d'un membre d'une société pour l'abolition de l'esclavage qui avait pour devise le texte porté en légende: *«Am I not a Man, a brother»* (voir cat. exposition «European Vision of America», Cleveland — Washington — Paris, 1975-1977, nº 309). La Manufacture de Sèvres en préparait dans les premiers mois de 1789 une copie française lorsqu'elle reçut de la part du comte d'Angiviller les observations suivantes «... on lui a appris que quelqu'un fait exécuter à la Manufacture des médailles fond blanc, représentant un nègre à genoux... sans doute le motif est bon, il est dicté par l'humanité, mais de pareilles médailles portées dans les colonies pourroient vûes par des negrès y exciter du mouvement. M. le comte me charge enfin de vous marquer qu'il defend absolument d'aller plus avant sur cet objet, et si la médaille est faite de n'en délivrer absolument aucune. C'est une réquisition que fait le comité d'administration des colonies, à laquelle il est impossible de se refuser...» (MNS, arch., carton H. 4 (correspondance), liasse 3, lettre du 8 avril 1789). Quelques exemplaires devaient pourtant avoir été déjà édités puisqu'il s'en trouve un, en biscuit, au Musée Adrien-Dubouché à Limoges.

329 LES AVENTURES DE TÉLÉMAQUE. Biscuit blanc sur fond bleu. 1786. Venise, Musée Correr.

Les *Aventures de Télémaque* publiées par Fénelon en 1699 connurent une grande vogue au XVIIIe s. L'épisode où le héros raconte ses aventures à la nymphe Calypso semble avoir été utilisé pour la première fois dans le tableau peint en 1722 par Jean Raoux et gravé par Beauvarlet en 1773 (voir cat. exposition «Toiles de Nantes des XVIIIe et XIXe siècles», Paris, 1978, no 42). Il fut utilisé à Sèvres à deux reprises: en 1776 pour un groupe sculpté par Boizot (voir *Les Œuvres de la Manufacture Nationale de Sèvres...*, no 601, pl. 22) où la disposition générale reste très proche de celle du tableau, quoique les costumes et coiffures aient déjà évolué; en 1786, sept «sujets tirés de l'histoire de Télémaque, pour table» furent mis au point; la partie centrale, circulaire, reprend le sujet du tableau, mais la disposition est inversée, les costumes nettement modifiés et la composition enrichie d'un paysage et de nombreux personnages. Il y eut effectivement deux tables utilisant ce médaillon central avec quelques-uns des sujets annexes et des parties purement ornementales, l'une vendue au comte Fernand Nuguès (voir Guillemé-Brûlon, 1968) et l'autre livrée au roi d'Etrurie (MNS, arch., registre Vy. 12, fo 236 vo; 11 Fructidor an IX); toutes deux sont exécutées en biscuit blanc appliqué sur fond bleu pâle, technique mise au point à Wedgwood.

330 LA PAIX RAMENÉE PAR LA VICTOIRE. Biscuit. S.d. (vers 1798?) (tirage moderne). H. 39. MNCS (inv. 15360).

Quoique le Musée National de Céramique possède un exemplaire de ce groupe reparé par Brachard en 1806, il est vraisemblable que le modèle attribué à Boizot est de plusieurs années antérieur, puisqu'il a été enregistré sur l'inventaire ordonné par Brongniart comme une création des années 1780-1800. De fait, aussi bien le style de ce groupe où l'Amour à la corne d'abondance tempère encore le classicisme antiquisant des figures que le sujet allégorique bien dans la manière et l'esprit de l'époque révolutionnaire devraient permettre de placer cette œuvre dans les toutes dernières années du XVIIIe s., la date la plus vraisemblable se situant dans les mois qui suivent la paix de Campo-Formio.

331 LA PIÉTÉ FILIALE. Modèle plâtre. (1800). H. 64. MNS.

La période consulaire, après les grands sujets patriotiques de l'époque révolutionnaire dont le plus important semble avoir été le groupe du «Peuple français terrassant l'hydre de l'anarchie» dont on a malheureusement perdu toute trace autre qu'écrite, renoue avec les grands courants du XVIIIe s.: iconographie officielle, sujets mythologiques ou moraux, mais en les transformant profondément sous l'influence de l'Antiquité; celle-ci, après avoir fourni des éléments stylistiques devenus peu à peu prépondérants, donna des exemples de courage militaire et de vertus civiques, bientôt mis par les artistes en parallèle avec les hauts faits des contemporains. C'est dans ce courant que l'on peut situer ce groupe, ainsi que son pendant «La Piété conjugale» à cause duquel on paya 192 l. au «citoyen Boizot ... pour ... les frais d'un moule que la direction l'a invité à faire établir à Paris sur le modèle...» (MNS, arch., registre Vf. 50 (an VIII), fo 9 vo), ce qui ne semble pas forcément indiquer que l'artiste en chef en était l'auteur, quoique ce soit fort vraisemblable.

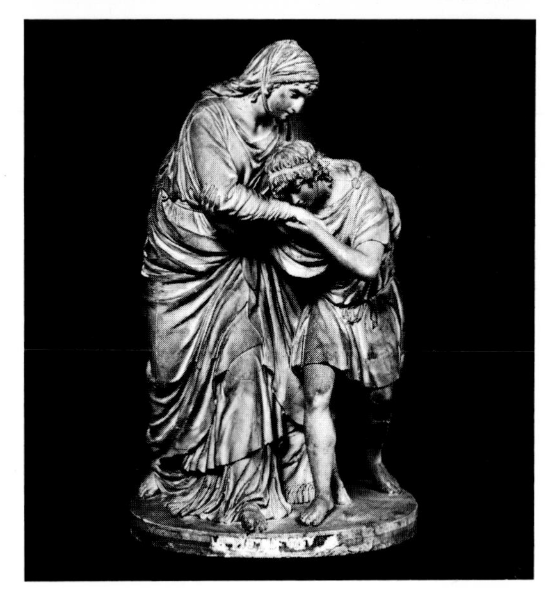

Essai de chronologie des formes de vases au XVIIIe siècle

La présentation chronologique des fig. 1 à 302 et des pl. I à LVI tient compte des *marques de décoration* ou de la date de *l'exécution présumée* de la pièce, sans faire intervenir celle de la *création de la forme*. Or, un même modèle a été répété et décoré à diverses reprises, ce qui engendre certaines contradictions entre la suite des images et les dates d'apparition des formes. L'essai de chronologie qui suit a pour but de donner à celles-ci un cadre aussi précis que possible.

En principe, la datation est établie d'après les inventaires annuels des moules et modèles nouveaux, faits au 1er janvier, donc relatifs aux créations de l'année antérieure.

A défaut de cette source, souvent incomplète et presque inexistante après 1770, divers recoupements ont permis une présomption qui est signalée par un point d'interrogation, ou bien indiquée par les mentions: vers, avant, après, accompagnant une date.

A l'intérieur de chaque année, les noms des vases ont été classés par ordre alphabétique.

Avant 1753

Pot à fleurs, fig. 27
Pot-pourri, fig. 17
Pot-pourri à jour, fig. 46
Pot-pourri Pompadour, fig. 42
Vase à fleurs, fig. 30
Vase à fleurs à oreilles, fig. 31
Vase Duplessis à enfants, pl. V
Vase Duplessis à fleurs, fig. 15, 32, 69, 107
Vase indien E, fig. 37, 98
Vase Médicis (Le Boiteux), fig. 70
Vase Parseval, fig. 43

1753

? Caisse à fleurs B, fig. 112
Caisse à fleurs carrée, fig. 62
Caisse à fleurs ovale, fig. 64
Cuvette Courteille, fig. 111, 111bis
? Vase à relief «Turc», fig. 56

1754

Caisse, ou cuvette à fleurs rectangulaire, pl. VII
? Caisse, ou cuvette à fleurs rectangulaire, fig. 134
Cuvette à fleurs (unÿe ou Verdun), fig. 102
Cuvette à masques, fig. 87
Fontaine (à roseaux), fig. 68
Vase gobelet à côtes, fig. 80
Vase hollandais, fig. 63 et pl. XVIII

Avant 1755

Corbeille pleine, fig. 77
Petite jardinière, fig. 78, 79.
Vase à oreilles, pl. XXI

1755

Cuvette à compartiments, pl. XVI
Cuvette à fleurs, fig. 106

Avant 1756

? Vase urne antique à oreilles, pl. XIII

1756

Caisse à la Mahon, pl. XV
Pot-pourri gondole, pl. XII
Pot-pourri Hébert, pl. XXVIII
Vase Duplessis à têtes d'éléphants, pl. XIV
? Vase gobelet à dauphins, pl. XI
Vase ou piédestal à oignon, fig. 93, 108

1757

Vase à fleurs Marmet, fig. 82

Avant, ou vers 1758

Vaisseau à mât, fig. 125, pl. XXIII, XXIV
Vase hollandais nouveau, pl. XXV

1759
Pot-pourri à bobèches, fig. 96
? Vase Boileau, pl. XX

1761
Pot-pourri fontaine à oignons ou à dauphin, pl. XXII
Pot-pourri myrte, fig. 118
Pot-pourri triangle, pl. XXVI
Socle à l'antique du vaisseau à mât, pl. XXIV
Vase Choiseul, fig. 120

1762
Grand pot-pourri à têtes de boucs, pl. XXIX
? Pot-pourri en forme de limaçon, pl. XXXII (reprise éventuelle d'un modèle antérieur à 1753)

Avant 1763
Vase antique ferré dit «de Fontenoy», pl. XLIII

Avant 1764
Vase néo-classique, pl. XXXVII

1764
Vase Danemark à cartels, fig. 167
Vase Danemark à ornements, fig. 129
? Cassolette à festons, fig. 144

1765
Caisse à fleurs carrée (à angles arrondis), fig. 161
Vase Bachelier rectifié, fig. 168 et 198, pl. L
Vase myrte, fig. 219
Vase ovale Mercure, pl. XXXIII

Vers 1765
Cassolette Bolvry ovale, fig. 188
Vase à anses torses, fig. 165
Vase à jet d'eau, fig. 141
Vase flacon à mouchoir, fig. 184
Vase grec à ornements, fig. 236

1766
? Vase Bachelier à anses et à couronnes, fig. 176
Vase ballon, fig. 190
? Vase fil et ruban, fig. 159
Vase flacon à cordes, fig. 185
Vase flacon à rubans, fig. 177

1767
Vase à colonne, fig. 160
Vase Carrache, pl. XLI

Vers 1767 ou avant 1768
Vase aux tourterelles, pl. XLIV
Vase bouc à raisins, fig. 189
Vase bouc Du Barry B, pl. XLVII

1768
Vase à glands, fig. 182
Vase à palmes, fig. 163
Vase chinois, fig. 164
Vase ruche, fig. 153

Vers 1768
Vase étrusque à cartels, fig. 154
Vase œuf Louis XV, fig. 180

1769
Vase à bandes, fig. 162
Vase à boulons, fig. 181
Vase à consoles, pl. XLII
? Vase Falconet de côté, fig. 173
Vase octogone, fig. 200

Vers 1770
Vase à anses carrées, fig. 175

1771
Vase à feuilles de laurier, fig. 205
Vase Angora, pl. XLV
Vase fontaine Du Barry, fig. 192
? Vases Fontanieu, fig. 201 et 216
Vase marmite, fig. 226

Avant ou vers 1772
Vase baril, fig. 199
Vase solaire, fig. 196

Vers 1773
Vase à trois cartels, fig. 202
Vase ovale, fig. 208

Vers 1775
Vase de Madame Adélaïde, fig. 209

1775-1776
Vase chapelet, pl. XLVI

Vers 1777
Vase œuf Louis XVI, fig. 220

Vers 1778
Vases des âges Deparis, fig. 241, 242, 243

Avant 1779
Vase momies à ornements, fig. 225

Vers 1780
Vase A de 1780, fig. 244
Vase B de 1780, fig. 245
Vase C de 1780, fig. 265, 266
Vase E de 1780, pl. LIII
Vase à têtes de Chinois, pl. LI
Vase colonne Deparis, fig. 230
Vase de côté Deparis n° 1, fig. 213, 231
Vase de côté Deparis n° 2, fig. 229
Vase ovoïde à cornet, fig. 294

Après 1780
Vase pendule à dauphins, fig. 234
Vase pendule Boizot, fig. 240

Avant 1782
Grand vase ovoïde à bandeau, fig. 246
Vase à cartels Bolvry, fig. 295

Avant 1785
Vase à bandeau Duplessis, pl. LII

1785
Réduction du grand vase de Boizot et Thomire créé en 1783, fig. 261

Vers 1785
Pendule lyre, fig. 264

Vers 1785-1788
Vase aux serpents Leriche, fig. 269
Vase aux sirènes Leriche, fig. 270
Vases dits «étrusques» à bandeau, fig. 267, 268
Vase étrusque Leriche, fig. 271

Vers 1790-1800
Vase à têtes d'aigles, fig. 298
Vase étrusque à bandeau, fig. 296
Vase Médicis à têtes de Jupiter, fig. 302.

XIXe siècle

1800-1847

Pour rendre notre exposé plus clair, il nous a semblé préférable de le diviser en plusieurs périodes. Plutôt que d'adopter les divisions dictées par l'histoire politique, nous avons considéré l'histoire interne de la Manufacture. C'est ainsi qu'une première période correspond à ce que l'on peut nommer le «règne» d'Alexandre Brongniart entre 1800 et 1847, alors qu'une seconde partie s'achève en 1897, date où l'entrée à Sèvres d'Alexandre Sandier marque la rupture avec le XIXe siècle et les débuts de l'«Art Nouveau».

Administration

Lorsqu'il fut appelé à la direction de la Manufacture de Sèvres par un arrêté du 15 mai 1800, Alexandre Brongniart[1], alors âgé de trente ans, était déjà ingénieur des Mines et un savant connu pour ses travaux sur la minéralogie, la zoologie et la géologie. Sa nomination à Sèvres ne remit pas en cause ses autres activités scientifiques, puisqu'il continua de collaborer à de nombreux ouvrages de sciences naturelles, fut nommé à l'Institut en 1815, devint en 1819 ingénieur en chef des Mines et obtint en 1822 la chaire de minéralogie au Muséum; tout au plus peut-on noter que les travaux et publications relatifs à la porcelaine en particulier et à la céramique en général prirent peu à peu une place prépondérante dans ses recherches pour aboutir à la publication en 1844 du *Traité des arts céramiques*..., considéré encore aujourd'hui comme une référence indispensable. Mener de front des activités aussi diverses exigeait un sens de l'organisation peu commun; mais cela semble avoir été l'un des traits fondamentaux de la personnalité de Brongniart; à partir de 1822, il divisa ses semaines entre Sèvres, le Muséum et son domicile de Paris où il recevait le dimanche des savants français et étrangers et un grand nombre d'artistes dont beaucoup furent sollicités de collaborer avec Sèvres.

Il semble que Brongniart se soit très sincèrement attaché à la Manufacture et qu'il ait, dès le départ, eu l'intention d'en faire un établissement de prestige pour la France, à la fois par la beauté de ses productions et par leur qualité, liée aux progrès techniques.

On peut suivre l'évolution de ses idées sur ce que devait être la Manufacture, à partir de la lettre à Chaptal du 1er Prairial an VIII, dans laquelle il acceptait le poste de directeur en écrivant[2]:

«Je vous promets de mettre tout le zèle que m'inspire l'amour de mon pays et la marque de confiance que vous voulez bien me donner pour remplir vos vues utiles; j'employerai les connoissances que j'ai acquises et j'y joindrai celles des chimistes célèbres avec lesquels j'ai l'avantage d'être lié pour redonner à cette manufacture la supériorité dont elle a besoin pour continuer de rendre à la France les services qu'elle lui a déjà rendus...»

C'est surtout lors des changements de régimes de 1814-1815 qu'il tint à exprimer clairement ses buts pour ses nouveaux protecteurs. Il écrivit le 25 avril 1814 au baron Mounier[3]:

«... Ce tableau vous donnera aussi une idée du genre des travaux de la manufacture. J'espère que vous pourrez déjà y voir que je les divise vers deux buts différents autant que les moyens que j'ai peuvent me le permettre.

» D'un côté je cherche à faire des objets qui par le choix des sujets, la grandeur des pièces, la perfection des peintures, la richesse et la pureté d'exécution des ornements, maintiennent l'art dans sa perfection, lui fasse faire encore de nouveaux progrès, conserve et augmente la réputation de cet ancien établissement en assortissant ses magasins d'objets dignes des personnes augustes auquel il appartient soit qu'elles veulent consacrer ces objets à leur usage, soit qu'elles les destinent à en faire des présents.

» D'un autre côté, je fais exécuter des objets plus ordinaires, d'un prix qui soit à la portée de toutes les classes de consommateurs mais tout en fesant faire ces objets de commerce, j'ai soin que le bon goût et tous les principes d'une bonne et solide fabrication soient scrupuleusement conservés. »

De même, le 13 avril 1815, il précise pour l'Intendant Général des biens de la Couronne[4]:

« Je tâche de maintenir dans les formes et le mode de décoration les principes d'un style pur exempt de l'influence de la mode. La position heureuse dans laquelle se trouve la manufacture lui donne les moyens d'être à l'abri de cette influence pernicieuse au bon goût et aux arts. Je tâche aussi de ne placer sur les pièces que des sujets qui aient quelque intérêt historique ou littéraire et j'éloigne autant qu'il m'est possible les sujets insignifiants ou de pure invention... »

Mais avant de parvenir à ses buts ambitieux, Brongniart dut commencer par mettre la Manufacture en état de fonctionner. Lorsqu'il en prit la direction, elle était désorganisée et ruinée, les ouvriers n'avaient pas été payés depuis de longs mois et ne survivaient que grâce à de maigres distributions de vivres; ils ne travaillaient presque plus, en dépit du renouveau du commerce des objets de luxe amorcé par le Directoire[5].

La première tâche du nouveau directeur fut donc d'assainir la situation financière et de réorganiser la maison. Les remèdes employés furent draconiens: mise à pied de nombreux ouvriers, vieillis pourtant dans la Manufacture, et liquidation massive au cours de ventes ou chez les marchands de tout ce qui restait en magasin, souvent à des prix dérisoires. En même temps, les ateliers étaient réorganisés et divisés en deux grandes sections, artistes de la fabrication d'une part, de la décoration d'autre part. Un nouveau système fut mis en place: pour chaque forme et décor nouveau, un prix était fixé par le directeur en tenant compte des demandes de l'exécutant et il servait de base immuable lors des rééditions. Les sections recommençaient à tenir un registre annuel des travaux de chaque employé; lors de l'entrée d'une pièce décorée au magasin de vente, une « feuille d'appréciation » récapitulait tous les éléments dont on devait tenir compte pour en établir le prix de revient; en outre, le directeur établissait une ou deux fois l'an un inventaire méthodique des pièces en cours d'exécution et y notait au fur et à mesure leur progression. Enfin, toutes les collections de moules, modèles, dessins et gravures anciens furent inventoriées, étiquetées, classées afin que l'on puisse les utiliser commodément et continuèrent d'être systématiquement augmentées.

En 1802, la Manufacture fut portée sur la liste civile du Premier Consul, et, depuis, elle resta constamment subventionnée par le pouvoir exécutif. Sèvres, à l'abri pour longtemps des problèmes financiers, était prête pour reprendre le travail et suivre les visées de son directeur.

Les événements politiques n'eurent qu'une faible répercussion sur son histoire, Brongniart, comme la plupart des grands commis de l'époque, ayant réussi à s'adapter à chaque nouveau souverain; avant de lui en faire grief, il faut bien voir qu'il ne considère que l'intérêt de la Manufacture. Ainsi, lorsque les officiers prussiens qui occupent Sèvres en 1815 exigent qu'on leur remette toutes les pièces relatives à l'Empereur déchu et à sa famille, il s'arrange pour ne leur donner que des vases de moyenne importance et quelques portraits sculptés, principalement des médaillons; en revanche, il sauve les plus belles pièces, quitte à gratter une inscription ou masquer un personnage. Cette occupation prussienne est d'ailleurs le seul événement historiquement important de la période. La Manufacture fut occupée par des officiers qui la considérèrent comme prise de guerre exploitable à merci et se firent livrer des pièces, souvent décorées d'après leurs indications. D'âpres discussions aboutirent au rachat de la Manufacture, pour une somme de cent mille francs dont Brongniart obtint de retrancher la valeur de tout ce qu'il avait livré aux occupants ou détruit sur leur ordre[6].

Pl. LVII VASE JASMIN. Fond nankin. 1800-1802. H. 22. Marque nº 7. Grand Trianon (inv. 1894 T. 157).

Ce vase est très caractéristique des œuvres de transition entre les XVIIIe et XIXe s. Il se rattache au premier à la fois par les souples figures en grisaille et les fines arabesques polychromes pleines de fantaisie et d'un art encore charmant quoique déjà néo-classique. Ce décor n'est pas signé, mais il évoque les créations d'Asselin, dont la Manufacture conserve de nombreux dessins relevant d'une même inspiration. Par contre, la forme très simple est nouvelle, tout comme la nuance beige du fond. Cette forme connut un très vif succès, qui se traduisit par de nombreuses rectifications et transformations tout au long du siècle.

Pl. LVII

Les relations entre Sèvres et le souverain semblent avoir été bonnes pendant toute la période. Brongniart recevait des commandes et les encourageait, en même temps qu'il cherchait à devancer les demandes en faisant exécuter des pièces somptueuses et remarquables du double point de vue technique et artistique. Les souverains, en retour, ne pouvaient que se montrer satisfaits d'une manufacture capable de fournir des objets précieux pour leur service ou leurs présents, et ils n'hésitaient pas à venir souvent juger eux-mêmes des progrès de la fabrication, au cours de nombreuses visites qui donnèrent toujours lieu à des distributions de cadeaux aux personnes de la suite, et parfois à de petites notes publicitaires envoyées aux journaux, comme celle-ci, en Messidor an X[7]:

«Le Premier Consul est venu visiter le 7 Messidor la Manufacture nationale de porcelaine de Sèvres. Il est resté près d'une heure dans cet établissement qu'il a voulu voir en détail. Les observations qu'il a faites sur différents objets prouvent ses connaissances dans les arts et il a paru satisfait de voir que cette manufacture, qui a créé en France un art dans lequel aucune nation n'a pu l'égaler, s'occupoit de grands travaux qui doivent ajouter à la réputation qu'elle s'est acquise par les morceaux hardis et uniques qu'elle a déjà faits.»

Présents et achats

Parmi les fournitures de Sèvres aux souverains, certaines correspondirent à des commandes précises; ce fut le cas du «service particulier de l'Empereur» (voir pl. LIX) pour lequel Napoléon dicta même les figures de grands hommes que l'on devait éditer en biscuit pour le surtout[8]; il commanda également des pièces consacrées aux membres de sa famille et même des assiettes avec des portraits de ses chevaux. Outre leurs services courants et les objets d'ornement et d'usage pour leurs résidences, Louis XVIII et Charles X achetèrent de nombreuses pièces relatives à leur histoire ou à celle de leurs ancêtres; et Louis-Philippe s'intéressa de très près aux vitraux de ses différents châteaux.

Sèvres servit aussi, et presque surtout, à fournir aux souverains des cadeaux. Les présents annuels du Jour de l'An semblent s'être institués en 1810, avoir crû peu à peu en nombre et en importance et être suivis par les cadeaux offerts à la suite des expositions tenues annuellement au Louvre à partir de 1816. Ils s'adressent essentiellement aux membres des familles régnantes et à leur entourage immédiat. Mais on récompense également de hauts fonctionnaires comme les membres du Service du contentieux. Les grands événements de chaque règne donnent lieu à de généreux dons, surtout sous l'Empire où de telles distributions accompagnèrent, par exemple, le mariage de la princesse Stéphanie Napoléon avec le prince de Bade en 1806, le mariage impérial en 1810 ou le baptême du Roi de Rome en 1811. D'autres objets sont offerts de façon plus épisodique: à des célébrités des arts et des lettres, françaises comme Boieldieu, Hugo, Ingres[9], aussi bien qu'étrangères comme «Monsieur le chevalier Lawrence, premier peintre du roi d'Angleterre», ou à des personnalités comme le baron de Bougainville. Mais les plus nombreux bénéficiaires de ces largesses sont les souverains étrangers, parents ou alliés. Napoléon renoue brillamment avec cette tradition en offrant, par exemple, au tzar Alexandre le «service olympique» (1807) puis le «service égyptien» (1808), utilisant souvent ces cadeaux pour sa propagande en offrant des effigies de sa personne ou des représentations de ses hauts faits.

Dès mars 1818, Louis XVIII prenait la suite en offrant, à son tour, un deuxième «service égyptien», exécuté pour Joséphine et refusé par elle, au duc de Wellington, accompagné de ce charmant envoi:

«J'ai appris, *my dear Lord*, qu'il y a quelques jours à dîner chez vous, vous avez témoigné préférer l'ancienne porcelaine à la nouvelle. Permettez-moi d'appeler de ce jugement et pour vous mettre à portée de décider si j'ai raison, je vous prie d'accepter quelques assiettes, qui peut-être vous sembleront en état de soutenir le parallèle. Je suis encouragé dans cette démarche par un vieux proverbe que je vais tâcher de rendre dans votre langue. *Do little gifts keep friendship alive*. Je saisis avec plaisir cette occasion pour vous renouveller, *my dear Lord*, les assurances de

Pl. LVIII TABLE. 1806-1807. H. 92, ∅ 58. Fontainebleau (inv. F 669c).
Sèvres créa peu de véritables meubles à l'époque impériale, et ce guéridon dit «des Saisons», à plateau rond et pied de porcelaine évasé sur un piédestal en bois de racine, est l'un des premiers. Le projet du décor de la plaque supérieure est dû à Alexandre-Théodore Brongniart et fut exécuté par Jean Georget pour la peinture des sujets, Déperais pour celle des ornements et Boullemier pour la dorure. En dépit d'une disposition rigoureuse et d'une ornementation classique, le style des sujets évoquant les saisons, le zodiaque et le char d'Apollon dans le médaillon central, et surtout leur exécution souple et presque vaporeuse, rappellent encore le XVIIIe s.

Pl. LVIII

mon amitié et de tous mes autres sentimens pour vous. Louis.»[10]

Ces cadeaux s'adressent à tous les souverains, mais on doit y noter la prédominance du Proche et Moyen-Orient, puisque à côté du Pape, des rois de Naples et de Prusse, on trouve mentionnés sous Louis XVIII le Pacha du Caire et l'ambassadeur de Perse; que, sous Charles X, on retrouve le Pacha et le vice-roi d'Egypte ainsi que le Sultan à côté du Pape et des mêmes rois et qu'enfin Louis-Philippe semble garder la même politique puisqu'il comble de ses cadeaux le Sultan, le Shah de Perse, le vice-roi d'Egypte Méhémet Ali et le Bey de Tunis, à côté de Metternich, de la reine Victoria, des rois de Naples, de Suède, de Prusse, de Hollande ou de la reine d'Espagne. A propos de ces présents, il faut noter que le rapport entre l'objet offert et le destinataire est parfois curieux: on peut s'interroger sur l'opportunité d'offrir à la reine d'Espagne un «guéridon arabe»[11], quoiqu'il illustre la reconquête de Grenade, ou à Méhémet Ali un «déjeuner chinois»[12] ou une «pendule à musique dans le style turc»[13] ou encore au Bey de Tunis un «guéridon des vues des bords de la Seine»[14].

Enfin, Sèvres fournit dès l'Empire éléments de décor et services pour ambassades, consulats et légations, contribuant ainsi à la propagande en faveur des arts décoratifs français.

Ces livraisons au gouvernement et au service des relations extérieures furent toujours prioritaires, parce qu'elles seules justifiaient les subventions perçues par la Manufacture. D'un autre côté, elles étaient la seule destination possible d'objets que leur cherté même rendait difficiles à vendre.

Mais nous avons vu que dès 1814 Brongniart parlait également des objets plus simples vendus aux particuliers; il ne faut à aucun moment de son histoire négliger cet aspect de la production de Sèvres. Outre la nécessité d'occuper tout le personnel entre les commandes importantes, il se justifie par la volonté de ne pas limiter les bénéficiaires de tous les progrès techniques et artistiques; mais cette volonté a toujours suscité d'énormes difficultés, puisqu'elle aboutissait à mettre Sèvres en parallèle avec les manufactures privées qui, en périodes de crises économiques, avaient tôt fait de crier à la concurrence déloyale.

En fait, les buts et les moyens de Sèvres suffisaient à la placer sur un plan différent, puisqu'elle choisit de rester artisanale et de chercher la perfection alors que les autres fabricants adoptaient au fur et à mesure les procédés d'industrialisation permettant d'accélérer les cadences de production. Les principaux clients de Sèvres sont ceux-là même qui en reçoivent les produits en cadeaux: membres des familles régnantes, hauts dignitaires, princes étrangers ou leurs représentants; ainsi le duc d'Angoulême achète en 1821 le «service des vues remarquables hors d'Europe», le Roi d'Espagne en 1828 la «table du Sacre de Charles X»[15], ou le Bey de Tunis en 1846 un «déjeuner» dit «de Chateaudun»[16]; on trouve également parmi les bons clients moins haut placés un grand nombre d'étrangers, principalement des Anglais. A côté de ces achats fastueux, les registres de vente font état d'une énorme quantité de rebut blanc quasiment soldé. Ces ventes méritent d'être signalées parce que, très souvent, les objets ainsi acquis ont pu être décorés en dehors de la Manufacture.

Les acquisitions par des particuliers peuvent concerner des pièces décorées du magasin; ainsi, un Monsieur de Lahante achète en 1820 pour 12000 francs un tableau copiant sur porcelaine le *Mariage de sainte Catherine* du Corrège[17], le comte de La Riboisière en 1831 une pendule représentant Homère chez les potiers de Samos[18]; les achats portent cependant le plus souvent sur des pièces plus simples, isolées ou formant des services; parfois aussi, il s'agit de commandes comportant chiffres ou armoiries, comme le service commandé en 1842 par Mademoiselle Rachel[19].

Le cas d'une commande très précise entraînant une longue correspondance ne fut posé que par le duc Albert de Saxe-Cobourg-Gotha; il est vrai que les désirs de cet amateur étaient à la fois extrêmement particuliers et changeants. Voici la lettre qu'il écrivit le 31 août 1815[20]:

«Monsieur, vous m'avez refusé de me faire exécuter par vos premiers artistes une tasse d'après des dessins que j'avais imaginé. Je vous en sais gré; car votre tact infaillible, votre goût exquis, la sévérité esthétique de vos prin-

Pl. LIX ASSIETTE PLATE ORDINAIRE. Fond vert. 1810. ∅ 24. Marques nos 8; 9 partiellement effacée (10); 551. MNCS (inv. 6238).
Le «service particulier de l'Empereur» fut commandé en 1807 et exécuté entre 1807 et 1810. Sur le fond vert de chrome au grand feu récemment mis au point par le chimiste Vauquelin, l'aile portait une frise militaire, formée de glaives, lauriers et étoiles d'or bruni dessinée par Alexandre-Théodore Brongniart. Au fond, une scène polychrome évoquait la carrière et les hauts faits du souverain et de ses proches. Swebach, l'un des principaux décorateurs de cet ensemble, a représenté ici, d'après l'indication portée au revers de la pièce: l'«Istme de Suez, le général Cafarelli prêt à se noyer». L'Empereur conserva jusqu'à Sainte-Hélène ce magnifique service.

Pl. LIX

cipes; l'invariabilité, la fixité, la monotonie de vos lois plastiques vous ont sans doute empêché, Monsieur, de céder à votre complaisance naturelle; et l'intérêt de votre fabrique qui exige qu'il n'y ait qu'un goût et qu'une mode vous a, j'en suis persuadé, obligé pour la première fois de résister à mes instances; et pourtant je vous sais gré de votre dureté apparente, puisqu'elle me donne l'occasion de reconnaître et d'estimer l'énergie et la sévérité de vos principes. Maintenant qu'il ne s'agit pas d'introduire un gout hérétique qui ne tient qu'à la beauté et à la pureté des formes, à l'élégance du dessin, à la simplicité riche et noble des ornemens, à l'éclat et à l'ingénuité des émaux, à la sévérité et à la perfection de la peinture, au charme des motifs qui ne respectent point la mode, qui se moquent des genres et des écoles, maintenant, dis-je, que je connais mieux le but des institutions des arts, je vous supplie, Monsieur, de m'épargner une semblable admiration et de m'inspirer plutôt de la reconnaissance et le plaisir, car j'aimerais devoir et ne devoir qu'à vous un petit déjeuné parfait, charmant, délicieux, sans pareil et ne le devoir qu'à votre goût et à vos soins. Ecoutez-moi, s'il vous plaît. Je ne veux point surprendre votre religion, attaquer votre morale, engourdir vos principes. Non, il ne s'agit point de sapper les fondemens de votre croyance esthétique; quatre pas dans votre fonds de porcelaine blanche; quarante paroles, huit signes, tout ira au mieux. Mais sérieusement, écoutez-moi; vous me rendriez bien, bien heureux et vous changerez mon admiration en un sentiment bien plus aimable et peut-être même, Monsieur, plus agréable pour vous; car le reste de l'Europe ne reconnaît pas comme moi qu'il n'y a de perfection et de salut qu'à Sèvres; et elle préfère comme la plus égoïste et la moins morale des Dames ceux qui la servent promptement et sans résistance; mais je ne suis point européen sur ce point et je fléchis les genoux devant les mérites où je les trouve; mais j'en reviens toujours à mes reconnaissantes condoléances.

»Voudriez-vous bien, Monsieur, me choisir une tasse ronde, écrasée, à petite anse, de grande blancheur, du plus parfait émail, d'une cuite mûre, d'une forme achevée, grandeur au-dessous de la moyenne; une petite patène ou soucoupe plus platte et moins grande que vous ne l'auriez peut-être choisie pour tout autre que pour moi, de la perfection de la masse, de la blancheur de l'émail, de la rondeur de la tasse. Vous ferez émailler, dorer, peindre, incruster, orner ces deux pièces tout à fait d'après votre goût; mais que ce ne soit ni français, ni anglais, ni chinois, ni grec, ni turc, ni romain, ni oriental, ni occidental; mais que ce soit de votre goût c. à d. du bon goût, fait pour plaire dans tous les siècles et dans tous les pays. Que ce soit nouveau, riche, serein, d'une conception claire, d'un motif flatteur, d'un genre attrayant; s'il y faut des fleurs en grosse masse et d'une seule espèce, s'il y faut un sujet sur la patène pris d'une bonne école exécuté par votre premier peintre. L'intérieur de la tasse peut être plaqué en or comme le dessous de la patène. Le prix, 150 francs, 160. Puis choisissez-moi une petite caffetière de forme turque, fond terre sigillée mordoré, carmélite foncé, qui ne contienne que deux tasses de caffé filtre, à anses bronze quatre fois doré, à arabesques turques, couleurs baroques, prix 125-130 francs. Ensuite un petit pot à crème plat et évasé couleur à votre gré, frise de rinceaux d'or, petite anse bronze quatre fois doré, prix 60-70 francs. Après cela une petite beurrière forme encor de votre choix couleur différente de la tasse et de la caffetière, du contenu de trois onces, même prix que le pot au lait. Une petite assiette ronde et profonde, à cul très évasé, à bord très court, d'une perfection de masse, de rondeur, d'émail, de travail sans égale, fonds allant bien et contrastant agréablement avec le jaune safran du beurre des tartines, unissant dans ses ornements l'or, les émaux de la tasse, le fonds terre sigillée mordorée carmélite foncé de la caffetière turque, et quelque sujet agréable et distingué, noble et pittoresque que vous voudrez bien choisir à Herculanum, aux Bains de Titus, dans les loges de Raphaël, dessus les fresques de la Villa Negroni, de Stabbia, de la Farnésine p. ex. l'Amour porte-lyre, le Génie de la Gloire, enfin ce qui vous plaira. Mais point de Grâces, ni de danseuses, ni de Léda, ni de ces Vénus qui n'inspirent point l'appétit, ni de ces Bergères qui ne donnent pas même l'envie d'être mouton ... Vous aurez soin de faire plaquer d'or le dessous de

Pl. LX THÉIÈRE, TASSE À CHOCOLAT ET SOUCOUPE, JATTE, POT À CRÈME ET POT À SUCRE DU «DÉJEUNER RÉGNIER À RELIEFS». 1813. H. max. 15,5. Marques nos 10; 554. MNCS (inv. 6160).

En 1813, Ferdinand Régnier dessina ce service à déjeuner. Deux variantes furent adoptées, l'une où la surface unie des pièces pouvait être ornée de sujets peints et l'autre comportant un décor en relief très élaboré, différent pour chaque objet. L'idée vient sans doute des *jasper-ware* de Wedgwood; mais l'accumulation des motifs, quoique tous soient inspirés de l'Antiquité, aboutit à une création déjà annonciatrice de la période suivante; cette impression est encore renforcée par l'opposition habile entre les parties blanches ou dorées, mates ou brillantes, selon qu'il s'agit de biscuit ou de pâte émaillée, procédé qui sera repris, par exemple, pour le «vase de la Renaissance Fragonard» (voir fig. 366).

Pl. LX

l'assiette-écuelle, ou de l'assiette à soupe si ce mot vous est plus orthodoxe, comme celui de la patène et l'intérieur de la tasse. Comme cette assiette sera peinte par le premier de vos artistes, et que ce sera la première et la plus belle pièce de l'assortiment déjeunatoire, j'y met 300 francs ou 350 jusqu'à 360. Encore un mot pour ne rien oublier, Monsieur. Le coloris du tableau doit être empâté, gras, onctueux; rien de petit, de mesquin, de contourné, d'exagéré, de maniéré; une seule belle figure d'enfant ou de Génie de 6 à 7 pouces au plus, mais pas moins. Il y a de si jolis amours jouvenceaux dans l'Herculanum; mais je ne veux rien vous prescrire, Monsieur, et je serai content, très content, pourvu qu'il n'y ait rien dans cette commission qui puisse choquer, écorcher mon goût un peu hardi, un peu allemand, un peu pur, un peu cosmopolite, un peu sévère. En attendant que je reçoive ce trésor de richesse, d'élégance, de perfection, de grâce et de nouveauté pour tout répons à mon indiscret bavardage, je vous salue, Monsieur le Directeur, en me nommant avec toute la considération possible Auguste Duc régent de Saxe Gotha et d'Altenbourg. P.-S. N'est-ce pas, vous m'enverrez le déjeuné directement à mon adresse.»

Après un long délai et quelques échanges de vues, Brongniart lui écrivit le 5 novembre 1817: «Monseigneur ... j'ai relu à plusieurs reprises, et je viens de relire encore les observations jointes aux dessins que vous m'avez renroyés ... je me suis convaincu de nouveau que plusieurs des pièces commencées d'après ces dessins et qui ont été terminées depuis n'étant pas conformes aux intentions de Votre Altesse ne pouvoient lui convenir; elles ont donc été mises au Magasin et la plupart ont été vendues; il ne nous reste plus que les objets suivants 1°) le beurrier, mais votre Altesse le trouve trop grand 2°) les tasses n° 1 et 2. Le n° 1 qui a des roses et des jasmins est parfaitement conforme au dessin. Le n° 2 qui est orné en pierreries et perles est aussi conforme au dessin, mais n'ayant pas le fond bleu ténébreux indiqué dans la lettre de votre Altesse, je n'ose pas le lui envoyer. 3°) le plateau avec l'Amour sur un lion ne convenant pas à Votre Altesse tel qu'il a été fait a été vendu; j'en ai fait recommencer un autre en me conformant autant qu'il était possible à ses observations, il est à sa disposition; mais je crains que le plateau ne lui convienne pas encore. 4°) le pot à crème à trois goulots ayant suivant l'opinion de Votre Altesse un veau d'or et non la vache Io comme le désire Votre A. a été vendu. Comme j'ai désespéré de trouver parmi nos doreurs des hommes assez habiles pour rendre exactement tout ce que V.A. veut faire exprimer à la vache Io, j'ai continué à laisser faire sur ce petit pot à crème des vaches et des chèvres comme attributs de ces vases. L'idée de V.A. est bien plus ingénieuse, mais, je le répète, un doreur ne sauroit la rendre bien; il faudroit la faire composer par un artiste habile et les deux dessins nécessaires coûteront au moins 40 francs. Je crains que cette petite pièce ne soit pas assez importante pour mériter un semblable surcroît de dépense. 5°) la théière turque a été aussi vendue deux fois, puisque le croissant mis sur cette théière ne convenoit pas à V.A.; si elle désire en avoir une semblable, on la recommencera sans le croissant. 6°) enfin la petite patène n° 8 a été complètement exécutée suivant la correction apportée au dessin; elle est terminée depuis un mois et vient malheureusement d'être cassée par accident; j'en remet un tesson à M. de Freitlinguer qui le joindra au premier envoi qu'il vous fera. Vous me direz si on a suivi vos intentions. Quand on la recommencera, on supprimera la tête de l'Amérique.

»Vous voyez, Monseigneur, que tous les objets demandés par V.A. il y a environ deux ans ont été exécutés et que quelques-uns l'ont même été deux fois. Mais vos observations savantes et votre critique érudite m'ont épouvanté, je vous l'avoue, et j'ai craint d'envoyer à Gotha des objets qui eussent été renvoyés à Sèvres.

»Néanmoins pour vous prouver combien j'ai à cœur de ne point être privé de l'honorable et intéressante correspondance que vos demandes établissent entre V.A.S. et moi j'aurai l'honneur de lui faire la proposition suivante: lorsque les 18 tasses commandées le 14 octobre seront terminées, je joindrai à la caisse qui les contiendra une vingtaine de pièces choisies par moi parmi celles qui me paroitront les plus susceptibles de plaire à V.A. et dans la composition desquelles on aura le plus approché des programmes contenus dans ses lettres. Elle gardera celles qui

Pl. LXI VASE ÉTRUSQUE À ROULEAUX. 1re gr. Fond or. 1813. H. 120. Marque n° 506. MNCS (inv. 1823).
La forme de ce vase fut dessinée en 1808 par l'architecte Charles Percier et éditée en plusieurs grandeurs; de même, les médaillons en bas relief insérés dans l'enroulement des anses pouvaient varier d'un exemplaire à l'autre; ils représentent ici Napoléon, Auguste, Laurent de Médicis et Périclès. Entrepris en 1810, ce vase entra au magasin en décembre 1814. Le décor, peint par Béranger, superpose une série de dix médaillons à portraits de personnages de l'Antiquité, peints à la manière du camée, à un bandeau polychrome représentant l'Entrée à Paris des monuments qui composent le Musée Napoléon d'après un dessin de Valois. De l'avis de Brongniart, qui eut, en 1815, le plus grand mal à éviter la destruction du vase, celui-ci était «le plus beau qui soit sorti des ateliers de la Manufacture».

Pl. LXI

lui conviendront et voudra bien renvoyer soigneusement emballées et en épargnant le plus possible les frais de transport celles qui ne lui auront pas plu. Si cette proposition lui est agréable, je la mettrai à exécution dans le courant de mars prochain... »

Après quelques échanges du même ton, deux caisses furent envoyées à Gotha en juin 1818 et Brongniart eut la satisfaction de voir le duc accepter toutes les pièces de cet envoi.

Progrès techniques, matières et procédés nouveaux

Il nous faut maintenant examiner l'action d'Alexandre Brongniart à Sèvres, qui se situe sur les plans technique et artistique.

Du point de vue de la technique, il prend dès le départ une décision énergique: il cesse de fabriquer de la pâte tendre, alors passée de mode, et se consacre essentiellement à la *pâte dure* dont il fixe pour longtemps la composition. Les procédés de la pâte tendre ne durent pourtant pas être totalement perdus puisqu'on fabrique encore en 1806 dans cette matière un vase de un mètre de haut dont « une partie est d'ancienne fabrication »[21].

Pour justifier cet abandon de la pâte tendre, Brongniart a beaucoup insisté sur son manque de plasticité et ses difficultés d'emploi. On peut aujourd'hui se demander s'il n'a pas plutôt été guidé à la fois par la mode néo-classique et par l'impossibilité de faire coexister les deux pâtes dans les mêmes machines ou ateliers.

A côté de cette décision fondamentale, il a introduit à Sèvres un grand nombre de techniques et procédés nouveaux. Certains n'eurent qu'une existence éphémère, comme la *pâte bronze* mise au point en 1802 par Chanou (voir fig. 431), le procédé de dentelle ou les incrustations de camées. Le premier, véritable absurdité du point de vue céramique, semble avoir servi pour des sculptures et fut rapidement abandonné. Le second procédé ne fut employé que pour une figure de l'« Amour à la dentelle », sculptée par Lemoine en 1813 et représentant un enfant assis dans un fauteuil et couvert d'un voile de dentelle dont il soulève un pan; de nombreux exemplaires furent exécutés à façon par Chanou qui avait mis au point le procédé. Quant aux camées, le mode d'incrustation fut établi en 1821 par Boudon de Saint-Amand et la Manufacture vendit de nombreux médaillons destinés à cet usage; mais il semble qu'elle n'ait employé qu'une fois le procédé, pour deux vases exposés en 1827 et ornés de médaillons à portraits de membres présents et passés de la famille royale.

Mais la plupart des acquis de Brongniart furent plus durables et importants et portent à la fois sur les procédés de fabrication et de décoration. Du premier point de vue, on doit principalement noter l'adoption du four à deux étages qui permet de cuire en dégourdi dans la partie supérieure en même temps qu'au grand feu dans la partie basse, puis les essais de cuisson à la houille. Il introduisit également en 1813 le tour à guillocher « pour godronner et caneler les pièces »[22] et en 1819 le coulage. Il est d'ailleurs étonnant qu'un savant aussi averti des procédés employés dans les usines céramiques ait attendu aussi longtemps pour adopter ce procédé et l'ait employé uniquement pour fabriquer des cornues ou autres instruments scientifiques, prenant ainsi un retard considérable et vraisemblablement délibéré par rapport à la mutation industrielle de ses concurrents plus préoccupés de rentabilité.

Quant à la décoration, Brongniart s'intéressa au développement des palettes de couleurs, à l'adoption du procédé d'impression et surtout à la peinture sur verre. La nécessité d'enrichir les palettes, aussi bien des couleurs de fond que des peintures, s'accrut sensiblement avec la mode des copies de tableaux célèbres sur des pièces ou plaques de porcelaine. Le procédé d'impression ne fut d'abord adopté, pour ainsi dire, qu'à la sauvette, puisque l'on faisait exécuter le travail à façon par Legros d'Anizy[23]; quoiqu'il ait été employé très couramment à partir de la Restauration, il ne fut jamais reçu de façon officielle à Sèvres.

Pl. LXII VASE FUSEAU. Fond bleu. S.d. H. 55. Naples, Museo di Capodimonte (inv. 6990).

La forme de ce vase fut dessinée en 1800 par Alexandre-Théodore Brongniart et souvent remaniée par la suite; elle pouvait s'accompagner d'anses soit en porcelaine, soit, comme ici, en bronze. Le portrait de l'Empereur en costume de sacre est peint d'après le tableau de François Gérard aujourd'hui conservé à Versailles et accompagné d'ornements classiques; ces éléments sont caractéristiques de l'art officiel, alors que les zones à ornements d'or sur fond blanc au pied et au revers sont assez rares sur ce type d'œuvres. Un vase, en tout point semblable, peint par Etienne-Charles Leguay en 1809, fait partie des collections du Palais Pitti à Florence.

Pl. LXII

Sa résistance à des procédés comme le coulage ou l'impression tendrait à prouver que Brongniart n'a pas voulut faire de Sèvres la plus moderne des fabriques, mais lui conserver un aspect artisanal, sans doute seul garant à ses yeux de la perfection des œuvres produites.

La principale création de Brongniart reste l'atelier de peinture sur verre. Il parlait de cet art dès 1802 dans un mémoire présenté à l'Institut et intitulé: *«Essai sur les couleurs obtenues des oxydes métalliques et fixées par la fusion sur les différents corps vitreux.»* Le Musée National de Céramique de Sèvres conserve également des essais datés de 1805. Mais ce n'est qu'à partir de 1824 qu'un atelier spécial fut ouvert à Sèvres, sous la direction de Pierre, puis de Louis Robert. On y utilisa deux procédés différents: les couleurs vitrifiables fixées par fusion sur une vitre transparente, et les verres teints dans la masse. Les deux types de travail pouvaient être employés sur un même ensemble, et parfois rehaussés de gravures. Dès 1827, Sèvres exposa au Louvre la copie exacte d'un panneau de la Sainte-Chapelle. La Manufacture joignit ensuite régulièrement des peintures sur verre à ses expositions, montrant soit de grandes vitres destinées à s'intégrer à des ensembles architecturaux pour être vues de loin, soit de petits panneaux destinés à être vus de près; en 1846, elle exposa également des peintures sur glace. L'atelier fut fermé par un arrêt du 13 avril 1852, sans doute parce que ses productions coûteuses, qui avaient principalement été destinées aux résidences royales, ne pouvaient plus trouver acquéreur. Enfin, Brongniart ouvrit dès 1845 un atelier d'émaillage sur métaux, dont nous reparlerons, car l'essentiel de sa production se situe dans la période suivante.

Pour en terminer avec le rôle technique de Brongniart, il reste à examiner sa position vis-à-vis de ses collègues français et étrangers. Sa grande idée directrice fut de faire de Sèvres un Conservatoire des arts céramiques et vitriques très largement ouvert, réunissant le maximum de renseignements sur le monde céramique français et étranger, sans jamais hésiter à fournir renseignements, conseils ou aide.

Dès son arrivée à Sèvres, il eut l'idée de lancer auprès des préfets une enquête sur les terres de leurs départements susceptibles d'être employées pour la fabrication de poteries. Chaptal encouragea vivement ce projet qui valut à Sèvres un abondant courrier et une quantité d'échantillons[24].

On peut considérer que ces premiers envois des préfets, venant s'ajouter à la collection des vases antiques donnée par Vivant-Denon, sont la première manifestation de l'idée qui devait donner naissance au Musée Céramique destiné à l'origine à réunir et classer dans l'ordre des techniques les échantillons de tous les types de production céramique et vitrique[25].

De même, Brongniart sut profiter de ses propres voyages, de ceux de ses amis savants et même des campagnes militaires pour se faire renseigner sur les fabriques étrangères, et il semble avoir entretenu des relations épistolaires avec ses homologues.

Voici, par exemple, des extraits d'une lettre qu'il reçut de Daru, en date du 13 Frimaire an XIV[26]: «Vienne ... Sa Majesté m'ayant fait l'honneur, Monsieur, de me confier l'administration de l'Autriche et des autres provinces conquises, j'ai cherché à prendre quelques connaissances des manufactures de ce pays dans le double but de protéger ces établissements et de faire tourner au profit de notre industrie nationale l'exercice de l'autorité que nous avons momentanément ici.

»Il y a à Vienne une manufacture de porcelaine que j'ai vue avec d'autant plus d'intérêt qu'elle m'a donné de nouvelles preuves de la supériorité de celle que vous dirigez. Cependant cet établissement, quoiqu'il paroisse encore éloigné du degré de perfection qu'a atteint la manufacture de Sèvres, est digne d'attention et peut fournir des points de comparaison dont les plus habiles peuvent profiter... je ne suis pas assez instruit des procédés de cette fabrication pour avoir fait sur cet établissement des observations qui puissent vous être utiles; mais j'ai prié le Directeur de me donner sur cet objet un mémoire que je vous destine. Je vous invite de votre côté à m'envoyer la série des questions dont vous pourriez désirer la solution, je vous les procurerois... P.-S. j'avois commencé cette lettre dans la seule idée de vous parler de la manufacture. Je vous suppose instruit de la bataille d'avant-hier. Cent mille Russes

Pl. LXIII L'AMOUR ET PSYCHÉ. 1824. H. 56. MNCS (inv. 7259).
La Restauration marqua l'apogée de la mode des copies de tableaux célèbres sur des plaques de porcelaine, qui avait débuté dès l'Empire. Alexandre Brongniart encourageait ces travaux où il voyait un moyen de conserver dans leur aspect d'origine des peintures forcément soumises à la dégradation. Il obtint fréquemment du Musée Royal le prêt d'œuvres anciennes ou contemporaines dont les répliques reçurent souvent d'importants cadres en porcelaine. Parmi les artistes qui s'adonnèrent à ce genre de travaux exigeant une particulière habileté dans le maniement des couleurs céramiques, on peut citer les noms d'Abraham Constantin, Adélaïde Ducluzeau et Victoire Jaquotot, auteur de cette copie du célèbre tableau du baron Gérard.

Pl. LXIII

ou Autrichiens détruits, 20 mille tués, 5000 noyés, 25 mille prisonniers, 120 pièces de canons. Les soldats appellent cette affaire la journée des trois empereurs car il y en avoit trois en présence.»

Les relations de Brongniart avec ses confrères et concurrents français sont plus difficiles à analyser[27]. Manifestement, il semble plein de bonnes intentions. Il aide Boudon de Saint-Amand en lui installant un four spécial à Sèvres pour lui permettre d'établir les procédés de fabrication de la faïence fine, allant même jusqu'à exposer ses productions au Louvre avec celles de la Manufacture en 1829[28]. De même, Louis Robert met au point dans l'atelier de peinture sur verre les couleurs nécessaires à la gobeletterie de Plaine-de-Walsh[29].

Les fabricants français s'adressent volontiers à Brongniart, lui demandant des renseignements sur leurs terres, sur ses procédés et même sur la composition de la pâte de Sèvres, pratiquement secret d'Etat au siècle précédent; la demande la plus fréquente est l'autorisation de surmouler des modèles anciens de la Manufacture; sur une liste des autorisations de ce type accordées, dressée en 1846[30], on relève les noms de bronziers comme Thomire ou Boquet, de porcelainiers français comme Discry et Talmours, Jude, Jacob Petit, ou même anglais comme Minton.

Mais, quoique ses interlocuteurs fassent généralement appel «au désir que vous avez toujours eu d'être utile au commerce» ou à «votre goût pour l'utilité des arts», il semble que les relations furent quelquefois difficiles. Il est vrai que, reconnu comme une autorité en matière de céramique, Brongniart fut à plusieurs reprises appelé à juger leurs productions et que ses rapports furent loin d'être tendres. Mais c'est qu'en même temps, il devait défendre Sèvres, attaquée vigoureusement par ces mêmes porcelainiers. Un pamphlet de Schoelcher en 1830 allait même jusqu'à réclamer la suppression de la Manufacture; et les critiques furent si vives que Brongniart proposa en 1839 une démission qui lui fut promptement refusée. Les arguments utilisés contre Sèvres étaient contradictoires, et n'ont jamais varié depuis lors; on lui reprochait à la fois ses coûts trop élevés, qui l'obligeaient à grever lourdement le budget, et la concurrence déloyale qu'elle faisait, par la vente de ses produits, à l'industrie courante. Brongniart devait donc démontrer que, d'une part, il ne pouvait y avoir concurrence puisque la fabrication de Sèvres était infiniment plus soignée, et que, d'autre part, pour les pièces courantes et à qualité égale, Sèvres était plutôt moins chère.

Artistes et œuvres

Contrairement à ses successeurs, plus volontiers techniciens qu'artistes, Alexandre Brongniart avait l'immense qualité de joindre à ses connaissances techniques très complètes, un grand intérêt pour les questions artistiques tout en restant profondément marqué par l'influence du milieu fréquenté par son père Alexandre-Théodore l'architecte. Son action à Sèvres fut caractérisée par le désir à la fois d'engager les plus habiles artistes et ouvriers et d'ouvrir les ateliers aux influences artistiques contemporaines. Les structures même de la maison l'y aidèrent, puisqu'elles prévoyaient à côté des salaires fixes versés régulièrement à ceux qui figuraient sur les états du personnel, une somme globale annuelle que le directeur pouvait répartir entre des artistes fournissant des «travaux extraordinaires» sous forme de dessins, projets ou travaux. Brongniart suscita même des vocations, puisqu'il initia à la peinture sur porcelaine aussi bien le miniaturiste Isabey ou le peintre Martin Drölling que le peintre de marines Ambroise-Louis Garneray.

Sous l'Empire, le plus fécond collaborateur extérieur de la Manufacture jusqu'à sa mort en 1813 fut l'architecte père du directeur qui dessina, par exemple, la frise militaire du «service particulier de l'Empereur»[31] (voir pl. LIX); Vivant-Denon suivit de très près les travaux de Sèvres, ne refusant jamais ses conseils; parmi les peintres, Benjamin Zix donna une frise représentant le cortège du mariage de l'Empereur traversant la grande galerie du Louvre, Valois celle de l'arrivée au Musée Napoléon des objets pris en Italie (voir pl. LXI), Carle Vernet un dessin du Premier consul à cheval[32] ou Charles Percier des projets de meubles et de sculptures (voir fig. 436). Dans d'autres cas, on copia simplement des gravures ou tableaux célèbres comme les portraits officiels de Gérard

Pl. LXIV BUREAU-SECRÉTAIRE. 1827. H. 94. MNCS (inv. 23408).
Alexandre Brongniart, voulant prouver que rien n'était irréalisable en porcelaine et qu'elle pouvait être utile dans tous les domaines de la décoration, fit réaliser à Sèvres de véritables tours de force comme ce meuble entièrement composé de plaques de porcelaine. Un premier exemplaire consacré en 1826 aux Productions de la Nature fut orné par Philippine de fleurs, fruits et coquillages. Celui-ci date de 1827 et la scène peinte par Etienne-Charles Leguay sur la plaque centrale mobile, qui coulisse vers l'intérieur du meuble pour dégager le secrétaire, représente les Muses sur le Pinde. Un dernier exemplaire, réalisé en 1829 d'après les projets d'Emile Wattier, fut consacré à l'Histoire du Château de Versailles. Le fait que le présent meuble ait appartenu au Bey de Tunis explique la présence du croissant et de l'étoile au centre du fronton.

Pl. LXIV

ou David (voir fig. 339 et pl. LXII), les compositions de Flaxman ou les recueils de plantes de Redouté. Pour la sculpture, on utilisa des modèles de Chaudet (voir fig. 434, 435), Boizot, Taunay, Calamar ou Valois, en même temps que l'on copiait de nombreux antiques du Musée ou que l'on faisait exécuter par Rude un bas-relief sur les dessins d'Alexandre-Evariste Fragonard[33].

Sous la Restauration, des compositions spécialement destinées à Sèvres furent peintes par François Gérard, Paul Delaroche ou Auguste Borget, alors que les sculptures avaient pour auteurs Bosio, Guersent, Antonin Moine (voir pl. LXV) ou les architectes Dubreuil ou Jules Bouchet. Mais c'est l'atelier de peinture sur verre qui suscita les plus prestigieuses collaborations puisqu'on y travailla sur les projets d'Eugène Viollet-le-Duc, Hippolyte Flandrin ou même Jean-Dominique Ingres[34] (voir fig. 376) ou Eugène Delacroix[35], pour ne citer que les plus célèbres.

Quant au personnel régulier de la Manufacture, Brongniart s'attache à y attirer ceux qu'il juge les plus habiles, chacun ayant une spécialité presque trop définie puisque l'on aboutit à faire travailler sur une même pièce plusieurs artistes dont les talents ne sont pas toujours bien accordés. Une hiérarchie régit les genres, depuis la peinture de figures et scènes, en passant par les peintres de fleurs, animaux, paysages jusqu'aux ornemanistes et doreurs; la direction artistique fut assurée successivement par Gérard, Leloy puis Willermet. Citer tous les artistes qui ont alors contribué au succès de la Manufacture serait fastidieux, mais on doit rendre hommage aux talents les plus éclatants. Sous l'Empire, Victoire Jaquotot ou Abraham Constantin pour les copies de tableaux, Swebach pour les scènes militaires, Béranger, Bergeret, Le Guay, Georget pour les figures; Drölling pour les scènes de genre; Parant ou Degault pour les camées; Robert et Le Bel pour les paysages; Huart et Deutsch pour les ornements; Boullemier ou Durosey pour la dorure. Sous la Restauration, de nouveaux noms viennent s'ajouter à cette liste: Develly[36], Moriot et Zwinger pour les scènes, Rumeau pour les sujets gothiques, Poupart, Van Marcke et Jules André pour les paysages; Jacobber, Sisson et Philippine pour les fleurs; Julienne pour les ornements; les modèles des sujets et ornements sculptés sont dus aux Brachard père et fils, à Guersent ou Ferdinand et Hyacinthe Régnier qui exécutèrent parfois eux-mêmes leurs modèles. Les deux créateurs les plus féconds de cette période furent Leloy, auteur de pratiquement toutes les compositions ornementales, frises et attributs, et surtout Alexandre-Evariste Fragonard, créateur d'innombrables formes de pièces, vases et même sculptures (voir fig. 438), mais également responsable de quantité de dessins ou tableaux ayant servi de modèles à des cartels ou décors. Son fils Théophile fut peintre sur porcelaine[37] et la dynastie des Fragonard à Sèvres s'acheva sous le Second Empire avec les décors peints dans le style du XVIIIe siècle par sa petite-fille Léonie (voir fig. 389).

Il nous reste à examiner les types de pièces et de décors produits sous cette direction éclairée par cette pléiade d'ouvriers et d'artistes. La présence à la tête de la Manufacture d'un même directeur pendant une aussi longue période ne put empêcher une évolution très nette mais la production resta marquée par le choix d'une matière, la porcelaine dure, et d'un système d'ornementation principalement fondé sur le cartel peint en miniature.

Les créations de Sèvres peuvent à toutes les époques se classer en trois grandes catégories: vases et pièces d'ornement, pièces de service, sculptures. Pour résumer très schématiquement, on peut dire que l'Empire marque le triomphe de la première catégorie, et la Restauration des deux premières. La sculpture est, relativement, le domaine le moins riche, encore que l'on puisse citer bon nombre de créations importantes. Sous l'Empire, l'essentiel des créations statuaires porte sur des portraits de personnages officiels, sous forme de bustes ou médaillons et sur des ensembles destinés à servir de surtouts pour accompagner des services de table. L'empereur, outre de nombreux médaillons et une statue équestre d'après un dessin de Carle Vernet[32], fut surtout représenté d'après le buste de Chaudet dont il existe une version agrandie et enrichie[38] (voir fig. 435) pour servir de pendant au portrait de Marie-Louise d'après Delaistre, succédant aux bustes de

Pl. LXV VASE DE LA RENAISSANCE. 1832. H. 135. Fontainebleau (inv. F 845c).
C'est à l'Exposition des produits des manufactures royales tenue au Louvre en décembre 1832 que fut présenté, parmi les pièces de style Renaissance, ce vase monumental dessiné par l'ornemaniste Aimé Chenavard: d'après le catalogue rédigé par Alexandre Brongniart, forme, décoration et coloration étaient «dans le style de Bernard Palissy». Des deux bas-reliefs mis au point par Antonin Moine, l'un représente «Jean Goujon dans son atelier fait voir à Henri II et à Diane de Poitiers le groupe de Diane et du cerf qu'il vient de terminer» et l'autre «Léonard de Vinci peignant, en présence de François Ier et au milieu d'un concert, le portrait connu sous le nom de la Joconde». Le succès de cet objet extravagant fut tel qu'un second exemplaire, coloré de façon différente, fut exposé en 1835. Le présent vase fut acquis par Louis-Philippe et livré au Château de Fontainebleau.

Pl. LXV

Joséphine par Chaudet (voir fig. 434) puis Bosio. Posch dessina une série de médaillons à portraits de membres de la famille impériale et Boizot un buste du tzar Alexandre de Russie. Parmi les surtouts[39], il faut noter principalement ceux du «service olympique» dominé par le Char de Bacchus et de Cérès d'après Taunay (1806-1807), du «service égyptien» représentant les Temples de Philae, Tentirys et Edfou avec colonnades, portiques, obélisques et allées de sphinx (1808), du «service de l'Empereur» avec ses nombreuses copies d'antiques et, enfin, le «surtout des Saisons» dessiné en 1813 par Valois. On peut également compter comme sculptures la pendule dessinée en 1813 par Charles Percier (voir fig. 436), ou le seul sujet purement décoratif, représentant Paul et Virginie au berceau.

Sous la Restauration, la mode des bustes et médaillons des souverains et de leur famille continue, sur des modèles de Bosio, Brachard (voir fig. 437) puis Barre (voir fig. 440). Mais Brachard aîné modèle également une série de figures équestres des anciens rois, dont les bustes peuvent être édités à part, ainsi qu'une série de bustes de savants comme Buffon et Cuvier ou de religieux présentés sur de hauts socles à bas-relief comme Massillon, saint Charles Borromée ou Fénelon. La sculpture fournit même l'occasion de quelques records de grandeur comme les bustes ornés de Louis XVIII ou Charles X de taille au-dessus de nature ou la figure en pied du duc de Bordeaux par Guersent. Deux surtouts seulement furent créés alors, tous deux présentés en 1835 et sur le même thème des comestibles, l'un par Aimé Chanavard et l'autre par Alexandre-Evariste Fragonard, tandis que de nombreux modèles de corbeilles de plus en plus élaborées sont créés pour jouer le même rôle sur une table (voir fig. 354, 359, 439). Par contre, on voit augmenter sensiblement le rôle de la sculpture en bas relief dans l'ornementation de pièces comme les «vases Socibius», «de Phidias» ou «de la Renaissance»[40] (voir pl. LXV et fig. 366), les pieds de guéridons, les pendules ou les objets aussi élaborés que le «cabinet relatif au mariage du duc d'Orléans». Pour en finir avec la statuaire, disons que ces œuvres pouvaient se présenter sous forme de biscuit blanc, partiellement doré ou même coloré, l'Empire ayant à plusieurs reprises usé du bleu lapissé d'or sur biscuit, ou être émaillées et vivement polychromes.

Dans le domaine des vases et pièces de service ou de décoration, on peut dire que rien de ce qui relevait du domaine des arts décoratifs n'est resté étranger à la Manufacture. A côté d'une production traditionnelle, on vit apparaître de nouveaux objets décoratifs ou monumentaux: candélabres[41], colonnes[42], coffrets à bijoux, pendules, plaques[43] de toutes dimensions parfois enrichies de cadres dorés; Sèvres s'enhardit même à fabriquer des meubles de plus en plus complexes par leur structure et leur ornementation: tables[44], secrétaires, cheminées puis consoles et même bureaux-secrétaires (voir pl. LXIV). Les œuvres les plus inattendues surgissent au détour des registres de vente, depuis l'œil de pâte tendre livré en 1809

Pl. LXVI VASE ÉGYPTIEN B DIT «CHAMPOLLION». Fond platine. 1832. H. 62. Marques nos 14 (32) ; 561. Compiègne (inv. 825).
A la même exposition de décembre 1832, Sèvres avait classé ses plus importantes créations par ordre de styles imités; à côté des styles grec et gothique, le style égyptien était représenté par trois vases «exécutés», d'après le catalogue rédigé par Alexandre Brongniart, «sur des dessins pris par M. Champollion dans les monumens de Thèbes et qu'il avait communiqués à la Manufacture en dirigeant lui-même le genre et l'assortiment des couleurs». En raison de la disparition du savant, les travaux furent terminés sous la direction de Charles Lenormant. A côté d'une grande coupe sur pied avec deux têtes de gazelles en guise d'anses, et d'un vase à larges godrons, le présent exemplaire, par sa forme et la rigueur géométrique de ses ornements stylisés, plus que l'Egypte antique, évoque certaines créations «Arts Déco». Le décor de gazelle courant dans un champ de lotus fut exécuté en polychromie sur un exceptionnel fond platine par Jean-Charles Develly.

Pl. LXVII PENDULE. 1846. H. 80. Marque no 511. MNCS (inv. 16397).
Ce type de pendules de salon, apparu en biscuit sous l'Empire, connut ensuite un très vif succès et fut réalisé à de nombreux exemplaires soit entièrement peints, soit, comme ici, mêlant les plaques peintes aux entourages de biscuit partiellement doré. On créa également de nombreux autres types de pendules ornementales. Les trois sujets peints ici par Moriot d'après Desmoulin évoquent des étapes de l'histoire des instruments de mesure du temps, ce qui valut à l'objet son nom de «pendule de l'horlogerie». Elle fut présentée au Louvre en décembre 1846, en même temps que trois autres, une de style turc par Léon Feuchère, une de style roman par Ferdinand Régnier avec des ornements de pâte incrustée et une dans le style Renaissance avec des scènes peintes et des figures par Klagmann et Ferdinand Régnier.

Pl. LXVIII ASSIETTE. 1825. ∅ 24. Paris, Mobilier national.
Le «service des départements» est l'un des exemples les plus typiques des séries à la fois décoratives et encyclopédiques entreprises par Sèvres sous la Restauration. Selon son importance, chaque département donna lieu à une ou plusieurs assiettes; au fond était représentée une vue d'un lieu remarquable, en polychromie. Le bassin à fond bleu et l'aile à fond nankin portaient frises, guirlandes et symboles relatifs aux productions agricoles ou industrielles du département ainsi que les noms ou portraits des célébrités locales ou nationales qui en étaient originaires. Les pièces annexes devaient être relatives aux Colonies et à Paris, et le surtout aux six principales villes de France. On voit ici l'ancien département de Seine-et-Oise représenté par une vue du Château de Saint-Germain-en-Laye.

Pl. LXVI

Pl. LXVII

Pl. LXVIII

pour l'éléphant du Muséum[45], jusqu'au râtelier demandé par un dentiste recommandé par Prosper Mérimée[46], en passant par les dés à coudre ou boutons de chemises.

L'évolution des types de décors et des styles est beaucoup plus nette. Bien sûr, l'élément commun comprend les innombrables pièces qui se rapportent à la carrière du souverain ou de sa famille et aux principaux événements du règne[47]; outre les nombreux vases ou meubles à portraits[48], on peut compter ici aussi bien les vases destinés à célébrer le mariage de Napoléon[49], le déjeuner à portraits des princesses sœurs de l'Empereur ou les assiettes du «service particulier de l'Empereur»[31] (voir pl. LIX), que le vase montrant Louis XVIII passant en revue les élèves de Saint-Cyr, ou la table rappelant les divers épisodes du sacre de Charles X.

Mais l'Empire semble avoir subi tout particulièrement l'influence de l'Antiquité, qu'elle fût gréco-romaine, comme pour la «table des grands capitaines de l'Antiquité»[44] ou le «service iconographique antique», sans compter toute une série de formes, étrusque comme pour le vase commémorant la victoire d'Austerlitz (voir fig. 334), ou égyptienne comme pour le «service égyptien» ou les nombreuses pièces à vues d'Egypte[50] (voir fig. 340, 341). On voit alors apparaître timidement deux thèmes qui vont ensuite devenir primordiaux, celui des ensembles thématiques comme le «service encyclopédique» peint en 1806 par Swebach, et le «gothique troubadour» déjà présent dans le projet de «service de l'histoire de France» abandonné en 1806 ou le «vase Floréal» représentant en 1807 Bayard au pont de Carignan. Parmi les nombreux motifs ornementaux, on peut relever la naissance de l'imitation des mosaïques florentines sur un déjeuner de 1808, et la très grande importance des décors en manière de camée que domine la copie de l'Apothéose d'Auguste sur le plateau du «déjeuner camées et pierreries» de 1814. La variété des procédés de décors est immense: fonds d'or avec ornements polychromes parfois grattés ou figures en gris, figures et ornements en or bruni à l'effet, coloriés ou en camaïeu sur fond gratté et même cartel imitant une plaque d'émail; de même, la gamme des fonds de couleurs est infiniment variée et sans cesse enrichie.

La Restauration semble avoir pratiqué un éclectisme encore plus étendu. Comme sous l'Empire, on produit de nombreuses pièces à sujets officiels ainsi que des manifestations tardives du goût pour l'Antiquité, comme le «vase Phidias» de 1832 ou la «pendule des repas antiques» de 1842. Mais on voit également s'affirmer la prépondérance des ensembles constitués autour d'un thème iconographique, comme le «service forestier» (voir fig. 367) de 1835, ou celui de «la culture, l'emploi ou l'histoire de la fleur» de 1823, ou d'un sujet scientifique avec la constitution du «service des départements» (voir pl. LXVIII) ou celui des «arts industriels» (voir fig. 358), tous deux présentés en 1828, et les nombreux ensembles consacrés à la céramique, comme le «vase Fragonard» dédié aux potiers célèbres en 1820 ou le «déjeuner des arts céramiques» de 1840. Surtout, on voit surgir une infinité de styles de référence, mouvement à mettre sans doute en parallèle avec la constitution et l'ouverture aux artistes de tout un système de musées leur révélant d'un seul coup les créations de tous les pays, proches ou lointains[51]. Le goût de l'exotisme semble caractéristique de l'époque; on cherche un dépaysement historique dans le «gothique troubadour» ou les pièces à sujets historiques, tels le «coffret à bijoux gothique» de 1830 ou le «service de la chevalerie» de 1832; du gothique, on passe facilement au «coffret byzantin» de 1844 avec ses couleurs incrustées à l'imitation des pavements, ou à la «pendule romane» de 1846 avec ses coupoles et ses avant-porches. C'est sans doute du même esprit que relève l'engouement pour les œuvres de la Renaissance démontré à Sèvres, outre de nombreux vitraux d'Aimé Chenavard, par les «vases de la Renaissance» du même artiste en 1832 (voir pl. LXV) ou d'Alexandre-Evariste Fragonard en 1835 (voir fig. 366), le «déjeuner de François Ier» de 1838, la «coupe Bernard Palissy» de 1840 ou la «coupe Henri II» de 1842.

Mais l'exotisme recherché peut être également géographique. Les grès bleus d'Allemagne inspirent les trois «vases flamands» dessinés par Chenavard en 1835; les poteries arabes, le «vase arabe» dessiné par Léon Feuchère en 1842[52], mais aussi son «guéridon arabe» de 1835; la Turquie donne l'idée des zarphs dès 1835 (voir fig. 391) mais suscite également une extravagante «pendule turque à musique» en 1846; maître de tous les potiers, la Chine inspire le plus grand nombre d'objets, depuis le tour de force que constituent les différentes pièces du «déjeuner chinois réticulé» de 1832 (voir fig. 390), modèle de nombreux vases ou coupes ajourés à partir de 1844, jusqu'au «cabinet chinois» de 1844 avec ses panneaux ornés de scènes de la vie chinoise d'après Auguste Borget, en passant par le «déjeuner chinois à pans» de Leloy en 1835 ou le «déjeuner chinois Chenavard» sur son guéridon en 1842.

Pendant toute la durée de la direction d'Alexandre Brongniart naissent également de nombreuses pièces ornées de sujets plus simples : paysages, du « déjeuner vues de Sèvres et environs » de 1813, au « guéridon des vues des bords de la Seine » de 1844 ; oiseaux ou fleurs comme sur le « service des oiseaux d'Amérique méridionale » peint par Pauline Knipp[53], le « bureau-secrétaire des productions de la nature » peint par Philippine ou la « table à fleurs ».

Ce qui a fait la force d'Alexandre Brongniart, cette recherche constante et exigeante de la perfection des formes et de la beauté d'exécution des décors est cela même que l'on va reprocher ensuite à Sèvres, le directeur vieillissant n'ayant pas su, non plus que des artistes depuis trop longtemps associés à la Manufacture, sentir à temps le changement du goût et de la sensibilité et donner leur chance à des hommes nouveaux plus prêts à y répondre.

1847-1897

Administration

Contrairement à cette longue période tout entière dominée par Alexandre Brongniart, la deuxième moitié du siècle paraît beaucoup plus confuse, à la fois parce que les directeurs y sont plus nombreux, qu'ils ne sont plus les seuls à jouer un rôle important et que les événements politiques ont une plus grande répercussion. Une première phase, correspondant à la Deuxième République et au Second Empire, voit se succéder à la direction de la Manufacture deux savants: Ebelmen, formé par Brongniart et mort prématurément en 1852, puis le physicien Victor Regnault, membre de l'Académie des Sciences, qui démissionna en 1871, accablé de chagrin par la mort de son fils, le peintre Henri Regnault. La série des directeurs techniciens se continue lors de la deuxième période, qui correspond aux débuts de la Troisième République: en 1871, on nomma Louis Robert qui avait fait toute sa carrière à Sèvres et s'était déjà vu confier la direction de l'atelier de peinture sur verre, puis celle de l'ensemble des ateliers de décoration; après sa mort, en 1879, on fit appel à l'énergique Charles Lauth, acculé en 1887 à la démission à la suite d'une véritable campagne de presse organisée par ses principaux artistes; il fut remplacé par le prestigieux céramiste Théodore Deck, trop rapidement disparu. En 1891, on décida de changer d'optique en choisissant pour directeur un bon administrateur, en la personne d'Emile Baumgart.

Mais, à côté du directeur, deux personnages commencent à prendre une grande importance: le directeur technique et le chef puis directeur des travaux d'art. Ainsi pourrait-on également considérer qu'une première phase correspond à la direction technique du chimiste Alphonse-Louis Salvetat (1846-1880), au cours de laquelle un grand nombre d'innovations s'ébauchent au stade expérimental, le poste de chef des travaux d'art étant confié successivement au peintre Jules Diéterle (1852-1855) puis à l'architecte Joseph Nicolle (1856-1871); une deuxième époque, celle de la mise au point définitive et de l'adoption des procédés nouveaux, correspond à la direction technique du chimiste Georges Vogt (1880-1891); sur le plan artistique, elle est dominée par la création du poste de directeur des travaux d'art, confié d'abord à l'éminent sculpteur Albert Carrier-Belleuse (1877-1886). De moindre importance semble avoir été le rôle de ses successeurs: son gendre Joseph Chéret (1886-1887); Alfred-Thompson Gobert, recruté parmi les plus anciens et expérimentés des décorateurs de Sèvres (1887-1891); puis l'architecte Jules Coutan (1891-1895) et Jules-Clément Chaplain (1895-1897), tous deux trop absorbés par d'autres occupations pour pouvoir se consacrer suffisamment à la Manufacture.

Il nous semble en tout cas logique de clore ce chapitre en 1897, date à laquelle l'arrivée à la direction artistique d'Alexandre Sandier, coïncidant avec les premiers effets d'une réorganisation totale de la maison et les préparatifs de l'Exposition Universelle de 1900, marque une rupture complète.

Cette longue période de la seconde moitié du XIXe siècle est celle où l'existence même de la Manufacture fut le plus souvent remise en cause, toujours pour des raisons à la fois budgétaires, commerciales et artistiques. A trois reprises, en 1850, 1871 et 1891, lors des discussions du budget à l'Assemblée nationale, des adversaires résolus parvinrent à faire purement et simplement supprimer les sommes allouées à la Manufacture. Les arguments invoqués sont les mêmes chaque fois, et reprennent ceux que nous avons vus opposer à Brongniart: la Manufacture coûte trop cher à l'Etat, reproche d'autant plus redoutable qu'il est présenté en périodes républicaines, où une industrie de luxe peut sembler parfaitement inutile; elle fait une concurrence déloyale aux industries privées et celles-ci demandent même en 1871 qu'on leur distribue les subsides prévus pour Sèvres, afin de les mettre à même d'entreprendre les recherches qui leur paraissent souhaitables; enfin, les détracteurs de la Manufacture lui reprochent toujours de produire des objets hideux à force de prouesses techniques, de s'occuper beaucoup trop de la perfection et pas assez de la beauté et de rester toujours en dehors des grands courants de l'art contemporain.

A chaque fois, Sèvres put être sauvée par des esprits bienveillants, au prix de transformations administratives et de l'adoption de nouvelles perspectives. Le «Conseil supérieur de perfectionnement des manufactures nationales», créé dès le 30 mars 1848[1], et présidé par le duc d'Albert de Luynes, comptait Salvetat parmi ses membres. Il conclut à la nécessité du maintien des Manufactures parce qu'elles permettaient de décorer dignement les édifices publics, qu'elles seules pouvaient entreprendre des expériences coûteuses ou acheter des modèles de haute qualité et qu'en les communiquant aux fabricants, en même temps que leurs techniques, elles jouaient un rôle important dans le développement de l'industrie française; cette idée explique leur rattachement au Ministère de l'Agriculture et du Commerce. En 1852, Sèvres passa dans les attributions du Ministre d'Etat chargé de la Maison de l'Empereur. Le problème de son existence se posa de nouveau en 1871, lors de sa rentrée au Ministère de l'Instruction publique et des Beaux-Arts. Le ministre Jules Simon nomma le 26 juillet 1872 une commission qui rédigea un rapport présenté par Duc en 1875[2]; il concluait à la nécessité de transformations à la fois techniques — mise au point d'une pâte plus proche de la pâte chinoise —, administratives — ouverture d'une école appelée à former les futurs décorateurs aux règles de la composition décorative, institution d'un Prix de Sèvres destiné à stimuler la créativité des artistes de Sèvres et à lui attirer la collaboration d'artistes extérieurs, perspective nouvelle pour le Musée considéré désormais non plus sous un angle technologique mais esthétique —, et enfin artistiques — réclamant l'abandon du décor en perspective et la subordination rigoureuse du décor à la forme. La dernière grande crise eut lieu en 1891, à la suite du relatif insuccès de Sèvres à l'Exposition Universelle de 1889[3]. Malgré cela, ce furent les porcelainiers eux-mêmes qui demandèrent son maintien, reconnaissant enfin que le prestige de la Manufacture rejaillissait sur l'ensemble de l'industrie porcelainière française, au moment où celle-ci commençait à chercher de nouveaux débouchés commerciaux à l'étranger. Mais ils demandèrent en échange, d'une part que les laboratoires de recherches de Sèvres leur soient ouverts et travaillent sur l'ensemble des matériaux céramiques et non plus sur la seule porcelaine, d'autre part qu'une école nouvelle forme des céramistes pour l'industrie et non plus des porcelainiers pour Sèvres.

En dépit de ces violentes secousses, l'administration interne de la Manufacture ne changea guère, même si certains postes reçurent de nouvelles dénominations. Le grand problème de la période fut le statut du personnel. Dès 1853, Victor Regnault se plaignait en ces termes du principe en vigueur, celui du travail aux pièces[4]: «Les artistes peintres de la Manufacture ne sont pas assujettis à une présence régulière dans leurs ateliers; lorsqu'ils ont achevé un travail, ils en demandent un certain prix. Ce prix est débattu devant l'administrateur par l'artiste, le chef des travaux artistiques et le chef des ateliers de peinture, enfin définitivement fixé par l'administrateur. Cette appréciation est facile lorsqu'il s'agit de pièces dont les analogues ont été déjà exécutés dans la maison; mais elle est souvent très difficile pour des pièces nouvelles... on ne peut pas prendre pour base le temps pendant lequel la pièce est restée entre les mains de l'artiste, puisque ce dernier n'est pas assujetti à une présence régulière...

»Les artistes peintres de la Manufacture utilisent le temps pendant lequel ils ne travaillent pas dans nos ateliers, les uns à faire du tableau, les autres à exécuter des dessins et des peintures pour le commerce. Cette faculté

Pl. LXIX POT À EAU ET CUVETTE, POT À EAU CHAUDE COUVERT, ÉTEIGNOIRS, CHANDELIERS, BOÎTES À BROSSES, À POUDRE, À POMMADE, À SAVON. Fond blanc. 1855. Marques nº 23. Compiègne (inv. C. 59).

Cette toilette, dont les formes datent toutes des années 1851-1855 quoique certaines soient de simples variantes de modèles plus anciens, fut créée pour la reine Victoria, dont elle porte le chiffre, à l'occasion de l'une des visites de la souveraine en France. Le plateau portant deux éteignoirs à ailes de papillons paraît aujourd'hui bien saugrenu. Le fond blanc et le décor floral souple et librement placé sur le corps des pièces sont caractéristiques de l'un des aspects du renouveau des procédés de décoration, suivant l'impulsion donnée par le Conseil de Perfectionnement nommé en 1848.

Pl. LXIX

laissée ne peut être qu'utile à la maison lorsqu'elle est restreinte entre des limites raisonnables, puisqu'elle permet à l'artiste de faire des études et de se perfectionner dans son art. Mais elle amène facilement des abus. Plusieurs de nos peintres consacrent leurs moments de loisir et tout le temps qu'ils peuvent voler à la Maison, à peindre la porcelaine pour le commerce, à des prix très inférieurs à ceux auxquels les mêmes travaux leur sont payés à la Manufacture. Quelques-uns ont même établi clandestinement à Sèvres ou à Paris de petits ateliers où ils ont des élèves et dans lesquels ils fabriquent des quantités considérables de produits. Il est temps que ces abus cessent; les artistes qui sont dans ce cas ont des intérêts opposés à ceux de la Manufacture, ils lui font une rude concurrence, et ils ont intérêt à entraver ses opérations au lieu de les faciliter.»

Il fallut cependant attendre l'arrivée de Charles Lauth pour que les artistes soient astreints à une présence régulière dans les ateliers et payés au mois et non plus aux pièces. C'est d'ailleurs cette contrainte, souvent fort mal supportée, et d'autant moins dans les années précédant l'Exposition Universelle de 1889 au cours desquelles les porcelainiers étaient prêts à engager un surplus de personnel temporaire, qui provoqua la coalition des artistes contre le directeur et la campagne de presse qui aboutit à sa démission. Mais le système de la mensualisation et du fonctionnariat comportait des dangers, auxquels la réorganisation de 1891 voulut apporter un remède en décidant que chaque artiste serait désormais engagé pour une période annuelle au bout de laquelle on jugerait de l'éventualité d'une reconduction pour une même période.

Pour en finir avec l'histoire administrative, il reste à parler du déménagement de la Manufacture. Celui-ci fut envisagé très tôt, comme le prouve cette lettre du Ministre de la Maison de l'Empereur en date du 16 février 1856[5]:

«Monsieur l'Administrateur, vous m'avez récemment signalé le mauvais état des bâtiments affectés à la Manufacture de Sèvres et les inconvénients qui en résultent pour la fabrication.

»J'ai l'honneur de vous informer que je viens de charger une commission composée de MM. Lefuel, architecte de l'Empereur, Questel, architecte des Palais de Versailles et de Trianon et de Lagallisserie, ingénieur en chef des Ponts et Chaussées, d'examiner diverses questions relatives à la reconstruction de la Manufacture...»

Plutôt que de reconstruire ou restaurer les bâtiments anciens et de toute façon trop étroits, la décision fut finalement prise de bâtir de nouveaux locaux en bordure de la Seine et du Parc de Saint-Cloud. La translation effective eut lieu en 1876-1877, les nouveaux bâtiments ayant été inaugurés par le maréchal de Mac-Mahon (voir fig. 407) et les fours reconstruits bénis par l'archevêque de Versailles[6]. Quant à l'ancienne manufacture «en mauvais état», elle a fort bien résisté à un siècle supplémentaire: longtemps occupée par l'Ecole Normale de Jeunes Filles, elle abrite aujourd'hui le Lycée de Sèvres et l'Institut pédagogique national.

Les relations de la Manufacture avec le pouvoir furent moins différentes que l'on ne pourrait s'y attendre selon qu'il s'agissait de périodes impériales ou républicaines. Les vases à portraits des souverains peuvent être mis en parallèle avec les bustes des présidents de la République ou les figurations symboliques de la Paix ou de la Liberté (voir fig. 448), et comme la peinture de genre tendait à diminuer d'importance, les vases relatant des hauts faits de l'Empereur ou de l'Impératrice furent assez rares et, somme toute, ne furent pas fondamentalement différents des œuvres consacrées au Passage de Vénus sur le Soleil (voir fig. 423) ou à l'Invention du téléphone.

Napoléon III semble avoir repris l'habitude de venir visiter la Manufacture, comme en témoigne cette lettre envoyée par Jules Diéterle à Victor Regnault le 7 juillet 1853[7]:

«... vous avez eu connaissance de la visite de nos majestés impériales. Nous avions été avertis par ordre de nous présenter sous l'aspect le plus brillant; Mrs. Wurher et Laudin étaient venus la veille pour rendre la route praticable et donner un air de fête à cette gracieuse visite; mais le sable pour combler les cavités de la route, les drapeaux placés en tête de l'avenue ont été en pure perte: tandis que les choses étaient arrangées pour que le cortège prît l'avenue des Tilleuls, l'Empereur, qui conduisait en personne, a sauté les difficultés du chemin de Bellevue et est arrivé

Pl. LXX VASE BIJOU. 1862. H. 18,5. Marques n°s 28 (62) et 516. MNCS (inv. 5964^2).
Nous ignorons l'auteur de ce modèle un peu surchargé édité à partir de 1862, avec ou sans anse, et qui pouvait comporter un couvercle. La simplicité de la panse globulaire, destinée à recevoir le décor, contredit la complexité du pied et du col et s'oppose, par sa lourdeur, à l'élan d'un système d'anses quelque peu démesuré. La pâte dite «caméléon» employée ici offre la particularité de changer de couleur, passant du gris à la lumière naturelle au rose à la lumière artificielle. Le décor associe des ornements peints en pâtes colorées posées en fort relief et rehaussés d'or à des médaillons en pâte-sur-pâte exécutés par Léopold Gély, l'un des premiers spécialistes de ce type de travail.

Pl. LXX

par le quinquonce. C'était une déception, car ces délicates précautions m'avait *(sic)* fait espérer que l'impératrice était dans une position intéressante; cependant je l'espère encore pour la satisfaction de leurs majestés.

»Cette visite nous a mis deux jours en émoi et sous les armes; on aurait pu penser qu'il y avait une série de mariages à la Manufacture, car les habits noirs et les cravates blanches se croisaient sans cesse dans les corridors et je suis resté vingt-quatre heures sans bouger du péristyle; nous ignorions l'heure et le jour.

»Comme d'habitude nous avions fait nos petites chapelles d'exposition. Le Ministre et une assez nombreuse société accompagnaient nos majestés; plusieurs choix ont été faits par l'impératrice.

»La visite a duré une heure et demie ... nos souverains et souveraine ont été très gracieux, très bienveillants et ont paru très satisfaits.

»L'Empereur m'a fait l'honneur de me dire de vous adresser ses compliments après quoi les chevaux ont piaffé, fait leur pirouette et tout est rentré dans le calme habituel...»

De même, lors de leur séjour en France en 1896, le tsar de Russie et son épouse vinrent à Sèvres, sorte de pèlerinage sur les pas du comte et de la comtesse du Nord en 1782, événement dont le souvenir fut perpétué par deux médaillons gravés par Jules-Clément Chaplain: «France et Russie» et «Empereur et Impératrice de Russie».

Présents et achats

Les productions de Sèvres continuèrent d'être principalement livrées au pouvoir exécutif, soit pour son utilisation soit pour ses présents, la Manufacture vendant aux particuliers une faible partie de ses créations. Outre les fournitures désormais classiques de services de table et de toilette et de pièces d'ornement faites aux Palais Impériaux puis aux Hôtels de la Présidence et des Ministères, Sèvres continua de livrer nombre de cadeaux. Sous le Second Empire, ils furent presque tous destinés à des souverains étrangers, proches comme le pape, à qui on offrit un baptistère[8] (voir fig. 386) en 1856, ou la reine Victoria qui se vit attribuer une copie sur plaque de porcelaine d'après le *Coup de Soleil* de Ruysdael en 1855[9], à une époque où ce type d'œuvres était complèment démodé; ou lointains comme l'empereur du Brésil qui reçut, sans doute avec étonnement, un «guéridon chinois» en 1854[10], ou le roi de Siam auquel on envoya en 1862 un service à café orné de vues de Fontainebleau[11]. Sous la Troisième République, la nécessité de trouver aux créations de Sèvres de nouveaux débouchés entraîna une multiplication étonnante des cadeaux, souvent accompagnée d'une simplification des objets offerts. On continua les présents diplomatiques soit en les donnant directement aux souverains, soit en les confiant à des fonctionnaires français, à charge pour eux de les distribuer judicieusement. Le premier exemple en est la série de pièces «données par l'Impératrice pendant son voyage à l'Isthme de Suez» en 1870[12]; on confia ainsi des objets, souvent fort volumineux, au gouverneur civil de l'Algérie en 1880[13], à une mission au Japon en 1883[14] et même «à Savorgnan de Brazza pour présents diplomatiques au Congo» en 1886[15]. En même temps, on multipliait les occasions d'offrir des pièces, par exemple en envoyant des collections technologiques comprenant matières, moules, modèles et réalisations, à de grands musées étrangers ou en leur distribuant des créations spectaculaires à la suite de grandes expositions.

Les relations de Sèvres avec les porcelainiers étrangers semblent avoir été meilleures qu'avec les industriels français: outre les autorisations de surmoulage libéralement accordées, en témoignent les nombreux envois de collections technologiques à des établissements réputés, ou même l'échange, en 1875, de pièces contemporaines de Sèvres contre une série des grands animaux de porcelaine blanche produits au XVIIIe siècle par la manufacture de Meissen, dont le plus curieux aspect est qu'il fut considéré à l'époque par Louis Robert comme une mauvaise affaire[16]. Ce n'est que vers l'extrême fin de la période que les porcelainiers français obtinrent de se voir réserver la primeur des découvertes faites à Sèvres.

Pl. LXXI PLAT n° 111. Fond bleu turquoise. 1866. ∅ 45. Marque n° 567. MNCS (inv. 6844).

De 1845 à 1872, la Manufacture eut un atelier de faïences et terres vernissées; la mode revint à ces matières plus rustiques et de nombreux céramistes reprirent la manière de Bernard Palissy. En outre, ces matériaux étaient si différents de la porcelaine que de nouveaux types de décors, plus souples et libres, purent alors faire leur apparition; ce renouveau fut également facilité par la mise en place d'une nouvelle génération de décorateurs. L'influence du Moyen-Orient s'exerce librement sur ce plat décoré par Optat Milet; celui-ci devait ensuite ouvrir à Sèvres sa propre fabrique pour y produire des faïences d'une grande qualité artistique et technique.

Pl. LXXI

Un autre aspect des relations de Sèvres avec les fabriques étrangères tient à la mobilité du personnel: c'est ainsi que Marc-Louis Solon quitta Sèvres pour Minton, fabrique pour laquelle Albert Carrier-Belleuse dessina des modèles dans le temps même qu'il travaillait à Sèvres. Les relations de cette maison avec la Manufacture étaient d'ailleurs déjà anciennes et étroites, puisqu'elle a réédité un grand nombre des formes les plus spectaculaires créées au XVIIIe siècle par Sèvres qui, en retour, dessina un «vase Minton». De même, Taxile Doat partit s'établir aux Etats-Unis, pays dans lequel Alexandre Sandier semble avoir travaillé pendant quelques années avant 1870 pour un marchand new-yorkais[17].

Mais si l'on offrait des cadeaux à l'étranger pour faire mieux apprécier l'industrie française, on les multiplia surtout à l'intérieur des frontières. Comme dans la première moitié du siècle, ils furent attribués à des personnalités du monde des lettres, des arts ou du spectacle comme les membres des jurys des Salons, les artistes de l'Opéra ou Victor Hugo[18], à qui l'on fit un cadeau pour fêter ses quatre-vingts ans. On vit cependant surgir de nouveaux bénéficiaires: des édifices publics, musées comme ceux du Louvre ou de grandes villes provinciales, mairies innombrables qui se virent envoyer des bustes de la République ou de tel nouveau président, écoles qui reçurent en grand nombre de petites collections technologiques; surtout, des lauréats de toutes sortes de compétitions ou bonnes œuvres: concours de sociétés de tir, courses ou horticulture, ventes de charité ou tombolas au profit de crèches et autres institutions philanthropiques. L'immense développement de ces attributions, quoiqu'elles n'aient concerné que des œuvres de faible valeur artistique et commerciale, eut une très grande influence sur la réputation de la Manufacture: comme on distribuait surtout des objets décorés de frises ou de simples ornements d'or posés à l'impression sur le fond bleu, la plus facile des couleurs de grand feu qui permettent de masquer de petites imperfections, et que beaucoup de bénéficiaires assimilèrent aussitôt l'ensemble de la production de Sèvres à l'échantillon qui leur en était donné, on peut y rattacher l'origine du véritable mythe qu'est devenu le bleu de Sèvres. En fait, ces cadeaux ne semblent guère avoir été appréciés, puisque nombre de ceux qui reçurent de telles attributions cherchèrent à échanger leurs vases ou coupes contre des objets plus utilitaires, en sorte qu'il fallut rapidement prendre des mesures pour interdire ce troc.

On pourrait penser, devant cette croissance du secteur des attributions, que Sèvres n'avait plus rien à vendre aux particuliers, mais tel n'est pas le cas. Comme dans la période précédente, on trouve au premier rang des acheteurs des membres de la famille impériale comme la princesse Mathilde ou le prince Jérôme; des souverains étrangers commandant des services à leurs chiffres et armoiries comme la reine du Portugal en 1865[19] ou le prince de Roumanie en 1874[20]; de grands financiers comme les Péreire, Fould ou Rothschild ou des marchands comme Tiffany. Mais le plus étonnant reste l'immense quantité de pièces de rebut blanc ou décoré vendues soit à des particuliers soit même à des porcelainiers comme Hache et Pépin Lehalleur ou Pillivuyt, à tel point qu'il fallut interdire en 1880 ce type de commerce qui, dans les plus mauvaises années, représenta jusqu'à 50% des ventes. On peut par ailleurs noter que chacune des grandes expositions, universelle ou nationale, fit progresser sensiblement les ventes de la Manufacture.

Progrès techniques, matières et procédés nouveaux

Nous sommes assez bien renseignés sur les nombreux progrès techniques réalisés à Sèvres au cours de cette période grâce à la succession de ces mêmes expositions qui permirent à la Manufacture de faire connaître rapidement ses innovations.

Elle élargit le champ de ses activités en ouvrant ou développant des ateliers annexes, tout en fermant celui de peinture sur verre en 1852.

C'est ainsi que l'atelier d'émaillage sur métaux, ouvert par Brongniart en 1845, prit son essor sous la direction d'Alfred Meyer-Heine. Outre des coupes et vases de petites dimensions, émaillés sur cuivre ou fer de décors

Pl. LXXII VASE LOUIS XIII À TÊTES DE BÉLIERS. Fond marron. 1866. H. 76. Compiègne (inv. C. 510 C.).
La création de cet atelier fut également destinée à fournir aux palais impériaux des vases de jardin imitant les poteries simples ou les pierres dures. Mais on en vint rapidement à imiter toutes sortes de faïences anciennes, aussi bien pour les formes que pour les décors. Le nom du présent vase, dessiné en 1863, proclame sa volonté d'imitation; le décor d'engobes incrustés à feuillages et têtes de mascarons, également exécuté par Optat Milet, veut rappeler les célèbres décors *a sgraffiato* des majoliques italiennes, mais il en méconnaît totalement le principe.

Pl. LXXII

inspirés des productions limousines de la Renaissance ou d'Extrême-Orient, il entreprit des œuvres plus ambitieuses et d'inspiration plus contemporaine comme les quatre grandes plaques représentant les apôtres vus en pied d'après des modèles de Jalabert ou des coffrets à plaques émaillées. L'atelier fut fermé en 1872; il ne fut jamais très important à en juger par son faible personnel et par le petit nombre des œuvres produites.

De même, Sèvres abrita de 1875 à 1878 les débuts de l'atelier de mosaïque dirigé par Poggesi, venu de la fabrique pontificale du Vatican; son œuvre principale fut, en 1877, la colonne destinée au monument Rougevin à l'Ecole des Beaux-Arts, d'après les dessins et modèles d'Ernest Coquart.

Après avoir confié ses montures et garnitures en bronze à Thomire dès la fin du XVIIIe siècle et dans les premières années du siècle suivant, puis à Bocquet, la Manufacture se décida sous la Deuxième République à ouvrir un atelier de ciselure et montage, rendu nécessaire par la multiplication des pièces complexes fabriquées en plusieurs morceaux; ce qui ne l'empêcha d'ailleurs pas de confier des travaux du même ordre à l'extérieur, chez des ciseleurs comme Mariotton, des fondeurs comme Molz ou Auxenfans, des doreurs comme Beauferey et la veuve Picard ou des orfèvres comme Christofle.

Le principal de ces ateliers annexes est celui qui fabriqua des faïences et terres vernissées entre 1852 et 1872. Créé à l'origine pour fournir des vases destinés à orner les jardins des palais impériaux, il commença donc par fabriquer des poteries et terres cuites imitant le marbre, le porphyre ou même le bronze, mais s'enhardit rapidement à reproduire les terres cuites à engobes incrustés ou à niellures et les faïences de la Renaissance.

Il faut aussi mentionner les ateliers mis par la Manufacture à la disposition de quelques chercheurs comme Fernand Thesmar en 1893[21] ou Henri Cros à partir de 1896.

Restent les nombreuses et importantes innovations qui concernent la porcelaine, du double point de vue de la fabrication et de la décoration.

A l'Exposition Universelle de Londres en 1851, succédant à celle du Palais National à Paris en 1850, Sèvres montra qu'elle avait commencé d'adopter le coulage non plus seulement pour les instruments scientifiques mais également pour les pièces très minces ou de très grandes dimensions, avec ou sans reliefs; le procédé fut ensuite perfectionné par l'adoption du coulage dans une cloche sous vide permettant d'éviter les déformations. En outre, les catalogues de ces expositions faisaient état des premiers essais de cuisson à la houille suivant le procédé de Vital-Roux, chef des fours et pâtes.

Sèvres innova surtout sur le plan artistique en adoptant plusieurs procédés de décors inédits: la peinture sur biscuit permettant d'imiter les terres cuites antiques; la pose de l'oxyde de cobalt non plus sur couverte cuite mais sur dégourdi et surtout les techniques des pâtes colorées et pâte-sur-pâte, appelées à un si brillant avenir.

A l'Exposition Universelle de 1855, la Manufacture montra de nouvelles couleurs à base d'urane (jaune, gris, bruns) et de subtiles nuances de céladon, obtenues grâce à un procédé nouveau d'encastage qui permettait de contrôler précisément l'atmosphère dans laquelle cuisait chaque pièce. C'est également à cette occasion que parurent les premiers exemples de la *pâte tendre Regnault*.

Pour l'Exposition de 1862, les recherches sur les atmosphères de cuisson permirent de créer une *pâte caméléon* virant du gris en lumière naturelle au rose en lumière artificielle et une nouvelle gamme de couleurs glaçant mieux à la cuisson.

Mais on ne peut se fier à ces résultats acquis et exploités, pour juger l'activité de recherches de la Manufacture, puisque, si certains résultats furent obtenus dès cette époque, ce fut sur un plan seulement expérimental. Ainsi, quoique la Manufacture ait exposé en 1862 et 1878 en pâte tendre non seulement des rééditions dans des moules du XVIIIe siècle mais aussi des objets entièrement nouveaux, elle ne considéra jamais être véritablement parvenue à retrouver toutes les qualités de ses productions anciennes.

De même, Salvetat était déjà parfaitement conscient, bien avant le rapport Duc de 1875, de la nécessité de trouver une nouvelle formule de pâte plus proche des pâtes orientales et cuisant à plus basse température que la *pâte dure Brongniart* afin que les couleurs y pénètrent mieux

Pl. LXXIII VASE SAIGON. Fond blanc. 1880. H. 19,5. Marques nos 23 (80) et 41 (80). MNCS (inv. 8984).
La forme très sobre de ce petit vase est l'une des premières dessinées par Albert Carrier-Belleuse pour Sèvres, et celle qui connut le succès le plus durable, unie ou avec divers types d'anses (rosettes, limaçons, etc.). Le décor est l'un des très rares témoignages de la collaboration avec Sèvres d'Auguste Rodin; appelé par son maître, il tenta de mettre au point une technique nouvelle consistant à graver le décor dans la pâte crue, donc sous l'émail, pour le reprendre après la cuisson par des rehauts de pâtes colorées accentuant le côté quasiment sculptural. Ces essais ne parurent sans doute pas concluants, et d'autant moins que le directeur Charles Lauth était violemment hostile à Rodin, en sorte qu'ils furent rapidement abandonnés, et que cette nouvelle technique ne fut pratiquement jamais plus utilisée par la suite.

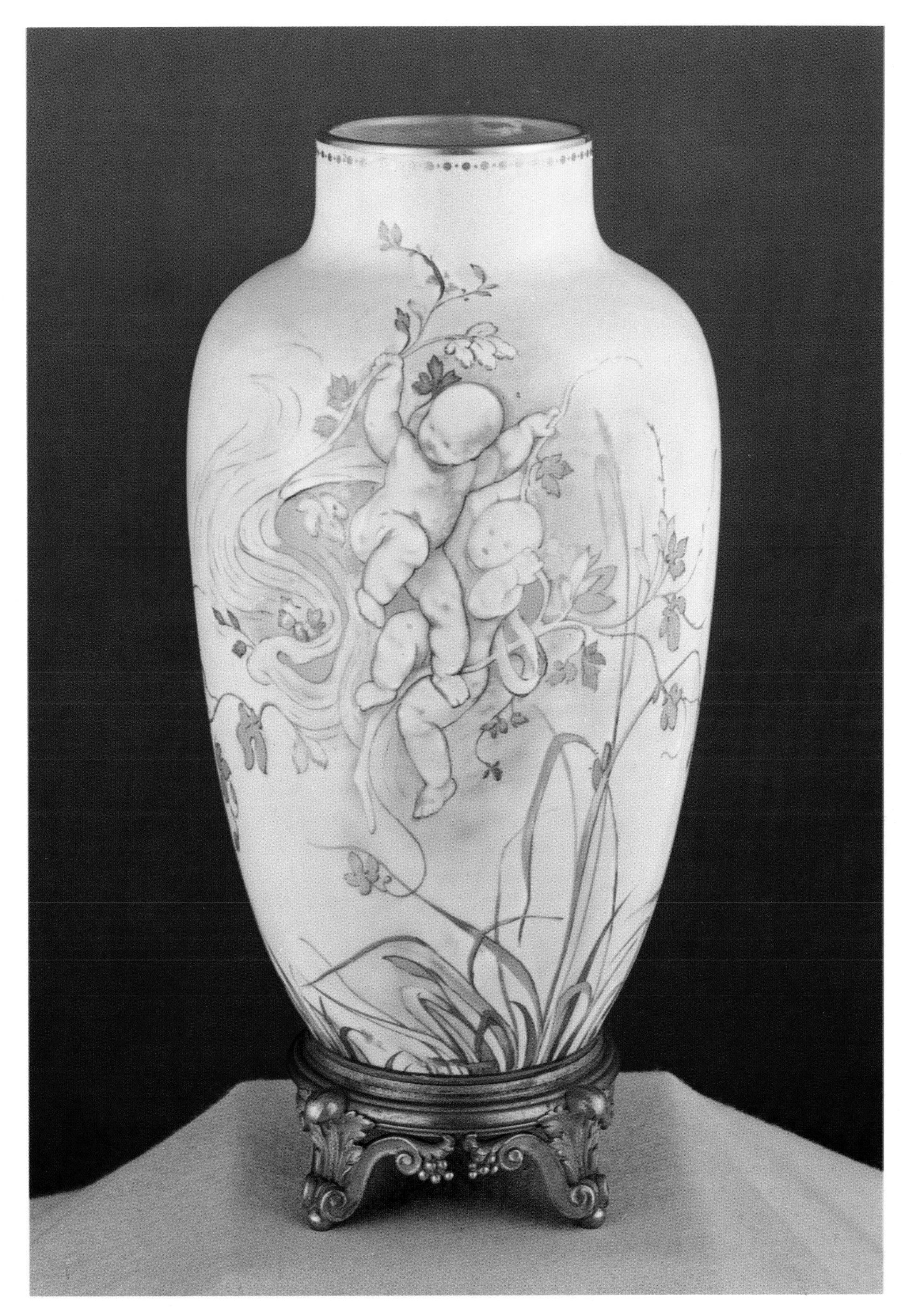

Pl. LXXIII

et se fondent plus harmonieusement. C'est à ce souci que correspond la mise au point des couleurs de demi-grand feu de 1862 et surtout les essais de *pâte japonaise* ou *pâte Salvetat* après 1870, pour laquelle il ne put malheureusement déterminer autrement qu'au stade des essais ni les bonnes conditions de cuisson ni la couverte convenable. Il faut cependant rendre hommage à ce chimiste qui avait engagé les recherches dans la bonne direction et dont les travaux sur le contrôle des atmosphères de cuisson furent fondamentaux pour les succès de la période suivante.

C'est, en effet, à Charles Lauth et Georges Vogt que revient le mérite d'avoir définitivement fixé la formule de cette *pâte Lauth-Vogt* puis *pâte nouvelle* cuisant à 1280°[22] et permettant, par cette faible température, à la fois une gamme de couleurs nouvelles dites de *demi-grand feu*, beaucoup mieux fondues dans la couverte et donc mieux adaptées aux souples décors nouveaux, ainsi que des procédés de décoration inédits. Le premier de ceux-ci, celui des cristallisations apparues en présence d'oxyde de zinc, fut tout d'abord signalé comme un défaut à éviter. Ce fut seulement après que les manufactures danoises, exploitant les possibilités artistiques de ce «défaut», eurent remporté un immense succès en 1889, que le procédé fut repris à Sèvres[23]. Le second type de décors obtenus sur la porcelaine nouvelle est le rouge à base de cuivre, et voici en quels termes Charles Lauth en annonçait le succès au ministre le 12 mars 1883[24]:

« ... Les Chinois fabriquaient autrefois avec un grand succès une couleur rouge au grand feu d'un très bel éclat. De nombreux essais ont été entrepris de tous temps à Sèvres pour reproduire cette couleur due au cuivre, mais quoique fort intéressants ils n'avaient pas jusqu'ici donné des résultats comparables, même de loin, à ceux des Orientaux.

» J'ai commencé il y a six mois environ à élucider ce problème et j'ai la satisfaction de vous annoncer que nous avons retiré des deux fours d'essais du 27 décembre 1882 et du 29 janvier 1883 plusieurs pièces vraiment belles et qui ne nous laissent aucun doute sur la marche à suivre désormais...»

Ici encore, il faut rendre hommage au génie précurseur d'Alphonse-Louis Salvetat, dont le Musée National de Céramique de Sèvres conserve un échantillon de rouge de cuivre daté de 1848 et donc sur porcelaine dure cuite à 1410°.

La porcelaine nouvelle et ses applications connurent à l'Exposition de 1884 un succès considérable. Charles Lauth continua ensuite ses recherches sur les fours et les procédés de cuisson, utilisant le premier four à flamme renversée et participant à l'étude des mesures pyrométriques.

Enfin, la direction du grand céramiste Théodore Deck vit la mise au point de deux nouvelles matières présentées à l'Exposition Universelle de 1889; elles n'eurent pas grand succès, il est vrai, mais sans doute parce que l'on avait méconnu ce principe que chaque matière convient à un style particulier et qu'il est donc absurde du point de vue céramique et fort mauvais pour démontrer leurs qualités d'éditer un même objet en plusieurs pâtes différentes. Ces deux nouvelles matières sont une *pâte tendre siliceuse* et la *grosse porcelaine*.

Nous avons dit que la pâte tendre Regnault n'avait jamais donné pleinement satisfaction. Charles Lauth avait repris les recherches, mais toujours en essayant de se rapprocher le plus possible des formules et de l'aspect de l'ancienne pâte tendre. Théodore Deck décida de réétudier le problème à partir de nouvelles bases, en voulant obtenir les mêmes qualités, quitte à prendre des matières premières totalement différentes. Le résultat de ses recherches fut la pâte tendre siliceuse qui donna immédiatement lieu à toute une série de décors gravés en creux ou modelés en relief sous l'émail.

Quant à la grosse porcelaine, elle naquit du désir d'offrir aux collaborateurs extérieurs de la Manufacture une pâte plus plastique et qu'ils pouvaient travailler eux-mêmes facilement; les deux vases modelés par Dalou et présentés en 1889 prouvèrent qu'elle correspondait parfaitement à ce programme.

Pl. LXXIV VASE BOUTEILLE LAFAYETTE. Fond flammé. 1883. H. 32. Marque n° 23 (83). MNCS (inv. 9236²).
L'adoption de la pâte Lauth-Vogt cuite à une température plus faible que la pâte dure ancienne permit de mettre définitivement au point la fabrication des couvertes à base de rouge de cuivre imitées des célèbres «sang de bœuf» des Chinois, qui faisaient rêver tous les céramistes de l'époque, ainsi que des couvertes flammées, jouant sur des nuances du rouge intense au bleu. Il semble que l'on ait réservé à ces couvertes une série de formes très sobres dessinées en 1883, dont celle-ci, fortement inspirée par les bouteilles cannelées du XVIIIᵉ s.

Pl. LXXIV

Artistes et œuvres

La Manufacture continua pendant cette période de faire travailler à la fois les membres de son personnel, praticiens parfaitement rompus aux subtilités techniques de leur métier mais manquant parfois de souplesse et d'ouverture sur le monde artistique contemporain, et des artistes réputés, chargés d'appliquer leur talent aux diverses matières qui leur étaient proposées.

On peut ainsi noter la collaboration de peintres comme Jean-Dominique Ingres, dont Pauline Laurent copia la *Vénus sortant de l'onde*; Eugène-Emmanuel Amaury-Duval qui dessina des sujets à l'antique (voir fig. 381), par exemple les plaques d'un coffret consacré à la légende d'Orphée; Jean-Léon Gérome, auteur de la frise et des ornements du vase commémorant l'Exposition Universelle de Londres en 1851 ou Charles-François Jalabert dont les quatre portraits en pied des évangélistes furent copiés en émaux sur des plaques de métal acquises à Londres en 1851 pour le prince Albert, provoquant une lettre de protestation dès l'année suivante parce qu'elles s'abîmaient inexplicablement. Sous le Second Empire, Auguste Gendron peignit une frise allégorique des Quatre Saisons, Paul Roussel une frise d'amours et de nymphes intitulée «Laquelle échappera?»; Alexandre-Frédéric de Courcy et Henri-Pierre Picou des sujets de genre; enfin, sous la Troisième République, Habert-Dys dessina les décors japonisants d'un service de table (voir pl. LXXVI), Hynaïs une vigoureuse composition d'enfants et Courcelles-Dumont plusieurs sujets allégoriques.

Les émaux suscitèrent des projets d'Alfred Meyer, dans un style fortement inspiré de la Renaissance, d'Alexandre Laemlein, et de Jean Feuchère, auteur d'une plaque représentant avec impétuosité «l'Empereur Napoléon, escorté de la Victoire et de la Justice, écrase l'hydre de l'Anarchie».

En ce qui concerne les artistes appartenant au personnel de la Manufacture, on ne peut citer que les plus importants: pour les figures, Théophile Fragonard, peintre de véritables pastiches des œuvres du XVIIIe siècle, tout comme sa fille Léonie; Jean-Louis Hamon, qui dessina de charmants projets représentant des rondes ou les Saisons; Eugène Froment, auteur et exécutant de compositions ambitieuses d'inspiration classique. Pour les fleurs, Barriat, Cabau ou Eléonore Escallier. Pour les ornements, Emile Renard et Jules Célos, avant l'arrivée d'une seconde génération dont tous les décorateurs auront été formés aux règles de la composition décorative désormais prépondérante. On ne sait s'il faut classer parmi les décorateurs ou les sculpteurs ceux qui se firent une spécialité de la pâte-sur-pâte, tels Léopold Gély, Alfred-Thompson Gobert, Marc-Louis Solon puis Taxile Doat[25].

Une autre catégorie d'artistes extérieurs s'est principalement souciée de fournir des modèles de formes ou de sculptures; il s'agit d'architectes comme Charles-Joseph Lameire, auteur d'une forme de vase monumental; Visconti, qui donna le modèle d'une «lampe de l'Impératrice» à enfants et guirlandes en bas relief, ou Mayeux, créateur de plusieurs formes de vases d'intérieur ou de jardins; mais il y eut également des sculpteurs comme Jean-Esprit Marcellin, dont la «Vénus à la goutte de lait» (voir fig. 442) fut la première statuette par laquelle Sèvres renoua avec un genre qui avait connu chez elle une si grande ampleur au XVIIIe siècle. Devant le succès de ce premier essai, cette production se développa considérablement à la fois par la réédition, encouragée par le goût de l'Impératrice, d'œuvres anciennes dont les moules avaient été conservés et par la création en biscuit d'œuvres contemporaines de Henri Chapu, Ernest Barrias (voir fig. 447), Jean-Baptiste Carpeaux (voir fig. 444), Georges Gardet (voir fig. 450), Gustave Deloye, suivis de bien d'autres.

Les deux plus prestigieux collaborateurs de Sèvres, de ce point de vue, restent Auguste Rodin, appelé par son maître Albert Carrier-Belleuse, et qui tenta de mettre au point un nouveau procédé en gravant sous la couverte un décor repris ensuite en peinture pour en rehausser les effets[26], et Jules Dalou, premier utilisateur de la grosse porcelaine pour deux vases, l'un portant en haut relief des enfants soutenant des guirlandes et l'autre symbolisant l'Age d'or.

Parmi les membres du personnel, nombreux furent ceux qui dessinèrent des formes pour la Manufacture. Jules

Pl. LXXV VASE POMPÉI. Fond bleu. 1884. H. 31. Marques n°s 23 (84); 41; 525 et 570. MNCS (inv. 8916).

Albert Carrier-Belleuse dessina en 1880 la forme de ce vase, très simple et propre à mettre en valeur le décor peint; on comprend parfaitement qu'il l'ait choisie pour l'un des seuls décors qu'il ait exécuté lui-même. Ce Triomphe de Bacchus exploite avec une maîtrise extraordinaire de la part d'un artiste sans aucune habitude du maniement des couleurs céramiques toutes les nuances et les possibilités décoratives et même sculpturales du bleu de grand feu en posant des figures bleu intense et blanc sur le fond clair, par opposition à la zone centrale avec ses figures claires détachées sur le fond sombre. En même temps, ce décor illustre les théories du sculpteur sur l'application de la figure humaine aux arts décoratifs.

Pl. LXXV

Peyre, auteur d'un service à thé et café qui ne s'est jamais démodé et d'une «coupe Urbino» (voir fig. 394) qui servit longtemps de cadeau officiel; Jules Diéterle, responsable d'une grande quantité de modèles d'inspiration antiquisante comme les vases «de Lesbos» et «étrusque de Naples» (voir fig. 396), classique comme le grand baptistère présenté en 1851 (voir fig. 386), orientale comme la «buire indienne» (voir fig. 384), italienne comme le «vase de Rimini» (voir fig. 388), ou Renaissance comme le «vase Mansard» (voir fig. 385). Les formes dessinées par Joseph Nicolle sont moins nombreuses, mais elles se caractérisent par leur extravagante conception de l'Antiquité ou de la Renaissance: à côté de l'«amphore» (voir fig. 397), ou de la «buire Nicolle» (voir fig. 400), on peut citer un «vase bouton» en forme de bouton de fleur sur une tige ou l'extraordinaire et monumental «vase de l'Agriculture» reposant sur des pieds en forme de sabots.

D'autres donnèrent surtout des modèles sculptés, comme Jean-Denis Larue, auteur d'un «surtout des enfants aux cornets» en faïence; Forgeot, également responsable d'un «surtout aux figures» (voir fig. 443) en faïence, ou Klagmann, créateur d'une «lampe carcel à réflecteur» ornée de bas-reliefs, ainsi que de figures monumentales (voir fig. 441).

Certains, comme Joseph Chéret, ne donnèrent que très peu de modèles: outre le grand vase d'ornement destiné au foyer de l'Opéra et un autre commémorant le Passage de Vénus sur le Soleil (voir fig. 423), il obtint un Prix de Sèvres avec le modèle d'une grande jardinière. Mais c'est parmi ces auteurs peu prolifiques que se trouvent les créateurs les plus originaux, tel Marc-Louis Solon, avec sa «cafetière éléphant» (voir fig. 392) ou Eugène Froment, responsable d'une curieuse «amphore aux seins» sur laquelle ces attributs féminins se détachaient en relief d'une forme par ailleurs très sobre.

En revanche, on reste confondu devant le nombre incroyable des créations d'Albert Carrier-Belleuse lors de son passage à Sèvres et leur diversité: vases, depuis les plus simples comme le «vase Saigon» (voir pl. LXXIII) ou le «vase Fizen» (voir fig. 410), jusqu'aux plus complexes, parfois enrichis de figures en ronde bosse, comme la «jardinière Philibert Delorme» ou le «vase de Corinthe», tous deux soutenus par des enfants accroupis; pièces de service, souvent influencées par la Renaissance, comme le «service à la chimère» (voir pl. LXXVII) ou la «buire de Blois» (voir fig. 425); ou sculptures, comme le «surtout du Triomphe de la chasse» (voir fig. 446).

Certains artistes n'ont travaillé pour la Manufacture que dans les toutes dernières années de cette période: l'architecte Risler, qui conçut dès 1893 un projet de pavillon de céramique pour l'Exposition Universelle de 1900; le statuaire Henri Cros, à qui l'on prêta quelque temps un atelier dans la Manufacture pour ses recherches sur la pâte de verre; Giraldon, qui entreprit en 1896 toutes les formes d'un service de gala pour l'Elysée[27]; Massoule ou Ernest Carrière, qui dessinèrent des vases à décors sculptés.

Les créations de Sèvres tout au long de cette période nous sont bien connues par les grandes expositions successives auxquelles la Manufacture a toujours tenu à participer, réservant ses plus belles pièces pour les révéler à ces occasions.

En ce qui concerne les types d'objets, le Second Empire est très éclectique: il crée surtout des vases, puisant leur inspiration pour la forme et les décors dans les créations du XVIIIe siècle, bien sûr, mais également dans l'Antiquité et l'exotisme, du baroque du style moresque ou italien à la sobriété des formes chinoises; les pièces de service y sont beaucoup moins nombreuses: on y retrouve les copies du XVIIIe siècle avec le «service Paulin» totalement démarqué des créations de Jean-Jacques Duplessis pour Vincennes, mais aussi des formes antiquisantes comme le «service à lizerons» de Diéterle (voir fig. 380) ou sobres comme le service de table «lobé» ou le service à thé et café dit «service mince». Peu de sculptures pendant cette période, mais plus qu'on ne l'a cru: outre les surtouts de Forgeot ou Larue et les figures monumentales de Klagmann, on trouve la «Sirène à la coquille» de Joseph Nicolle, et les bas-reliefs sur médaillons représentant les Saisons ou les Arts; sans compter les représentations officielles: bustes du Prince-Président puis de l'Empereur, de la princesse Mathilde, ou figures en pied du Prince Impérial (voir fig. 444).

On trouve également de grandes pièces comme le baptistère de Jules Diéterle, des coffrets à bijoux, plaques de

Pl. LXXVI ASSIETTE LOBÉE. Fond blanc. 1888. ∅ 25,5. Marques n°s 23 (88); 41 (88); Bonnuit. MNCS (inv. 9148).

La forme de cette assiette de dessert, dérivée de modèles du XVIIIe s., fut mise au point en 1886. L'un des rares ensembles pour la table conçus durant cette période est le service de dessert dont fait partie cette assiette peinte par Bonnuit. Six types de décors, tous dessinés par Habert-Dys, furent peints sous couverte, l'or étant posé à l'impression et repris en relief. Dans la stylisation des fleurs et surtout dans la composition asymétrique du bouquet décentré par rapport au fond blanc de l'assiette, on doit pouvoir reconnaître l'influence du japonisme.

Pl. LXXVI

guéridons ou jardinières de salon; des lampes et lanternes et d'innombrables coupes, simples, ornées de bas-reliefs comme la «coupe de Bologne» ou délicatement ajourées. On vend encore de nombreuses plaques pour broches, des pièces de toilette en grand nombre et même deux «nids d'oiseaux en terre vernissée».

Les expositions de 1850 à Paris et surtout de 1851 à Londres révèlent les deux grandes innovations: la peinture sur biscuit de style antiquisant et surtout les pâte-sur-pâte. Mais les objets présentés, à part les émaux, sont encore fortement dépendants des productions de la période antérieure.

Dès 1855, la Manufacture expose une grande série de formes nouvelles, à la fois pour la pâte dure, la pâte tendre, les terres cuites et faïences et les émaux. Plusieurs pièces sont encore décorées dans le «style Watteau» et l'éclectisme reste de mise à en juger par ce «vase grec à anses à roulettes» décoré de figures en grisaille à l'imitation des émaux limousins.

En 1862 et 1867, l'incidence du politique est plus sensible: vases à sujets officiels, comme celui qui représente l'Empereur accordant sa grâce aux tribus insoumises, à portraits de l'Empereur et de l'Impératrice ou de Napoléon et Joséphine; mais aussi, innombrables rééditions de formes anciennes qui entraînent un renouveau de la mode des copies de tableaux célèbres pour orner des vases ou même des plaques. On voit pourtant paraître quelques nouveautés comme le «vase bouton Nicolle» ou la «cafetière éléphant» en 1862 et le «vase de l'Agriculture Nicolle» en 1867, ou les sculptures en faïence ou porcelaine, tels que «Femme et enfant pour candélabre» de Solon (voir fig. 445).

Les créations de la Troisième République sont plus difficiles à caractériser. La période s'intéresse avant tout aux vases, créant encore quelques grandes pièces d'apparat, mais surtout des œuvres de dimensions plus modestes. Peu à peu, le nombre des sculptures éditées prend une ampleur croissante, alors que celui des pièces de service reste faible, même en y incluant les petites pièces ornementales (baguiers, cendriers, vide-poches...) qui se multiplièrent surtout dans la période suivante.

Jusqu'en 1887, presque toutes les formes sont dessinées par Albert Carrier-Belleuse; même si l'on peut distinguer dans son œuvre pour Sèvres deux tendances, l'une à la simplicité et l'autre à une certaine exubérance, elle se caractérise par un sens très net de l'équilibre et de l'architecture d'une pièce et son désir évident de renouveler totalement la conception du décor en le subordonnant rigoureusement à la forme de l'objet.

Après 1887, ce sont principalement les modeleurs et sculpteurs de la Manufacture qui vont laisser libre cours à leur fantaisie pour créer des vases, le plus souvent décorés de motifs gravés sous la couverte.

L'Exposition de 1878 témoigna de la relative incertitude qui avait précédé l'arrivée d'Albert Carrier-Belleuse. A côté de pièces marquant la survivance des procédés anciens, comme la plaque sur laquelle Abel Schilt avait «interprété» l'*Embarquement pour Cythère* de Watteau, on trouvait quelques créations récentes comme le «service à thé et café ovoïde», les premières figures d'après Carrier-Belleuse («Vierge et enfant», «Figures à la croix» et «à l'agneau») et surtout de nouvelles tendances décoratives: emploi d'émaux transparents en relief, motifs gravés sous la couverte, emploi nuancé du bleu de grand feu, décors très architecturés.

A l'Exposition de l'Union Centrale des Arts Décoratifs de 1884, Sèvres remporta un immense succès[28]. C'est que, depuis 1878, elle s'était entièrement renouvelée, sur les plans technique et artistique. Elle présentait pour la première fois la pâte nouvelle, ainsi que les flammés et rouges de cuivre qu'elle avait permis. Du point de vue artistique, elle révéla l'extraordinaire renouvellement des formes, dû à l'activité de son nouveau directeur des travaux d'art, et de tout nouveaux décors: motifs gravés par Rodin, paysages ou scènes peints en camaïeu et se continuant autour des vases, décors fortement marqués par la mode du japonisme avec leurs compositions florales stylisées, asymétriques ou librement mises en place, et souvent associées à l'emploi d'émaux transparents à fort relief. Les pièces décorées d'après les projets d'Albert Carrier-Belleuse permettent de mesurer l'importance de son apport dans la conception de l'ornementation: tous ont en commun une parfaite adaptation à la forme choisie et un caractère

Pl. LXXVII THÉIÈRE, TASSES ET SOUCOUPES, ET POT À LAIT À LA CHIMÈRE. Fond blanc. 1892-1893. H. max. 25,5. Marques nos 23 (89, 88, 87); 41 (92, 93); 572. MNCS (inv. 16204).
Albert Carrier-Belleuse, qui créa pour Sèvres une impressionnante quantité de formes de vases et de sculptures, ne dessina, en dehors de quelques pièces isolées comme une chocolatière et quelques cendriers et baguiers, qu'un seul service dit «service à la chimère», mis au point en 1887-1888. La préciosité de l'ornementation et les figures féminines contournées des anses évoquent la Renaissance, tout comme sur certaines autres créations de l'artiste comme la «buire de Blois» (voir fig. 425). La porcelaine nouvelle permit à Bonnuit d'employer des émaux en relief pour un décor en tons pâles mêlant les arabesques aux frises classiques.

Pl. LXXVII

presque monumental; en outre, ils témoignent d'une remarquable compréhension de toutes les possibilités spécifiques de la porcelaine, exploitant aussi bien la douceur des camaïeux que la subtilité des nuances de bleu de grand feu (voir pl. LXXV).

En revanche, la participation de Sèvres à l'Exposition Universelle de 1889 déçut beaucoup[29]; elle révélait pourtant deux matières nouvelles: la pâte tendre siliceuse et la grosse porcelaine. Mais les décors, compositions florales et ornementales peintes ou gravées fortement marquées par la mode japonisante, motifs gravés sous émail, compositions en pâte-sur-pâte de Doat, flammés et coulures donnèrent une impression de déjà vu. De même, les pièces largement inspirées par les styles Louis XIV et Louis XV, comme les «jardinières Louis XV» de Brécy ou «Mansard» de Sandoz, ou le «coffret Pompadour», en dépit de leur conception absolument inédite du baroque, ne pouvaient guère passer pour des innovations. D'un autre côté, la Manufacture présentait de nombreuses pièces nouvelles: de petits objets décoratifs comme des cendriers, boîtes à bonbons ou pastilles, encriers, coffrets; de nombreuses sculptures parmi lesquelles le buste du président Carnot d'après Henri Chapu et le «Mozart enfant» d'après Ernest Barrias (voir fig. 447); des vases en grosse porcelaine modelés par Jules Dalou[30]; et surtout quelques pièces démesurées, comme la torchère, pour laquelle Louis Carrier-Belleuse avait obtenu un Prix de Sèvres, et l'immense groupe des «Paons» d'après Auguste Caïn. La relative désaffection du public peut s'expliquer en partie par un refus de ces tours de force démodés et par une incompréhension de la nouveauté de certains des matériaux présentés; la Manufacture y avait une grande part de responsabilité, dans la mesure où elle n'avait pas choisi de réserver chaque pâte à un style d'œuvres particulier, prenant au contraire le parti de présenter le même objet édité en plusieurs pâtes différentes.

La période qui sépare cette exposition de l'arrivée d'Alexandre Sandier, marquée par un profond remaniement administratif, par l'arrivée d'un directeur sans spécialisation technique ou artistique et par la rapide succession de directeurs des travaux d'art trop occupés par ailleurs pour s'attacher à Sèvres, correspond surtout à la mise en place de toute une nouvelle génération de décorateurs. Parmi les rares formes créées pendant ces années, on peut noter une timide apparition du naturalisme dans certaines œuvres comme le «vase navet» de Brécy, déviant parfois vers des compositions étranges, à base d'éléments pris dans la nature, comme le «vase à guirlandes de roses» (voir fig. 430). La plupart des décors, par leurs compositions florales stylisées et régulièrement répétées, témoignent que les artistes de Sèvres étaient prêts à comprendre Alexandre Sandier et à travailler utilement avec lui.

Pièces décoratives et d'usage

Premier Empire

332 VASE. Fond brun. 1803. H. 22. Marque nº 7. MNCS (inv. 10749 B-1).
Quoique la forme très dépouillée de ce vase date du tout début du XIXᵉ s., son principe est le même que celui des «vases hollandais» (voir pl. XVIII). L'emploi des couleurs de fond imitant une pierre dure, aberrante du point de vue céramique, fut continué jusque sous la Restauration.

333 VASE CORNET À TÊTES DE MORUE. Fond noir. 1805. H. 35. Marque nº 9. Grand Trianon (inv. 1894 T 307).
La forme de ce vase fut rectifiée en 1788. De même, le décor de chinoiseries en or sur fond sombre, bleu ou noir, remonte à la fin de l'Ancien Régime. C'est vraisemblablement la richesse de cette ornementation qui lui a valu de rester en faveur.

334 VASE À BANDEAU. Fond noir. 1806. H. 133. Malmaison (inv. MM. 40.47.8408).
La forme de ce vase date de 1806 et semble avoir été conçue spécialement pour cet objet qui surprend par le choix de la manière étrusque pour représenter un sujet allégorique de la Bataille d'Austerlitz. Le dessin fut conçu et exécuté par Bergeret et le vase, avec anses et culot en bronze, livré le 4 mai 1806 pour Saint-Cloud.

335 ASSIETTE PLATE ORDINAIRE. 1806. ∅ 24. Marque nº 9; Taunay. MNCS (inv. 1793).
Le service dit «Pittoresque à marli d'or» fut entrepris en 1805 et constamment continué jusque sous la Restauration; chaque assiette était différente, car elles servaient à occuper les décorateurs entre de plus importants travaux, chacun y appliquant sa spécialité. Ce décor historique, peint par Taunay, représente Don Pedro s'inclinant sur l'épée d'Henri IV.

336 PLAQUE RONDE. 1809. ∅ 45,5. Marque nº 501. Paris, Musée des A.D.
Daru commanda en 1807 deux piédestaux pour les «vases Cordelier» de la Galerie de Diane à Saint-Cloud. A.-E. Fragonard s'inspira de médailles pour les projets des plaques ornant leur socle, peintes à la manière du camée par Coupin et Degault. Celle-ci représente de façon allégorique la Bataille d'Eylau.

337 VASE À TÊTES DE BÉLIERS. Fond vert marbré. 1809. H. 40. Marque nº 9. Grand Trianon (inv. 1894 T. 360c).
Ce vase semble dérivé du «vase Boizot boucs à bas-reliefs». En revanche, le décor est caractéristique du goût impérial à la fois par l'emploi d'un fond vert imitant le marbre et par la riche dorure des anses, ornements et trophées.

338 VASE CORDELIER. Fond bleu. 1809. H. 70. Marque nº 503. Grand Trianon (inv. 1839 GT 182).
Cette forme fut créée en 1805 et souvent remaniée tout au long du siècle, tant pour le profil que pour les anses dont on a ici la première version. Les ornements furent peints en or par Caron et le cartel par Demarne; le choix du sujet d'Henri IV revenant de la guerre est caractéristique de la volonté impériale d'exalter les Français illustres des siècles passés.

339 VASE ÉTRUSQUE CARAFE. Fond bleu. 1809. H. 24. Marque nº 9. Grand Trianon (inv. 1894 T 696c).
Cette forme fut rectifiée en 1806. Le décor associe plusieurs des éléments caractéristiques de l'époque: le fond bleu cache totalement la pâte, les ornements d'or ont des motifs classiques et le cartel un riche entourage; enfin, le portrait de Napoléon représenté comme un empereur romain est traité à l'imitation du camée.

340 VASE MÉDICIS. Fond bleu. 1809. H. 42. Marques nºs 9; 502. Grand Trianon (inv. 1894 T. 205c).
La présente variante du «vase Médicis» fut établie en 1806 par A.-T. Brongniart. Les ornements du culot sont extrêmement sobres, pour mieux mettre en valeur les cartels peints en sépia par Swebach et représentant des Vues d'Egypte. Les relevés pris au cours de l'Expédition furent une source d'inspiration prédominante pendant toute la durée de l'Empire.

341 CABARET À CAFÉ. Fond bleu lapis. 1809-1810. H. max. 12,5. Paris, Louvre (inv. OA. 9493).
La confusion des genres ne gêne guère Sèvres, qui mêle ici des formes dites «étrusque», «Pestum» ou «litron» pour constituer un ensemble décoré dans le style égyptien avec des vues copiées sur les relevés de Vivant-Denon; le fond des soucoupes s'orne de têtes de cheik en sépia; les sujets sont peints par J.-F. Robert, Lebel et Béranger, et les ornements par Micaud et Legrand.

342 TASSE JASMIN À PIED CANNELÉ. Fond vert. 1810. ∅ 10,5. Marques nºs 9; 504. MNCS (inv. 4995).
La forme évasée de cette tasse correspond à celle du «vase Jasmin»; mise au point en 1806, elle connut de nombreuses variantes. Le portrait de Marie-Louise peint par V. Jaquotot explique la richesse des ornements en or et platine, de l'anse en vermeil et de la doublure d'or.

343 VASE COUPE B. 2e gr. Fond bleu. 1810. H. 48. MNS.

La forme de cette coupe fut dessinée par A.-T. Brongniart en 1806. Le décor représente une bacchanale d'enfants; il fut peint en or sur le fond bleu par A. Béranger et le travail de brunissage à l'effet est particulièrement remarquable par sa finesse et sa virtuosité.

344 CUVETTE. Fond bleu. 1811. H. 19,5. Marques nos 9; 552. Malmaison (inv. MM. 40.47.949).

On a tendance à oublier, devant la splendeur des pièces d'apparat, que Sèvres livrait également de très grandes quantités d'objets simples destinés à l'usage courant ou à la toilette, comme cette cuvette à simples frises d'or, destinée à une athénienne quadripode.

345 VASE CASSOLETTE. Fond bleu pâle. 1811. H. 16. Grand Trianon (inv. 1894 T 306).

Les cassolettes éditées au XVIIIe s. avaient presque toujours un couvercle et leur profil était souvent moins dépouillé que celui de cet exemplaire corrigé par A.-T. Brongniart. Le motif des papillons, également employé à l'époque sur les tissus d'ameublement, apparaît dès les pièces d'ornement du «service olympique».

346 ASSIETTE PLATE ORDINAIRE. 1813. ∅ 23,8. Marques nos 10, 11; 505; 553. MNCS (inv. 1811).

Le «service iconographique grec» terminé en 1811 avait, sur chaque assiette, l'aile en fond bleu lapissé d'or portant une frise de postes en or bruni, le fond étant orné d'une figure antique peinte à la manière du camée. Plusieurs services reprirent la même disposition sous la Restauration. Le portrait de Thalès est peint ici par Degault, spécialiste de ce type de décors.

347 THÉIÈRE ŒUF, POTS À SUCRE ET À LAIT PESTUM, DEUX TASSES COUPE ET SOUCOUPES, PLATEAU OVALE. Fond nankin. 1813. H. max. 13,5. Marque no 555. Paris, Musée des A.D. (inv. 12876).

Ce déjeuner dont toutes les formes furent créées entre 1800 et 1808 comprenait également six coquetiers. Les pièces sont doublées d'or et comportent de sobres ornements classiques en rouge et vert. Il aurait appartenu à l'impératrice Joséphine.

348 VASE MÉDICIS À BAS-RELIEF. Fond bleu pâle. 1813. Londres, Victoria and Albert Museum (inv. Jones coll. 396. 1874).

Dans les dernières années du XVIIIe s., la Manufacture de Sèvres se mit à imiter les *jasper-ware* de Wedgwood, d'un style néo-classique très affirmé; le présent exemplaire, orné d'un Sacrifice à Diane, auquel pouvait servir de pendant un Sacrifice à Mars, prouve par sa date assez tardive que la mode fut durable.

349 TINETTE ET PASSOIRE. Fond blanc. 1813-1814. H. 50,7. Marque nº 2 effacée en partie. MNCS (inv. 2640).

Lagrenée le jeune dessina pour la laiterie de Marie-Antoinette à Rambouillet un ensemble dont ces pièces étaient les plus importantes (voir fig. 272). Lorsque Percier fut chargé du même travail pour Marie-Louise, on dut lui suggérer de réutiliser cette tinette en surnombre. C'est pour l'harmoniser avec les autres décors envisagés qu'elle fut simplement soulignée d'or.

Restauration

350 TASSE JASMIN À PIED CANNELÉ ET SOUCOUPE. Fond bleu. 1815. H. 9. Marques nºs 11; 555 bis. MNCS (inv. 23278).

Le cartel de cette tasse doublée d'or porte une Vue de la Manufacture royale de porcelaine de Sèvres peinte par J.-F. Robert d'après une étude de Le Guay. L'absence de toute allusion politique dans le sujet, dont l'inscription est toujours posée en dernier lieu, a permis à la pièce de survivre à la destruction des objets évoquant l'Empire.

351 ASSIETTE PLATE ORDINAIRE. Aile bleu lapis, décor polychrome. 1816. ∅ 23,5. Marques nºs 12; 558. Paris, Musée des A.D.

Le «service à vues diverses» avec ses frises différentes sur chaque assiette fut entrepris pour Napoléon et continué jusque sous Louis XVIII. On voit ici le Palais de Stupinis, peint par Le Bel d'après une gouache commandée par A. Brongniart pour le «guéridon des Palais impériaux» que devait terminer J.-F. Robert en 1817.

352 ÉCRITOIRE-NAVIRE. 1816. H. 22,5. Marques nºs 12; 557. Paris, Musée des A.D. (inv. 2646).

La forme de cette écritoire fut dessinée par A.-E. Fragonard en 1814; c'est l'un des nombreux avatars du thème du bateau si souvent utilisé par Sèvres depuis le «vaisseau à mât» du XVIIIe s. (voir pl. XXIII) jusqu'au «bateau de la ville de Paris» conçu par Favier en 1934. La vivacité des rayures jaune et noir à filets rouges s'oppose hardiment à une riche garniture d'or.

353 TASSE À CHOCOLAT A.B. ET SOUCOUPE. Fond pourpre. 1816. H. 9. Marques tasse: nº 556; soucoupe: nºs 11 et 556. MNCS (inv. 7215).

La forme de cette tasse qui date de 1813 est sans doute due au sculpteur A. Brachard. Le décor est très intéressant à la fois par la présence de zones en fond blanc et l'emploi d'un étonnant fond pourpre posé de façon nuagée qui contraste vigoureusement avec le portrait de Louis XVIII peint en sépia par A. Béranger.

354 LION CANÉPHORE. Biscuit. 1817. H. 30. Paris, Ministère des Affaires Etrangères.

A.-E. Fragonard dessina en 1817 deux projets de corbeilles rondes supportées respectivement par un lion et une lionne et destinées à accompagner pour le dessert un groupe de figures canéphores. Il semble que la première seule ait été exécutée, le modèle ayant été mis au point par A. Brachard en 1819. Les exemplaires furent soulignés d'or, comme ici, ou décorés.

355 CONSOLE. Fond bleu. 1819. H. 160. Paris, Mobilier national.

Cette console destinée à recevoir des vases et corbeilles de fleurs fut dessinée par A.-E. Fragonard; il conçut également les sujets évoquant trois étapes de la vie des plantes: Germination, Floraison et Fructification, qui furent peints par Zwinger. C'est l'un des premiers véritables meubles fabriqués à Sèvres.

356 VASE FLORÉAL. Fond blanc. 1820. H. 70. Grand Trianon (inv. 1894 T. 24c).

La forme de ce vase date de l'époque impériale. Le décor, en dépit de son sujet officiel, puisque Béranger y a représenté de façon allégorique «Les Français de tous les états et de tous les rangs se serrant autour du berceau du duc de Bordeaux», paraît aimable grâce au fond blanc orné par Huard, Boullemier et Didier.

357 GUÉRIDON. Fond blanc. 1821. H. 81. Marque nº 507. MNCS (inv. 23441).

De nombreux guéridons de forme semblable furent édités entre 1820 et 1825. Celui-ci est consacré à la mémoire d'Henri IV, que le nouveau régime venait, à son tour, de remettre à l'honneur. Le sujet central évoque l'érection de la statue du roi au Pont-Neuf et les médaillons en grisaille des épisodes célèbres de la vie du monarque. L'ensemble fut peint par J.-C. Develly.

358 ASSIETTE PLATE ORDINAIRE. Fond bleu. 1823. ∅ 24. Marques nºs 12 (23); 508; 559. MNCS (inv. 2872²).

Le «service des arts industriels» à marli bleu, orné de croisillons, frises et rosettes d'or et sujets consacrés aux arts et métiers, fut entièrement composé et exécuté par J.-C. Develly entre 1823 et 1835; bien évidemment, un certain nombre de pièces fut consacré à l'art de la porcelaine; on voit ici l'Atelier des peintres et doreurs de Sèvres.

359 CORBEILLE FRAGONARD. Fond blanc. 1823. H. 27,5. Marque nº 12 (23). Paris, Musée des A.D.

Dès le XVIIIᵉ s., des corbeilles basses destinées aux fruits accompagnaient les services de dessert. A partir de l'Empire, elles devinrent plus volumineuses et représentèrent de plus en plus des tours de force techniques. Le présent modèle fut dessiné par A.-E. Fragonard en 1817 et décoré ici de simples rehauts d'or.

360 CANDÉLABRE-PENDULE. Fond blanc. 1825. H. 120. Grand Trianon (inv. 1894 T. 418c).
Ce candélabre, dont la base sert de porte-montre, est un bon exemple des objets composites et quelque peu démesurés souvent produits par Sèvres sous la Restauration. L'ensemble fut dessiné par A.-E. Fragonard en 1823, et les détails d'ornementation par Leloy. Le décor en or peint s'oppose aux figures en bas reliefs des côtés du socle.

361 VASE COUPE B. 1re gr. Fond violet. 1825. Ø 95. Marque no 508 bis. MNCS (inv. 8157).
La forme de ce vase fut dessinée par A.-T. Brongniart en 1806. Les dix scènes placées sur la cerce furent peintes par A. Ducluzeau d'après A.-E. Fragonard et représentent de façon allégorique les Cinq Sens, chacun étant pris sous un aspect tour à tour favorable puis défavorable.

362 DÉJEUNER BRACHARD. Fond brun-rouge. 1830. H. max. 16. Marques nos 13 (30); 15 (29 et 30); 560. MNCS (inv. 7548).
Les formes de ces pièces furent dessinées par A. Brachard en 1814. Outre les ornements en or et couleurs, et la dorure des reliefs en partie sur biscuit, chaque pièce porte ici des médaillons, peints en camée par Le Guay, dont les sujets se rapportent à celui du plateau disparu qui représentait l'Apothéose d'Anacréon d'après Girodet.

363 PORTE-COMPOTIER À RINCEAUX DE VIGNE. Polychrome. 1832. H. 10. Marque no 18 (32). Limoges, Musée A.-D. (inv. ADL. 2958).
Nous ignorons l'auteur de cette forme de socle rond à cerce ajourée destiné à compléter le surtout d'un service de dessert en réservant l'emplacement d'un compotier pendant qu'on le présentait aux convives. L'ornementation naturaliste contredit la grande fantaisie des couleurs disparates.

364 VASE ÉTRUSQUE À ROULEAUX. 1re gr. Polychrome. 1832. H. 130. Marque no 509. MNCS (inv. 7535).
Forme dessinée en 1808 par l'architecte Ch. Percier. Le décor prouve la survie du goût pour les sujets tirés de l'Antiquité, même dans les arts décoratifs: au col, six médaillons à portraits de personnages de l'Antiquité; sur la cerce, une suite de scènes composées et peintes par A. Béranger évoque l'Education physique des anciens Grecs.

365 THÉIÈRE ŒUF ET SERPENT. Fond blanc. 1833. H. 14. Marques nos 18 (33); 562. Paris, Musée des A.D. (inv. 2644).
Dès 1803, la Manufacture édita une «tasse à chocolat œuf et serpent»; la théière correspondante fut mise au point en 1808 et associée en 1813 à une «tasse Cobea» en forme de fleur, à un «pot à sucre ananas» et un «pot à crème tête de vache». Il semble que l'on ait toujours posé un décor géométrique sur l'œuf et stylisé sur le serpent.

366 VASE DE LA RENAISSANCE. Or et blanc. Avant 1835. H. 80. MNCS.
Deux formes portèrent ce nom à Sèvres; la première, dessinée en 1830 avec des décors polychromes sculptés et peints, est due à l'ornemaniste A. Chenavard; celle-ci fut conçue par A.-E. Fragonard pour l'ensemble et H. Régnier pour le détail des ornements. Le décor oppose la brillance des parties émaillées à la matité des ornements en biscuit.

367 ASSIETTE PLATE ORDINAIRE. Fond bleu. 1835. ∅ 24. Marques nos 19 (35); 564. MNCS (inv. 2630).
Le «service forestier», peint entre 1834 et 1841, représentait, au fond de chaque assiette, une vue d'une forêt célèbre, alors que l'aile s'ornait d'une frise stylisée à partir des éléments végétaux les plus caractéristiques de cette même forêt. L'iconographie était puisée dans de nombreux ouvrages. J.-B. Langlacé a représenté ici l'If d'Ankerwyke.

368 THÉIÈRE LITRON FRAGONARD SIMPLE. Fond blanc. 1835. H. 14. Marques nos 18 (34); 19 (35); 563. MNCS (inv. 7547).
La forme de cette théière fut dessinée par A.-E. Fragonard qui en conçut également une version ornée. Cet exemplaire fait partie d'un service à chocolat consacré à Duguesclin et aux plus fameux guerriers contemporains; l'ornementation gothique fut conçue par Leloy et exécutée par Barbin, les portraits par Moriot.

369 VASE CORNET. Fond bleu. 1838. H. 35. Marque no 19 (38). MNCS (inv. 2522).
La forme semble dérivée de l'une des nombreuses variantes du «vase Jasmin» de l'époque impériale. Le décor de chinoiseries en or évoque ceux de la fin du XVIIIe s., mais il s'agit d'une pièce d'essai cherchant à obtenir le même effet par un procédé lithographique, puisque le vase porte sur une étiquette l'inscription: «Imitation de l'or chinois par Monsieur Legros d'Anizy. 1837.»

370 VASE MÉDICIS FRAGONARD. Fond brun-rouge. 1838-1840. H. 73. MNCS (inv. 7509).
La forme Médicis dut à sa sobriété de n'être jamais démodée, mais elle connut de nombreuses variantes; celle-ci fut dessinée en 1827 par A.-E. Fragonard, à qui l'on doit aussi les dessins relatifs au Département des Beaux-Arts de la Liste Civile exécutés par F. Régnier. Les riches ornements furent composés par Leloy et peints par Huard.

371 ASSIETTE PLATE ORDINAIRE. Fond bleu agate. 1840. ∅ 24. Marques nos 19 (40); 510; 565. Fontainebleau (inv. 1894 F. 3210 C.).
Le «service historique de Fontainebleau» est le seul à n'avoir jamais été destiné au service de la table mais au décor d'une galerie devant rappeler les principales étapes de l'histoire du Château. F. Régnier a représenté ici l'Arrivée de la princesse Hélène dans la galerie de François Ier ... 29 mai 1837.

372 POT À EAU SERPENT B ET CUVETTE. Fond blanc. 1841. H. 32. Marques n°s 19 (41 et 42); 566. Paris, Musée des A.D.

Ces formes furent dessinées en 1810, le pot devant son nom à l'animal qui lui sert d'anse; le serpent fut longtemps un motif apprécié pour les garnitures, de même que les cygnes et têtes de lions. Le fond blanc, les lourdes guirlandes polychromes et la raideur des frises classiques montrent combien la tradition impériale était restée influente.

373 ASSIETTE PEYRE n° 1 À ORNEMENTS. Blanc. 1843. Ø 23. Marque n° 601. MNCS (inv. 9896²).

La mode orientaliste est très sensible dans l'ornementation de cette assiette dessinée par J. Peyre; au lieu d'être simplement peint, le décor est moulé en relief, Sèvres renouvelant ainsi cent ans après les procédés de Vincennes; peut-être en raison de ses difficultés de fabrication et de décoration, ce type de pièces fut rapidement abandonné.

374 VASE ADÉLAÏDE. 1re gr. Fond bleu. 1843. H. 43. Marque n° 19 (43). Chantilly (cat. Brunet n° 21).

La forme de ce vase fut dessinée par Leloy en 1840 et s'accompagnait à l'origine d'un haut socle orné. Les premiers exemplaires connus sont décorés dans le style des émaux limousins, marquant une première étape vers la création de l'atelier d'émaillage sur métaux que devait justement diriger A. Meyer-Heine à qui l'on doit le décor de ce vase.

375 VASE ÉTRUSQUE CARAFE. 2e gr. Fond bleu. 1843. H. 44. Marque n° 19 (43). Chantilly (cat. Brunet n° 23).

La forme de ce vase fut créée à la fin du XVIIIe s. et plusieurs fois remaniée; elle s'inspire des exemples «étrusques» de la collection donnée par Vivant-Denon à Sèvres. Le décor, avec ses ornements antiquisants en or et platine, parfaitement adaptés à la sobriété de la forme, témoigne de la survivance tardive d'un goût classique.

376 PROJET DE VITRAIL. Gouache et encre. 1843. H. 59. MNS.

L'atelier de peinture sur verre de la Manufacture fut chargé de fournir des vitraux à la plupart des résidences royales. Les projets furent demandés à des artistes prestigieux; c'est ainsi que le présent dessin témoigne de la collaboration pour la chapelle de Dreux entre Ingres pour la figure de saint Ferdinand et E. Viollet-le-Duc pour les entourages.

377 COUPE À PERLES RECTIFIÉE ET PLATEAU. Fond bleu. 1844. H. max. 13,2. Marque n° 19 (44). Chantilly (cat. Brunet n° 25).

Les petites coupes de ce type ont d'abord orné des dessus de pendules, puis furent munies d'un plateau pour devenir pièces de services. Le fond bleu azur au demi-grand feu témoigne déjà d'une prise de conscience des limites imposées par le grand feu, alors que les lourdes guirlandes peintes par Langle appartiennent encore au style Restauration.

378 VASE ÉTRUSQUE A.B. 2e gr. Fond brun pourpré. 1846. H. 114. Chantilly (cat. Brunet n° 20).
La forme de ce vase fut modelée en 1804 par A. Brachard et éditée en plusieurs grandeurs. Le présent exemplaire porte deux cartels rectangulaires et deux ronds sur lesquels J.-C. Develly a évoqué les Chasses historiques de la cour de France; les ornements, évoquant la chasse et les forêts, ont été composés par Leloy et exécutés par F.-H. Barbin.

379 VASE FUSEAU. Fond nankin. S.d. H. 40. Paris, Musée des A.D. (inv. 47826).
La forme de ce vase, enrichi d'un socle et d'anses de bronze, date du Premier Empire; la doublure d'or et le classicisme des ornements évoquent également cette époque, mais les lotus stylisés sur fond noir et surtout la simple lyre peinte en camée brun doivent plutôt dater de la période suivante.

Deuxième République et Second Empire

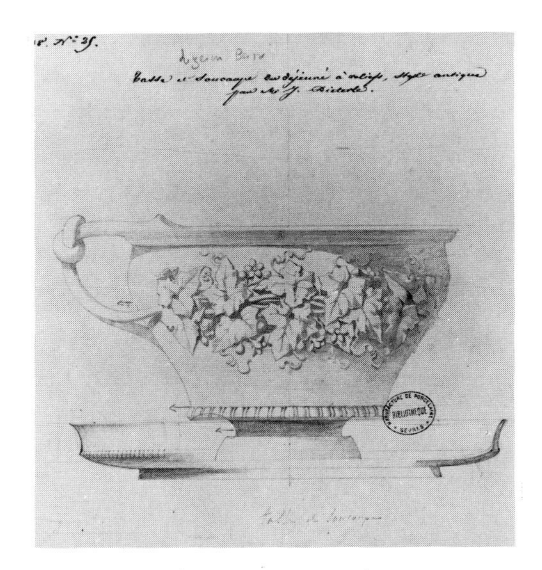

380 TASSE ET SOUCOUPE À LIZERONS. Crayon. 1848. H. 18,5. MNS.
Diéterle dessina en 1848 un «déjeuner de style antique à reliefs»; lors de sa mise au point en 1850, il reçut plus simplement le nom de son motif ornemental. L'anse nouée se retrouve sur d'autres pièces d'inspiration antique (voir fig. 381). En raison de leur complexe décor en relief, les pièces de ce déjeuner étaient obtenues par coulage.

381 VASE CAMPANIFORME. Fond blanc. 1850. H. 24,5. Marque n° 24 (50). Fontainebleau (inv. F 1090).
Cette forme prouve l'influence du Conseil de 1848: inspirée d'un vase italiote, elle reste sobre jusque dans la discrète fantaisie des anses. Le procédé consistant à peindre sur le biscuit pour obtenir des couleurs mates est une nouveauté, accentuant le caractère antiquisant du décor peint par A. Favre d'après les ornements de J. Diéterle et les têtes d'A. Duval.

382 VASE CHINOIS CANTON. Fond céladon. 1852. H. 17. Marque n° 23 (52). MNCS (inv. 7167).
Ce petit vase est également caractéristique des formes épurées suivant les avis du Conseil. Il fut dessiné par J. Diéterle en 1852. Le décor de F. Richard à tête de Mercure et ornements montre une autre innovation: le procédé dit «pâte-sur-pâte» employé ici sur fond céladon, associé à des ornements bleu et or.

383 VASE ÉMAILLÉ SUR MÉTAL. Fond or. 1854. H. 84. MNCS (inv. 7680).
L'atelier d'émaillage sur métaux, outre quelques plaques, produisit surtout des coupes peintes en grisaille à l'imitation des œuvres limousines de la Renaissance, ou de grands vases à décor orientalisants comme celui-ci, exécuté par Philips d'après les projets de J. Diéterle et E. Renard.

384 BUIRE INDIENNE À INCRUSTATIONS. Fond blanc. 1854. H. 43,5. Marques nos 23 (52); 28 (54). MNCS (inv. 7672^{1}).
La forme et le décor, dus à J. Diéterle en 1852, sont caractéristiques du mélange des influences extrême et moyen-orientales. Plusieurs exemplaires, accompagnés de leurs plateaux, furent exposés à Londres en 1855, tous décorés de «pâtes de couleurs incrustées, par le procédé de M. Régnier père», d'après le catalogue.

385 VASE MANSARD. Fond blanc. 1854. H. 95. Marque no 512. Toronto, Royal Ontario Museum (inv. 926.53.1).
Pour cette forme monumentale dessinée par J. Diéterle en 1852, on avait prévu trois possibilités d'anses, celles-ci étant les plus élaborées. En vue de l'Exposition de 1855, F. Régnier en décora deux semblables; leur sujet de Jean Goujon, nouveau par son exécution en bleu sous couverte, montre la survie du goût pour le style Renaissance.

386 BAPTISTÈRE. Dessin au crayon. 1855. MNS.
L'une des pièces les plus importantes de l'envoi de Sèvres à l'Exposition de 1855 fut ce baptistère de porcelaine céladon d'après les dessins de J. Diéterle; la cerce portait des représentations symboliques peintes en couleurs mates à l'imitation de l'antique par P. Roussel. Faite par coulage, c'était, par son diamètre, la plus grande pièce obtenue jusqu'alors. Elle fut offerte au pape.

387 TASSE À CHOCOLAT CALICE ET SOUCOUPE. Fond bleu. 1858. H. 10,5. Marques nos 23 (51); 28 (58); 513. Compiègne (inv. MMPO 1132).
La forme de cette tasse remonte au Premier Empire et fut remaniée en 1851, époque où l'on créait fort peu de pièces de service. Le décor, avec son fond bleu à riche ornementation d'or et le cartel à portrait de l'impératrice Eugénie peint par A. Schilt, est très proche de créations plus anciennes.

388 VASE DE RIMINI. 3e gr. Fond turquoise. 1858. H. 46. Marques nos 23 (58); 28 (58); 514. Fontainebleau (inv. F 962c).
Dans le catalogue pour l'Exposition de 1855, cette forme dessinée par J. Diéterle en 1853 est dite «dans le style italien», d'où sans doute son nom. Le fond est une réminiscence des pâtes tendres que l'on commençait à reproduire, mais employé de façon moderne puisque le décor de Th. Fragonard sur le thème des Amours des Dieux s'y inscrit en plein.

389 VASES FUSEAU RECTIFIÉS. 2e gr. Fond bleu. 1860. H. 52. Marques nos 23 (56); 28 (60); 515. Compiègne (inv. C 372c).

La forme du «vase fuseau» dessinée en 1800 par A.-T. Brongniart connut de nombreuses variantes dont celle-ci dessinée en 1859. La volonté d'imiter les productions du XVIIIe s. est évidente dans tous les éléments du décor: fond bleu, riche entourage d'or travaillé et surtout cartel à sujet copié par Mme Faraguet d'après F. Boucher et exécuté par L. Fragonard.

390 DÉJEUNER CHINOIS RÉTICULÉ. Fond blanc. 1856-1861. H. théière: 12,5. Marques nos 23 et 28. New York, Met. Museum (inv. 69.193.1-11).

F. Régnier dessina en 1832 cet ensemble de pièces à doubles parois dont l'exécution est une véritable prouesse technique; le dessin du réseau fut modifié par L. Kann vers 1900. On voit ici un exemple complet du modèle d'origine, enrichi de décors en rose et vert à rehauts d'or.

391 ZARPH RÉTICULÉ. Polychrome. 1861. H. 13. Marque no 28 (61). MNCS (inv. 7592[4]).

La technique du coulage permit d'obtenir des pièces d'une minceur extrême; comble d'habileté, elles furent parfois finement découpées. Le zarph, venu d'Orient, est un porte-tasse renfermant un gobelet sans anse. La présente forme fut dessinée par H. Régnier en 1850. Le décor, avec ses jeux d'ornements sur des fonds de couleurs vives, souligne la complexité de la pièce.

392 CAFETIÈRE ÉLÉPHANT. Fond céladon. 1862. H. 19,5. Marque no 28 (62). Londres, Victoria and Albert Museum (inv. 8055-1862).

La forme de cette étrange cafetière fut dessinée par Solon en 1862; le thème de l'éléphant a été utilisé à Sèvres dès le XVIIIe s. et les animaux y ont toujours joué un grand rôle ornemental, mais c'est le seul cas où ils envahissent le corps même d'une pièce. Les palmettes classiques sont également surprenantes ici.

393 VASE PÂRIS DE CÔTÉ. Fond turquoise. 1863. H. 43. Marques nos 28 (63); 517. MNCS (inv. 6872).

Tout, dans ce vase, vise à l'imitation du XVIIIe s.: la matière, puisqu'il s'agit de porcelaine tendre; la forme, reprise dans les moules anciens; le décor, enfin, qui associe un fond bleu céleste lapissé d'or à un cartel historié, ici la copie par P. Dufaux d'un tableau inspiré à Besson par un épisode des *Confessions* de J.-J. Rousseau.

394 VASE COUPE URBINO. 1re gr. Fond bleu. 1865. H. 24. Marques nos 23 (61); 28 (65); 518. Compiègne (inv. C 614c).

Le catalogue de l'Exposition de 1855 attribue un «style italien» à cette forme dessinée par J. Peyre en 1851. Le décor s'inspire, dans son principe, des créations anciennes, mais la représentation à l'intérieur du Triomphe d'Amphitrite par S. Jadelot est d'un style déjà beaucoup plus souple.

395 VASE DE LA MALMAISON. Fond rouge. 1865. H. 50. Marques nos 23 (65); 26 (65). Compiègne (inv. MMPO 184).

La forme très sobre de ce vase date de 1865 et sur tous les exemplaires exposés à Paris en 1867 figure le même type de décor à ornements et chinoiseries en or bruni à l'effet, posé ici par Derichweiler sur un fond rouge orangé particulièrement lumineux, destiné à évoquer les laques orientaux.

396 VASE ÉTRUSQUE DE NAPLES. Fond rouge. 1865. H. 60. Marques nos 23 (59); 28 (65). MNCS.

Ce vase, dessiné par J. Diéterle en 1849, cherche à imiter les antiques à la fois par la sobriété de ses lignes, par l'emploi d'un fond rouge pompéien, associé il est vrai à des ornements d'or, et par la cerce où le décor de Cortège antique est peint directement sur le biscuit, évoquant la matité des terres cuites.

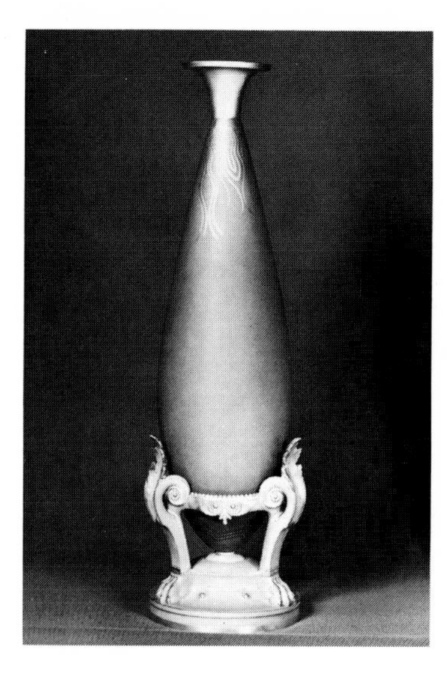

397 VASE AMPHORE NICOLLE ET SOCLE. Fond rose. 1866. H. 50. Marques nos 23 (65); 28 (66). Limoges, Musée A.-D. (inv. ADL. 7737).

La forme étonnante de cet objet décoratif fut dessinée par J. Nicolle en 1865 et ne rappelle guère, en dépit de son nom, la simplicité fonctionnelle des amphores antiques. De même, on ne peut songer à l'Antiquité devant le saisissant contraste entre le socle céladon et le vase d'un rose éclatant, souligné par des ornements d'or.

398 VASE COUPE VÉNITIENNE. Fond bleu. 1867. H. 25. Marques nos 23 (66); 28 (67). MNCS (inv. 6619).

La forme de cette coupe, sans doute également conçue dans le «style italien», fut dessinée en 1864. Le décor juxtapose deux types d'associations généralement utilisées en sens inverse, puisque les pâtes d'application se trouvent sur le fond bleu à l'extérieur, cependant que les ornements d'or rehaussent le fond céladon de la partie interne.

399 VASE CYGNE À RELIEFS. 1867. H. 28. Marque no 28 (67). Limoges, Musée A.-D. (inv. ADL. 2959).

La forme de ce vase de pâte tendre est reprise sur un modèle du XVIIIe s. Le décor, sur une pièce aussi élaborée, ne peut guère que souligner l'ornementation en relief; mais il opère ici une juxtaposition très rarement osée du bleu céleste et du rose laissant apparaître des zones blanches et enrichis de vigoureux rehauts d'or, l'ensemble produisant un effet saisissant.

400 VASE BUIRE NICOLLE. Fond céladon. 1867. H. 31. Marques nos 23 (67); 28 (67). MNCS (inv. 6747).

La forme de cette buire dessinée par J. Nicolle en 1862 serait presque dépouillée, n'étaient le profil très découpé du bec et surtout les personnages formant l'anse, qui évoquent les grotesques de la Renaissance et de l'Antiquité. Ce relatif classicisme est souligné par les ornements posés en pâte blanche par Briffaut et en or par Derichweiler.

401 CORBEILLE IRIS OVALE. Fond blanc. 1868. H. 15,5. Marques nos 23 (58); 29 (68). MNS.

Cette corbeille fut dessinée par J. Nicolle en 1857, sur plans rond et ovale. Elle s'inspire des modèles du XVIIIe s. que la mode remettait au goût du jour, mais aussi bien le dessin que les rehauts d'or sont d'un naturalisme et d'une lourdeur tout nouveaux.

402 VASE LY. Fond blanc. 1868. H. 34. Marques nos 28 (68); 519. MNCS (inv. 12351).

La forme, dite «Chinois Ly» selon le catalogue de l'Exposition de 1855, est due à J. Peyre; le nom vient peut-être du R.P. Ly, missionnaire qui publia de nombreux renseignements sur la porcelaine chinoise. C'est, par une confusion caractéristique de l'époque, d'un décor persan que s'inspire A.-J. Goddé sur cet exemplaire de pâte tendre à fond pointillé d'or.

403 VASE BOIZOT. Fond rose. 1868. H. 37. Marque no 28 (68). MNCS (inv. 7688).

L.-S. Boizot avait créé plusieurs variantes d'un vase conique à bas-reliefs. Sous le Second Empire, on remania cette forme en supprimant les reliefs. Cet exemplaire fut décoré par P.-A. Dammouse d'ornements brun et or et de figures en pâte d'application. Les anses, socle et monture du couvercle, en bronze doré, furent ciselés dans l'atelier de montage de Sèvres.

404 VASE POTICHE OVOÏDE ALLONGÉE. Fond blanc. 1869. H. 35. Marques nos 23 (69); 28 (69). MNCS (inv. 7669).

La forme très sobre date de 1866. Le décor polychrome et or de Mérigot est l'un des premiers exemples du japonisme à Sèvres et surprend par son harmonie de couleurs insolite et le caractère étrange de son sujet où figurent un animal fabuleux et des plantes inaccoutumées. On peut également noter la timide réapparition du fond blanc.

405 VASE BALUSTRE POUR TORCHÈRE. Fond céladon. 1870. H. 120. Marques nos 23 (70); 28 (70). MNS.

Ce très grand vase dont la forme date de 1859 est caractéristique des pièces d'apparat que la Manufacture créa en grand nombre pour la décoration des palais impériaux. Le décor de L. Gély associe aux pâtes blanche et de couleur l'or, ce qui implique une seconde cuisson à plus basse température.

Troisième République

406 VASE CLODION. *1re gr. Fond rouge. 1872. H. 67. Marques n°s 23 (68); 41 (72); 520. MNCS (inv. 7692).*
Le sculpteur Clodion avait fourni au XVIIIe s. un modèle de vase à bas-reliefs qui fut simplifié et plusieurs fois remanié au XIXe, les variantes portant principalement sur l'ornementation des anses et du culot. Le décor de Solon associe un fond rouge pompéien relativement rare à des figures en pâte sur fond noir et des ornements d'or d'inspiration classique.

407 VASE. *Fond gris-rose. 1877. H. 96. Marque n° 521. MNCS (inv. 9265).*
Ce vase commémoratif est exceptionnel par bien des aspects: sa forme est unique; c'est l'une des premières utilisations de la pâte à nuance changeante; enfin, c'est le seul exemple connu d'un travail exécuté par le sculpteur J.-D. Larue en pâte-sur-pâte. L'inscription évoque l'inauguration des nouveaux bâtiments de la Manufacture en 1876.

408 VASE AMPHORE. *Fond vert bleuté. 1877. H. 120. Marques n°s 23 (76); 41 (77). MNS.*
La Manufacture avait édité des vases en forme d'amphores dès le XVIIIe s., alors que la paire dont faisait partie cet objet semble une exception au siècle suivant. Sur le fond coloré sous émail, J. Archelais a posé des figures en pâte d'application, rehaussées d'or par E. Rejoux. La partie la plus spectaculaire est l'extravagante monture à chimères, réalisée à Sèvres.

409 PLAT ROND E. *Fond beige. 1880. ∅ 50. Marques n°s 23 (80); 41 (80). MNCS (inv. 15539).*
Une série de formes de grands plats décoratifs, dont celle-ci, fut mise au point en 1879, réminiscence possible des majoliques. Dans la très riche ornementation posée par Célos et Derichweiler, les rosaces et attributs musicaux sont en pâte d'application blanche sur des médaillons à fond bleu ou or, juxtaposant des éléments peints sur et sous couverte.

410 VASE FIZEN UNI. *Fond céladon. 1880. H. 20. Marques n°s 23 (80); 41 (80); 522. MNCS (inv. 15861).*
A. Carrier-Belleuse dessina en 1879 la forme simple de ce vase, sans doute inspirée par un modèle chinois et dont une variante comporte deux rosaces en relief à l'épaule. Le décor d'A.-T. Gobert joue sur un très petit nombre de couleurs pour des représentations d'enfants et de feuillages.

411 TASSE À CAFÉ PEYRE ANSE RICHE. Email blanc. 1881 (1900). H. 17. Marque nº 31 (1900). MNS.
Cette tasse faisait partie d'un ensemble pour le thé et le café dessiné par J. Peyre en 1842, avec de simples anses à crans en relief. A. Carrier-Belleuse redessina les garnitures en 1881; l'introduction de mascarons et d'arabesques dans l'esprit de la Renaissance suffit à changer profondément le caractère des pièces.

412 VASE DE FLORENCE. Fond bleu. 1881. H. 39,5. Marques nºs 23 (81); 41 (81). MNCS (inv. 8978).
Cette nouvelle variante à riche mouluration du «vase Médicis» fut dessinée en 1880 par A. Carrier-Belleuse. Sur cette forme d'inspiration classique, E. Moriot a composé un décor fortement inspiré du XVIIIe s., en dépit de sa disposition sans cartel, avec ses effets de godrons au culot et l'évocation du Temple de l'Amour peinte en camaïeu rose sur le fond blanc du col.

413 VASE BOUTEILLE TORO. Fond bleu nuagé. 1882. H. 48. Marques nºs 23 (82); 41 (82); 523. MNCS (inv. 8981).
A côté d'une série de formes très sobres, A. Carrier-Belleuse conçut un ensemble de vases aux profils plus élaborés, dont certains semblent multiplier à plaisir les difficultés de façonnage. Celui-ci date de 1882. L. Gély y a placé des médaillons décorés en pâte d'application sur un fond beige nouveau; les ornements en or et or relief sont dus à G. Vignol.

414 VASE CORÉEN. Fond vert. 1882. H. 30. Marques nºs 23 (82); 41 (82). MNCS (inv. 8914).
C'est l'une des formes simples dessinées par A. Carrier-Belleuse en 1880. Le décor floral, par le traitement souple en pâtes d'application des fleurs et en peinture des feuillages fondus sous une couverte colorée, et par sa disposition déjà libre, évoque les barbotines impressionnistes.

415 VASE HOUDON ORNÉ. Fond blanc. 1882. H. 55. Marques nºs 23 (81); 41 (82). MNCS (inv. 8979).
Le «vase Houdon» dessiné par A. Carrier-Belleuse en 1880 fut édité en deux versions, l'une «unie» et l'autre «ornée» de cariatides, mascarons et rinceaux inspirés de la Renaissance et mettant en pratique les théories du sculpteur sur l'application de la figure humaine aux Beaux-Arts. La dorure de G. Vignol souligne les motifs en relief et accentue la préciosité de la pièce.

416 VASE DELAFOSSE. Fond bleu. 1882. H. 46. Marques nºs 23 (80); 41 (82); 568. MNCS (inv. 8980).
Cette forme conçue par A. Carrier-Belleuse en 1880 et dérivée du «vase ovoïde» classique est d'une grande fantaisie dans le détail de l'ornementation. On retrouve l'influence du XVIIIe s. dans le fond bleu orné d'or par Coursaget, de même que dans l'évocation du Triomphe de Cérès peinte en camaïeu pourpre par Brunel d'après un projet d'E. Renard.

417 VASE DE MYCÈNE. 2e gr. Fond noir. 1882. H. 26. Marques nos 23 (81); 41 (82); 524. MNCS (inv. 8920).

Ce petit vase dessiné par A. Carrier-Belleuse en 1880 fait partie de la série la plus simple, en dépit des moulurations du pied et de la profonde gorge du col. Le décor de F. Mérigot est novateur par l'emploi d'émaux transparents à fort relief et par la tendance naturaliste de sa représentation florale.

418 VASE DE NOLA. Fond orange. 1882. H. 19. Marques nos 23 (82); 41 (82); 569. MNCS (inv. 8934).

Variante médiciforme dessinée par A. Carrier-Belleuse en 1880. Le fond orange vermiculé d'or est assez exceptionnel; le décor en émaux de fort relief par Mérigot manifeste la naissance d'une tendance nouvelle visant à représenter les plantes de façon plus stylisée et à adapter plus précisément la composition décorative à la forme de l'objet.

419 VASE CORNET DE GUBBIO. Fond vert. 1883. Pâte L.V. H. 53. MNS.

Sur cette forme dessinée par A. Carrier-Belleuse, la riche ornementation en relief s'inspire de la Renaissance, comme les chimères du socle dessiné par A.-P. Avisse qui souligne l'antagonisme entre l'élan du vase et la lourdeur de sa base. Le décor à sujet de vendangeurs fut peint par Brunel en noir sous émail vert cuit au feu de moufle, et doré par Derichweiler et Coursaget.

420 VASE DES ÉLÉMENTS. Fond gris-rose. 1883. H. 115. Marque no 522. MNCS (inv. 7703).

La forme dessinée par A. Carrier-Belleuse en 1878 semble être unique. Elle répond au souci d'offrir au décorateur une vaste surface unie, réservant les ornements peints et une riche monture en bronze pour les pied, culot et col. Gobert a exécuté un puissant décor symbolisant les Eléments, utilisant habilement les possibilités plastiques et monumentales de la pâte-sur-pâte.

421 VASE PARENT. Fond bleu. 1883. Pâte L.V. H. 33,5. Marque no 41 (83). MNCS (inv. 8928).

Cette forme dessinée par A. Carrier-Belleuse en 1881 appartenait nettement à l'aspect le moins dépouillé de son travail pour Sèvres quoiqu'on puisse y reconnaître un lointain dérivé de la forme dite «gobelet à monter». Le décor d'enfants et de guirlandes a été peint en émail blanc par S.-E. Apoil et rehaussé d'or par D. Ligué.

422 VASE COUPE DE TARENTE A. Fond flammé. 1883. Pâte L.V. H. 15. Marques nos 23 (51); 23 (83). MNCS (inv. 9253).

Il semble que l'on ait remanié en 1881 un profil remontant à la Deuxième République, pour aboutir à une forme relativement simple en comparaison des grandes coupes ornementales des dernières années de la Restauration. L'utilisation de la pâte Lauth-Vogt a permis un fond flammé, à base de rouge de cuivre.

423 VASE CHÉRET. Fond rouge. 1883. H. env. 200. MNS.
Joseph Chéret obtint en 1879 le Prix de Sèvres pour son projet de forme et de décor d'un vase monumental devant commémorer le Passage de Vénus sur le Soleil en 1874 et destiné à orner le grand vestibule de la Bibliothèque nationale. Les figures furent peintes par J. Archelais et la dorure par G. Vignol, Coursaget et L. Gébleux.

424 VASE LOSANGE. Fond céladon. 1885. H. 48. Marque nº 23 (85). MNCS (inv. 15797).
A. Carrier-Belleuse dessina en 1884 deux formes ayant en commun une certaine préciosité en dépit d'un thème géométrique, celle du «vase dodécaèdre» et celle-ci, dont tous les exemplaires avaient des fonds unis destinés à mieux souligner le parti pris de simplicité, malgré leurs multiples ornements et surtout des montures où les dauphins introduisent une discrète note de fantaisie.

425 VASE BUIRE DE BLOIS. Fond bleu. 1887. Pâte L.V. H. 43. Marques nºs 23 (85); 41 (87). MNCS (inv. 9151).
A. Carrier-Belleuse dessina en 1883 l'une de ses créations les plus maniérées et les plus directement inspirées de la Renaissance. Les escargots rappellent ceux qui servaient parfois d'anses au «vase Saigon», de même que les personnages évoquent le «service à la chimère». Le décor de S.-E. Apoil accentue l'exubérante richesse de l'objet.

426 VASE STÉPHANUS. Fond jaune. 1888. P.N. H. 55. Marque nº 23 (88). MNCS (inv. 9163).
La forme très élaborée fut conçue en 1880 par A. Carrier-Belleuse pour accompagner deux figures canéphores assises, mais les vases furent souvent édités seuls. L'année 1888 vit produire un nombre important de pièces à couverte jaune au grand feu, associée ici par T. Doat à des figures en pâte d'application symbolisant la chasse.

427 ASSIETTE CREUSE UNIE. Polychrome. 1891. ∅ 24,5. Marques nºs 23 (91); 41 (91). MNCS (inv. 10721¹).
Le «service uni», ainsi nommé en raison de la simplicité de ses formes, fut plusieurs fois remanié à partir de modèles mis au point dans les premières années du XIXᵉ s. S.-E. Apoil a posé sur cette assiette un décor nouveau à la fois par son sujet et son exécution un peu floue rappelant les peintures impressionnistes.

428 POT À LAIT AU LION. Fond flammé. 1892. H. 20. Marques nºs 23 (84); 41 (92); 573. MNCS (inv. 15573).
Les pièces de service créées entre 1870 et 1897 sont rares et le plus souvent isolées au lieu de constituer des ensembles. Un grand nombre d'entre elles puise une partie de son ornementation dans le règne animal. La présente forme fut dessinée en 1884 et l'emploi de la pâte nouvelle permit le décor flammé à base de rouge de cuivre.

429 ASSIETTE PLATE UNIE. Aile polychrome. 1894. ∅ 24. Marques nos 23 (92); 41 (94); 574. MNCS (inv. 15853).

Le décor de cette assiette, peint en 1894 par H. Lasserre, montre que l'arrivée d'une nouvelle génération de décorateurs, formés aux règles de la composition décorative, suscita un certain renouveau avant même l'arrivée d'A. Sandier. L'emploi de couleurs posées sous et sur couverte prouve que leur formation technique n'avait pas été négligée pour autant.

430 VASE À GUIRLANDES DE ROSES. Fond ivoiré. 1896. P.N. H. 37. Marques nos 23 (96); 41 (96). MNCS (inv. 15868).

Dans l'intervalle entre la mort d'A. Carrier-Belleuse et l'arrivée d'A. Sandier, le modeleur Brécy donna naissance à une série de formes surprenantes, naturalistes comme les vases «navet» ou «à branches de vigne», ou composites comme celle-ci, à zones roses et rehauts d'or.

Sculptures

431 ÉCRITOIRE ÉGYPTIENNE. 1802. H. 26. Marque nº 53. MNCS (inv. 2648).
La campagne d'Egypte, grâce aux ouvrages de relevés qu'elle entraîna, eut un grand retentissement sur les arts décoratifs. Cette écritoire en est l'une des premières manifestations à Sèvres. La pâte bronze, ici enrichie de rehauts d'or, servit aussi pour des bustes et médaillons.

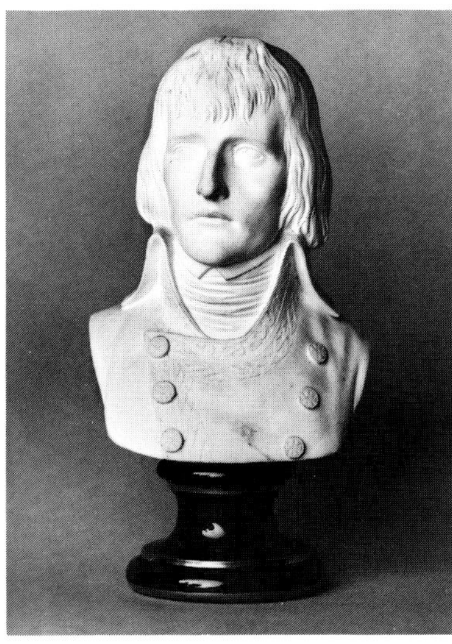

432 BONAPARTE PREMIER CONSUL. Biscuit sur socle émaillé bleu. S.d. (1803). H. 25. Paris, Musée des A.D. (inv. 30418).
Comme l'habit figuré ici porte les lauriers caractéristiques de la magistrature civile, on doit y reconnaître le portrait du premier consul payé à Boizot en 1803, plutôt que l'un des deux bustes du général Bonaparte créés dès 1798 par ce même artiste.

433 SURTOUT DU SERVICE OLYMPIQUE. Dessin d'ensemble. 1806-1807. H. 29. MNS.
La période impériale vit se multiplier les services d'apparat destinés à l'Empereur ou aux présents; presque tous s'accompagnaient d'un riche surtout. Pour le premier mentionné, nommé «service olympique» en raison de son thème mythologique, A.-T. Brongniart avait conçu formes nouvelles et surtout fortement inspirés de modèles antiques.

434 JOSÉPHINE. Biscuit. 1808. H. 30,7. Marques nºˢ 53 et 602. MNCS (inv. 3563).
La sculpture de l'époque impériale eut pour thème principal la célébration des illustres Français, contemporains ou historiques. De l'impératrice Joséphine, outre plusieurs types de médaillons, on connaît deux bustes; celui-ci, d'après Chaudet, fut édité à partir de 1808. L'année suivante, l'impératrice choisit elle-même celui de Bosio pour le faire reproduire à Sèvres.

435 NAPOLÉON. Biscuit. 1811. H. 64. Marques nºˢ 53; 603; Liancé. Paris, Louvre (inv. OA. 10420).
Sèvres contribua largement à l'iconographie de Bonaparte depuis le début de sa carrière en éditant bustes, médaillons et figures équestres. La représentation la plus courante sous l'Empire, dont le modèle fut donné par Chaudet en 1805, est un buste nu-tête dont on a ici une rare variante agrandie et ornée en 1810.

436 PENDULE PERCIER. Biscuit. 1813. H. 55,5. MNCS (inv. 13022).
Ch. Percier fut l'un des architectes préférés de l'Empereur, mais sa collaboration avec Sèvres semble limitée. Il donna en 1813 le dessin de cette pendule «en forme d'autel antique dédié au soleil», sur «un riche piédestal représentant les quatre saisons». La discrétion des rehauts d'or souligne l'effet de la lumière dans le biscuit traité en bas relief.

437 DUCHESSE D'ANGOULÊME. Biscuit. 1825. H. 38,5. Marque nº 604. Paris, Musée des A.D.
L'emploi de la sculpture diminua sensiblement sous la Restauration et fut pratiquement réservé à des représentations, bustes ou médaillons principalement, des membres présents et passés de la famille royale. Le buste de la duchesse d'Angoulême fut modelé en 1816 par Brachard père d'après Bosio et réduit par lui en 1818.

438 JEANNE D'ARC AU SACRE DE CHARLES V. Modèle plâtre. 1819. H. 62. MNS.
A.-E. Fragonard dessina pour Sèvres non seulement des projets de décors, mais même des formes de pièces et jusqu'à des figures. Cette «Jeanne d'Arc» empanachée évoque plus nettement le romantisme que le Moyen Age. Le modèle fut mis au point par A. Brachard à partir de deux dessins de l'artiste.

439 CORBEILLE PALMIER. Fond blanc. 1833. H. 48. Marque nº 18 (33). Naples, Museo di Capodimonte (inv. 7011).
Les corbeilles furent dès l'origine associées par Sèvres au décor de la table, mais ce n'est qu'à l'époque de la Restauration qu'elles prirent assez d'importance pour en devenir l'élément principal. A.-E. Fragonard donna le dessin de cette pièce complexe. On retrouve ici l'association du relief blanc et de la dorure.

440 LOUIS-PHILIPPE. Modèle plâtre. 1839. ∅ 16. Marque nº 605. MNS.
Les portraits en médaillons furent très appréciés de tous les souverains, auxquels ils permettaient des cadeaux de propagande à relativement bon marché. Le modèle de travail employé à Sèvres pouvait être en terre cuite ou en cire pour plus de finesse. Le portrait de Louis-Philippe d'après Barre fut repris l'an suivant sur un modèle plus grand et orné.

441 L'ÉCRITURE. Modèle plâtre. 1853. H. 74. MNS.
On a longtemps pensé que Sèvres n'avait rien créé dans le domaine de la statuaire entre les portraits officiels de la Restauration et le renouveau des sculptures décoratives. Pourtant, cette figure-ci fut présentée à l'Exposition de 1855 avec deux autres créations de Klagmann, «La Parole» et «La Science».

442 VÉNUS À LA GOUTTE DE LAIT. Biscuit. 1858 (1914). H. 45. Marque nº 55 (14). MNCS (inv. 17534).
Après une longue période au cours de laquelle les créations sculpturales furent très peu nombreuses, ce groupe d'après Marcellin fut le premier à renouer avec la tradition des sujets narratifs tels qu'on les pratiquait au XVIIIe s. Ce type d'objets connut bientôt un renouveau considérable.

443 FIGURE-ÉTAGÈRE. Fond céladon. 1862. H. 71,5. Marque nº 28 (62). MNCS.
La tradition des surtouts de table se transforma légèrement à partir de la Restauration, les composants devenant peu à peu tous utilitaires et décoratifs à la fois. Cette figure porte-étagère fit partie d'un grand «surtout aux figures», créé par Forgeot entre 1862 et 1867, dont la pièce centrale était un groupe de trois femmes tenant une fleur coupe.

444 LE PRINCE IMPÉRIAL AU LÉVRIER. Modèle en bronze. 3e gr. 1865. H. 65. MNS.
La Manufacture Impériale mit au point l'édition de cette figure en trois grandeurs entre 1869 et 1885. En 1890, un arrêté ministériel fit officiellement don à Sèvres des modèles en bronze non montés, les morceaux n'étant tenus que par des rivets, prêtés par l'artiste pour faciliter les travaux de moulage.

445 FEMME ET ENFANT POUR CANDÉLABRES. Fond rose. 1867. H. 58. Marques nºs 23 (59); 28 (67). Compiègne (inv. C 768 C).
En même temps que renaissait la sculpture en biscuit à petite échelle, purement ornementale, elle continuait de servir pour les pièces utilitaires, souvent décorées. Ces objets, dessinés par Solon en 1859, pouvaient être garnis soit d'une coupe, soit, comme ici, d'un candélabre; le décor de 1867 surprend par sa couleur artificielle.

446 LE RETOUR DE LA CHASSE. Biscuit. 1883. H. 70. Marques nºs 54; 606. MNCS.
Assez curieusement, A. Carrier-Belleuse donna relativement peu de modèles de sculpture à la Manufacture pendant les douze ans qu'il en fut directeur artistique. L'ensemble le plus élaboré fut le «surtout du Triomphe de la chasse», accompagné de deux pièces de côté, le «Départ» et le «Retour de la chasse» que l'on voit ici.

447 MOZART ENFANT. Modèle plâtre. 1888. H. 47. MNS.
L'original en marbre de cette figure fut acquis par l'Etat au Salon de 1883. Sèvres fut autorisée à en faire une réduction pour l'éditer en 1888. Le succès fut tel qu'une seconde grandeur fut fabriquée à partir de 1904 et qu'aucune des commissions de révision et suppression de modèles n'a pu se résoudre à l'abandonner.

448 LA LIBERTÉ. Biscuit. 1890. H. 69. Marque nº 54. MNS.

L'instauration de la Troisième République suscita un grand nombre de figures et bustes aux thèmes patriotiques. Outre les nombreuses représentations idéalisées de la République et réalistes de ses Présidents, on voit également apparaître des figurations symboliques de la Paix et de la Liberté. P. Aubé a fourni de nombreux modèles aussi bien à Sèvres, comme ici, qu'à ses concurrents.

449 L'INSPIRÉ. Biscuit. 1893 (1915). H. 16. Marques nºs 54; 57 (15). MNCS (inv. 17360).

Cette figure inaugure la longue et féconde collaboration de R. Larche avec Sèvres. L'original en pied, intitulé «Jésus devant les docteurs», fut acquis au Salon de 1891 par l'Etat qui en autorisa l'édition. Le succès fut tel que l'on édita le buste seul, ainsi qu'il est présenté ici, et que les moules, usés en 1923, durent être retouchés par R. Sudre, gendre de l'artiste.

450 OURS MENDIANT. Flammé. 1893. H. 27. MNCS (inv. 16211).

La sculpture animalière connut un vif succès vers la fin du siècle. Aux côtés de J. Mène, V. Peter et Ch. Valton, G. Gardet fut l'un des créateurs les plus féconds en ce domaine. Cet «Ours», est, en outre, l'un des premiers essais de couverte colorée, ici flammée, sur une pièce de sculpture.

451 LES ENFANTS AUX CORBEILLES. Biscuit. 1897 (1912). H. 27. Marques nºs 54; 57 (12). MNCS (inv. 17303).

Joseph Chéret, frère du célèbre affichiste, assura l'intérim de la direction artistique à la mort de son beau-père A. Carrier-Belleuse. Il créa pour Sèvres des vases, objets décoratifs et sculptures. Sa veuve permit l'édition du surtout dont on voit ici l'un des groupes de côté.

XXe siècle

1897 - 1978

Administration

Contrairement au XIXe siècle dominé par des directeurs essentiellement techniciens, le XXe apparaît dévolu à des personnalités de formation plus administrative; mais, quoique sans spécialisation, ces directeurs se sont tous montrés parfaitement ouverts aux problèmes artistiques et techniques incombant à leur fonction.

Emile Baumgart, après avoir été pendant une brève période conservateur du Musée Céramique et administrateur-adjoint, fut nommé directeur en 1891 pour mettre en œuvre la nouvelle organisation administrative; il occupa ce poste jusqu'en 1909 et eut pour successeur l'historien Emile Bourgeois, qui s'était déjà beaucoup intéressé aux biscuits produits par la Manufacture depuis l'époque de Vincennes[1]. En 1920, Bourgeois fut remplacé par le chef des services administratifs de la Manufacture, Georges Lechevallier-Chevignard; étant déjà dans la maison depuis le début du siècle, il en connaissait parfaitement les rouages et les problèmes, aussi bien que l'histoire à laquelle il avait consacré un ouvrage qui fait encore autorité[2]. Directeur jusqu'en 1938, il eut la tâche délicate de guider la Manufacture pendant la plus grande partie de sa période d'indépendance et semble avoir été extrêmement efficace, obtenant de l'ensemble du personnel des efforts particulièrement remarquables à l'occasion des deux grandes expositions de 1925 et 1937, tout en restant très ouvert au monde extérieur, entretenant les meilleures relations avec les céramistes et autres représentants des arts décoratifs de l'époque ainsi qu'avec un grand nombre d'artistes contemporains.

Juste avant et pendant la Seconde Guerre mondiale, on vit se succéder rapidement Lamblin, directeur intérimaire en 1938; Georges Bastard, ancien directeur de l'Ecole des Arts décoratifs de Limoges; puis Léon Longchambon en 1939-1940 et Guillaume Janneau de 1940 à 1943; le passage à Sèvres de ce dernier, administrateur du Mobilier national, est marqué principalement par la réunion, en avril 1942, d'une commission de révision des modèles de sculpture conservés pour l'édition qui décida non seulement de renoncer à la presque totalité des pièces créées entre 1870 et 1940, mais même, sous prétexte du manque de place, de supprimer les moules permettant éventuellement de les reprendre et, dans de nombreux cas, jusqu'aux modèles en plâtre, en dépit de leur évident intérêt pour les futurs historiens d'art. Malgré la résistance des artisans qui parvinrent à cacher un certain nombre de modèles qu'ils sauvèrent ainsi de la destruction et de l'oubli, cette regrettable décision a créé une large lacune dans les archives de la Manufacture. Les directeurs suivants furent Max Terrier de 1943 à 1946 et, après un intérim assuré par Pierre de Groote, Maurice Savreux de 1946 à 1947.

Après cette période quelque peu agitée, on revint à une direction plus stable, confiée d'abord au sculpteur Léon-Georges Baudry, dont le départ, en 1963, vint coïncider avec la création du Ministère des Affaires Culturelles auquel la Manufacture fut alors rattachée; après un intérim assuré par Charles Kiefer, Sèvres fut confiée à Serge Gauthier qui, dans le cadre du service de la Création Artistique, eut pour charge de réveiller une manufacture quelque peu engourdie dans sa routine et d'en ouvrir de nouveau toutes grandes les portes aux artistes contemporains. Jean Mathieu, auparavant Secrétaire général de l'Académie de France à Rome, lui a succédé en 1976.

A côté du directeur chargé de coordonner l'ensemble des activités de la Manufacture et de choisir ses perspectives, on peut noter une moindre stabilité des subdivisions administratives et un plus grand émiettement des responsabilités. Ainsi, la direction des ateliers de décoration dont les titulaires les plus marquants furent Alexandre Sandier de 1896 à 1910 et Maurice Gensoli de 1928 à 1957, se dédouble-t-elle à certaines époques entre un chef des études d'art et un chef des travaux de décoration, alors qu'à d'autres moments elle doit coexister avec des conseillers pour la décoration, successivement Henri Rapin (1928-1934), Jean Mayodon (1934-1939) puis Emile Decœur (1939-1948) et même avec des inspecteurs des travaux de sculpture entre 1915 et les années de l'immédiat après guerre.

Plusieurs réorganisations administratives marquent cette période, oscillant de la plus extrême dépendance vis-à-vis de l'administration centrale à la plus grande liberté. Le premier changement, en 1909, fut décidé par Dujardin-Beaumetz, sous-secrétaire d'Etat aux Beaux-Arts. Il consistait principalement à placer auprès du directeur un Comité technique et artistique comprenant des membres de l'administration, des personnalités compétentes et des artistes appartenant à diverses disciplines, comme les céramistes Dammouse puis Moreau-Nélaton ou les sculpteurs Raoul Larche puis Max Blondat.

Mais le principal changement, ardemment souhaité depuis le début du siècle, fut provoqué par un Décret du 1er octobre 1926 prenant effet à compter du 1er janvier 1927: la Manufacture se voyait enfin investie de l'autonomie financière et de la personnalité civile. Ce nouveau statut était réclamé avec insistance: le fait de dépendre d'un budget annuel strict, établi sans tenir compte des nécessités du moment, gênait considérablement la Manufacture quand elle devait produire un effort financier à l'occasion de l'achat d'une machine importante, du renouvellement d'un stock de matière première ou de la préparation d'une grande exposition; elle devait alors étaler ses dépenses sur plusieurs années et prévoir ses actions longtemps à l'avance, ce qui rendait particulièrement difficile le problème des expositions où Sèvres ne pouvait courir le risque de présenter des ensembles démodés. La situation paraissait d'autant moins supportable que le produit des ventes entrait directement dans les caisses de l'Etat, sans que celui-ci augmentât le budget en proportion de leur accroissement. Comme les bénéfices ainsi réalisés ne cessaient d'augmenter, la Manufacture se trouvait en droit d'espérer se suffire à elle-même sans pour autant sacrifier la qualité de ses productions à des impératifs commerciaux; ce d'autant plus qu'une autonomie financière pourrait lui permettre de faire savoir qu'elle ne travaillait pas seulement pour le gouvernement, mais aussi pour les amateurs. Enfin, l'absence de personnalité juridique était également gênante dans la mesure où elle mettait la Manufacture dans l'impossibilité aussi bien de poursuivre les innombrables faussaires que de recevoir d'éventuels dons ou legs. Pour favoriser ses débuts sous ce nouveau statut, l'Etat maintenait pour 1927 la même subvention que pour 1926, prévoyant pour chacune des quatre années suivantes de réduire d'un quart la somme primitive et de laisser ensuite la Manufacture se débrouiller seule.

L'administrateur avait à ses côtés un conseil d'administration comportant des représentants de l'administration, des industriels de la céramique et des personnalités compétentes; un Décret du 28 septembre 1928 institua également un Comité artistique chargé de donner son avis sur les modèles à éditer et qui comportait des membres du conseil d'administration et des personnalités artistiques dont firent partie Henri Rapin, Gustave-Louis Jaulmes et Henri Bouchard, ainsi qu'un Comité technique dans lequel des personnalités du monde céramique siégeaient aux côtés des membres du conseil d'administration. Enfin, un Comité consultatif des travaux devait étudier les questions relatives à l'organisation du travail et au régime du personnel.

Malheureusement, la période de la crise économique mondiale était un bien mauvais moment pour essayer de faire vivre du seul produit de ses ventes une manufacture qui ne pouvait, en raison de ses méthodes de travail et de son histoire, produire que des objets coûteux à proportion de leur lenteur de fabrication et de leur perfection. En dépit des succès initiaux et des très nombreuses exposi-

Pl. LXXVIII JARDINIÈRE-COLONNE OU VASE DES BINELLES. Fond vert. 1903. H. 131. Marque no 31 (1903). MNS.

Dès son arrivée, Alexandre Sandier remit à l'honneur l'ancienne habitude consistant à faire appel aux plus prestigieux et novateurs des créateurs contemporains. L'une de ces collaborations les plus heureuses est celle d'Hector Guimard. Celui-ci travailla peu pour Sèvres: outre cette jardinière, on lui doit un petit «vase de Cerny» et une grande coupe dite «vase de Chalmont» créés en 1899 dans un style «Art Nouveau» puissant et équilibré. La forme de cette jardinière dont on ne connaît que de rares tirages date de 1902. Le présent exemplaire est particulièrement réussi en raison de l'heureuse disposition des cristallisations qui viennent souligner la forme, leurs lignes de répartition faisant contrepoint à ses courbes.

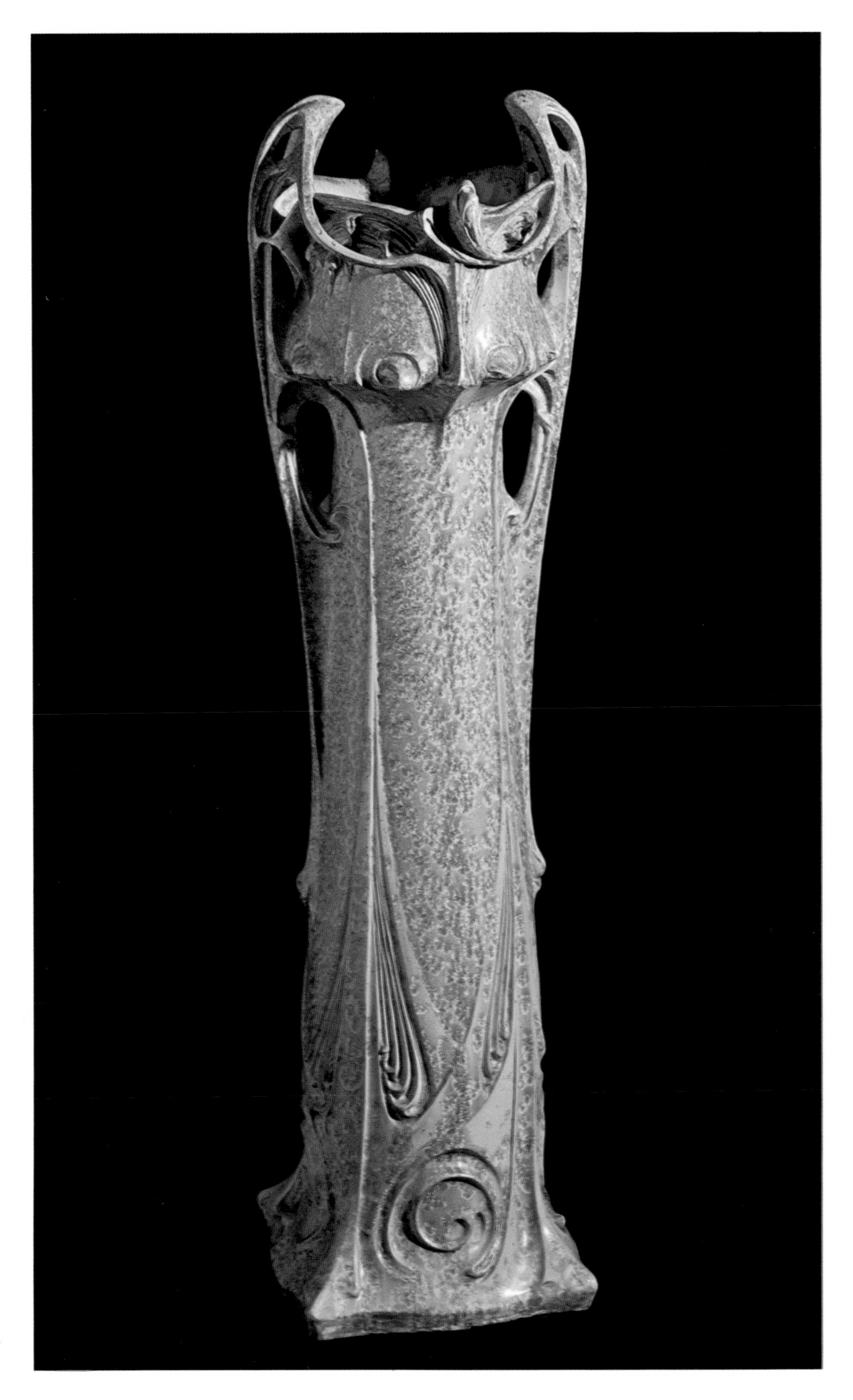

Pl. LXXVIII

tions, aussi bien à l'étranger qu'en France, auxquelles la Manufacture tint à participer pour faire connaître ses œuvres, la situation financière ne cessa d'empirer.

Aussi la Loi du 11 février 1941, qui supprimait la personnalité civile et l'autonomie financière, rattachant la Manufacture à l'administration générale du Mobilier national sous l'autorité du Conseil supérieur des manufactures d'art de l'Etat institué par Arrêté du 31 mai 1941, fut-elle accueillie presque avec soulagement. Sèvres fut ensuite détachée du Mobilier national en 1943.

La Manufacture est aujourd'hui, après avoir dépendu de 1963 à 1976 du service de la Création Artistique, un service extérieur du Ministère de la Culture et de la Communication. Les mêmes inconvénients qui avaient motivé les demandes répétées d'autonomie et de personnalité juridique au début du siècle n'ont pas disparu aujourd'hui, mais la Manufacture, consciente également de tous les avantages de sa situation actuelle, aimerait pouvoir mettre au point un statut mixte évitant les désavantages des deux systèmes.

A sa tête se trouve un directeur, assisté d'un Comité consultatif pour le choix des achats et commandes à faire à des artistes vivants; le comité comprend des membres de droit et des personnalités compétentes nommées. Les vocations de la Manufacture sont multiples: outre la nécessité où elle se trouve de fournir les établissements publics, Hôtels de la Présidence et des Ministères, Ambassades et Consulats Généraux et de réassortir leurs services anciens, elle doit faire connaître ses produits par des expositions en France et à l'étranger, conserver et transmettre des métiers anciens, dont certains ont totalement disparu en dehors de ses ateliers, mais en les mettant avant tout au service de la création contemporaine.

La transformation la plus significative de ces dernières années tient à la proportion croissante des pièces vendues à des particuliers qui, de 35% en 1970, sont passées à presque 50% aujourd'hui; le problème principal de la Manufacture à l'heure actuelle n'est pas de trouver des clients pour ses productions, mais bien de produire suffisamment pour sa clientèle, faute de trouver à embaucher assez de jeunes apprentis intéressés par ce type de production; le retour aux «métiers d'art» ne joue pas forcément en faveur de la Manufacture, dans la mesure où il s'accompagne d'une sorte de mystique de la «création», au nom de laquelle on veut être entièrement responsable d'une pièce plutôt que d'accepter d'être l'un des nombreux collaborateurs qui lui permettent d'atteindre sa perfection.

Présents et achats

Cet accroissement des ventes, progressif tout au long du siècle, et accentué dans ces dernières années, n'a jamais empêché la Manufacture de continuer de fournir à l'Etat les cadeaux nécessaires pour ses libéralités et sa diplomatie: prix de comices agricoles, concours musicaux, compétitions sportives ou œuvres philanthropiques, aussi bien que cadeaux à des souverains ou personnalités étrangères, dans les occasions les plus diverses: mariages de souverains, comme le grand service armorié offert à Alphonse XIII en 1906[3]; ou de membres des familles régnantes comme le surtout complet du «Triomphe de Bacchus» pour la princesse Mary d'Angleterre en 1922[4]; couronnements, comme celui de Sisovath du Cambodge en 1905[5]. Les visites du Président de la République française à l'étranger s'accompagnèrent souvent de distributions: c'est ainsi que la réédition du «service feuilles de choux» fut offerte lors d'un voyage à Londres en 1913[6]. Des objets furent donnés à des présidents ou souverains étrangers à l'occasion de voyages à Paris ou même de visites à la Manufacture de Sèvres, comme celle du président Guerrero en 1907[7] ou de l'empereur Hirohito en 1921[8]. D'autres le furent pour services rendus comme les cadeaux en 1915 à tous ceux qui avaient aidé lors du naufrage du croiseur *Léon Gambetta*. Dans l'ensemble de ces présents, on doit noter la prédominance des rééditions d'œuvres du XVIIIe siècle, culminant en 1913 avec le don à la reine d'Espagne d'une nouvelle édition du «miroir de la toilette de la comtesse du Nord» (voir fig. 249) et à la reine douairière du «surtout des Poissonniers»[9].

La tradition des présents diplomatiques continue aujourd'hui encore; c'est ainsi que lors de son voyage officiel à Londres en 1976, M. Valéry Giscard d'Estaing,

Pl. LXXIX ASSIETTE PLATE, «SERVICE B». Fond blanc. 1906. Ø 26. Marques nos 23 (99); 43 (1906). MNCS (inv. 16100).

Le «service B», bientôt nommé «Pimprenelle», fut dessiné en 1901 par Alexandre Sandier; à partir d'une même forme de base, on a développé plusieurs types d'assiettes différant par le nombre et la répartition des lobes et filets de l'aile. Les différents décors de ce service livré en 1909 au Président de la République furent esquissés par le sous-secrétaire d'Etat aux Beaux-Arts, Dujardin-Baumetz, et la Manufacture en conserve les premiers projets sur papier à en-tête de l'Elysée. Ils furent mis au point à la Manufacture et combinent des éléments floraux peints avec des ornements et frises en or parfois enrichis d'emblèmes républicains. Les différents décors de ce service se caractérisent par la souplesse de leurs représentations florales et la grâce légère de leur mise en place sur l'assiette.

Pl. LXXIX

Président de la République française, offrit à la reine Elisabeth II un service de table décoré en or sur fond blanc d'après James Guitet; la souveraine a ainsi pu apprécier les progrès du goût à Sèvres depuis 1947, date où lui avait été donné, à l'occasion de son mariage, un service dont le motif avait été dessiné par Raymond Subes.

La réorganisation de 1891 visait, entre autres objectifs, à rétablir de «bonnes» relations entre Sèvres et les céramistes. La vogue des arts décoratifs vers la fin du siècle provoqua une grande quantité de vocations dans tous les domaines et particulièrement celui de la céramique, en sorte que la Manufacture se trouvait désormais en face de deux catégories d'interlocuteurs bien différents: les fabriquants industriels de produits céramiques et les chercheurs isolés. On avait décidé en 1891 que l'Ecole spéciale d'apprentissage de Sèvres devait désormais travailler dans l'intérêt général en formant des ouvriers pour l'ensemble du monde céramique. Tous les textes officiels émanant de la Manufacture dans la première moitié du siècle insistent sur ce rôle de guide joué par Sèvres, dont les essais et les techniques étaient libéralement communiqués, les ateliers et laboratoires largement ouverts.

Pendant la période de l'autonomie, les laboratoires de la Manufacture, dont le chef était Pierre de Groote, furent cédés à l'Ecole de céramique dirigée par ce même chercheur. C'est ainsi qu'à partir de 1941 on distingua l'Ecole Nationale Supérieure de Céramique chargée de former des techniciens pour une industrie céramique de plus en plus automatisée et des cours donnés par la Manufacture pour assurer la formation des apprentis recrutés en fonction de ses besoins propres. De même, les laboratoires de l'Institut National de Céramique sont aujourd'hui absolument distincts de ceux de la Manufacture, chargés d'élaborer ses pâtes, émaux et couleurs. A la même époque, le Musée, créé au sein de la Manufacture par Alexandre Brongniart, en fut détaché; il relève aujourd'hui de la Direction des Musées de France.

Les relations de Georges Lechevallier-Chevignard avec les industriels de la céramique aussi bien qu'avec les chercheurs céramistes semblent avoir été très bonnes. Des représentants de ces deux catégories firent partie des divers comités de la Manufacture, de même qu'ils siégeaient aux côtés du directeur de Sèvres dans d'autres instances, principalement les comités d'organisation de grandes expositions et collaboraient souvent avec la Manufacture en lui fournissant projets de formes et de décors.

De même les relations de Sèvres avec les manufactures étrangères furent-elles excellentes; l'Exposition Universelle de 1900 donna lieu à des échanges d'objets avec les manufactures de Meissen[10] ou Rörstrand[11] aussi bien qu'à des dons à des musées comme ceux de Stockholm[12] ou Copenhague[13]. Mieux encore, à la suite de l'Exposition de 1925, il y eut échange avec la fabrique Bing & Groendahl non seulement de pièces, mais également d'artistes, puisque Jean Gauguin vint travailler à Sèvres cependant que Maurice Gensoli partait pour Copenhague.

Aujourd'hui même, la Manufacture reçoit souvent des délégations venues de l'étranger, alors qu'elle organise régulièrement des voyages d'information pour ses artisans. Le monde céramique avait pratiquement ignoré la Manufacture dans les années de l'après-guerre, mais le renouveau provoqué à partir de 1964 par l'introduction d'un grand nombre d'artistes contemporains, même si les choix ont été parfois vigoureusement contestés, a rappelé Sèvres à son attention; les céramistes consultent aujourd'hui régulièrement les techniciens de la maison, demandant essais ou renseignements techniques.

Progrès, techniques et matières nouvelles

De même que pour la période précédente, les grandes expositions universelles permettent de suivre les progrès réalisés à Sèvres: introduction de matériaux nouveaux et procédés de décoration inédits.

A l'Exposition Universelle de 1900 à Paris, Sèvres montra ses pâtes traditionnelles: pâte dure ancienne (Brongniart) ornée essentiellement de décors au grand feu sur et sous couverte, en émaux ou pâtes colorées; pâte dure nouvelle (Lauth-Vogt) utilisée pour les fonds flammés ou cristallisés, les pâte-sur-pâte, les couvertes colorées de grand feu ou émaux de moufle et les sculptures, à cause de son agréable teinte ambrée et de son meilleur comportement à la cuisson. La découverte dans une cave d'une masse de pâte tendre remontant au XVIIIe siècle avait permis l'étude précise de cette matière dont la Manufacture n'avait jamais véritablement estimé avoir retrouvé l'onctueuse beauté; on avait donc renoncé à la pâte tendre siliceuse de Deck, pour mettre au point une formule nouvelle qui se voulait en tout point semblable à son modèle ancien. Cette matière précieuse avait été réservée à des objets de petites dimensions décorés au feu de moufle.

Mais la grande nouveauté fut l'introduction du *grès cérame*, dans ses applications monumentales et décoratives. Déjà en 1889, plusieurs fabricants avaient montré l'utilisation qui pouvait être faite de ce matériau plus facile à travailler que la porcelaine, alors qu'étant également vitrifié dans la masse, il présente les mêmes avantages de résistance aux intempéries. Faute d'argent, Sèvres avait dû renoncer au pavillon projeté par Coutan et Risler dès 1894 et se contenter d'en construire une travée ornée d'un grand bas-relief symbolisant «Les Travaux de la Céramique»; elle est aujourd'hui déposée dans le square de l'église Saint-Germain-des-Prés à Paris. La Manufacture avait également employé le grès pour trois autres réalisations monumentales; deux étaient destinées au décor extérieur: la grande frise en bas relief de grès à couvertes colorées de grand feu figurant l'Histoire de l'Art d'après Joseph Blanc qui orne encore aujourd'hui l'extérieur du Grand Palais à Paris, et la fontaine monumentale dessinée par Alexandre Sandier et Alfred Boucher; la troisième, pour l'intérieur, était une immense cheminée dessinée par l'architecte Paul Sédille, avec des cariatides et une symbolisation de la Flamme dues au sculpteur Allar.

Quelques procédés de décor firent également leur apparition en 1900: par exemple, la pose d'une couverte colorée sur un fond flammé; en grattant la couche supérieure, on obtenait des effets très décoratifs; ou encore, des pièces ornées de forts reliefs d'inspiration naturaliste comme le «vase aux mûres» d'après Mlle Bogureau, ou décorative, que les figures soient en très faible relief comme sur les «vase aux grenouilles» ou «aux masques» de Joseph Chéret, ou presque en haut relief comme sur le «vase» en grès «de Persée et Andromède» de Marcel Debut; on mit également au point des couvertes mates; il faut noter d'ailleurs que dès 1900 Sèvres semble avoir joué avec les matières, posant, par exemple, des couvertes de porcelaine gravées sur des pièces de grès, ou l'inverse. Enfin, c'est également à cette occasion que Sèvres présenta ses premières sculptures décorées en tout ou en partie de cristallisations.

Lors de l'Exposition Internationale de 1911, à Turin, la Manufacture avait progressé dans l'utilisation intérieure du grès, qui lui avait servi à construire et décorer un boudoir composé par René Lalique. C'est sans doute à la demande du nouveau président du Comité artistique et technique, le sous-secrétaire d'Etat Dujardin-Beaumetz, que la formule de porcelaine tendre avait été une nouvelle fois remaniée, aboutissant à la *pâte tendre kaolinique*. Dès cette époque, et vraisemblablement sous l'impulsion du nouveau directeur Emile Bourgeois, on constate une augmentation du nombre des rééditions d'œuvres du XVIIIe siècle, qu'il s'agisse des modèles de sculptures réalisés en biscuit, ou même en pâte émaillée, ou de projets de décors. Sèvres n'exposa pas de procédé nouveau, mais poussa les anciens jusqu'à l'extrême raffinement avec, par exemple, des décors en dorure sur des pâtes appliquées ou des couvertes superposées.

A Gand, en 1913, nouvelle extension dans l'utilisation du grès pour le tapis de la salle de la Manufacture et un portique monumental. Aucune matière nouvelle, mais on note un retour en force des pâte-sur-pâte et quelques décors inédits: émaux brillants sur fond d'or ou biscuit coloré dans la masse pour les sculptures.

Au cours de la guerre de 1914-1918, Sèvres dut consacrer la presque totalité de son activité au grès: les poudreries nationales avaient besoin pour les récipients où elles stockaient et manipulaient les acides destinés aux explosifs nitrés d'une matière capable de résister à la morsure de ces acides. Seul le grès pouvait convenir. En octobre 1915, la Direction générale des poudres fit donc appel à la Manufacture qui avait prouvé sa capacité à travailler et cuire le grès et qui, se trouvant dans l'obligation de concentrer ses efforts sur cette matière, put ainsi maîtriser parfaitement ses procédés.

L'Exposition des Arts Décoratifs de 1925 est, pour la Manufacture, l'un des points culminants de cette période. Sèvres y présentait plusieurs matières nouvelles: la terre cuite pour des bas-reliefs; la faïence fine pour un panneau de Maurice Gensoli et de très nombreux vases dont les formes spéciales furent dessinées par Gensoli, Walter et Patou; et une nouvelle formule de pâte tendre siliceuse ayant servi pour les carreaux du panneau de Camille Roche et les éléments décoratifs du jardin.

La nouveauté dans l'apport de la Manufacture venait principalement de sa volonté d'exploiter systématiquement toutes les possibilités offertes pour l'éclairage par la translucidité de la porcelaine: elle montrait donc des fontaines lumineuses (voir fig. 463), des baguettes éclairantes, un plafond et des carreaux de porcelaine gravée ou sculptée, ainsi que toute une série d'appareils d'éclairage: cache-ampoules, abat-jour, plafonniers, appliques, lampadaires, etc.

Quelques nouveaux procédés faisaient leur apparition: décors géométriques ou linéaires gravés, niellures d'argent sur panneaux de grès, en même temps que certains procédés anciens — bas-reliefs en biscuit blanc sur fond bleu, utilisation nuancée du bleu de grand feu (voir pl. LXXX) — faisaient leur réapparition.

Par contre, l'Exposition Internationale de 1937, quoiqu'elle ait également représenté un moment très important et glorieux dans l'histoire de Sèvres, ne donna lieu à aucune innovation technique importante, à part la mise au point d'un *grès tendre* et d'un *grès chamotté* à côté du traditionnel grès cérame.

Juste avant la Seconde Guerre mondiale, le chimiste en chef Pierre Brémond reprit les recherches sur la porcelaine tendre, mais sans avoir le temps d'aboutir à un résultat concluant. Depuis 1945, la Manufacture a abandonné la production de faïence et de terre cuite. En revanche, on y a mis au point une *couverte semi-mate*, plus satinée et lumineuse que le biscuit. En outre, la qualité de la pâte dure ancienne s'étant dégradée par suite de l'épuisement des matières premières traditionnelles, Antoine d'Albis, chef de la fabrication, a dû mettre au point une nouvelle formule utilisant des kaolins différents. On distingue aujourd'hui: une *pâte dure AA* sur laquelle l'émail très blanc se pose obligatoirement épais, ce qui la rend un peu lourde, mais qui s'est parfaitement adaptée aux créations contemporaines; une *pâte dure 170* qui allie les caractéristiques de l'ancienne pâte dure à la blancheur de la pâte AA et s'emploie pour les pièces de service; la pâte nouvelle toujours utilisée pour les sculptures. Enfin, au cours de ces derniers mois, après des essais orientés vers la recherche d'une porcelaine tendre phosphatique proche des pâtes anglaises, une nouvelle *pâte tendre AA* vient d'être mise au point, dont on envisage une production régulière. L'un des intérêts de cette nouvelle matière serait de susciter un nouveau style et de convenir à des artistes auxquels les pâtes traditionnelles semblent trop froides ou raides.

Artistes et œuvres

A part dans les années qui suivirent la Seconde Guerre mondiale, un trait semble caractéristique de l'ensemble de cette époque, aussi bien pour les formes de pièces et de sculptures que pour les décors: on y a fait appel plus largement que jamais à des artistes extérieurs aux ateliers de la Manufacture, sans pour autant que le personnel de ces derniers cesse de jouer un rôle important, non seulement comme exécutant de projets venus du dehors, mais également en proposant formes et décors.

La sculpture connut deux périodes d'épanouissement. La première se situe entre 1895 et 1907 environ; Sèvres fit alors appel essentiellement aux artistes dont l'Etat achetait les œuvres aux Salons. On produisit un grand nombre de surtouts de table, d'après Emmanuel Frémiet (surtout mythologique dominé par les Chars de Diane et de Minerve et les deux groupes, techniquement très audacieux, du Triomphe d'Hercule et de la Délivrance d'Andromède); Joseph Chéret («Les Enfants aux corbeilles», voir fig. 451); Agathon Léonard («surtout du Jeu de l'écharpe» avec ses quinze figures, voir fig. 476), ou Raoul Larche («L'Année et les Saisons»). La mode s'en continua, puisqu'on note en 1908 le «surtout du Corps de ballet» de Pierre Carrier-Belleuse et en 1913 celui de l'«Amour endormi» d'après Marcel Gaumont. On trouve également des sculptures isolées, figures ou groupes d'après des artistes dont les plus régulièrement édités furent Jules Dalou, Max Blondat ou Paul Dubois, et ensembles animaliers d'après Victor Peter ou Georges Gardet. En outre, la production des plaquettes ornées de bas-reliefs fut alors très importante, les modèles étant souvent donnés par des médailleurs comme Emile Vernier. La Première Guerre mondiale donna lieu à de nombreuses figures de soldats d'après Ducuing, Broquet ou Le Faguays.

La seconde période de grande expansion de la statuaire se situe aux alentours de 1925, mais avec une préférence pour la sculpture émaillée et vivement polychrome plutôt qu'en biscuit. Apparaît alors une nouvelle série de surtouts d'après Lucienne Heuvelmans («Les Fruits d'or»), Annie Mouroux («Les Saisons») ou Gilbert Privas («Pastorale»); de nombreuses figures d'après des artistes venus

Pl. LXXX VASE DE BEAUVAIS. 1927. H. 200. Marque nº 527. MNS.
La forme de ce vase fut créée, en petite taille, en 1898; c'est pour le Pavillon de la Manufacture à l'Exposition de 1925 que fut réalisé le premier exemplaire de la présente grandeur, portant déjà ce décor; il s'agit ici d'une seconde édition. Le simple fait de réussir à couler et cuire d'une seule pièce un vase de deux mètres de hauteur représente une remarquable prouesse technique. Le décor, dont le dessin est dû à Guy Loë et l'exécution à Anatole Fournier, évoque les quatre parties du monde représentées par leurs animaux. Sa qualité tient au fait que la division en quatre zones anime une surface que la simplicité de la forme risquait de rendre ennuyeuse à cette échelle et qu'il exploite toutes les subtilités de nuances que peut donner un bleu sous couverte bien employé.

Pl. LXXX

de l'extérieur comme les frères Martel, Guino, Maignan, Henri Laurens, Ossip Zadkine ou Maurice Charpentier-Mio, ou de l'intérieur comme Jean-Baptiste Gauvenet (voir fig. 478). L'époque semble avoir aimé surtout les figures et groupes d'animaux dont les modèles furent donnés par Gaston Le Bourgeois (voir fig. 477), Henri Bouchard, Edouard-Maurice Sandoz ou François Pompon. Presque tous les modèles créés au cours de la Seconde Guerre mondiale se rapportèrent à l'iconographie de Philippe Pétain. Les années de l'après-guerre virent une réapparition des surtouts d'après des modèles d'Orlandini («Neptune et Ondine»); Lagriffoul («Dauphin et Mouette»); Collamarini («Les Eléments»); Savin («Musique»); ainsi qu'une production de groupes et figures humaines d'après Rivière ou Bizette-Lindet et animales d'après Marcel Derny, Trémont, Georges Hilbert ou Josette Hébert-Coëffin, entre autres.

A partir de 1964, Serge Gauthier fit appel à une nouvelle génération d'artistes qui choisirent des modes d'expression plus variés: à côté du traditionnel biscuit blanc employé en liaison avec le laiton doré ou le métal par François-Xavier Lalanne («Autruches-bar» — voir fig. 480 —, «Sauterelle», «Canard aux nénuphars») ou seul par Artur-Luis Piza («Bas-relief» et «Disques»), Marc-Antoine Louttre choisit la porcelaine polychrome pour une fontaine et une pendule et André Beaudin le grès chamotté pour une fontaine. Parmi les projets actuellement en cours d'étude dans les ateliers de Sèvres, le biscuit est utilisé par Georges Jeanclos pour des «Dormeurs» ou par Anne et Patrick Poirier pour un surtout de table sur le thème des Ruines imaginaires et la porcelaine polychrome pour les plaques et études de chandelier de Louis Gosselin; de même, c'est en porcelaine semi-mate et biscuit blanc et bleu que sera réalisé le jeu d'échecs dessiné par Jean-Claude Fein.

La production des pièces de service et d'ornement ainsi que des vases connut une période d'extraordinaire fécondité autour de 1900, caractérisée par l'apparition d'une foule de petits objets décoratifs: services de fumeurs ou de toilette, écritoires, bougeoirs ou chandeliers, vide-poches, bonbonnières...; mais dans cette floraison impressionnante la quasi-totalité des formes est due à un petit nombre d'hommes, presque tous intégrés au personnel de la Manufacture et parmi lesquels Alexandre Sandier a joué un rôle dominant à la fois par l'ampleur de sa propre activité créatrice et par son influence sur ses collaborateurs Sandoz, Brécy et Kann. Rares sont alors les artistes venus de l'extérieur; en dehors de formes esquissées par des personnalités plus souvent sollicitées pour des projets de décors comme Geneviève Rault ou Mlle Bogureau, on peut relever les noms de Lelièvre, auteur de vases naturalistes, Brateau responsable de deux salières avec triton et néréide et d'un «service E», et surtout Hector Guimard (voir pl. LXXVIII). L'intervention d'auteurs extérieurs à la Manufacture disparaît très rapidement, pratiquement dès 1904, et Sèvres se contente pendant quelques années d'exploiter les formes suscitées par cette fièvre créatrice; la réorganisation de 1909 semble avoir provoqué un sursaut d'activité chez les membres du personnel; c'est ainsi que 1910 voit la création d'objets aussi divers que le tête-à-tête de Louis Gébleux, la «coupe pour colombophiles» d'Horace Bieuville, le brûle-parfum de Lagriffoul, les lanternes de vestibule de Fournier et Devicq et toute une série de pièces dues à Lucien d'Eaubonne: coffret et pendule mais aussi garniture de toilette et service à chocolat.

Mais le véritable renouveau se situe au lendemain de la guerre de 1914-1918. Les formes nouvelles de pièces de service ne sont guère nombreuses et pratiquement toutes sont dues à Claude, les dessinateurs utilisant des formes anciennes dont la Manufacture avait repris l'édition avant la guerre, principalement le «service litron» que sa raideur avait remis à la mode (voir fig. 466); en revanche, les formes de vases ne cessent de se renouveler, dessinées par Félix Aubert, puis Henri Rapin ou par des collaborateurs extérieurs comme Emile-Jacques Ruhlmann et Pierre Lahalle (1925); Jean Beaumont (1927); Henri Patou (1928); Maurice Prou (1933); Daurat (1936). En outre, on assiste à un extraordinaire foisonnement de pièces ornementales, principalement des boîtes de toutes les dimensions, flacons de toilette ou parfum, boîtes à bonbons ou à

Pl. LXXXI ASSIETTE ET LÉGUMIER PIMPRENELLE. Fond blanc. 1933. Assiette: ∅ 26; légumier: H. 12. Marque n° 39. MNS.
La simplicité du «service Pimprenelle», dessiné par Alexandre Sandier en 1901, lui permit de rester en production alors que la plupart des formes contemporaines de sa création étaient passées de mode. C'est pratiquement le dernier exemple de conception d'un service très complet, accompagné de toutes ses pièces de forme: plats de diverses grandeurs et destinations, soupière, légumiers, moutardiers et même coquetiers. Le décor aux attributs de musique fut dessiné en 1928 par Jean Beaumont et employé sur des fonds colorés ou blancs. Le service fut ensuite complété en 1932 par une série de décors aux attributs champêtres destinés aux diverses grandes pièces. Plusieurs ensembles utilisant ces décors furent constitués et attribués à des ambassades.

Pl. LXXXI

thé, cendriers, etc., d'après des projets d'André Burie (1921), Eric Bagge (1925), Coquery (1931) ou Priet (1932); sans compter les innombrables pièces relatives à l'éclairage qui dominent la production de l'époque et comprennent non seulement les divers appareils d'éclairage mais des utilisations originales de la translucidité de la porcelaine comme le «surtout lumineux» de Bracquemond; il faut également noter l'apparition d'objets nouveaux comme les jeux d'échecs et de mah-jong dessinés par Claude, les petites plaquettes décoratives de Beaumont, les pipes de Simon Lissim, les dessous de carafe de Paul Véra ou des boutons de manchettes.

Les années qui suivirent la guerre de 1939-1945 virent peu de formes nouvelles. Pour les pièces de service, on peut seulement noter le «service à jonc» et l'apparition du «service Diane» dont la courbe continue convient parfaitement aux décors les plus récents; dans le domaine ornemental, un guéridon dessiné par Poillerat; et pour les vases, quelques formes dues à Liédet, Pierre Fouquet, Alain Gauvenet ainsi que les coupes et cendriers de Fernand Daniel.

Il fallut, ici encore, attendre le renouveau de 1964 pour voir surgir des formes résolument modernes: cendriers de César en porcelaine émaillée, Alicia Penalba en grès blanc ou Hajdu en porcelaine à couverte semi-mate; lampes de Marcel Fiorini jouant sur les différences d'épaisseur et de translucidité du biscuit gravé (voir fig. 481); coupes de service par James Guitet (voir fig. 469) et sportives par Roger Vieillard; formes de vases sculptées par Etienne Hajdu ou Artur-Luis Piza (voir fig. 482) ou décorées par Jean Arp (voir pl. LXXXIV) et même une soupière reposant sur une couronne d'acier nickelé dessinée pour le Palais de l'Elysée par Hajdu.

On retrouve cette même permanence de l'appel à des artistes extérieurs à la Manufacture, mais collaborant étroitement avec le personnel, lui aussi très créatif, quand il s'agit des décors et non plus des formes. L'époque de l'«Art Nouveau», qui débute à Sèvres dès avant l'arrivée d'Alexandre Sandier (voir fig. 429), est caractérisée, à côté de l'intervention de quelques peintres ou décorateurs comme Joseph Blanc, Provost-Blondel ou Benedictus, par la domination des décoratrices: Mlles Bogureau, Bellanger, Zuber, Vuillaume, Juliette et Marthe Vesque; toutes dessinèrent principalement des compositions florales stylisées. Parmi les artistes de la Manufacture de cette première génération, on peut nommer Uhlrich, Lucien Mimard, Henri Lasserre et Horace Bieuville. Quand l'impulsion donnée par la grande Exposition de 1900 et les débuts de l'«Art Nouveau» se fut ralentie, c'est-à-dire pour Sèvres vers 1907, l'appel aux dessinateurs extérieurs se fit de plus en plus rare, en dépit de la collaboration des sœurs Vesque continuée jusque vers les années vingt et de quelques interventions comme celles de Maurice Dufrêne ou Suzanne Lalique-Haviland. En revanche, la réforme de 1909 semble ici aussi avoir suscité une nouvelle floraison de projets de jeunes décorateurs comme Louis Gébleux, Anatole Fournier ou Lucien d'Eaubonne.

Dès 1920, Georges Lechevallier-Chevignard s'empresse d'inviter un grand nombre de ceux qui allaient devenir les plus célèbres décorateurs de l'époque à venir collaborer avec Sèvres. C'est ainsi qu'apparaissent, parmi bien d'autres, en 1919 Jean Droit (voir fig. 462); en 1920 Gustave-Louis Jaulmes; en 1921 Robert Bonfils et Paul Burie; en 1922 Eric Bagge (voir fig. 461); en 1923 l'atelier Martine; puis en 1930 Mathurin Méheut qui conçut des sculptures originales en même temps qu'il participait à la décoration d'un grand service de table pour David Weil; en 1932 Paul Véra. On trouve même alors parmi les collaborateurs de Sèvres des noms plus inattendus, comme ceux d'Hermine David, Galanis ou Jean Dufy en 1934, Giorgio de Chirico en 1935 ou Marie Laurencin en 1942.

Les artistes contemporains auxquels Serge Gauthier fit appel pour renouveler les décors de la Manufacture furent des graveurs comme James Guitet, Roger Vieillard, Marc-Antoine Louttre ou Marcel Fiorini; des peintres comme Serge Poliakoff (voir pl. LXXXII), Alexandre Calder (voir fig. 468), Georges Mathieu (voir fig. 467), Pierre Alechinsky, Joe Downing (voir fig. 474) ou Zao Wou-ki (voir fig. 470), ou même des sculpteurs comme Alicia Penalba (voir fig. 473) ou Emile Gilioli.

Il nous reste maintenant à examiner les œuvres qui ont été produites par la Manufacture au cours de ces trois premiers quarts du XXe siècle. En ce qui concerne le style

Pl. LXXXII ASSIETTE PLATE, «SERVICE DIANE». 1968. Ø 26. MNS.

La Manufacture de Sèvres a édité deux assiettes plates et deux à gâteaux d'après des gouaches originales de Serge Poliakoff, le tirage de chaque série étant limité à 48 exemplaires. Il est l'un des nombreux artistes contemporains ayant ainsi contribué au renouveau de la Manufacture qui consacre aujourd'hui une part importante de son activité à la création contemporaine. Sur la forme à courbe continue de l'«assiette Diane», le décor fortement coloré et charpenté s'inscrit en plein, alors que, pour les assiettes à gâteaux, l'artiste met à profit l'existence d'une aile sur le «service uni» pour opposer à un décor riche en couleurs la douceur du bord blanc.

Pl. LXXXII

des décors, Sèvres a suivi les grands courants de l'art décoratif, qui a toujours eu une place un peu à l'écart puisque aucun des grands mouvements — fauvisme, surréalisme — qui nous semblent aujourd'hui dominer l'histoire des arts majeurs de cette époque n'y a eu de répercussion profonde. Ce trait est d'autant plus accentué à Sèvres qu'elle a longtemps considéré que sa position quasiment officielle — même pendant la période de l'autonomie — aussi bien que la pesanteur historique imposée par son passé lui interdisaient dans une certaine mesure les audaces des courants les plus novateurs. Du moins a-t-elle, ici encore, cherché à suivre aussi rapidement que possible les changements de goût d'une clientèle qu'elle espérait voir grandir.

L'époque «Art Nouveau» est caractérisée par un double retour à la nature: aux compositions florales fortement stylisées et régulièrement répétées de façon à souligner et mettre en valeur les surfaces désormais lisses et simples des objets répondent les formes et reliefs directement inspirés par des végétaux comme le «service fenouil» (voir fig. 454), ou le «vase aubergine» (voir fig. 456) de L. Kann, la «tasse capucine» de Geneviève Rault ou le «service aubépine» (voir fig. 458) d'Alexandre Sandier. De 1897 quasiment jusqu'en 1914, la presque totalité des projets de décors adopte des motifs floraux. Tout au plus peut-on noter à partir de 1909-1910, en même temps qu'un timide retour des figures en pâte-sur-pâte dû plus à la présence dans les ateliers de décoration d'un remarquable exécutant, Lucien d'Eaubonne, qu'à un véritable retour de la mode, l'apparition des éléments géométriques et ornementaux qui devaient triompher dans les années vingt.

Les formes sont partagées au début de la période entre deux tendances: très sobres, sans raccords ni montages, offrant de larges surfaces à la décoration, mais dont les profils sont encore sinueux, tout en courbes, contre-courbes, facettes ou arêtes à répétitions régulières; mais aussi formes inspirées de la nature et nettement plus complexes, ou enrichies de tout un décor en relief de feuillages formant anses, col, prises ou simple ornementation. Vers 1909-1910, même évolution vers des profils déjà plus géométriques et dont les courbes tendent à céder peu à peu la place à des lignes plus raides.

En 1900, outre les pièces monumentales en grès cérame dont nous avons déjà parlé, Sèvres exposait une série considérable de vases aux formes entièrement nouvelles, avec leurs décors floraux peints ou en relief. Mais elle révélait également plusieurs nouveaux services dus à Alexandre Sandier, pour la table («service B», dit «Pimprenelle») ou pour le thé et le café («service A»). D'autres services à thé apparurent dans les années suivantes, inspirés de la nature comme le «service feuille de pin» ou le «service plumes de paon», ou à motifs ornementaux discrets comme le «service salon».

On trouvait encore en 1900 de grands plats ornementaux à sujets mythologiques d'après des cartons de Joseph Blanc, de même que des vases à motifs sculptés en relief plus ou moins accentué, d'après Massoule («La Vendange», «L'Echo»), ou Marcel Debut («Persée et Andromède»). Enfin, parmi les innombrables petites pièces d'ornement produites alors par la Manufacture figuraient, outre des objets usuels tels que «vide-poche aux marrons» d'après Joseph Chéret, un bestiaire inattendu en porcelaine ou grès émaillé: tortues de trois tailles différentes, coquillages et même une «écrevisse de mur» évidée pour servir de porte-bouquet. Notons que la Manufacture présentait en même temps que ses œuvres les productions en pâte de verre de Henry Cros, en particulier un grand bas-relief consacré à l'Histoire du feu.

L'impulsion donnée alors mit, avant de se ralentir, quelques années au cours desquelles on continua de dessiner formes de vases et pièces de service dans le même esprit de simplicité et de souplesse, et d'éditer des sculptures en grand nombre.

A partir de 1907 environ, cette fièvre créatrice semble se ralentir. Sèvres cherche un nouveau souffle et paraît avoir

Pl. LXXXIII VASES GAUVENET nº 7. 1re et 2e gr. 1964 et 1966. H. 54 et 37. MNS.
Autres exemples de collaboration entre la Manufacture et les créateurs d'aujourd'hui. Deux artistes ont rajeuni une forme créée dans les années cinquante par Alain Gauvenet et fortement inspirée de modèles orientaux anciens, chacun choisissant dans les techniques traditionnelles de la Manufacture la mieux adaptée à son talent: André Beaudin a joué sur les possibilités du bleu employé en intensités et épaisseurs diverses et Marcel Fiorini sur l'association, caractéristique de Sèvres au yeux du public mais ici renouvelée par un graphisme souple et léger, entre le fond bleu et le décor en or.

Pl. LXXXIV VASE ARP. 1966. H. 47. MNS.
Jean Arp fut l'un des premiers artistes appelés à collaborer avec la Manufacture lorsque, sous l'impulsion d'André Malraux, son nouveau directeur Serge Gauthier entreprit une nouvelle fois de la rouvrir aux artistes contemporains pour en faire un établissement véritablement novateur sur le plan artistique. Il dessina pour elle plusieurs formes de vases dont certains furent édités en grès à couverte monochrome alors que celui-ci est en porcelaine et porte un décor d'une délicate polychromie, dessiné par l'artiste lui-même pour souligner avec bonheur l'élégance de la forme.

Pl. LXXXIII

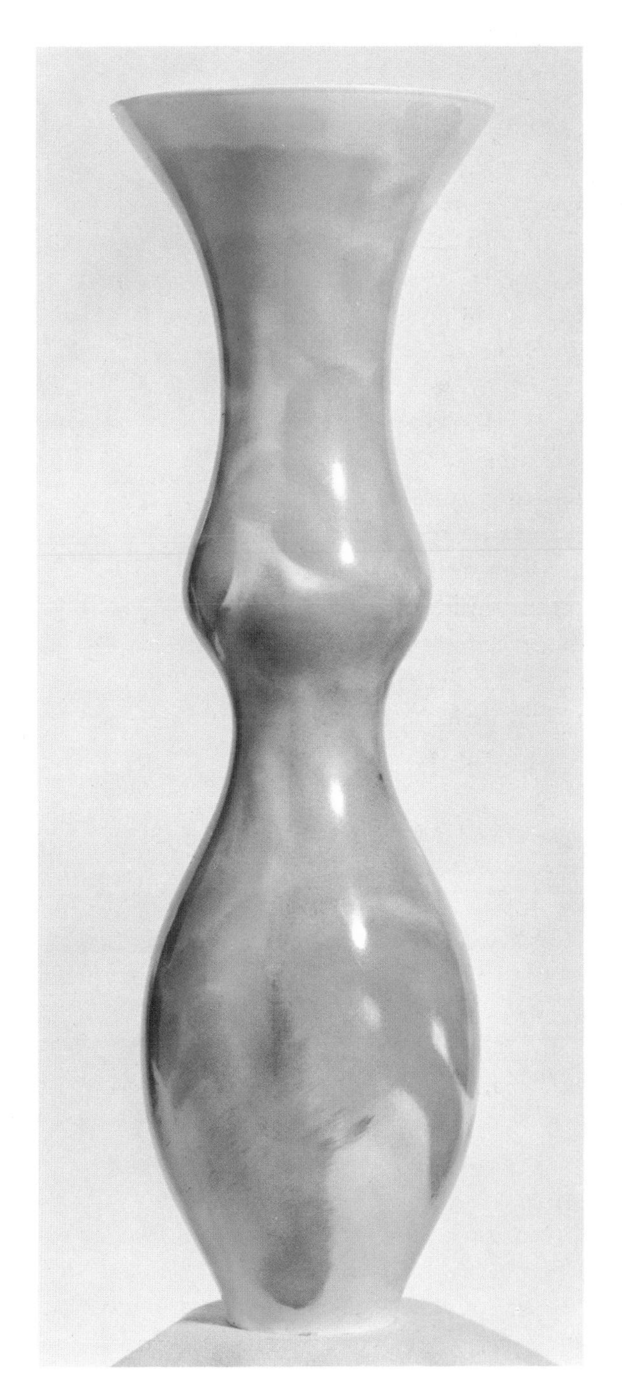

Pl. LXXXIV

dès cette époque pris conscience de la nécessité de trouver de nouveaux débouchés en exploitant les possibilités décoratives du grès cérame sur une échelle moins monumentale et plus pratique, donc plus facilement exploitable. C'est ainsi qu'elle présenta en 1911 à Turin un boudoir précieux conçu par René Lalique, en grès blanc orné d'émaux sur paillons de platine. La même volonté de trouver des utilisations nouvelles se marque dans la création par Fournier d'une lanterne, annonciatrice des innombrables œuvres exploitant la translucidité de la porcelaine ou ses adaptations possibles aux appareils d'éclairage.

Mais le trait le plus marquant dans l'envoi de la Manufacture est le nombre et l'importance des rééditions de pièces du XVIIIe siècle, moins étonnant quand on voit le catalogue faire état de la «collection complète des huit cents modèles anciens... dont Monsieur Dujardin-Beaumetz a ordonné la remise en fabrication». C'est ainsi que Sèvres présentait des modèles anciens édités en porcelaine tendre kaolinique émaillée comme à Vincennes ou en biscuit, ainsi qu'en biscuit de porcelaine nouvelle, sans avoir reculé devant des ensembles aussi importants que le «surtout des Poissonniers», le groupe du «Parnasse de Russie» (voir fig. 321) ou le «miroir de la toilette de la comtesse du Nord» (voir fig. 249).

Bien différente semble avoir été la participation de Sèvres à l'Exposition Internationale de Gand en 1913, en dépit d'un même souci de montrer toutes les possibilités architecturales du grès employé ici de façon beaucoup plus diversifiée: un grand portique en grès cérame à cristallisations, composé par Alexandre Sandier, permettait d'accéder à la salle des conférences du palais de la France. Il était orné de pièces décorées, vases en grès à émaux colorés et d'un grand «Terme de Pan» dessiné par Maignan pour l'ornementation des jardins. D'autre part, à l'intérieur de la salle des manufactures nationales, Sèvres s'était réservé un espace entièrement revêtu de céramique, avec son tapis à émaux mats sur grès composé par Sandier et Baudin, et séparé des autres exposants par une grille d'Edgar Brandt reposant sur des pilastres de grès. L'ensemble des pièces exposées se caractérise par un très net retour en arrière, puisqu'on y retrouve, à côté des motifs purement ornementaux ou des effets de matières, des sujets figuratifs d'invention comme le «vase de Gournay» orné d'une frise consacrée à Diane par Courcelles-Dumont, ou le «vase Pastorale» d'après Déziré, ou même des sujets officiels comme en témoignent les deux «vases Chaumont» destinés à être offerts au nom du «groupe parlementaire français de l'arbitrage» au Parlement britannique et à la Douma russe, qu'aucun détail stylistique ne permet de distinguer des créations du même genre conçues dans les débuts de la Troisième République.

Le renouveau complet, sensible dès 1919, en est d'autant plus remarquable. Tous les traits caractéristiques de la période «Arts Déco» se dessinent alors: pour les formes, une géométrie beaucoup plus rigoureuse allant souvent jusqu'à la raideur, aussi bien pour les vases que pour les nombreuses boîtes et bouteilles. Même tendance dans les ornements sculptés ou gravés qui prennent alors une grande importance (voir fig. 465). Mais elle n'exclut pas une certaine fantaisie, sensible dans le «pot au chat» de Roubille, ni une certaine maladresse à en juger par la tasse dessinée par Ruhlmann, qui, avec son fort évasement et son anse formée d'un disque plat, semble terriblement instable sur sa base étroite. Quant aux décors, après une prédominance des éléments purement ornementaux, on y voit peu à peu reparaître les figures humaines et animales et même les paysages dans des compositions d'abord stylisées et très adaptées aux formes des objets puis de plus en plus libres.

Lors de l'Exposition des Arts Décoratifs de 1925, la Manufacture démontra avec éclat qu'elle s'était totalement renouvelée et mise au goût du jour, dans un double pavillon où elle avait cherché à gagner de nouvelles clientèles en exploitant systématiquement toutes les possibilités architecturales et décoratives de ses matériaux. L'emplacement réservé à Sèvres était entouré de huit vases monumentaux en panneaux de grès sur armature de bois dessinés par Henri Patou, coauteur avec Ventre des pavillons octogonaux que séparait un petit jardin d'agrément. Le pavillon est comportait un vestibule octogonal, composé par Guillonet et orné de grands panneaux à reliefs représentant des Jeux d'enfants exécutés en biscuit blanc sur fond bleu par Pierre Bracquemond, où se trouvaient deux fontaines lumineuses (voir fig. 463), des appliques d'Edgar Brandt à cache-ampoules de porcelaine et deux grands vases d'ornement symbolisant Les Sports d'après Menu et Le Dernier communiqué d'après Georges Leroux. De part et d'autre de ce vestibule, une série de petites pièces permettait de montrer l'extrême variété des productions de la Manufacture, en mettant l'accent sur le fait qu'il ne s'agissait pas uniquement d'objets, petits ou grands, mais de véritables éléments de décoration, mobilier ou architecture. On trouvait ainsi un «salon de lumière» d'Henri Rapin et Jean-Baptiste Gauvenet, éclairé à travers des baguettes de porcelaine gravée; dans une salle à manger conçue par René Lalique, les murs de marbre gris étaient incrustés de panneaux de grès aux niellures d'argent figurant une forêt; un boudoir dû à Eric Bagge, dont le plafond de porcelaine rose gravée répandait une lumière douce et flatteuse, était orné de divers vases et objets de toilette (voir fig. 461); Henri Rapin avait également installé dans le «cabinet d'un amateur de céramique» des portes éclairantes à panneaux de porcelaine crème gravés et sculptés d'après Hairon; enfin la salle de bains ovale d'Henri Patou, vêtue de grès blanc et bleu, était ornée d'un panneau sculpté par les frères Martel. Le pavillon ouest, d'un esprit un peu différent, comportait des galeries tendues de tissus dessinés par Benedictus et interrompus par des vitrines où étaient exposés vases et sculptures ainsi que par de grands panneaux décoratifs, pour lesquels les artistes avaient eu recours aux divers matériaux céramiques: grès patiné pour Gaumont et Blanchot; grès à couverte mate pour Henri Patou; faïence fine pour Maurice Gensoli; carreaux de porcelaine tendre siliceuse pour l'évocation du Paradis terrestre de Camille Roche; porcelaine nouvelle pour Anne-Marie Fontaine et Louis Gébleux. Au centre de ce pavillon, le salon d'honneur composé par Gustave-Louis Jaulmes était orné de tentures et boiseries sculptées; il contenait, surtout, outre un dallage en grès cérame et un grand plafonnier de porcelaine, quatre grands vases (voir pl. LXXX) d'après Jaulmes lui-même et Guy Loë. Enfin, entre les deux pavillons, les architectes avaient installé un petit jardin: quatre bassins à margelles de porcelaine tendre bleu turquoise gravée, ornées des animaux émaillés d'après Gaston Le Bourgeois (voir fig. 477), entouraient une fontaine en grès cérame à motifs gravés suivant les dessins d'Henri Bouchard.

L'activité de la Manufacture semble avoir été assez intense pendant toute la période qui sépare cette exposition de celle de 1937. Ayant enfin obtenu son autonomie, en partie grâce à l'immense retentissement de sa participation en 1925 et de son grand succès auprès du public, Sèvres continua de produire en faisant appel à tous les concours extérieurs. Mais les très nombreuses expositions en France et à l'étranger auxquelles la Manufacture participa durant toute cette période, dans l'espoir de mieux faire connaître ses productions pour accroître sa clientèle, ne semblent pourtant pas lui avoir permis d'atteindre ce but, ni d'éviter de graves difficultés financières. L'effort entrepris pour figurer dignement à l'Exposition des Arts et des Techniques de 1937 n'en est que plus méritoire. La Manufacture, qui exposait au centre du pavillon des arts du feu, avait voulu participer au grand mouvement général de rénovation de l'art céramique architectural. Par rapport à ce qui avait été présenté en 1925, le style des œuvres avait très nettement changé: la représentation figurative occupait une place plus importante alors que la soumission des décors à une stricte géométrie tendait à laisser place à une distribution plus libre; en revanche, peu d'innovations en ce qui concernait les différents genres de fabrication; on retrouvait les deux grands axes: utilisation pour le décor architectural et applications à l'éclairage. La Manufacture avait eu l'honneur d'orner les façades extérieures du pavillon; sur l'une, un grand panneau d'après Marcel Gromaire évoquait «Une Journée de travail», entre deux groupes de grès chamotté traités en haut relief d'après Henri Laurens; sur l'autre, quatre panneaux de grès évoquaient les quatre éléments. Les murs de grès blanc donnant sur la cour intérieure, tapissée de grès d'après un carton de Ben Sussan, portaient deux figures en bas relief d'après Bouraine et Ary Bitter ainsi qu'une suite de plaques de porcelaine translucide rappelant les diverses marques utilisées par la Manufacture au long de son histoire.

A l'intérieur du pavillon, Sèvres avait installé une galerie d'honneur ornée de motifs de Jean Lurçat et Mme Thimothée-Lurçat, ainsi que deux grands panneaux de faïence d'après Ossip Zadkine, évoquant «Le Tourneur» et «La Décoratrice» et deux grands vases éclairants d'après Chauvin et Henri Rapin. Sur cette galerie s'ouvraient un boudoir conçu par Paul Colin et une chapelle installée par Henri Rapin avec une frise de Bizette-Lindet et des statues de Mme Roux-Colas, ainsi que des ateliers où les visiteurs pouvaient suivre le travail des représentants des divers corps de métiers de la Manufacture. A l'entresol, outre une série de vitrines exposant pièces de service, sculptures et vases, on pouvait voir un salon orné d'un immense paravent céramique de Jean Mayodon; un boudoir en verre et céramique de Serge et Camille Roche; un fumoir de Paul Crozet et une salle de jeux ornée par Touchagues de grands panneaux carrés figurant les divers personnages du jeu de cartes. Enfin, dans la salle de restaurant installée au premier étage sous la direction de Maurice Gensoli, murs, sol et plafond étaient ornés de grands panneaux céramiques, peut-être dans l'espoir de séduire ainsi la clientèle que pouvait représenter ce genre d'établissements.

Les répercussions de cette exposition qui avait valu à Sèvres un nouveau et vif succès ne purent malheureusement être exploitées, en raison de la grave crise économique mondiale et de la situation politique.

Pendant la Seconde Guerre mondiale, Sèvres continua de travailler. Outre les fournitures demandées par les services du maréchal Pétain — médaillons et bustes à son effigie, vases ou cendriers ornés de francisques et devises —, la Manufacture dut également accepter les commandes des troupes d'occupation; au moins put-elle ainsi, prétextant de la nécessité où elle se trouvait d'avoir suffisamment de personnel pour fournir ce qui lui était demandé, éviter le travail obligatoire ou la déportation à certains de ses artisans et même offrir asile à des artistes extérieurs. C'est ainsi que l'on fit pour Adolf Hitler un cendrier sur lequel était représentée la statue équestre de Charlemagne tenant le sceptre avec, au revers, une légende disant que le grand Reich partagé entre les fils de l'Empereur venait d'être réunifié par le Führer. De même le maréchal Gœring passa-t-il commande d'un service de table complet dont toutes les formes nouvelles furent conçues en Allemagne, de même que les décors à sujets de chasses, et qui semble n'avoir été livré qu'avec la plus extrême lenteur.

Dans les années de l'après-guerre, et pendant toute la direction de Léon-Georges Baudry, la part des créateurs extérieurs semble avoir été assez faible. Peu de formes nouvelles et toutes dues à des gens de la maison, comme l'immense série des vases et coupes mise au point par Emile Decœur et les pièces dues à Maurice Gensoli et Gauvenet. Pour les décors, dont le style hésite entre l'ornementation pure souvent figurée et de timides apparitions de l'abstraction, souvent difficiles à discerner de l'héritage des décors géométrisants de l'immédiat avant-guerre, même prépondérance des artistes de la Manufacture, à part quelques collaborateurs extérieurs comme Raymond Subes, Jacques Despierre ou Léon Gischia.

C'est seulement à partir de 1964 que l'équilibre s'inverse à nouveau, donnant l'essentiel du rôle créateur à des artistes extérieurs invités à s'exprimer dans des matières totalement nouvelles pour eux. Nous avons déjà parlé des créateurs de formes; mais d'autres se consacrèrent aux décors, choisissant, selon leurs tempéraments, la gaieté de la polychromie au grand feu comme Zao Wou-Ki (voir fig. 470) ou au petit feu comme Serge Poliakoff (voir pl. LXXXII), Alexandre Calder (voir fig. 468), Pierre Alechinsky ou Joe Downing (voir fig. 474); d'autres ont préféré l'élégance des décors en or sur fond blanc ou bleu; ce fut le cas pour Marcel Fiorini (voir pl. LXXXIII), James Guitet (voir fig. 469), Roger Vieillard ou Georges Mathieu (voir fig. 467). Certains choisirent de donner de simples projets ou esquisses en laissant les décorateurs de Sèvres libres de leur interprétation alors que d'autres gravèrent eux-mêmes les planches ou donnèrent des indications précises; le cas d'Etienne Hajdu demeure unique, puisqu'il a tout à la fois dessiné de nouvelles formes, donné des projets de décors réalisés par insufflation (voir fig. 472) et exécuté lui-même en couleurs de grand feu un certain nombre de décors, en particulier toutes les pièces d'un service de table pour le Palais de l'Elysée. Mais la Manufacture n'a pas pour autant renié son passé: parmi les modèles du XVIIIe siècle conservés dans ses archives, André Malraux avait choisi des formes de vases à rééditer et Georges Pompidou les projets du service refait pour l'Hôtel Matignon. De même, on prépare actuellement la réédition d'autres pièces anciennes de types divers: un «compotier coquille» (voir fig. 149) pour la pâte tendre, le «service arabesque» créé par l'architecte Le Masson pour Marie-Antoinette en 1782 (voir fig. 259, 260) ainsi qu'une «théière œuf et serpent» (voir fig. 365). Le but de ces rééditions est double: offrir aux artistes des pièces aussi diverses que possible et exploiter le fond si riche de modèles que la Manufacture a la chance d'avoir conservé.

Mais la Manufacture n'en continue pas moins à l'heure actuelle sa tradition de création, associant des artistes extérieurs aux artisans de la maison: elle met au point un «anneau de Moebius» conçu et décoré par Jean Dewasne et se prépare à collaborer avec des artistes comme Louis Gosselin, Raymond Mason ou Jean-Michel Meurice. Dans la même perspective, le conseil artistique a favorablement accueilli une initiative du directeur actuel qui, renouant avec la pratique des Prix de Sèvres, a instauré un concours de projets ouvert alternativement aux agents et apprentis de la Manufacture d'une part, et d'autre part aux artistes extérieurs. Mais la leçon du XIXe siècle n'a pas été oubliée: les objets demandés sont aujourd'hui de taille raisonnable et utiles, donc vendables. Le premier de ces concours, ouvert au personnel de la Manufacture, sera jugé dans le courant de 1978; il a pour thème un vase à fleurs basé sur le principe du «vase hollandais» (voir pl. XVIII), preuve supplémentaire que Sèvres entend toujours mettre l'acquis de son passé au service d'une constante innovation.

Pièces décoratives et d'usage

452 VASE GIROLLE. Fond bleu turquoise. 1897. H. 14,5. Marque nº 31 (1900). MNCS (inv. 10882).
Malgré ses torsades, cette forme est caractéristique par sa petitesse et la simplicité de son profil du renouveau des formes provoqué par l'arrivée d'A. Sandier. Le décor à cristallisations est particulièrement réussi, sans doute parce qu'il est adapté à une forme difficile à utiliser autrement.

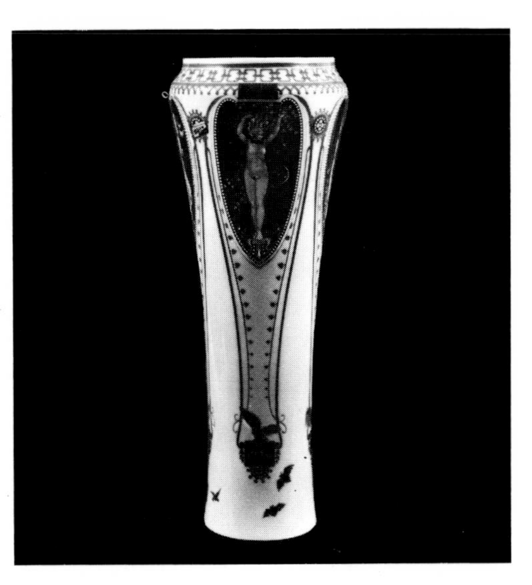

453 VASE DE MARLY. Fond céladon. 1898. H. 60. Marques nºs 23 (98); 41 (98); 526. MNS.
La forme absolument dépouillée de ce vase est également tout à fait caractéristique de la révolution artistique introduite par A. Sandier. De même, le décor de T. Doat, tout en reprenant la technique de la pâte appliquée sur un fond de couleur, témoigne d'un renouveau par l'attention portée à la façon dont il s'inscrit dans la ligne du vase pour en souligner l'élan.

454 TASSE ET SOUCOUPE À CAFÉ FENOUIL. 1898 (1900). H. max. 6,5. Marques T. nº 31 (1900), S. nº 23 (98). Limoges, Musée A.-D. (inv. ADL. 7753).
L. Kann créa de nombreuses formes très directement inspirées de la nature. L'ensemble du «service fenouil» est remarquable par son décor qui abandonne le naturalisme pour jouer d'une opposition céramique entre les parties brillantes blanches et les parties polychromes au naturel mates sur biscuit.

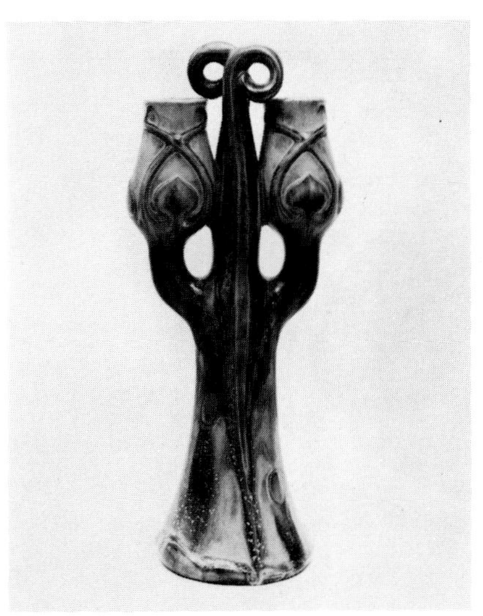

455 CANDÉLABRE À DEUX BOBÈCHES. Fond brun. 1899. H. 28. Marque nº 23 (99). MNCS (inv. 15914).
Le tournant du siècle est l'un des moments où la gamme des objets fabriqués à Sèvres fut la plus diversifiée, l'innombrable série de formes de vases s'accompagnant d'une floraison de petits objets à la fois utiles et décoratifs. Ce bougeoir utilise savamment la rusticité du grès et joue sur l'effet d'un flammé dans les tons bruns pour évoquer un morceau de bois.

456 VASE AUBERGINE. Fond gris. 1900. Long. 19. Marque nº 55 (1900). MNCS (inv. 15809).
L. Kann s'est ici encore inspiré de la nature pour la forme de ce vase en grès-cérame purement ornemental, mais il l'a négligée délibérément pour le décor, préférant à un émail au naturel un effet de cristallisations dans des tons gris inattendus.

457 *VASE DU BOURGET B. Fond blanc. 1901. H. 18. Marques nos 31 (1900); 42 (1901); Uhlrich. MNCS (inv. 16072).*

La forme simple de ce vase témoigne de l'influence de Sandier. Le décor d'Uhlrich montre un effort d'adaptation du dessin aux formes et des techniques aux matériaux: la courbe des tiges de trèfle s'oppose en la soulignant à la simplicité du profil; les émaux épais et translucides délicatement soulignés d'or mettent en valeur la luminosité de la pâte tendre.

458 *ASSIETTE PLATE AUBÉPINE. Fond blanc. 1902. ∅ 24,3. Marques nos 31 (1900); 43 (1902). MNCS (inv. 15893).*

Par la sinuosité de ses lignes et sa fantaisie dans le traitement des thèmes naturalistes, l'Art Nouveau est souvent proche de l'esprit baroque; il n'est donc pas surprenant de voir réapparaître ici un décor de fleurs en relief sous émail. Le large à-plat rose du marli, avec ses légers rehauts d'or, ne met pas vraiment en valeur la subtilité de cet objet.

459 *COLONNE «LES NYMPHES DE LA SEINE» ET VASE DE TROYES. 1904. H. 150. Marque no 31 (1904). MNS.*

A. Boucher céda souvent à la Manufacture le droit de reproduire certaines de ses œuvres. Dans le cas de cette jardinière, il créa spécialement la colonne avec ses figures sculptées, collaborant avec A. Sandier, auteur du vase. Le décor oppose le biscuit blanc et mat à des zones à couverte cristallisée dans les tons vert et rose.

460 *VASE D'ANNECY. Fond blanc. 1909. H. 130. Marques nos 31 (1909); 43 (1909). MNS.*

Ce vase est l'un des seuls de cette période à nécessiter un montage, en dépit de l'élégante simplicité de sa forme. A. Fournier a conçu et exécuté un décor Blés et coquelicots qui tire un parti très heureux du vase dont il souligne l'architecture, d'autant que les couleurs sous couverte donnent des tonalités très douces et un aspect uni évitant d'en briser l'élan.

461 *FLACON DE TOILETTE. Fond blanc. 1925. H. 35. Marques nos 37 (1925); 38; 575. MNS.*

L'architecte E. Bagge avait déjà dessiné plusieurs projets pour Sèvres. Il fut chargé d'installer un «salon de toilette» dans le Pavillon de la Manufacture à l'Exposition de 1925 et l'orna de quelques vases et d'un service de toilette complet, dont le présent «flacon» montre l'élégante sobriété.

462 *ASSIETTE PLATE, «SERVICE C UNI». Fond blanc. 1925. ∅ 25. Marques nos 31 (1903); 38; 43 (1925); 576. MNS.*

Le «service C» eut d'abord des motifs de marguerites en relief sous l'émail, puis fut édité en version unie. Le décor, d'une série de quatre consacrés aux saisons, fut dessiné par J. Droit en 1924 et peint par L. Trager. L'artiste est surtout connu à Sèvres pour avoir dessiné des plats et assiettes évoquant le souvenir de la Grande Guerre qui connurent un vif succès.

463 FONTAINE LUMINEUSE. Fond blanc. 1929. H. 143. Marque nº 39. MNS.

H. Rapin dessina l'esquisse générale et Gauvenet l'ornementation gravée de cette fontaine créée pour le boudoir du Pavillon de la Manufacture à l'Exposition de 1925. Les creux très profonds soulignent le jeu de la lumière avec la translucidité de la pâte, effet encore accru par la transparence et le mouvement de l'eau.

464 VASE AUBERT nº 40. Fond rouge. 1930. H. 102. Marques nºs 39; 579. MNS.

L'architecture du vase dont la forme fut dessinée par F. Aubert vers 1927 est soulignée par le fond brun-rouge uni du culot et du col avec leurs larges filets d'or. Le décor représentant une chasse au tigre fut dessiné en 1928 par J. Beaumont et exécuté par H. Lasserre en camaïeu de bruns sous couverte.

465 VASE RAPIN nº 10. Blanc. 1931. H. 53,5. Marque nº 39. MNS.

Les décors géométriques fortement gravés furent très en vogue à l'époque des «Arts Déco». Ils pouvaient recevoir, comme ici, un émail blanc, permettant à la lumière de jouer sur les reliefs, ou un décor polychrome soulignant les tracés. La forme de ce vase est due à H. Rapin et le décor gravé à Gauvenet.

466 THÉIÈRE, TASSE ET SOUCOUPE LITRON. Fond blanc. 1933. H. max. 14. Marques nºs 37 (23); 39; 577. MNS.

Pour des formes connues et employées dès l'époque de Vincennes, mais qui ont résisté à tous les changements de goût et que leur simplicité a remises à la mode, J. Beaumont a dessiné ce décor, Les fêtes de la nature, exécuté par L. Trager en camaïeu de bruns dont la douceur s'oppose à l'éclat et à la préciosité des ornements vert vif, or et platine.

467 BOÎTE MANTES. Fond bleu. 1968. H. 10. MNS.

Georges Mathieu a créé pour Sèvres plusieurs décors en or, gravés par les ateliers de la Manufacture; outre la nouvelle marque, on lui doit des projets pour assiettes évoquant les pavillons français aux Expositions de Montréal et Osaka, un décor d'apparat dit «Versailles»; pour cette forme des dernières années du XIXe s., un graphisme élégant la modernise heureusement.

468 ASSIETTE PLATE, «SERVICE DIANE». Fond blanc. 1969. ∅ 26. MNS.

Alexandre Calder a confié plusieurs gouaches à la Manufacture qui a effectué le choix et la mise en place des motifs peints en couleurs de petit feu. Quatre types différents ont ainsi été édités en tirages limités à 48 exemplaires.

469 COUPE. *Fond blanc. 1970. H. 21. MNS.*
Le graveur James Guitet a collaboré de plusieurs façons avec Sèvres: il a gravé les plaques servant pour le décor en dorure d'assiettes et d'un service à café, donné des projets pour des décors en or peint, rajeunissant habilement des types de vases déjà anciens, et même dessiné des formes, comme celle de cette coupe dont il a également gravé le décor posé en or.

470 ASSIETTE PLATE, «SERVICE DIANE». *Fond blanc. 1970. ∅ 26. MNS.*
Le projet de décor exécuté en peinture de petit feu sur cette assiette d'après une aquarelle de Zao Wou-Ki est intéressant à la fois par son utilisation du bleu finement nuancée et par sa mise en place très élégante et aérée.

471 ASSIETTE À POTAGE, «SERVICE DIANE». *Fond blanc. 1971. ∅ 24. MNS.*
Yacov Agam a dessiné en 1971-1972 un ensemble de projets pour des assiettes de présentation, plate, à dessert et à pain, toutes éditées en tirages limités à 48 exemplaires et décorées en lithographie, fait remarquable puisque certaines ne comportent pas moins de dix-huit couleurs.

472 JARDINIÈRE. *Fond bleu. 1972. H. 14. MNS.*
Le sculpteur E. Hajdu est l'un des collaborateurs de Sèvres les plus féconds et variés; il a créé des formes utilisant de façon magistrale le jeu de la porcelaine avec la lumière; il a peint lui-même tous les décors au grand feu d'un service pour l'Elysée; enfin, il a donné les dessins des motifs d'une série d'objets décorés par insufflation autour d'une réserve.

473 COUPE, «SERVICE DIANE». *Fond blanc. 1975. ∅ 40. MNS.*
Les décors d'Alicia Penalba retrouvent les qualités de puissance et d'équilibre de ses sculptures. La plupart de ses projets pour Sèvres, qu'il s'agisse d'une famille de cinq vases de tailles inégales ou de pièces de service, jouent de l'opposition entre la douceur veloutée d'un noir intense et la blancheur de la pâte.

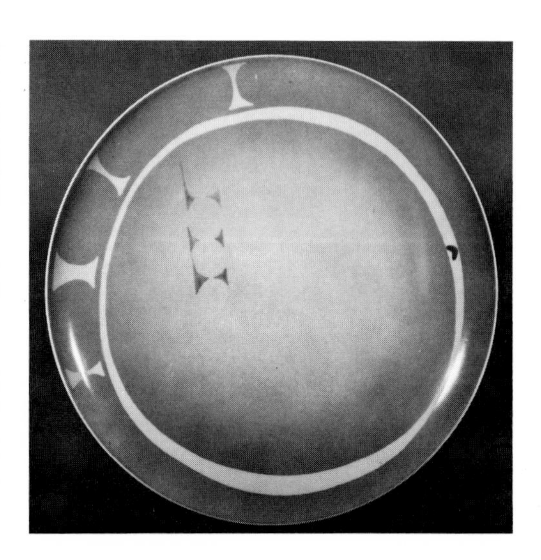

474 ASSIETTE PLATE, «SERVICE DIANE». *1976. ∅ 26. MNS.*
Quoiqu'il soit l'un des créateurs les plus récemment appelés à collaborer avec la Manufacture, Joe Downing a renoué avec la tradition en jouant avec subtilité sur les nuances obtenues soit, comme ici, dans une gamme jaune assez rare, soit dans le traditionnel bleu de Sèvres.

Sculptures

475 SALAMBO. Modèle plâtre. 1898. H. 48. MNS.

La sculpture connut un développement considérable à Sèvres surtout après 1895. La Manufacture édita presque systématiquement en biscuit les œuvres achetées par l'Etat aux Salons ainsi que de nombreuses autres. L'original de ce groupe de Théodore Rivière fut acquis pour le Musée du Luxembourg; il en existe également des éditions en bronze et des exemplaires chryséléphantins.

476 FIGURE nº 12. 2ᵉ gr. Biscuit. 1900 (1923). H. 39. Marque nº 56. MNS.

L'ensemble de ce surtout dit «Du Jeu de l'écharpe» exposé par la Manufacture en 1900 comprenait quinze figures de danseuses et musiciennes d'après A. Léonard. Des socles ornés de deux tailles permettaient d'éviter toute monotonie dans la présentation. Le succès fut tel que Sèvres l'édita en trois grandeurs. Il en existe également des éditions en bronze.

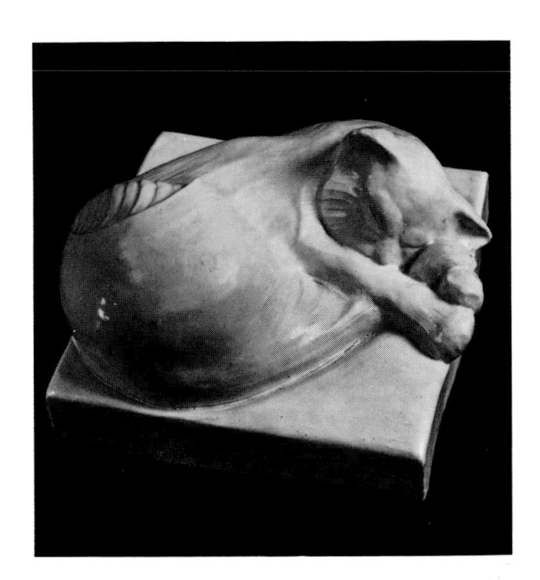

477 CHAT. Email blanc. 1925. H. 15. Marque nº 39. MNS.

G. Le Bourgeois créa une série d'animaux qui, édités en grande taille, ornèrent le jardin séparant les deux parties du pavillon de la Manufacture à l'Exposition de 1925. Devant le succès de ces figures animales, on décida de les éditer en grès ainsi qu'en porcelaine émaillée blanche, procédé abandonné depuis Vincennes pour la statuaire.

478 DANSEUSE nº 1. 1927. H. 30. Marques nºˢ 39; 578. MNS.

La série des «Danseuses» de J.-B. Gauvenet comprenait trois figures différentes destinées à être émaillées et décorées. A cette époque, le biscuit cessa momentanément d'occuper une place prépondérante dans les créations sculpturales de la Manufacture au profit d'effets plus colorés et joyeux. Le décor de cette figure fut dessiné par Odartchenko et peint par Peluche.

479 BELLES DE JOUR, BELLES DE NUIT. Biscuit. 1929. H. 46. Marque nº 56. MNS.

Le biscuit n'avait pourtant pas totalement disparu des ateliers de Sèvres. Il continuait d'être employé, parfois par les mêmes sculpteurs qui œuvraient en porcelaine émaillée et colorée. C'est ainsi qu'à côté d'œuvres en biscuit comme ce groupe, A. Mouroux créa un surtout de table d'une très vive polychromie sur le thème des Saisons.

480 AUTRUCHES. Biscuit et métal. 1964. H. œuf 27. MNS.
Ce couple d'autruches affrontées dont les becs soutiennent une planche métallique sur laquelle repose un œuf a été conçu par F.-X. Lalanne. L'ensemble n'est pas seulement décoratif mais fonctionnel, puisque les ailes des volatiles peuvent s'ouvrir pour révéler un bar, alors que l'œuf, doublé de métal, fait fonction de seau à glace.

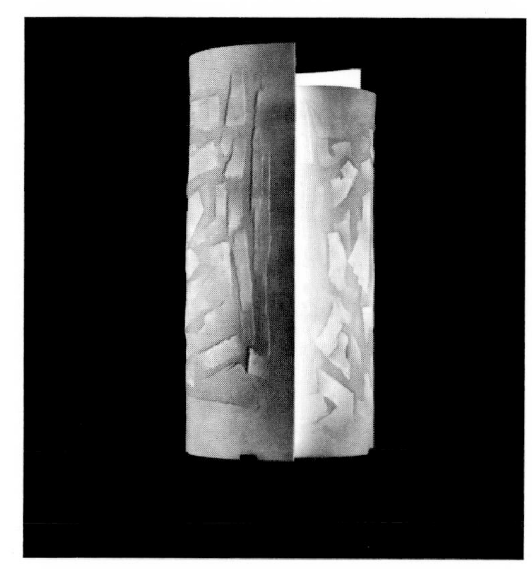

481 LAMPE. Biscuit. 1968. H. 30. MNS.
Le graveur Marcel Fiorini a exploité la translucidité de la porcelaine pour cette pièce exécutée d'après une gravure originale sur linoléum. Le même artiste créa également une lampe ronde, dite «Photophore», utilisant la même propriété de la pâte et le même procédé de fabrication.

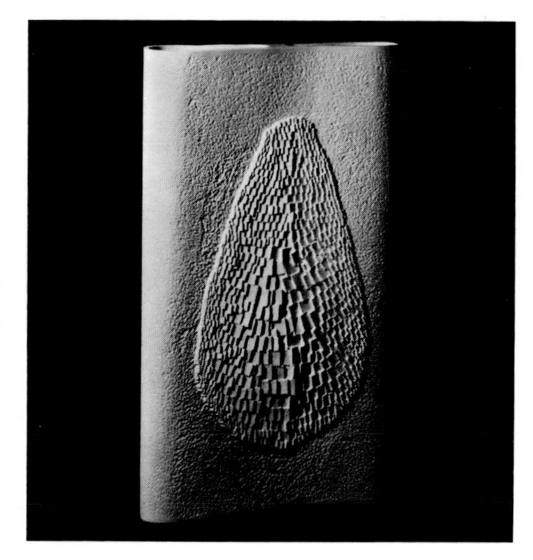

482 VASE LUIS. Biscuit. 1975. H. 58. MNS.
Artur-Luis Piza, dont les gravures jouent souvent avec la géométrie et la lumière, a subtilement exploité les possibilités que lui offrait de ce point de vue le biscuit travaillé en relief plus ou moins accentué, sur le fond de disques plats ou sur le corps de vases de formes résolument sobres, comme ici.

Notes

INTRODUCTION TECHNIQUE

p. 19 — [1] Bodelsen, 1975, *passim*.

INTRODUCTION HISTORIQUE

p. 28 — [1] Sergène, 1972, I, p. 59.

[2] *Ibid.,* p. 139.

[a] Cat. exposition «Porcelaines de Vincennes», Paris, 1977-1978, p. 16.

[b] Lechevallier-Chevignard, 1908, p. 20.

[c] Laking, 1907, nº 1.

p. 30 — [3] MNS, arch., registre Y. 8, fº 57.

[4] Sergène, *op. cit.*, p. 204.

[a] Cat. exposition «Porcelaines de Vincennes», Paris, 1977-1978, p. 32.

p. 32 — [5] Sergène, *op. cit.,* p. 215.

[6] MNS, arch., registre Y. 51bis, p. 9.

[7] *Ibid.*, *id.* Y. 49.

[8] *Ibid.*, *id.* Y. 51bis.

[9] *Ibid.*, *id.* Y. 50.

p. 34 — [10] Cat. exposition «Porcelaines de Vincennes», Paris, 1977-1978, p. 13.

[11] MNS, arch., cahier Y. 56, p. 15.

[a] Eriksen, 1968, nº 1, p. 36.

[b] Courajod, 1873, II, article 1606.

[c] Cat. exposition «Porcelaines de Vincennes», Paris, 1977-1978, p. 98-105.

p. 36 — [12] MNS, arch., registre 51bis, p. 68.

[13] *Ibid.*, *id.* 50, p. 23.

[a] I.F. ms. 5673.

[b] Courajod, 1873, II, article 1991.

[c] *Ibid.*, article 2323.

[d] Brunet, 1974, p. 200-204.

p. 38 — [14] MNS, arch., registre Vy. 1, fº 34, vente «dudit jour 28 janvier 1754 M. Machard 1 moutardier fond verd».

[a] Cat. exposition «Porcelaines de Vincennes», Paris, 1977-1978, nº 15.

[b] *Ibid.*, nº 361.

[c] *Ibid.*, nº 404.

[d] *Ibid.*, nº 46.

p. 40 — [15] MNS, arch., registre Y. 50, p. 108, nº 93.

[16] *Ibid.*, *id.* Y. 8, fº 44.

[17] Verlet, 1953, p. 21.

[a] Belfort, 1977, p. 20 et 66.

p. 42 — [18] MNS, arch., registre 51bis, p. 43.

[19] *Ibid.*, carton N. 3, D. 205.

[a] *Ibid.*, *id.* H. 1.

[b] Cat. exposition «Porcelaines de Vincennes», Paris, 1977-1978, p. 70, nºs 136-139.

p. 44 — [20] MNS, arch., registres Vj'.

[21] *Ibid.*, *id.* Vl'.

[22] Haumont, 1939, p. 56.

[23] MNS, arch., registre Y. 8, fº 48.

[24] *Ibid.*, *id.,* fº 57.

[25] *Ibid.*, carton D. 1, L. I.

[a] *Ibid.,* registre Vy. 2, fº 1 vº.

[b] Nºs 414-415.

[c] Eriksen, in *Apollo* 1968, p. 34-39.

p. 46 — [26] MNS, arch., carton F. 6, 1761.

[27] *Ibid.*, *id.* F. 11.

[28] *Ibid.*, registres Y. 7 (fabrication), Y. 8 (décoration).

p. 48 — [29] A.N., O^1 2062 (état de 1781).

[30] MNS, arch., carton F. 18.

[31] MNS, Bibliothèque, carton R. 183.

[32] Bachelier, 1878, p. 33.

[33] MNS, arch., carton F. 8 (travaux extraordinaires).

[34] La collection provenant de l'atelier de Desportes appartient toujours à la MNS qui a consenti de larges dépôts aux Musées de Compiègne, Gien, Senlis et à la Maison de la Chasse et de la Nature à Paris.

RÉFLEXIONS SUR LES FORMES DE VINCENNES ET DE SÈVRES AU XVIIIe SIÈCLE

p. 50 — [1] Vente à Londres, Sotheby's, 21 avril 1964, nº 48.

[2] Collection Tuck, nº 106.

[a] Verlet, 1953, pl. 21 et p. 201.

[b] Courajod, 1873, II, article 2887.

[c] MNS, arch., registre Vy. 2, fº 29.

[d] Tait, in *Apollo*, juin 1964, p. 64.

[e] Renseignement aimablement communiqué par Mr. Robert Cecil.

p. 52 — [3] Vente à Paris, 29-30 novembre 1976, nº 95.

[4] *The Frick Collection. An Illustrated Catalogue*. Vol. II. *Paintings*, p. 135.

[5] Jones Collection, nº 116.

[6] Cat. exposition «Porcelaines de Vincennes», Paris, 1977-1978, nº 154.

[a] MNS, Bibliothèque, carton R.168, pl. 113.

[b] *Ibid.*, arch., registre Vy.2, fº 48.

p. 54 [7] *Ibid., id.* Vy. 2, fº 16.

[8] *Ibid., id.* Vy.3, fº 46.

[9] Jones Collection, nº 124.

[10] Eriksen, 1968, p. 88.

[11] MNS, arch., registre Vy.9, fº 359.

[12] Forsyth Wickes Collection.

[13] Hamilton Rice Collection (nº 45[a, b]).

p. 56 [14] Verlet, 1966, p. 101.

[15] Garnier, s.d. (vers 1889), pl. 39.

[a] Inv. IV B 143/144; voir Verlet, 1953, pl. 28 et p. 203-204.

[b] Dauterman, 1970, nº 81, p. 200.

[c] MNS, arch., registre Vy. 2, fº 100. Ces vases accompagnaient un «vaisseau» assorti.

p. 58 [16] *Ibid.*, carton I. 7.

[17] Ancienne collection P. Morgan.

[18] Collection Tuck, nº 107.

[a] MNS, arch., registre Vy.2, fº 48 vº.

[b] Cité par Eriksen, 1968, nº 30, p. 90. MNS, arch., registre Vy.3, fº 9.

[c] *Ibid., id.* Vy.2, fº 78.

[d] Verlet, 1953, pl. 37, p. 205.

[e] MNS, arch., registre Vy.3, fº 46.

[f] *Ibid., id.* Vy.3, fº 82.

[g] Garnier, s.d. (1889), pl. 35.

p. 60 [19] Eriksen, in *Apollo* 1968, p. 39.

[20] Verlet, 1953, pl. 27, p. 203.

[21] Wilson (G.), in *J. Paul Getty Museum Journal, 4,* p. 5-24.

[a] MNS, arch., carton I.7.

[b] Verlet, 1953, pl. 30, p. 204.

[c] MNS, arch., registre Vy. 1, fº 75.

[d] *Ibid., id.* Vy.9, fº 359.

[e] Eriksen, 1968, nº 34, p. 98-99.

[f] Courajod, 1873, II, article nº 3120.

[g] Eriksen, 1968, nº 59.

p. 64 [22] Levallet-Haug (G.), in *La Renaissance de l'Art français et des industries de luxe*, février 1922, p. 60-67.

[23] Garnier, *op. cit.*, pl. 35.

[24] Dauterman, 1976, p. 757, pl. 30.

[25] A la demande de M. André Malraux, alors Ministre d'Etat chargé des Affaires Culturelles (1964).

[a] MNS, arch., carton I.7.

[b] I.F. ms. 5675.

p. 66 [26] MNS, arch., registre Vy.2, fº 115.

[27] Dauterman, 1970, p. 198-207.

[a] Brunet, 1974, p. 232.

[b] MNS, arch., carton I.7.

[c] *Ibid.*, registre Vy.3, fº 7 vº.

[d] Cité par Freyberger, 1970-1971, p. 40.

p. 70 [28] MNS, arch., registre Vy.10, fº 163 et année 1768.

[29] *Ibid., id.* Vy.2, fº 78.

[30] *Ibid., id.* Vy.6, fº 209.

[31] *Ibid., id.* Vj'1, fº 227.

[32] *Ibid., id.* Vy.3, fº 7.

[33] Garnier, *op. cit.*, pl. 41.

[34] I.F., ms. 5675, du 14 août 1761.

[35] MNS, arch., registre Vy.3, fº 82.

[36] *Ibid., id.* Vy.4, fº 32.

[a] Wilson (G.), in *J. Paul Getty Museum Journal, 4*, p. 5-24.

p. 72 [37] Verlet, 1953, pl. 33, p. 205.

[38] MNS, arch., registre Vy.3, fº 7.

[39] *Ibid., id.* Vy. 3, fº 83.

[40] Verlet, 1966, p. 101.

[a] MNS, arch., registre Vy.2, fº 75 et fº 86.

[b] Renseignement aimablement communiqué par M.G. de Bellaigue.

[c] MNS, arch., registre Vy.3, fº 114.

[d] Dauterman, 1976, p. 757, pl. 30.

[e] MNS, arch., registre Vy.4, fº 162.

[f] *Ibid., id.*, fº 168.

p. 76 [41] Verlet, 1953, pl. 90[b], p. 218.

[42] Des exemplaires existent au Musée Condé à Chantilly (catalogue à paraître).

[43] MNS, arch., registre Vy.5, fº 172.

[44] I.F. ms. 5673.

[a] Eriksen, 1968, nº 55, p. 154.

p. 78 [a] Eriksen, 1968, nº 57.

[b] Verlet, in *The Art Quarterly*, 1954, p. 234.

[c] *Ibid.*, p. 234.

[d] MNS, arch., carton I.8.

[e] Eriksen, 1968, nº 58, p. 166.

p. 83 [45] MNS, arch., carton F.11.

[a] Notamment dans la collection René Grog.

[b] Vente à Strawberry Hill, 1842, cat., p. 118, nº 81, ill. en frontispice.

[c] Vente du baron Achille Seillère, au Château de Mello, Galerie Georges Petit, 5-10 mai 1890, nº 375. Ces pièces avaient figuré à l'exposition rétrospective de Vincennes et de Sèvres en 1884. Cat. par O. du Sartel et Williamson, nº 552.

p. 84 [a] MNS, arch., carton I.8.

[b] Eriksen, 1968, nº 63, p. 180.

[c] Cat. exposition «Porcelaines de Vincennes», Paris, 1977-1978, nºs 295-296, p. 110.

p. 89 [46] Masson, *Les Arts*, fév. 1905, p. 16.

[a] MNS, arch., registre Y.8, fº 55.

p. 90 [47] Vente à New York, Sotheby's Parke Bernet, 25 février 1978, nº 42.

[a] Eriksen, 1968, nº 73.

[b] Brunet, in *Bulletin de la Société des Amis du Musée de Chantilly*, nº 3, octobre 1972, p. 1-6.

p. 93 [48] MNS, arch., registre Vy.3, fº 123 vº; voir Verlet, 1954, p. 234, fig. 6 et Wark, 1962, fig. 102, p. 106-107.

[a] Brunet, 1974, p. 316.

p. 94 [a] MNS, arch., registre Vy.3, fº 25 et 45.

p. 97 [a] Eriksen, 1968, nº 75, p. 206-225. MNS, arch., registre Vy.4, fº 139.

[b] MNS, arch., carton F.8, travaux extraordinaires. Cité par Eriksen.

p. 98 [49] Eriksen, 1968, nº 108.

[a] MNS, arch., carton I.7.

[b] I.F. ms. 5675 fº 48.

[c] MNS, arch., carton F.11.

[d] Inv. I. 20.

[e] 1968, p. 246.

[f] Le service survit dans une collection privée de Grande-Bretagne.

[g] Brunet, cat. manuscrit à paraître, nº S. 5[a, b].

p. 103 [50] Cat. exposition «Porcelaines de Vincennes», Paris, 1977-1978, nos 227-228.

[51] Une paire, datée 1765, se trouve dans la Wernher Collection à Luton Hoo (Bedfordshire); une autre est conservée au Detroit Institute of Art; voir Dauterman, 1976, fig. 25.

[52] Un exemplaire conservé au Musée de l'Ermitage le démontre.

p. 104 [53] Collection de Mrs. Morris Hawkes. Voir *The Philadelphia Museum Bulletin*, vol. XXXVIII, no 197, March 1943.

[a] MNS, arch., registre Vy. 5, fo 134 vo.

[b] Voir Verlet, 1954, in *Burlington Magazine*, p. 202.

[c] Renseignement aimablement communiqué par M. G. de Bellaigue.

p. 107 [54] Honey (W.B.), *European Ceramic Art from the End of the Middle Ages to about 1815*, 2 vol., Londres, 1949-1952, II, pl. 77.

[55] MNS, arch., registre Vy. 5, fo 133.

[56] *Ibid.*, *id.*, *id.*

[57] *Ibid.*, *id.*, Vy. 5, fo 166.

[a] MNS, arch., carton F. 18, travaux extraordinaires.

[b] *Ibid.*, registre Vc'1.

[c] *Ibid.*, carton I. 7, inventaire de 1768.

[d] Charleston, in *The Connoisseur*, février 1970, p. 84.

p. 108 [58] Verlet, 1954, p. 237-238, fig. 11.

[59] MNS, arch., registre Vy. 8, fo 146 vo.

[a] Eriksen, 1968, no 107, p. 292. Il cite l'ouvrage de Paul Biver, *Histoire du Château de Bellevue*, p. 264.

[b] A.N., O1 2062. Etat général de toutes les personnes employées à la Manufacture du Roi (1781).

[c] MNS, arch., carton F. 18.

[d] *Ibid.*, registre Vj' 1, fo 119 et vo.

p. 111 [60] Eriksen, 1974, pl. 279.

[a] Rice, 1957, p. 31-37.

[b] Verlet, 1954, p. 238-241.

[c] Rice, 1940, p. 43-48.

p. 112 [61] Reproduit dans *Catalogue of an important Collection of Old Sèvres porcelains, ... belonging to E.M. Hodgkins*, s.d. (sans nom d'auteur).

[62] Vente à Paris (collection James de Rothschild), 1er décembre 1966, no 60.

[63] Vente à Londres, Christie's, 6 décembre 1960, no 68.

[64] MNS, arch., carton F. 10, travaux extraordinaires.

[a] MNS, arch., carton F. 22, travaux extraordinaires de décembre.

[b] *Ibid.*, registre Vl' 1, fournée du 10 décembre 1780.

[c] *Ibid.*, registre Vy. 8, fo 44.

[d] MNS, Bibliothèque, carton R. 168, pl. 75.

[e] *Ibid.*, arch., registre Vl' 1, fo 67, du 17 août «3 vases Paris 1ere et 2e frise riche émaillée. — Fallot».

[f] *Ibid.*, *id.* Vj' 2, fo 200.

[g] *Ibid.*, *id.*, fo 16.

[h] *Ibid.*, *id.* Vy.8, fo 144 vo. Voir Verlet, in *Apollo*, 1954.

p. 118 [65] I. F. ms. 5673, fo 33.

[66] *Ibid.*, ms. 5676 (sans no fo).

[67] MNS, arch., registre Vy. 5, fo 96.

[68] Cat. exposition «Porcelaines de Vincennes», *op. cit.*, p. 144.

[69] Verlet, 1953, pl. 8 et p. 198.

[a] Brunet, in *Versailles*, no 41, 1970, p. 23-27.

[b] Verlet, 1953, pl. 88, p. 219.

p. 120 [70] MNS, arch., registre Vy. 9, fo 104 vo.

[71] Eriksen, 1973, p. 95.

[72] Ledoux-Lebard (D.), *G. B. A.*, janvier 1974, p. 49-52.

[a] MNS, arch., dessins de formes de vases.

[b] Collection royale de Grande-Bretagne.

[c] Verlet, in *Apollo*, juillet 1954, p. 202.

[d] Chavagnac et Grollier, 1906, p. 207. Cité par Verlet.

1800-1847

p. 241 [1] Launay, 1940.

[2] MNS, arch., carton T. 1, liasse 1, dossier 3.

[3] *Ibid.*, carton T. 7, liasse 1, dossier 4.

p. 242 [4] *Ibid.*, carton T. 7, liasse 2, dossier 5.

[5] Garnier, 1888.

[6] Lechevallier-Chevignard, 1907.

p. 244 [7] MNS, arch., carton T. 1, liasse 3, dossier 5.

[8] *Ibid.*, carton T. 2, liasse 1, dossier 1 (lettre du 17 mai 1806).

[9] *Ibid.*, registre Vbb 10, fo 24 (mars 1843).

p. 246 [10] Wilson, 1975. En fait de «quelques assiettes», le service en comptait soixante-six plates, pour ne rien dire des pièces de forme, corbeilles ornementales et du surtout de six mètres de long.

[11] MNS, arch., registre Vbb 10, fo 10 vo (décembre 1840).

[12] *Ibid.*, *id.*, fo 15 (octobre 1841).

[13] *Ibid.*, *id.*, fo 10 vo (août 1846).

[14] *Ibid.*, registre Vbb 11, fo 13 (décembre 1846).

[15] *Ibid.*, registre Vz 4, fo 290 vo (septembre 1828).

[16] *Ibid.*, registre Vz 6, fo 247 (décembre 1846).

[17] *Ibid.*, registre Vz 4, fo 4.

[18] *Ibid.*, registre Vz 5, fo 56.

[19] *Ibid.*, registre Vz 6, fo 106 vo.

[20] *Ibid.*, carton T. 8, liasse 3, dossier 7.

p. 252 [21] *Ibid.*, carton Pb 1 (1808).

[22] *Ibid.*, carton Pb 3 (1813).

[23] On fit à Sèvres des essais du procédé d'impression mis au point par Gonord, permettant d'augmenter ou réduire un modèle de façon égale dans toutes les dimensions, en prenant pour exemple une carte de France. Voir Brunet (*Archives de l'art français*).

p. 254 [24] MNS, arch., carton T. 2, liasse 1, dossiers 1 et 5.

[25] *Ibid.*, carton T. 1, liasse 2, dossier 1.

[26] *Ibid.*, carton T. 2, liasse 1, dossier 1.

p. 256 [27] Préaud, 1970.

[28] MNS, arch., carton Pb 19, liasse 1, dossier 6.

[29] Exposition 1838, Paris.

[30] MNS, arch., carton T. 15, liasse 1, dossier 1.

[31] Grandjean, 1962 et 1965; 'T'sas, 1967.

[32] Brunet, 1954.

p. 258 [33] Gastineau, avril 1932.

[34] Montesquiou, 1911.

[35] Brunet, 1963.

[36] Brunet, 1947 et 1960.

[37] Leclercq, 1976.

[38] Grandjean, 1974.

p. 260 [39] Arizzoli-Clémentel, 1976 et 1977.

[40] Lossky, 1973.

[41] Grandjean, 1968.

[42] Grandjean, 1953.

[43] Brunet, 1948; Grandjean, 1954.

[44] Grandjean, 1959.

[45] Ce renseignement nous a été aimablement communiqué par M. Serge Grandjean.

p. 264 [46] MNS, arch., carton T. 30, liasse 3, dossier 5 (lettre du 21 juin 1825).

[47] Gastineau, 1934.

[48] Brunet *(Walters Art Gallery...)*.

[49] Baulez, 1971.

[50] Grandjean, 1950 et 1955.

[51] Fourest, 1975.

[52] Pottier, 1851.

p. 265 [53] Brunet-Ross, 1962; Ronsil, 1957.

1847-1897

p. 268 [1] Vaisse, 1974.

[2] Duc, 1875.

[3] Lameire, 1889.

[4] MNS, arch., carton T. 17, liasse 1 (16 juillet 1853).

p. 270 [5] *Ibid.*, carton T. 17, liasse 4.

[6] Salvetat, 1876.

[7] MNS, arch., carton T. 17, liasse 1.

p. 272 [8] *Ibid.*, registre Vbb 12, f° 16.

[9] *Ibid.*, *id.*, f° 8 v°.

[10] *Ibid.*, *id.*, f° 4.

[11] *Ibid.*, *id.*, f° 32.

[12] *Ibid.*, *id.*, f° 56.

[13] *Ibid.*, registre Vaa 4, f° 332.

[14] *Ibid.*, registre Vaa 5, f° 1.

[15] *Ibid.*, *id.*, f° 198 v°-199. Il se trouvait même dans cet envoi considérable une «jardinière rocaille» ayant pour sujet *Le lion et le rat*.

[16] *Ibid.*, carton T. 23, liasse 2.

p. 274 [17] *Ibid.*, dossier Sandier. Mon attention a été attirée sur ce point par une question de Mme M. J. Bordes, Associate Curator au Metropolitan Museum of Art de New York, American Wing.

[18] *Ibid.*, registre Vaa 4, f° 350 (février 1881).

[19] *Ibid.*, registre Vz 11, f° 139.

[20] *Ibid.*, registre Vz 13, f° 115.

p. 276 [21] Verneuil, 1904.

p. 278 [22] Lauth-Vogt, s.d.

[23] Bodelsen, 1975.

[24] MNS, arch., carton T. 27, liasse 1.

p. 280 [25] Sprietsma, 1928; Verneuil, 1904.

[26] Marx, 1905 et 1907.

p. 282 [27] Verneuil, 1907.

p. 284 [28] Garnier, 1884.

p. 286 [29] Garnier, 1890; Lameire, 1889.

[30] Gouellain, 1891.

1897-1977

p. 311 [1] Bourgeois, 1909.

[2] Lechevallier-Chevignard, 1908.

p. 314 [3] MNS, arch., registre Vaa 11, f° 265 v°.

[4] *Ibid.*, registre Vaa 13, f° 45.

[5] *Ibid.*, registre Vaa 10, f° 238.

[6] *Ibid.*, registre Vaa 13, f° 14 v°-15.

[7] *Ibid.*, registre Vaa 11, f° 270 v°.

[8] *Ibid.*, registre Vaa 13, f° 41 v°.

[9] *Ibid.*, registre Vaa 13, f° 16-16 v°.

p. 316 [10] *Ibid.*, registre Vaa 9, f° 218.

[11] *Ibid.*, registre Vaa 9, f° 238 v°.

[12] *Ibid.*, registre Vaa 9, f° 205 v°.

[13] *Ibid.*, registre Vaa 9, f° 209-209 v°.

Marques et signatures ; imitations et faux

Nous allons donner ci-dessous un tableau des marques employées par la Manufacture tout au long de son histoire, et des sigles adoptés par les décorateurs et ouvriers de la fabrication.

Ces tableaux appellent deux remarques : la première est que Sèvres a toujours eu un système de marques extrêmement complet et précis, qui permet facilement attribution et datation. Au XVIIIe siècle, on trouve une marque de fabrication complétée à partir de 1753 par une lettre-date ainsi que la signature du décorateur et, éventuellement, celle du doreur ; reste à savoir si les marques gravées dans la pâte correspondent aussi à des marques d'ouvriers (voir Eriksen, 1968 ; Dauterman, 1968). A partir du XIXe siècle, la marque de décoration se distingue de celle de fabrication cependant que les marques en creux indiquent la date de mise en œuvre, le type de pâte et le nom de l'ouvrier responsable. Il est vraisemblable que cette habitude de faire signer les ouvrages tient beaucoup plus à la nécessité de juger le travail de chaque ouvrier qu'à un souci des futurs amateurs ou à quelque orgueil d'artiste.

La seconde remarque suscitée par ces tableaux est une mise en garde : les marques et signatures sont très faciles à falsifier ou imiter, en sorte qu'il ne faut jamais se fier à elles pour juger de l'authenticité d'un objet.

En effet, les créations de Sèvres ont été copiées en proportion de leur succès auprès des amateurs, et l'on ne saurait jamais être trop prudent dans l'attribution d'une pièce. Dès les années de Vincennes, le directeur se plaignait de l'existence de manufactures rivales copiant ses créations ; le privilège exclusif pour la fabrication de la porcelaine en France, accordé en 1753 et renouvelé tout au long du siècle sous des formes plus ou moins contraignantes, n'a jamais pu empêcher ni l'installation d'autres fabriques ni même les imitations des formes et décors mis au point à Sèvres. Au cours du XIXe siècle, toute idée de privilège exclusif ayant disparu, les bonnes relations entre Brongniart et ses confrères aboutirent à encourager, dans une certaine mesure, les copies, puisque Sèvres communiquait libéralement ses projets de décors et autorisait les surmoulages dans ses collections de modèles anciens. En outre, la Manufacture vendit une immense quantité de pièces en rebut blanc non seulement à des particuliers désireux de se procurer à bas prix une vaisselle de très bonne qualité, mais même à des fabricants, décorateurs ou négociants en porcelaine ; cette pratique ne fut interrompue qu'en 1880. Cette décision est certainement en rapport avec le fait suivant : l'expansion des arts décoratifs avait entraîné un regain d'intérêt pour les créations des époques révolues ; ce mouvement commercial avait presque fatalement entraîné la multiplication des faux. La grande époque de la fabrication de ces derniers se situe entre 1870 et 1920 environ, jusqu'au moment où la Manufacture décida de faire le dépôt de ses marques. En dépit du renouvellement périodique de ce dernier, les faussaires n'ont pas disparu et l'on fabrique encore aujourd'hui des imitations destinées à tromper l'amateur peu averti.

Reste à savoir qui a copié Sèvres. En fait, la réponse est impossible, puisque personne ne s'en est jamais vanté. A l'étranger, il semble que l'Italie et l'Angleterre aient montré de cette manière particulière l'intérêt qu'elles prenaient aux productions françaises ; d'autant plus que, lors de la Révolution, de grandes quantités de porcelaines de Sèvres furent vendues, en Angleterre notamment, et qu'au fur et à mesure des successions et accidents, il fallut réassortir les services; en outre, Minton a figuré très tôt parmi les fabricants autorisés à surmouler à Sèvres et a réédité, la plupart du temps en posant honnêtement quoique discrètement sa marque, un grand nombre des formes les plus caractéristiques de l'activité de la Manufacture au XVIIIe siècle. En France même, un nombre très important de porcelainiers et décorateurs se sont consacrés à ce type d'activité; le plus célèbre est Sanson, qui s'installa dès 1843 et se fit aussitôt une spécialité de copies de toutes sortes d'œuvres céramiques; il adopta pour chaque type une marque assez proche de l'original pour tromper un œil peu exercé; dans le cas des porcelaines de Sèvres, Sanson marquait de quatre S entrelacés formant une figure extrêmement proche des deux L affrontés; non content de copier fidèlement un grand nombre de formes, de décors et de sculptures, il poussa même l'habileté jusqu'à isoler certaines figures des groupes élaborés à Sèvres pour les combiner de manière à former des ensembles inédits et souvent déroutants même pour le connaisseur. L'absence de personnalité juridique n'a jamais permis à la Manufacture de poursuivre ces faussaires en justice, sauf pendant la période de l'autonomie. Mais, même alors, la Manufacture ne put jamais obtenir l'application de l'obligation faite à Samson, au terme d'un procès, de changer sa marque et d'adopter un sigle nettement différent du sien.

Nous voudrions donner quelques conseils aux amateurs, afin de leur permettre de mieux se défendre contre les imitations, beaucoup plus nombreuses que les pièces authentiques sur le marché. Tout d'abord, ils doivent éliminer d'office deux types de pièces très répandues: les vases marqués dans le couvercle, pratique inconnue à Sèvres, et les sculptures, attribuées au XVIIIe siècle, et marquées des deux L affrontés, puisque cette marque n'a été employée que sur les pièces décorées. De même, et pour la même raison, cette marque sans couronne ne peut se trouver sur des pièces de pâte dure.

D'autre part, les imitations ont des traits communs, faciles à reconnaître: pour les formes, qu'elles soient directement démarquées de modèles créés par Sèvres ou de pure invention, les parties en relief des anses, prises, etc., ne sont jamais précises ni finement modelées mais estampées rapidement dans des moules souvent usés; les couleurs sont en général mates et opaques et restent peu glacées en surface, aussi bien pour les fonds que les décors; les ornements d'or sont très caractéristiques par leur aspect métallique dû à leur faible teneur en métal précieux; enfin, les décors des revers sont souvent esquissés à la hâte, sans précision ni finesse; ceux de la face sont généralement plus soignés. Les pièces les plus imitées sont: les assiettes à portraits; les vases avec des scènes napoléoniennes — souvent signées Desprez — ou des pastorales «dans le style de Watteau» — souvent signées Poitevin; le service de Louis-Philippe à Fontainebleau, avec ses rinceaux ornés de petits animaux et ses médaillons à monogrammes, doit toujours susciter la plus grande méfiance, de même que tous les cachets de provenance de châteaux ou palais. Enfin, les faussaires n'ont jamais hésité devant des pièces aussi importantes que les plaques pour dessus de table sur lesquelles ils ont aimé à réunir des portraits de membres des familles souveraines et de leurs favoris dans le plus total anachronisme.

Pour finir, nous voudrions attirer l'attention sur un type particulier d'objets nommés *surdécors*. Il s'agit de pièces qui ont effectivement été fabriquées à Sèvres, mais dont le décor, en tout ou en partie, a été posé en dehors de la Manufacture; figurent dans cette catégorie les pièces blanches vendues lors de la Révolution et décorées par la suite, aussi bien que les innombrables objets de rebut vendus jusqu'en 1880. Si l'on songe que certains ont pu être achetés par des marchands ou même des employés de la Manufacture et ornés par les décorateurs de la maison, en dehors de leurs heures de travail pour Sèvres, mais souvent avec les mêmes couleurs, on comprendra que leur identification n'est pas toujours facile, puisque la marque de fabrication n'était alors que rayée (pour le rebut, elle est aujourd'hui profondément meulée). On trouve également parmi les surdécors des pièces partiellement décorées à Sèvres: dans les palais impériaux et royaux, on employait concurremment plusieurs services, en dehors de celui d'apparat réservé au souverain. Un service blanc à frise et chiffre en or servait aux princes, celui à filet et chiffre en or aux officiers et celui à filet et chiffre de couleur aux cuisines. En cas de grande réception, on se prêtait ce type de vaisselle d'un château à l'autre, ce qui explique l'apposition au revers d'un cachet spécial pour chaque résidence, très souvent utilisé à tort et à travers par les faussaires. Ces pièces simples sont tombées en grand nombre dans le domaine public et on y a très souvent ajouté un décor, presque toujours d'angelots sur des nuages, reconnaissable à ses couleurs très peu glacées puisqu'on a dû les cuire à très basse température.

Notre but n'est certainement pas de décourager les amateurs, mais de leur éviter les déconvenues que peut entraîner un examen trop rapide et sans méfiance.

Marques de fabrication et de décoration

1
bleu, or ou couleur
(au pinceau)
Porcelaine tendre

1740-17 juillet 1793
avant 1753 : avec un ou plusieurs points ou sans
à partir de 1753 : avec lettre-date

2
mêmes couleurs que nº 1
(au pinceau)
Porcelaine dure

1770-1793
avec lettre-date

Les nºs 1 et 2 s'accompagnent de lettres-dates précisant l'année :

TABLEAU CHRONOLOGIQUE DES LETTRES DÉSIGNANT L'ANNÉE DE DÉCORATION 1753-1793

A	indique l'année	1753	V	indique l'année	1774
B	—	1754	X	—	1775
C	—	1755	Y	—	1776
D	—	1756	Z	—	1777
E	—	1757	AA	—	1778
F	—	1758	BB	—	1779
G	—	1759	CC	—	1780
H	—	1760	DD	—	1781
I	—	1761	EE	—	1782
J	—	1762	FF	—	1783
K	—	1763	GG	—	1784
L	—	1764	HH	—	1785
M	—	1765	II	—	1786
N	—	1766	JJ	—	1787
O	—	1767	KK	—	1788
P	—	1768	LL	—	1789
Q	—	1769	MM	—	1790
R	—	1770	NN	—	1791
S	—	1771	OO	—	1792
T	—	1772	PP	—	1793
U	—	1773		— (Jusqu'au 17 juillet)	

3-4-5
bleu
(au pinceau)

RF (3) R.F (4) R.F (5)

1793-environ 1800

6
nº non attribué

7
bleu, or ou couleur
(au pinceau)

Sèvres

avant 1800-1802

8
rouge
(à la vignette)

M N[le] Sèvres

1803-8 mai 1804

9
rouge
(à la vignette)

M Imp[le] de Sèvres

1804-1812

10
rouge
(impression d'après un modèle gravé sur cuivre)

1813-1815

Les nºs 7 à 11 s'accompagnent de signes précisant l'année :

TABLEAU CHRONOLOGIQUE DES SIGNES, CHIFFRES, LETTRES DÉSIGNANT L'ANNÉE DE DÉCORATION 1801-1816

T9	indique l'année	IX, 1801	10	indique l'année	1810
X	—	X, 1802	oz	—	1811
II	—	XI, 1803	dz	—	1812
÷	—	XII, 1804	tz	—	1813
-‖-	—	XIII, 1805	qz	—	1814
[signe]	—	XIV, 1806	qn	—	1815
7	—	1807	sz	—	1816
8 ou ↑	—	1808	ds	—	1817
9	—	1809			

11, 12
bleu ou rouge
(impression)

1814-1824
avec les deux derniers chiffres du millésime à l'intérieur

13
bleu
(impression)

1824-1830
avec les deux derniers chiffres du millésime dessous

14
nº non attribué

15
bleu
(impression)
Marque de décoration

1829-1830
avec les deux derniers chiffres du millésime dessous

16
bleu
(impression)
Marque de dorure

1829-1830
avec les deux derniers chiffres du millésime dessous

17
bleu
(impression)

1830
avec les deux derniers chiffres du millésime dessous

18
bleu ou or
(impression)

1831-1834
avec les deux derniers chiffres du millésime à l'intérieur

19
bleu ou or
(impression)

1834-1845
avec la date en entier à l'intérieur

20
vert
(impression sous couverte)
Marque de fabrication

1845-1848
avec les deux derniers chiffres du millésime à droite

21
bleu ou or
(impression)
Marque de décoration ou de dorure

1845-1848
avec la date en entier à l'intérieur

22
bleu ou or
(impression)
Marque de décoration ou de dorure

1848
avec la date en entier à l'intérieur

23
vert: pâte dure (PD)
bleu clair: pâte tendre (PT)
bleu foncé: pâte Lauth-Vogt
noir: pâte nouvelle (PN)
(impression sous couverte)
Marque de fabrication

1848-1899
avec les deux derniers chiffres du millésime à l'intérieur

24
rouge
(impression)
Marque de décoration ou de dorure

1848-1852
avec les deux derniers chiffres du millésime à l'intérieur

25
rouge
(impression)
Marque de décoration ou de dorure

1852-1853
avec les deux derniers chiffres du millésime à droite

26
rouge
(impression)
Marque de décoration ou de dorure
Pâte dure

1854
avec les deux derniers chiffres du millésime à droite

27
même chose que nº 26 pour la pâte tendre

même chose que nº 26

28
rouge
(impression)
Marque de décoration

1855-1870
avec les deux derniers chiffres du millésime dessous

29
rouge
(impression)
Marque de dorure

même chose que nº 28

30
brun-rouge
(en creux ou relief, sous couverte)
Grosse porcelaine
Marque de fabrication

1888-1891

31
vert: PD
noir: PN
bleu clair: PT
(impression sous couverte)
Marque de fabrication

1900-1911
avec la date en entier à l'intérieur

32
vert: DA (pâte dure ancienne)
noir: DN (pâte dure nouvelle)
(impression sous couverte)
Marque de fabrication

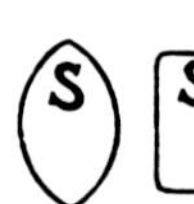

1912
avec la date en entier à l'intérieur et des initiales précisant la nature de la pâte dessous

33
même chose que nº 32

1912
même chose que nº 32

34
bleu clair: TK (pâte tendre kaolinique)
pour le reste, même chose que nº 32

1912-1917; 1921-1927
même chose que nº 32

35
même chose que n° 34

1917
même chose que n° 32

36
même chose que n° 34

1918-1920
même chose que n° 32

37
terre de sienne: PS
(pâte siliceuse)
noir: PB (pâte spéciale Brémond)
pour le reste, même chose que n° 34

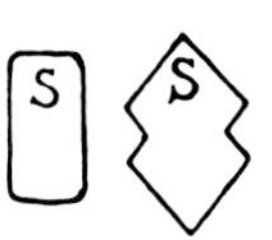

1923-1927
même chose que n° 32

38
même couleur que la marque

1924-1927

39
vert: PD
noir: PN
terre de sienne: PS
(impression)
Marque de fabrication

1928-1940
avec lettre-date en minuscule dessous (nombreuses variantes dans la disposition)

40
rouge
(impression)
Marque de décoration

1871
avec les deux derniers chiffres du millésime à l'intérieur

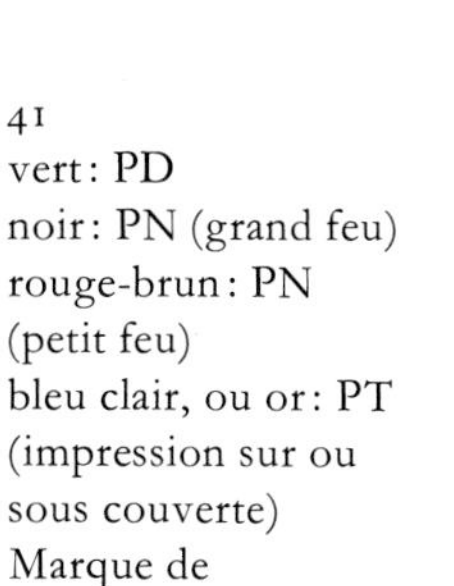

41
vert: PD
noir: PN (grand feu)
rouge-brun: PN
(petit feu)
bleu clair, ou or: PT
(impression sur ou sous couverte)
Marque de décoration

1872-1899
avec les deux derniers chiffres du millésime à l'intérieur

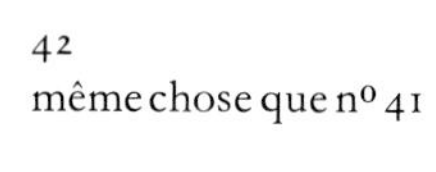

42
même chose que n° 41

1900-1902
avec la date en entier en bas

43
même chose que n° 41

1902-1941
avec la date en entier en bas

44
rouge
(impression)
Marque de dorure

1871
avec les deux derniers chiffres du millésime à l'intérieur

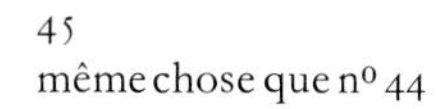

45
même chose que n° 44

1872-1899
avec les deux derniers chiffres du millésime à l'intérieur

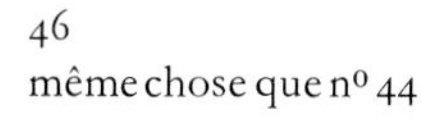

46
même chose que n° 44

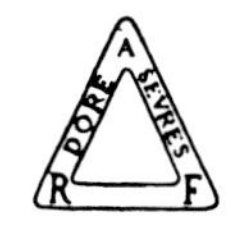

1900-1902
avec la date en entier en bas

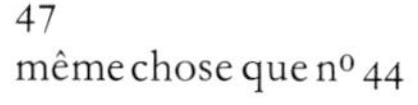

47
même chose que n° 44

1902-1941
avec la date en entier en bas

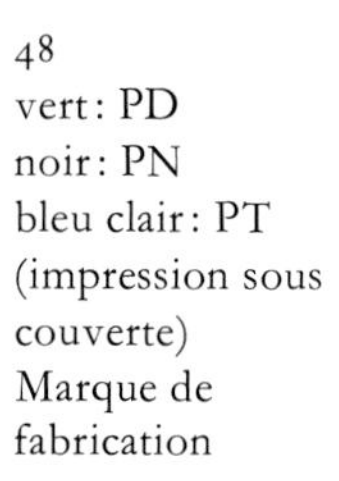

48
vert: PD
noir: PN
bleu clair: PT
(impression sous couverte)
Marque de fabrication

1941-1969
avec les deux derniers chiffres du millésime dessous

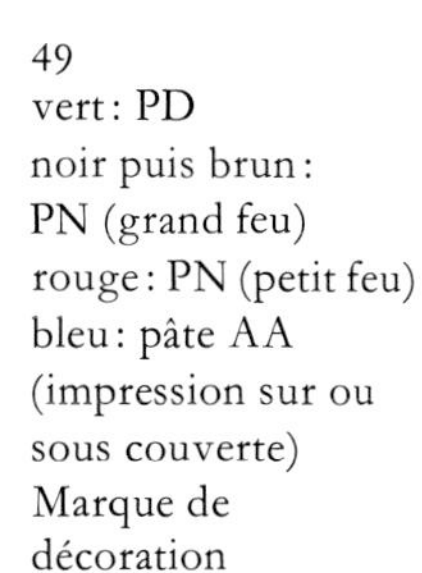

49
vert: PD
noir puis brun:
PN (grand feu)
rouge: PN (petit feu)
bleu: pâte AA
(impression sur ou sous couverte)
Marque de décoration

depuis 1941
avec lettre-date majuscule à l'intérieur (AK = 1977)

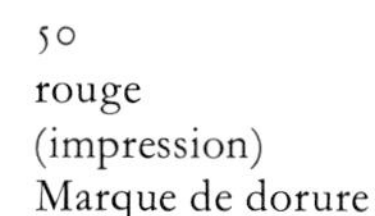

50
rouge
(impression)
Marque de dorure

depuis 1941
même chose que n° 49

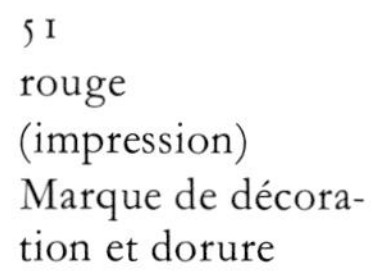

51
rouge
(impression)
Marque de décoration et dorure

depuis 1941
même chose que n° 49

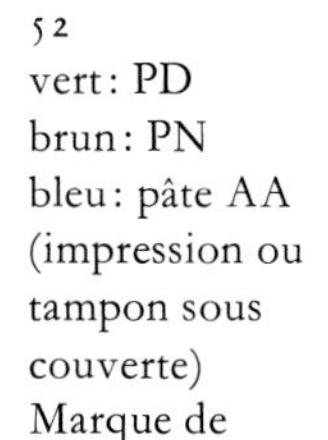

52
vert: PD
brun: PN
bleu: pâte AA
(impression ou tampon sous couverte)
Marque de fabrication

depuis 1970
avec les deux derniers chiffres du millésime dessous
(Marque dessinée par G. Mathieu)

Marques des biscuits

Les biscuits du XVIIIe siècle ne portent pas de marque de fabrication.

53
gravée en creux — SEVRES — environ 1800-1850

54
imprimée en creux
(parfois des initiales précisent la pâte) — SEVRES — environ 1850-1899

Pour le XXe siècle, les marques sont semblables aux marques de fabrication des pièces émaillées, par exemple:

55
imprimée en creux

1900-1902

56
imprimée en creux

1928-1940

57
imprimée en creux

1923-1927

Tableau des marques en creux

relevées sur les pièces de Vincennes et de Sèvres du XVIIIe siècle contenues dans ce volume, y compris les sculptures

1 VBP	16 Z	31 mR	46 Bono	61 R	76 BP
2 J	17 Bo	32 D	47 cd	62 Lf	77 dt
3 jj	18 6c	33 5	48 j	63 !N	78 jf
4 3	19 B	34 PT	49 Jr 6	64 Li	79 38·A
5 ▭	20 cp	35 B	50 LB	65 6	80 45 B16
6 i	21 vB	36 CT	51 gf	66 B	81 24
7 fn	22 np	37 FR	52 P.T.	67 ·F·	82 45 11
8 A·S	23 N	38 th	53 F	68 cn	83 11 43
9 B	24 ip	39 oo	54 9c	69 C	84 AP
10 Va	25 ap	40 3	55 ST	70 9c	85 gn
11 2	26 8	41 CD	56 cf	71 A	
12 R	27 36a	42 a	57 ·IO·A	72 LR	
13 J	28 LF	43 Sh	58 10·B	73 LS	
14 h	29 Δ	44 Cd	59 4	74 D	
15 Λ	30 gd	45 CpD	60 Bono B	75 WA	

Marques peintes dans les cartels ou sur les corps des pièces

501. Coupin 1809
502. Swebach
503. DEMARNE. — A 1809 ou 1810 (?) sur une guirlande
504. Mme Jaquotot d'ap. Isabey
505. J.M. Degault
506. Manufacture Imple de Sèvres/Beranger pinxit 1813
507. C. Develly 1821
508. C. Develly 1823
508*bis*. M. Ducluzeau. — Mme Ducluzeau d'après les dessins de M. Fragonard
509. BERANGER. 1832/invt et pinxt
510. F. Regnier
511. Moriot d'après Desmoulin *(sic)* 1846
512. REGNIER 54
513. Abel Schilt
514. Th. FRAGONARD
515. Leonie Fragonard
516. J. GELY
517. P. Dufaux d'après Besson
518. S. Jadelot 1864
519. Goddé
520. LMS 68
521. Larue invenit 1877
522. Gob. R.
523. I. GELY
524. F. Mérigot
525. A. Carrier Belleuse/1884/Invenit et execudit *(sic)*
526. 18/TDOAT/98
527. A. FOURNIER/1925/D'après Guy Loë

Marques peintes sous les pièces

551. en rouge: V.D.
552. en or: R.m Ier a.v
en bleu: 28 j.v.
en noir: F (?) 1573 (barré)
en rouge: 273
553. en or: fv. TZ AB
en vert: 10.OU.12
554. en or: G. 24 7bre. — BT 24 sepbre
555. en or: 30 mrs TZ. — 30 mars TZ
555*bis*. en vert: T. 20 jn 15 S. 25.IIIa.13
en marron: T. GO S. YC
556. en or: Mo 30 aout Qd. — Mo 258bre 9
557. en or: MC 9 Nbre IZ
558. en jaune: vu Alex. B.
en noir: 11 jer 16
en or: 26 avril
559. en or: MC. 17 avril N
en rouge: D.Y.
en vert: 30 nov. 20 P
560. en or: MC 30. — 2: 29; 2:30. — M 31 Jt V
561. en or: MC.32
562. en or: RC(?)
563. en or: AB
564. en vert: D.8 av. 34
en or: no 64 M
565. en or: W
en or et brun: 89.R
566. en or: A 41
567. Optat Milet/M.I. de Sèvres. 1866.12
568. en noir: AC
569. en bleu: FM
en or: DL
570. en bleu: B
571. no non attribué
572. en noir: AB; W
en vert: AB; N
573. en vert: 55.A.P.
574. en or: HL 1894
575. en vert: CF. d'après Eric Bagge
576. LT d'ap. Jean Droit
577. LTrager d'ap. Beaumont
578. FP d'après Odartchenko
579. en noir: H. Lasserre d'après Beaumont

Marques de sculpteurs en creux

601. C 43 1
602. O.G.; A.B. 12 jt Nr 2
603. AB 3 jt OZ
604. Mas 2 juin 25
605. Barre Ft.
606. E.C. 91

Bibliographie

AHLERS (Willem C.), *Un Chimiste du XVIIIe siècle, Pierre-Joseph Macquer, Aspects de sa vie et de son Œuvre*, Paris, 1969 (Thèse de 3e cycle, Histoire des Sciences).

ALFASSA (Paul) et GUÉRIN (Jacques), *Porcelaine française du XVIIIe au Milieu du XIXe Siècles*, Paris, s.d.

ARIZZOLI-CLÉMENTEL (Pierre), «Les Surtouts impériaux en Porcelaine de Sèvres, 1804-1814», in *Bulletin des Amis suisses de la Céramique*, 1976, mai, p. 208-211.

— «Les Cornets antiques du Service Olympique», in *Antologia di Belle Arte*, 1977, juin, p. 208-211.

BACHELIER (Jean-Jacques), *Mémoire historique sur la Manufacture Nationale de Porcelaine de France rédigé en 1781 par BACHELIER réédité avec Préface et Notes par Gustave Gouellain*, Paris, 1878.

BALLU (Nicole), «La Carrière des Dubois», in *Cahiers de la Céramique, du Verre et des Arts du Feu*, n° 10 (1958), p. 92-93.

BAULEZ (Christian), «Le Vase du Mariage de l'Empereur, Cérémonie civile à Saint-Cloud le 1er avril 1810», in *Bulletin de la Société de l'Histoire de l'Art français*, 1971, p. 217-234.

BAUMGART (Emile), «La Manufacture de Sèvres en 1903», in *Le Figaro illustré*, 1903, septembre, p. 2-24.

BELFORT (Anne-Marie), «L'Œuvre de Vielliard d'après Boucher», in *Cahiers de la Céramique, du Verre et des Arts du Feu*, n° 58 (1977), p. 6-35.

— «Les Trophées de Watteau peints par Vielliard», in *Cahiers de la Céramique, du Verre et des Arts du Feu*, n° 58 (1977), p. 66-73.

BELLAIGUE (Geoffrey de), «A Diplomatic Gift», in *The Connoisseur*, 1977, juin, p. 92-99.

— «George IV and French Furniture», in *The Connoisseur*, 1977, juin, p. 116-125.

BERGES (R.), «Soft-Paste Biscuit Figures from Vincennes and Sèvres», in *The Connoisseur*, 1967, février, p. 194-199.

BIRIOUKOVA (Nina), «A Propos des Marques sur les Biscuits de Vincennes et de Sèvres», in *Cahiers de la Céramique, du Verre et des Arts du Feu*, n° 40 (1968), p. 257-261.

Les Biscuits de la Manufacture nationale de Sèvres, XVIIIe et XIXe Siècles, Paris, s.d.

BODELSEN (Merete), «Sèvres-Copenhagen, Crystal Glazes and Stoneware at the Turn of the Century», in *The Royal Copenhagen Manufactory*, Copenhague, 1975, p. 59-88.

BOURGEOIS (Emile), *Les Archives d'Art de la Manufacture de Sèvres, 1741-1905* (Rapport au Ministre de l'Instruction publique et Inventaire Sommaire), Paris, 1905.

— *Le Biscuit de Sèvres au XVIIIe Siècle*, 2 vol., Paris, 1909.

— et LECHEVALLIER-CHEVIGNARD (Georges), *Le Biscuit de Sèvres*. Tome I: *Recueil des Modèles de la Manufacture de Sèvres au XVIIIe Siècle*. Tome II: *Recueil des Modèles modernes de la Manufacture de Sèvres*, Paris, s.d. (1913).

BOURGUIGNON (Jean), «La Table des Maréchaux», in *Bulletin des Musées de France*, 1929, août.

BOUYER (Raymond), «Les Vases de Sèvres décorés par Henri Gillet», in *L'Art Décoratif*, 1911, p. 27-32.

BOYER (Jacques), «La Manufacture nationale de Sèvres à l'Exposition des Arts Décoratifs», in *La Nature*, 1925, 19 août, p. 133-138.

BRÖHAN (Karl H.), *Sammlung Karl H. Bröhan; Berlin;* Band II, Teil 2: *Kunsthandwerk Jugendstil, Werkbund, Art Déco; Metall, Porzellan*, Berlin, 1977.

BRONGNIART (Alexandre), *Essai sur les Couleurs obtenues des Oxydes métalliques et fixées par la Fusion sur les différents Corps vitreux*, s.l., s.d. (1802).

— *Mémoire sur la Peinture sur Verre...* (lu à l'Académie royale des Beaux-Arts le 7 juin 1828), Paris, 1829.

— *Du Caractère et de l'Etat actuel de la Manufacture Royale de Porcelaine de Sèvres, et de son Influence sur l'Art et le Commerce de la Porcelaine*, Paris, 1830.

— *Premier Mémoire sur les Kaolins ou Argiles à Porcelaine, sur la Nature, le Gisement, l'Origine et l'Emploi de cette sorte d'Argile*, Paris, 1839.

— *Traité des Arts Céramiques ou des Poteries considérées dans leur Histoire, leur Pratique et leur Théorie...*, Paris, 2 vol. et 1 atlas, 1841-1844 (2e éd. revue, corrigée et augmentée de notes et d'additions par Alphonse SALVETAT, 1854; 3e éd. avec notes et additions par Alphonse SALVETAT, 1877).

— et RIOCREUX (Denis-Désiré), *Description méthodique du Musée céramique de la Manufacture Royale de Porcelaine de Sèvres*, 2 vol., Paris, 1845.

BRUNET (Marcelle), *L'Œuvre de Jean-Charles Develly à la Manufacture de Sèvres, 1813-1848*, Paris, 1947 (Thèse manuscrite de l'Ecole du Louvre).

— «A Propos de la Copie sur Porcelaine de la Sainte Thérèse de Gérard», in *Musées de France*, 1948, décembre, p. 299-301.

— «Two Sèvres Vases with Portraits of King Louis-Philippe and his Queen...», in *Journal of the Walters Art Gallery*, vol. XII-XIV (1950-1951), p. 73-74.

— *Les Marques de Sèvres*, Paris, 1953.

— «Contribution à l'Iconographie napoléonienne», in *Genootschap voor napoleontische Stüdien*, 1954, septembre, p. 456-467.

— «Bi-Centenaire de la Manufacture Nationale de Sèvres», in *La Revue française de l'Elite européenne*, 1956, novembre, p. 41-46.

— «Etrange Destinée d'un Portrait de la Duchesse de Berry peint sur Porcelaine par Mademoiselle Arsène Trouvé», in *Cahiers de la Céramique, du Verre et des Arts du Feu*, n° 2 (1956), p. 33-38.

— «En Marge des Napoléonides: une Main de Femme en Biscuit de Sèvres», in *Genootschap voor napoleontische Stüdien*, 1957, p. 281-283.

— «La Porcelaine de Sèvres...», in *Les Cahiers français*, 1957, janvier, p. 27-31.

— «Jean-Charles Develly et la Manufacture Impériale de Sèvres», in *Cahiers de la Sabretache*, 1960, décembre, p. 444-451.

— «La Manufacture de Sèvres», in *L'Œil*, 1960, mars, p. 60-71, 86.

— «Incidences de l'Ambassade de Tipoo-Saïb (1788) sur la Porcelaine de Sèvres», in *Cahiers de la Céramique, du Verre et des Arts du Feu*, n° 24 (1961), p. 275-284.

— «Sèvres Manufacture nationale», in *Médecine de France*, 1962, février, p. 17-32.

— «Assiettes du Musée de Sèvres à Vue de la Manufacture royale de Porcelaine au XIXe siècle», in *Cahiers de la Céramique, du Verre et des Arts du Feu*, n° 27 (1962), p. 223-227.

— «La Manufacture de Porcelaines de Sèvres Ambassadrice du Goût français», in *Versailles*, 1963, 2e trimestre, p. 24-30 et 3e trimestre, p. 43-50.

— «Vitraux de la Manufacture Royale de Sèvres d'après Eugène Delacroix», in *Cahiers de la Céramique, du Verre et des Arts du Feu*, n° 29 (1963), p. 59-66.

— «Un grand Service de Sèvres, le Service des «Vues de Suisse» (1802-1804)», in *Versailles*, 1964, 2e trimestre, p. 15-24.

— «Le Cabaret du Prince de Prusse», in *Connaissance des Arts*, 1965, septembre, p. 110-113.

— «Le Procédé d'Impression de Gonord à la Manufacture Nationale de Sèvres», in *Archives de l'Art français*, nouvelle période, tome XXIV (1969), p. 337-340.

— «The Porcelain of Vincennes-Sèvres», in *American Ceramic Circle Bulletin*, 1970-1971, p. 67-70.

— «A Propos de la Salle à Manger de Louis XVI à Versailles», in *Versailles*, 1970, 3e trimestre (n° 40), p. 29-32 et 4e trimestre (n° 41), p. 23-27.

— «Tabac et Porcelaine», in *Encyclopédie du Tabac et des Fumeurs*, Paris, 1975, p. 441-443.

— et ROSS (Marvin), «The Sèvres Service of South American Birds at Hillwood», in *The Art Quarterly*, 1962, automne, p. 197-208.

BUTLER (Kira), «Sèvres for the Imperial Court», in *Apollo*, 1975, juin, p. 452-457.

CASANOVA (Maria Letizia), *Le Porcellane francesi nei Musei di Napoli*, Naples, 1974.

CASO (Jacques de), «Le Décor en «Motif détaché» dans l'Ornement d'Architecture et les Arts décoratifs en France, 1840-1870», in *Compte rendu du XXIIe Congrès international d'Histoire de l'Art*, Budapest, 1973, p. 293-302.

CECIL (Robert A.), *Wallace Collection. Sèvres Porcelain*, Londres, 1976.

CHAMPFLEURY, *Histoire et Description des Trésors d'Art de la Manufacture de Sèvres...*, Paris, 1886.

CHARLESTON (Robert J.), «A Pair of Vases of Post-Napoleonic Period and the Working of the Sèvres Factory», in *Apollo Annual*, 1951.

CHAVAGNAC (Xavier de), «Porcelaines de Sèvres. Collection E.M. Hodgkins», in *Les Arts*, n° 89 (1909, mai), p. 2-32.

— *Catalogue des Porcelaines françaises de Monsieur J.P. Morgan*, Paris, 1910.

— et GROLLIER (Gaston de), *Histoire des Manufactures françaises de Porcelaine*, Paris, 1906.

CLARKE (T.H.), «A Remarkable Vincennes Group in the Royal Collection», in *The Burlington Magazine*, 1962, août, p. 348-351.

CORDEY (Jean), *Inventaire des Biens de Madame de Pompadour, rédigé après son Décès...*, Paris, 1939.

COURAJOD (Louis), *Livre-Journal de Lazare Duvaux, Marchand-Bijoutier ordinaire du Roy 1748-1758, précédé d'une Etude sur le Goût et sur le Commerce des Objets d'Art au Milieu du XVIIIe Siècle...*, 2 vol., Paris, 1873.

DAUTERMAN (Carl C.), «Porcelain from Vincennes», in *Discovering Antiques*, n° 26, p. 606-611.

— «Sèvres Decorative Porcelains», in *Metropolitan Museum of Art Bulletin*, 1960, mai, p. 285-295.

— «Chinoiserie Motifs and Sèvres: Some Fresh Evidence», in *Apollo*, vol. LXXXIV (1966, décembre), n° 58, p. 476-481.

— «Sèvres Incised Marks and the Computer», in *Computers and their Potential Applications in Museums, a Conference sponsored by the Metropolitan Museum of Art*, New York, 1968.

— *Sèvres*, New York, 1969.

— *The Wrightsman Collection*. Volume IV: *Porcelain*, New York, 1970.

— «Sèvres Figures Painting in the Anna Thompson Dodge Collection», in *The Burlington Magazine*, 1976, novembre, p. 753-762.

— *List of Eighteenth Century Workers who used Marks*, New York, mars 1977 (extrait du manuscrit de: *XVIIIth Century Sèvres: Makers and Marks)*.

—, PARKER (James) et STANDEN (Edith A.), *Decorative Art from the Samuel H. Kress Collection at the Metropolitan Museum of Art*, Aylesbury, 1964.

DUC, *Ministère de l'Instruction publique, des Cultes et des Beaux-Arts. Direction des Beaux-Arts, Manufactures nationales. Rapport adressé à Monsieur le Ministre... au nom de la Commission de Perfectionnement de la Manufacture Nationale de Sèvres*, Paris, 1875.

DUPIN (Gustave), «L'Art du Vitrail au XIXe Siècle», in *La Renaissance contemporaine*, 1914, 10, 24 février, 10 mars.

ENTRECOLLES (Père d'), «Première Lettre du Père d'Entrecolles, Missionnaire de la Compagnie de Jésus, au Père Orry, de la même Compagnie, sur la Fabrication de la Porcelaine en Chine (1712)», in *Lettres édifiantes et curieuses, écrites des Missions étrangères*, Nouvelle Edition, Mémoires de la Chine, s.l., tome 18 (1810), p. 174 ss.

— «Seconde Lettre du Père d'Entrecolles, Missionnaire de la Compagnie de Jésus, au Père... de la même Compagnie, sur la Fabrication de la Porcelaine en Chine (1722), in *Lettres édifiantes et curieuses, écrites des Missions étrangères*, Toulouse, tome 19 (1811).

ERIKSEN (Svend), «A propos de six Sèvres du dix-huitième siècle», in *Kunstindustrimuseets Virksomhed*, 1964-1969, vol. IV, p. 145-152.

— «Ducal Acquisitions of Vincennes and Sèvres», in *Apollo*, vol. LXXXII (1965, décembre), p. 484-491.

— *The James A. de Rothschild Collection at Waddesdon Manor; Sèvres Porcelain*, Fribourg, 1966.

— «Rare Pieces of Vincennes and Sèvres Porcelain», in *Apollo*, vol. LXXXVII (1968, janvier), p. 34-39.

— *French Porcelain in Palazzo Pitti*, Florence, 1973.

— *Early Neo-Classicism in France*, Londres, 1974.

ESPINAY de SAINT-LUC (Michel de), *Contribution à l'Iconologie du XVIIIe Siècle: Le Biscuit de Sèvres et le Théâtre italien de 1752 à 1781...*, Nancy, 1968 (Thèse).

FAŸ-HALLÉ (Antoinette), «De l'Esprit dans les Formes», in *Plaisir de France*, 1975-1976, décembre-janvier, p. 64-68.

FONTANIEU (Gaspard-Moïse de), *Collection de Vases inventés et dessinés par M. de Fontanieu...*, s.l., s.d. (1770).

FOUREST (Henry-Pierre) et MOREL D'ARLEUX (Pierre), «Boîtes en Porcelaine tendre du Musée Adrien Dubouché», in *Cahiers de la Céramique, du Verre et des Arts du Feu*, n° 13 (1959), p. 44-51.

FREYBERGER (Ronald), «'Chinese' Genre Painting at Sèvres» in *American Ceramic Circle Bulletin*, 1970-1971, p. 246-254.

GARNIER (Edouard), «La Manufacture de Sèvres et sa nouvelle Porcelaine», in *Gazette des Beaux-Arts*, 1884, II, p. 182-189.

— «La Manufacture de Sèvres en l'An VIII», in *Gazette des Beaux-Arts*, 1887, II, p. 310-318 et 1888, I, p. 45-54.

— «Exposition Universelle de 1889. La Manufacture de Sèvres...», in *Journal Officiel*, 1889, 12 septembre.

— *La Porcelaine tendre de Sèvres*, Paris, s.d. (1889).

— «La Manufacture de Sèvres en 1889», in *La Nouvelle Revue*, 1er août 1890.

— «La Terre. Les Arts du Feu. II: La Porcelaine», in *Revue de l'Art ancien et moderne*, 1900, II, p. 103, 173 et 389.

GASTINEAU (Marcel), «La Manufacture de Sèvres et les Influences romantiques», in *Revue de l'Art*, 1930, juillet-décembre, p. 1-24.

— «Rude à la Manufacture de Sèvres (1813-1814) d'après des Documents inédits», in *Revue de l'Art*, 1932, avril.

— «Une Menace de Suppression de la Manufacture de Sèvres en 1807...», in *Revue des Etudes napoléoniennes*, 1932, octobre.

— «Denon et la Manufacture de Sèvres sous le Premier Empire», in *Revue de l'Art*, 1933, janvier-mai.

— «Les Travaux de la Manufacture de Sèvres relatifs au Roi de Rome», in *Revue des Etudes napoléoniennes*, 1934, novembre-décembre, p. 270-289.

GOISSAUD (Antony), «La Manufacture nationale de Sèvres», in *La Construction moderne*, 1925, 16 août, p. 541-546.

GOUELLAIN (Gustave), voir: BACHELIER.

— «A Propos d'un Vase en «Grosse Porcelaine» exposé à Rouen», in *Le Nouvelliste de Rouen*, 1er mars 1891.

GRANDJEAN (Serge), *Les Fournitures de la Manufacture de Sèvres à l'Empereur Napoléon Ier*, Paris, 1947 (Thèse manuscrite de l'Ecole du Louvre).

— «Le Cabaret égyptien de Napoléon», in *Musées de France*, 1950, avril, p. 62-65.

— «Un Monument napoléonien de Porcelaine», in *Bulletin de l'Institut Napoléon*, 1953, octobre, p. 103-105.

— «Les Plaques napoléoniennes de Sèvres», in *Genootschap voor napoleontische Stüdien*, 1954, septembre, p. 451-455.

— «L'Influence égyptienne à Sèvres», in *Genootschap voor napoleontische Stüdien*, 1955, septembre, p. 99-105.

— «Une Création mi-royale, mi-impériale de la Manufacture de Sèvres», in *Cahiers de la Céramique, du Verre et des Arts du Feu*, n° 8 (1957), p. 180-184.

— «Napoleonic Tables from Sèvres», in *The Connoisseur*, 1959, avril, p. 147-153.

— «Un Chef-d'œuvre de Sèvres, le Service de l'Empereur», in *Art de France*, II (1962), p. 170 ss.
— «Nouveaux Souvenirs napoléoniens à Malmaison», in *La Revue du Louvre et des Musées de France*, 1965 (II), p. 75-80.
— «Un Présent de Napoléon à Pie VII», in *Revue de l'Institut Napoléon*, 1968, janvier, p. 27-28.
— «Une Messagère de l'Empereur: la Porcelaine de Sèvres», in *Plaisir de France*, 1969, février, p. 18-23.
— «Deux remarquables Souvenirs napoléoniens», in *La Revue du Louvre et des Musées de France*, 1974 (IV-V), p. 323-330.
GROOTE (Pierre de), «Aperçus techniques sur la Porcelaine et les Productions de Sèvres», in *Art et Industrie*, 1947, nº VIII, p. 55-57.
GUILLEMÉ-BRÛLON (Dorothée), «Rare Biscuit de Sèvres façon Wedgwood au Palais Royal de Madrid», in *Cahiers de la Céramique, du Verre et des Arts du Feu*, nº 40 (1968), p. 252-256.
— «Un grand Service royal en Porcelaine de Sèvres: le Service des Asturies», in *Revue des Archéologues et Historiens d'Art de Louvain*, vol. VIII (1975), p. 123-154.

HANNOVER (Emil), *Keramisk Haandbog, europaeisk Porcellaen*, 2 vol., Copenhague, 1919-1924.
HAUMONT (Georges), *La Manufacture de Sèvres au XVIIIe Siècle*; BASTARD (Georges) et GASTINEAU (Marcel), *La Manufacture de Sèvres de 1800 à nos jours*, Lisbonne, 1939.
HAVARD (Henry) et VACHON (Marius), *Les Manufactures nationales; les Gobelins, Sèvres, Beauvais*, Paris, 1899.

JACQUEMART (Albert) et LE BLANT (Edmond), *Histoire artistique, industrielle et commerciale de la Porcelaine...*, Paris, 1862.
JEAN (René), «Un Chapitre de l'Histoire de la Manufacture de Sèvres. Madame Victoire Jacquotot, Peintre sur Porcelaine», in *Nouvelles Archives de l'Art français*, t. VII (1913).
JOTTRAND (Mireille), «Le Peintre de fleurs G.D. Ehret et la Porcelaine de Tournai», in *Cahiers de Mariemont*, vol. 3 (1972), p. 24-47.
— «Porcelaines de Tournai. Les Services du Duc d'Orléans et de Mgr de Salm-Reifferscheid», in *Cahiers de Mariemont*, vol. 3 (1972), p. 53-58.
— «La Porcelaine de Tournai et de Décor d'Oiseaux copiés de Livres d'Ornithologie», in *Cahiers de Mariemont*, vol. 5-6 (1974-1975), p. 41-61.

KAPFERER (Simone), «Manufacture Nationale de Sèvres», in *L'Art vivant*, 1937, septembre, p. 300-304.
KIMBALL (Fiske) et PRENTICE (Joan), «Collection of Mrs. Morris Hawkes», in *The Philadelphia Museum Bulletin*, vol. XXXVIII (1942, mars), nº 197.
— et —, «French Porcelain Collection of Mrs. Hamilton Rice», in *The Philadelphia Museum Bulletin*, vol. XXXIX (1944, mars), nº 201, p. 69-111.

LACAMBRE (Geneviève et Jean), «Les vitraux de la Chapelle de Carheil: un témoignage de l'Art officiel au Temps de Louis-Philippe», in *Revue de l'art*, nº 10 (1970), p. 85-94.
LAKING (Guy F.), *Sèvres Porcelain of Buckingham Palace and Windsor Castle*, 2 vol., Londres, 1907.
LAMEIRE (Charles), *Rapport adressé à Monsieur le Ministre... au Nom de la Commission de Perfectionnement de la Manufacture Nationale de Sèvres*, Paris, 1889.
LANDAIS (Hubert), *La Porcelaine française: XVIIIe siècle*, Paris, 1963.
LANNE (Simone), «La Table des Grands Capitaines», in *Gazette des Beaux-Arts*, 1934, décembre, p. 283-285.
LAUNAY (Louis de), *Une grande Famille de Savants: les Brongniart...*, Paris, 1940.
LAUTH (Charles), *La Manufacture Nationale de Sèvres, 1879-1887; mon Administration, Notes scientifiques et Documents administratifs...*, Paris, 1889.
— et VOGT (Charles), *Notes techniques sur la Fabrication de la Porcelaine Nouvelle*, Paris, s.d.
LECHEVALLIER-CHEVIGNARD (Georges), «Le Rachat de la Manufacture de Sèvres aux Alliés en 1815 et la Destruction des Effigies de Napoléon», in *Nouvelles Archives de l'Art français*, 1907, p. 246-279.
— *La Manufacture de Porcelaine de Sèvres...*, 2 vol., Paris, 1908.
— «Les Céramiques de Sèvres», in *Mobilier et Décoration d'intérieur*, 1925, mai, p. 3-10.
— «La Manufacture Nationale de Sèvres et son nouveau Régime d'Autonomie», in *Parures*, 1926, novembre, p. 15-19.
— *La Décoration moderne à la Manufacture de Sèvres*, Paris, s.d.
— et SAVREUX (Maurice), *Le Biscuit de Sèvres. Directoire, Consulat, Empire*, Paris, 1923.
LEDOUX-LEBARD (Denise), «Les Vases de Mars et de Minerve», in *Gazette des Beaux-Arts*, 1974, janvier, p. 49-52.
— *Inventaire Général du Musée National de Versailles et des Trianons. Le Grand Trianon. Meubles et Objets d'Art*, Paris, 1975.
— «La Campagne de 1805 vue par la Manufacture impériale de Sèvres», in *La Revue du Louvre et des Musées de France*, 1978 (III), p. 178-185.
LEVITINE (Georges), *Falconet*, Greenwich, 1972.
LEYENDECKER (Marcel), *La Manufacture Nationale de Sèvres, Etude historique, administrative et économique* (Thèse), Thouars, 1913.
LOSSKY (Boris), «Un Hommage «troubadour» à Léonard de Vinci: le Vase Chenavard au Château de Fontainebleau», in *Bulletin de l'Association Léonard de Vinci*, nº 12 (1973, décembre), p. 11-18.

Manufacture Nationale de Porcelaine de Sèvres. Catalogue d'Ouvrages de Sculpteurs contemporains édités à Sèvres, Paris, 1904.
MARX (Roger), «Rodin céramiste», in *Art et Décoration*, 1905, p. 117-128.
— *Auguste Rodin Céramiste*, Paris, 1907.
MOLINIER (Emile), *Histoire générale des Arts appliqués à l'Industrie du Ve à la fin du XVIIIe Siècles, 5 vol., Paris, s.d. (1896...).*
— *«Les plus récents Travaux de la Manufacture de Porcelaine de Sèvres», in Art et Décoration*, 1903, p. 355-364.
MONTESQUIOU (Robert de), «Ingres Verrier», in *L'Art décoratif*, 1911, p. 253-268.
MOREL D'ARLEUX (Pierre), «Porcelaines tendres françaises», in *Cahiers de la Céramique, du Verre et des Arts du Feu*, nº 1 (1955), p. 11-19.
— «De Vincennes à Sèvres», in *Cahiers de la Céramique, du Verre et des Arts du Feu*, nº 9 (1958), p. 25-34.
MUNDT (Barbara), «Pâte-sur-pâte: zu einigen Stücke im Berliner Kunstgewerbe Museum», in *Berliner Museum*, 1973 (I), p. 16-21.

NEWMAN (Harold), «Sèvres Veilleuses in Private Collections...», in *The Connoisseur*, 1968, juin, p. 132-135.

Œuvres (Les) de la Manufacture Nationale de Sèvres de 1738 à 1932. I: La Sculpture de 1738 à 1815. II: La Sculpture moderne. III: Les Vases et les Pièces décorées. IV: Le Décor de la Table. V: Le Luminaire. VI: L'Art religieux, Paris, s.d. (1932).

PECKER (André), «Bourdaloues», in *Cahiers de la Céramique, du Verre et des Arts du Feu*, nº 11 (1958), p. 123-134.
PIRANESE (G.-B.) et PIRANESE (F.), *Le Antichita romane*, 29 vol., 1825-1837.
PLINVAL de GUILLEBON (Régine de), *Porcelaine de Paris 1770-1850*, Fribourg, 1972.
POTTIER (André), *Sur le Vase hispano-mauresque de l'Alhambra, à propos d'un Vase en Porcelaine de Sèvres donné par le Ministre du Commerce à la Ville de Rouen*, Rouen, 1851.
PRÉAUD (Tamara), «De Saint-Aubin à Hajdu, l'Assiette de Sèvres», in *L'Œil*, nº 188-189 (1970, août-septembre), p. 40-47 et 34.

— «Alexandre Brongniart et les Porcelainiers parisiens (1800-1847)», in *Cahiers de la Céramique, du Verre et des Arts du Feu*, nº 46-47 (1970), p. 13-19.
— «Un Fonds méconnu: la Série des Paysages conservés à la Bibliothèque de la Manufacture de Sèvres», in *Cahiers de la Céramique, du Verre et des Arts du Feu*, nº 58 (1976), p. 36-55.
PRENTICE (Joan), «French Soft-Paste Porcelain», in *Antiques*, 1965, octobre.

RICE (Howard), «Notes on the «Swan Furniture», in *Bulletin of the Museum of Fine Arts* (Boston), vol. XXXVIII (1940, juin), nº 227, p. 43-48.
— «A Pair of Sèvres Vases», in *Bulletin of the Museum of Fine Arts* (Boston), vol. LV (1957, été), nº 300.
ROI (R.P. Jules S.J.), «Visite en 1764 de deux Chinois à la Manufacture royale de Sèvres», in *Cahiers de la Céramique, du Verre et des Arts du Feu*, nº 33 (1964), p. 29-43.
RONSIL (René), «Madame Knip, née Pauline de Courcelles, et son Œuvre ornithologique», in *Journal of the Society for the Bibliography of Natural History*, III, part 4, 1957, janvier, p. 207-220.

SAINSBURY (Wilfred J.), «Sèvres Soft-Paste Biscuit Figures», in *Apollo*, vol. IV (1950), p. 133-136.
— «Vincennes Porcelain», in *The Connoisseur*, vol. CXXXIII (1954, février), nº 535, p. 3-8.
— «Large Groups and Figures in the Soft-Paste Bisquit of Vincennes-Sèvres», in *Antiques*, vol. LXXXVII (1965, avril), p. 430-433.
— «Small Figures and Groups in the Soft-Paste Bisquit of Vincennes-Sèvres», in *Antiques*, 1965, décembre, p.824-828.
— «Les Marques sur les Biscuits en Pâte tendre de Vincennes et Sèvres», in *Cahiers de la Céramique, du Verre et des Arts du Feu*, nº 37 (1966), p. 14-29.
SALVETAT (Alphonse-Louis), *A Propos de l'Inauguration des nouveaux Bâtiments de la Manufacture Nationale de Sèvres le 17 Novembre 1876...*, Paris, 1876.
SANDIER (Alexandre) et LECHEVALLIER-CHEVIGNARD (Georges), *Les Cartons de la Manufacture Nationale de Sèvres; Epoques Louis XVI et Empire*, Paris, 1910.
— et — *Les Cartons de la Manufacture Nationale de Sèvres; Epoque moderne*, Paris, s.d.
— et — *Formes et Décors modernes de la Manufacture Nationale de Sèvres...*, Paris, s.d.
SAVREUX (Maurice), «La Manufacture Nationale de Sèvres», in *Faenza*, t. XXXIII (1947).
SERGÈNE (André), *La Manufacture de Sèvres sous l'Ancien Régime*, 3 vol., Nancy, 1972-1974.
SOULIER (Gustave), «L'Ecole d'Application de la Manufacture de Sèvres», in *Art et Décoration*, 1899, p. 156-160.
SPRIETSMA (Cargill), «A French Master of Ceramics: Taxile Doat», in *Bulletin of American Women's Club of Paris*, nº 5, 1928, février, p. 378-385.

TAIT (Hugh), «Sèvres Porcelain in the Collection of the Earl of Harewood. Part I: The Early Period: 1750-1760», in *Apollo*, 1964, juin, p. 474-478.
— «Sèvres Porcelain in the Collection of the Earl of Harewood. Part II: The Middle Period: 1760-1775», in *Apollo*, 1965, janvier, p. 20-27.
— «Sèvres Porcelain in the Collection of the Earl of Harewood. Part III: The Louis XVI Period: 1775-1793», in *Apollo*, 1966, juin, p. 437-443.
TERRASSON (Jaqueline), *Madame de Pompadour et la création de la « Porcelaine de France »...*, Paris, 1969.
THIERRY (Gustave), *Exposition Universelle Internationale. Anvers. 1885. Groupe II, Classe XV, la Céramique...*, Paris, 1886.
TILMANS (Emile), *Porcelaine de France*, Paris, 1953.
TROUDE (Albert), *Choix de Modèles de la Manufacture Nationale de Porcelaines de Sèvres appartenant au Musée céramique*, Paris, s.d. (1897).
'T'SAS (Fr.), «Le Service de Sèvres de Napoléon dit des «Quartiers généraux», in *Revue belge d'Histoire militaire*, 1967, mars, p. 35-50.
TURGAN, «Compte-rendu de l'Exposition de la Céramique au Champ-de-Mars en 1878», in *Les grandes Usines de France*, Paris, s.d.

VAISSE (Pierre), «Le Conseil supérieur de Perfectionnement des Manufactures nationales sous la Seconde République», in *Bulletin de la Société de l'Histoire de l'Art français*, 1974, p. 153-171.
VAN DER TUIN (H.), «Reproduction et Imitation de vieux Tableaux flamands ou hollandais sur la Porcelaine de Sèvres (1756-1847)», in *Oud Holland*, nº I-II (1950).
VARENNE (Gaston), «Les nouveaux Travaux de la Manufacture de Sèvres», in *Art et Décoration*, 1922 (II), p. 42-50.
VERDIER (Philippe), «Rare Chelsea, Worcester, Sèvres Porcelain decorated with Animals from Fables or with Exotic American Birds», in *Carnegie Magazine*, 1964, mai, p. 150-152.
VERLET (Pierre), «Orders for Sèvres from the French Court», in *Apollo*, 1954, juillet, p. 202-206.
— «Some historical Sèvres Porcelains preserved in the United States», in *The Art Quarterly*, vol. XVIII (1954, automne), nº 3, p. 230-242.
— «Sèvres en 1756», in *Cahiers de la Céramique, du Verre et des Arts du Feu*, nº 4 (1956), p. 34-41.
— «Some Historical Sèvres Porcelains preserved in the United States», in *The Art Quarterly*, vol. XVIII (1964, automne), p. 230-242.
— *La Maison du XVIIIe Siècle en France*, Paris, 1968.
— et GRANDJEAN (Serge), *Sèvres. Le XVIIIe Siècle... les XIXe et XXe Siècles...*, Paris, 1953.
VERNEUIL (M.-P.), «L'Email et les Emailleurs», in *Art et Décoration*, 1904, p. 37-53.
— «Taxile Doat Céramiste», in *Art et Décoration*, 1904, p. 77-86.
— «Adolphe Giraldon», in *Art et Décoration*, 1907, p. 41-50.

WARK (Robert), *French Decorative Art in the Huntington Collection*, San Marino, 1962.
WATSON (Francis J.B.), «A possible Source for the Practise of mounting French Furniture with Sèvres Porcelain», in *Opuscula in honorem C. Hernmarck*, Stockholm, 1966, p. 246-254.
WEISBERG (Gabriel P.), «Félix Bracquemond and Japanese Influence in Ceramic Decoration», in *The Art Bulletin*, 1969, p. 277-280.
WILSON (Gillian), «Sèvres Porcelain at the J. Paul Getty Museum», in *J. Paul Getty Museum Journal*, nº 4, p. 5-24.
WILSON (Joan), «Little Gifts keep Friendship alive». An Historic Sèvres Dessert Service», in *Apollo*, 1975, juillet, p. 50-60.
WOLKOWITSCH (Gilles), *Le Mobilier National, Les Manufactures Nationales...*, Université d'Aix-Marseille III, Faculté de Droit et de Sciences Politiques, 1975 (D.E.S. de Droit public, Mémoire de Droit administratif, manuscrit).

ZICK (Gisela), «D'après Boucher. Die «Vallée de Montmorency» und die europäische Porzellanplastik», in *Keramos*, nº 29 (1965, juillet), p. 3-47.

Expositions

1818. Paris.
Notice sur quelques-unes des pièces qui entrent dans l'exposition des porcelaines de la Manufacture Royale de Sèvres... faite au Musée Royal le 1er janvier 1818, Paris, 1818.

1819. Paris.
Notice sur quelques-unes des pièces qui entrent dans l'exposition des porcelaines de la Manufacture Royale de Sèvres... faite au Musée Royal le 1er janvier 1819, Paris, 1819.

1820. Paris.
Notice sur quelques-unes des pièces qui entrent dans l'exposition des porcelaines de la Manufacture Royale de Sèvres... faite au Musée Royal le 1er janvier 1820, Paris, 1820.

1821. Paris.
Notice sur quelques-unes des pièces qui entrent dans l'exposition des porcelaines de la Manufacture Royale de Sèvres... faite au Musée Royal le 1er janvier 1821, Paris, 1820.

1822. Paris.
Notice sur quelques-unes des pièces qui entrent dans l'exposition des Manufactures Royales de porcelaine de Sèvres... faite au Musée Royal le 1er janvier 1822, Paris, 1821.

1823. Paris.
Notice sur quelques-unes des pièces qui entrent dans l'exposition des Manufactures Royales de porcelaine de Sèvres... faite au Musée Royal le 1er janvier 1823, Paris, 1823.

1824. Paris.
Notice sur quelques-unes des pièces qui entrent dans l'exposition des Manufactures Royales de porcelaine de Sèvres... faite au Musée Royal le 1er janvier 1824, Paris, 1824.

1825. Paris.
Notice sur quelques-unes des pièces qui entrent dans l'exposition des Manufactures Royales de porcelaine de Sèvres... faite au Musée Royal le 1er janvier 1825, Paris, 1825.

1826. Paris.
Notice sur quelques-unes des pièces qui entrent dans l'exposition des Manufactures Royales de porcelaine de Sèvres... faite au Musée Royal le 1er janvier 1826, Paris, 1826.

1827. Paris.
Notice sur quelques-unes des pièces qui entrent dans l'exposition des Manufactures Royales de porcelaine de Sèvres... faite au Musée Royal le 1er janvier 1827, Paris, 1827.

1828. Paris.
Notice sur quelques-unes des pièces qui entrent dans l'exposition des Manufactures Royales de porcelaine de Sèvres... faite au Palais du Louvre le 1er janvier 1828, Paris, 1828.

1829. Paris.
Notice sur quelques-unes des pièces qui entrent dans l'exposition des Manufactures Royales de porcelaine de Sèvres... faite au Palais du Louvre le 1er janvier 1829, Paris, 1829.

1830. Paris.
Notice sur quelques-unes des pièces qui entrent dans l'exposition des Manufactures Royales de porcelaine de Sèvres... faite au Palais du Louvre le 1er janvier 1830, Paris, 1830.

1832. Paris.
Notice sur quelques-unes des pièces qui entrent dans l'exposition des Manufactures Royales de porcelaine de Sèvres... faite au Palais du Louvre le 27 décembre 1832, Sèvres, 1832.

1835. Paris.
Notice sur quelques-unes des pièces qui entrent dans l'exposition des Manufactures Royales de porcelaine et vitraux de Sèvres... faite au Palais du Louvre le 1er mai 1835, Paris, 1835.

1838. Paris.
Notice sur quelques-unes des pièces qui entrent dans l'exposition des Manufactures Royales de porcelaine et vitraux de Sèvres... faite au Palais du Louvre le 1er mai 1838, Sèvres, 1838.

1840. Paris.
Notice sur quelques-unes des pièces qui entrent dans l'exposition des Manufactures Royales de porcelaine et vitraux de Sèvres... faite au Palais du Louvre le 1er mai 1840, Paris, 1840.

1841. Paris.
Notice explicative des six fenêtres en vitraux peints exécutés à la Manufacture Royale de porcelaines de Sèvres et exposées au Louvre le 16 mai 1841, Paris, 1841.

1842. Paris.
Notice sur quelques-unes des pièces qui entrent dans l'exposition des Manufactures Royales de porcelaine et vitraux de Sèvres... faite au Palais du Louvre au 1er mai 1842, Paris, 1842.

1844. Paris.
Notice sur quelques-unes des pièces qui entrent dans l'exposition des Manufactures Royales de porcelaines et vitraux de Sèvres... faite au Palais du Louvre au 3 juin 1844, Paris, 1844.

1846. Paris.
Notice sur quelques-unes des pièces qui entrent dans l'exposition des Manufactures Royales de porcelaine et émaux de Sèvres... faite au Palais du Louvre au 1er juin 1846, Paris, 1846.

1847. Paris.
Notice explicative des fenêtres peintes en vitraux de couleurs et des tableaux peints sur glace, exécutés à la Manufacture royale de porcelaine de Sèvres et exposés au Louvre le 18 avril 1847, Paris, 1847.

1850. Paris.
Notice sur les pièces qui composent l'exposition des Manufactures Nationales de porcelaine, vitraux et émaux de Sèvres... faite au Palais National le 21 avril 1850, Paris, 1850.

1851. Londres.
Exhibition of the Works of Industry of all Nations, 1851. Reports of the Juries on the Subjects in the Thirty Classes into which the Exhibition was divided, Londres, 1852.

1855. Paris.
Exposition Universelle de 1855. Rapports du jury mixte international publiés sous la direction de Son Altesse Impériale le prince Napoléon, président de la commission impériale, Paris, 1856.

1862. Londres.
Exposition Universelle de Londres de 1862. Rapports des membres de la section française du jury international sur l'ensemble de l'exposition publiés sous la direction de Michel Chevalier..., 6 vol., Paris, 1862.

1867. Paris.
Exposition Universelle de 1867 à Paris. Catalogue général publié par la commission impériale, 2e éd. revue et corrigée, Paris, s.d.

1867. Paris.
Exposition Universelle de 1867 à Paris. Rapport du jury international publié sous la direction de M. Michel Chevalier. Faïences fines, faïences décoratives et porcelaines tendres par M. Aimé Girard, Paris, 1867.

1874. Paris.
Catalogue des produits des Manufactures nationales de Sèvres, des Gobelins et de Beauvais, exposés au Palais des Champs Elysées en 1874, Paris, 1874.

1878. Paris.
Catalogue officiel des produits exposés par les Manufactures nationales de France, Sèvres, les Gobelins, Beauvais, Paris, 1878.

1884. Paris.
1884. Catalogue illustré de l'Union Centrale des Arts Décoratifs... avec une étude sur l'art rétrospectif par Victor Champier... publié sous la direction de F.-G. Dumas, Paris, s.d.

1884. Paris.
Union Centrale des Arts Décoratifs. Manufactures nationales: Sèvres-Les Gobelins-Beauvais-Mosaïques. Catalogue, Paris, 1884.

1889. Paris.
Exposition Universelle Internationale. 1889. Paris. Catalogue général officiel. Manufactures nationales, Lille, 1889.

1895. Paris.
Catalogue des ouvrages de peintures, sculpture, dessins, gravure, architecture et objets d'art exposés au Champ-de-Mars le 25 avril 1895, Evreux, s.d.

1900. Paris.
Catalogue des œuvres exposées par les Manufactures nationales de l'Etat (Gobelins, Sèvres, Beauvais), Paris, 1900.

1900. Paris.
Ministère du Commerce, de l'Industrie, des Postes et des Télégraphes. Exposition Universelle Internationale de 1900 à Paris. Rapports du jury international. Groupe XII: décoration et mobilier des édifices publics et des habitations. Deuxième partie, classes 72 à 75, Paris, 1902.

1913. Gand.
République française. Exposition internationale de Gand en 1913. Section française. Salon des manufactures nationales. Gobelins, Sèvres, Monnaies et médailles, Imprimerie nationale..., Paris, 1913.

1914. Lyon.
République française, Sous-secrétariat d'Etat des Beaux-Arts. Manufacture nationale de porcelaine de Sèvres 1738-1914. Catalogue des œuvres figurant à l'Exposition internationale de Lyon, 1914, s.l., s.d.

1923. Paris.
Salon de la Société des Artistes Décorateurs. Œuvres récentes de la Manufacture nationale de Sèvres: appareils de lumière, porcelaine, grès, sculptures, Paris, s.d.

1923. Milan-Monza.
Exposition internationale des Arts Décoratifs de Milan-Monza. Œuvres récentes de la Manufacture nationale de porcelaine de Sèvres: porcelaine, grès, sculptures..., Paris, s.d.

1925. Paris.
Ministère du Commerce, de l'Industrie, des Postes et des Télégraphes. Exposition internationale des arts décoratifs et industriels modernes, Paris 1925. Rapport général présenté au nom de M. Fernand David... volume V, accessoires du mobilier (classes 9 à 12), Paris, 1927.

1951. Sèvres, Musée National de Céramique.
Les Grands Services de Sèvres, préface par Pierre Verlet, catalogue par Serge Grandjean et Marcelle Brunet, Paris, 1951.

1957. Besançon.
Besançon. Festival artistique. Les Manufactures et Ateliers d'Art de l'Etat: Imprimerie nationale, Monnaies et Médailles, Sèvres..., Besançon, 1957.

1971. Sèvres, Musée National de Céramique.
L'Art de la Poterie en France de Rodin à Dufy, introduction par Henry-Pierre Fourest, catalogue par Anne-Marie Belfort et Jean-Pierre Camard, Paris, 1971.

1974, Marseille, Palais des Congrès, Parc Chanot.
Sèvres, introduction par Serge Gauthier, Marseille, 1974.

1974. La Havane, Museo de Artes decorativas.
Exposicion de obras de la Manufactura de Sèvres, introduction par Serge Gauthier, La Havane, 1974.

1974. Copenhague.
Sevres 1974. Tradition og nye veje, introduction par Serge Gauthier, 1974.

1974-1975, Helsinki, Musée d'Art Amos Anderson.
Sèvres, Tradition et Formes nouvelles, introduction par Serge Gauthier, Helsinki, 1974.

1975. Moscou, Musée Historique.
Porcelaine de Sèvres, France, introduction par Serge Gauthier, Moscou, 1976.

1975. Sèvres, Musée National de Céramique.
Porcelaines de Sèvres au XIXe Siècle, préface par Henry-Pierre Fourest, catalogue par Antoinette Faÿ-Hallé et Tamara Préaud, Paris, 1975.

1975. Düsseldorf, Hetjensmuseum.
Sèvres Porzellan vom 18. Jahrhundert bis zur Gegenwart, introduction par Henry-Pierre Fourest, textes par Adalbert Klein, Antoinette Faÿ-Hallé, Tamara Préaud, Serge Gauthier..., Düsseldorf, 1975.

1975-1977. Cleveland, Washington, Paris.
L'Amérique vue par l'Europe, Paris (édition française), 1976.

1976. Séoul, Musée National d'Art moderne.
Exposition des Céramiques françaises, introduction par Serge Gauthier, Séoul, 1976.

1977-1978. Paris, Grand Palais.
Porcelaines de Vincennes, les Origines de Sèvres, introduction par Henry-Pierre Fourest, catalogue par Antoinette Faÿ-Hallé et Tamara Préaud, Paris, 1977.

1978. Paris, Musée des Arts Décoratifs.
Toiles de Nantes des XVIIIe et XIXe Siècles, Paris, 1978.

Liste des collaborateurs

Etablie par Tamara PRÉAUD
avec la collaboration d'Isabelle LAURIN

Nous avons regroupé ici dans un ordre alphabétique unique l'ensemble de ceux qui ont, depuis les premières années de Vincennes, collaboré avec la Manufacture. Les noms cités en caractères normaux correspondent à ceux qui ont effectivement fait partie du personnel de la Manufacture, ceux qui sont imprimés en caractères gras correspondent à des artistes qui ont été payés de façon épisodique pour leur collaboration, sous quelque forme qu'elle se soit présentée. Cette liste appelle quelques précisions:
Pour le personnel de la Manufacture, notre liste a pour base les fichiers établis à partir des documents comptables (Manufacture de Sèvres, archives, cartons R, registres Vf, Vj' et Va' principalement) et des dossiers du personnel et registres matricules (*ibid.*, cartons Ob), partiellement repris dans l'ouvrage de Marcelle Brunet (*Les Marques de Sèvres*, Paris, 1953). Nous avons également tenu compte des variantes données dans la dernière liste établie sur ordinateur par Carl C. Dauterman car cet auteur a utilisé des archives communales de Sèvres et Vincennes ainsi que des documents conservés aux Archives nationales à Paris (Dauterman, *List of Eighteenth Century Workers who used Marks*, New York, 1977; extrait de: *XVIIIth Century Sèvres: Makers and Marks*).

Nous avons rangé les différents membres d'une même famille dans l'ordre chronologique de leur entrée à Sèvres en indiquant pour chacun, outre les diverses variantes de noms, son grade le plus élevé et les dates extrêmes de son séjour à Sèvres. Malheureusement, un flottement est toujours possible, étant donné que les divers documents ne précisent jamais s'ils tiennent compte ou non des années d'apprentissage, en sorte qu'un artiste peut très bien avoir signé une pièce quelques années avant son entrée officielle à la Manufacture. En outre, certains ont pu collaborer de l'extérieur avec Sèvres avant ou après avoir fait partie du personnel fixe; en ce cas, nous les avons toujours rangés dans les membres du personnel.

Cette liste n'est pas absolument exhaustive puisque, afin d'en éviter la surcharge, et seulement pour le XXe siècle, nous en avons exclu tous ceux qui n'ont pas de lien direct avec la production des pièces, c'est-à-dire à la fois les agents de service et le personnel administratif, directeurs mis à part. Nous avons cru bon de citer les titulaires de ces emplois secondaires pour les siècles précédents parce qu'ils font souvent partie de dynasties qu'il paraissait important de citer aussi complètes que possible.

Pour les artistes extérieurs à la Manufacture, nous nous sommes basés sur les mêmes documents comptables, sur les dossiers d'artistes et sur les projets eux-mêmes lorsqu'ils ont été conservés. *Décors* désigne des projets, dessinés, gravés ou peints, destinés à servir de modèles pour des décors, alors que *peintures* désigne des travaux de décoration sur porcelaine. Nous avons nommé *sculpteurs* les auteurs de modèles de sculptures, même si ceux-ci se présentent en fait sous forme de tableaux; c'est ainsi que des peintres comme François Boucher, Jean-Baptiste Oudry ou Taraval apparaissent comme *sculpteurs*; en outre, faute de pouvoir citer tous les graveurs dont les œuvres ont servi de modèles, nous n'avons cité que les artistes effectivement payés par la Manufacture. Les seuls fournisseurs cités sont ceux de travaux d'art (ciselure, orfèvrerie, fonte et surtout réductions et moulages de sculptures en vue de leur édition). Les dates indiquées correspondent soit à l'édition à Sèvres, pour les sculptures, soit au paiement ou à l'enregistrement de l'œuvre par la Manufacture, en sorte qu'elles peuvent ne pas correspondre exactement à la date réelle de l'œuvre et même se situer après la mort de l'artiste.

ABADIE: décors 1810; 1812-1813
ABBAL (André): sculpteur 1903
ABBE: tourneur sur cuivre 1885
ABEL (Antoine): tourneur, à la couverte 1758-1773; 1774-1781
ABEL (René): à la couverte 1774-1782
ABEL (dit LA FLEUR): repareur, tourneur 1780-1791 (Dauterman indique seulement un potier de ce nom en 1763-1764; 1774; 1780-1791)
ABEL (Marie-Henry): manœuvre 1818-1825
ACHALME: sculpteur 1932
ACHIN (Jules): poseur de fonds 1895-1896
ADAM (Charles): prête-nom 1745-1752; fig. 44; p. 28, 44, 56
ADAM: peintre 1806-1807
ADAM (Paul): cuiseur de moufles 1927-1938
ADAM (Henri-Georges): sculpteur 1966
ADAM (Renée-Raymonde): voir HANTIN
ADNET (Françoise): décors 1950
AGAM (Yacov): décors 1975; fig. 471
AGE (Antoine): tourneur 1768-1793 (Dauterman indique: 1769-1800)
AGEORGES: décors 1943
AGRAPART: décors 1950
AIMÉ (Mlle): décors [1900-1939]
AINÉ (Ch., école Dufrêne): décors [1913-1922]
AIZELIN (Eugène): sculpteur 1891
ALANORD (Renée): voir FREYSSINGES
ALAURENT (Lucien): décorateur 1919-1929
ALAUX: décors pour vitraux 1841; 1847
ALAVOINE: décors 1810
ALBE (Bacler de): peintures 1818; 1821
ALBIS (Antoine de): chef de la fabrication depuis 1965; p. 318
ALEC: repareur 1811
ALECHINSKY (Pierre): décors 1976; p. 322, 328
A L'ÉPÉE: tourneur 1777; 1785-1792
ALEXANDRE: peintre 1751-1757
ALIX (Marie): décors 1916-1933
ALLAIN (Gaston): poseur de fonds, imprimeur 1898-1906
ALLAIN (Marie): voir FERRANT
ALLAMEL (Jean-Pierre): tourneur depuis 1941
ALLAR: sculpteur 1900; p. 317
ALLARD (Jean-Baptiste): mouleur-repareur 1832-1841
ALLARD (Louis-Henry): tourneur, mouleur en plâtre 1837
ALLAUT: manœuvre 1815-1818
ALLAUX: décors 1845
ALLIBERT (André): chimiste depuis 1950
ALLOUARD (Henri): sculpteur 1891-1907
[1] ALONCLE (François-Joseph): peintre 1758-1781; pl. XL; fig. 145; p. 48
ALOS (Victor-Gabriel): batteur de pâtes
AMABLE (Mlle): brunisseuse 1813; 1843
AMAURY-DUVAL: décors 1848; fig. 381; p. 280
AMBROISE: peintre 1773-1774
ANDRÉ (Jules): décorateur 1840-1869; p. 258
ANDRÉ (Louis): repareur 1842-1848; 1853-1857
ANDRÉ (Alfred): tourneur 1847; 1852
ANDRÉ (Alexis): sculpteur 1904
ANDRÉ (Maurice): décors 1953
ANDREATTI (Raymond): décors 1948
ANDRIOT: mouleur 1797
ANGLEMAN (Mme): décalqueuse 1837
ANGLURE (Maurice de): monteur en bronze 1924-1968
ANTHEAUME (Jean-Jacques): peintre 1752; 1754-1758
ANTOINE: à la couverte 1745-1773
ANTONINI: moulages 1896
APOIL (Charles-Alexis): peintre 1842-1864
APOIL (Suzanne-Estelle): peintre 1865-1892; fig. 421, 425, 427
APOIL (Charles-Edmond): professeur de dessin 1883-1926
APOIL (Charles): professeur à l'école d'apprentissage 1929
ARAM (Stéphane): sculpteur 1933
ARBUS (André): décors 1937
ARCHAMBAULT (Michel): aux fours 1898-1933
ARCHELAIS (Edouard): modeleur 1865-1867
ARCHELAIS (Jules): mouleur-repareur; décorateur, modeleur 1865-1902; fig. 408, 423
ARDILLIERS: batteur de pâtes 1865
ARIOTTES: décors 1950
ARISTANT: 1796
ARLUISON (Louis-Alexandre): 1897-1930
ARMAND: peintre 1746; 1749-1780; 1786; fig. 259
ARMAND (Pierre-Louis-Philippe): peintre; doreur 1746; 1749-1788
ARMAND: peintre 1766-1769; 1774-1775; 1778
ARMAND: peintre 1768-1776
ARMAND (Mlle, Eléonore): peintre 1774-1781
ARMAND (Mlle, Félicité): peintre 1774-1785
ARMAND (Mme): peintre vers 1780
ARMAND (Mlle): peintre 1822-1824
ARMAND (Anne-Victoire): voir PIERRE
ARNAUD (Clarisse): peintre 1822-1824
ARNAUD (Louis): batteur de pâtes, polisseur 1894-1920
ARNAUD (Adèle-Pauline, née GUBLIN): émailleuse 1908-1934
ARNAUD (Paul): tourneur de creux 1914-1946
ARNOLD: sculpteur 1909
ARNOUY: décors 1948
AROUARD: peintre 1752-1753
ARP (Jean): formes et décors 1965; pl. LXXXIV; p. 322
ARTUS (Charles): formes 1935-1940; 1950
ASSELIN (Charles-Eloi): peintre 1765-1798; 1800-1804; pl. LIII, LVII; fig. 133, 161, 203, 245
ASSELIN (Marie-Julie): brunisseuse 1774-1789; 1805-1811
ASSELIN (Pierre-Marie): commis aux écritures, agent comptable 1805-1843
ASTRUC (Jean-Baptiste): tourneur 1894-1918
ASTRUC (Ernest-Jean): mouleur-repareur 1907-1950
ASTRUC (Gabriel): tourneur de creux 1922-1924
AUBAN (Paul): sculpteur 1902
AUBÉ (Paul): sculpteur 1890-1915; fig. 448
AUBERT: peintre 1754-1758
AUBERT (Jean-Baptiste): peintre 1755-1756
AUBERT (Jean-Baptiste): peintre 1758
AUBERT (Vincent): chimiste 1829
AUBERT (Justin): batteur de pâtes 1879-1895
AUBERT (Félix): formes 1920-1924; fig. 464; p. 320
AUBEZ: décors 1812
AUBRIET: imprimeur 1846
AUBRY (Mme, A.): décors 1919
AUBRY (Jean-Lucien-Marcel): monteur-ciseleur 1963-1968
AUBURTIN (René): tourneur de creux 1922-1966
AUBURTIN (Gilbert): couleur depuis 1949
AUCLER (Catherine-Madeleine): voir MARCUS
AUCLOS: peintre vers 1759
AUDOUL (France): décors 1938
AUFDERBUCK (François-Antoine): 1820-1824
AUGENDRE: formes 1887
AUGER: sculpteur 1750-1758
AUGER (père): manœuvre 1750-1756
AUGUSTE: sculpteur 1741
AUMASSON (Martine): imprimeuse depuis 1967
AUMONT: enfourneur 1784-1786
AURIOL (Simone, école Dufrêne): décors 1921-1931
AURIOL (Georges): décors 1930
AUSCHER (Ernest): chef des ateliers de fabrication 1879-1889
AUTOQUE: mouleur 1905
AUVILLAIN (Mme): retoucheuse de couverte 1885-1907
AUVILLAIN (Achille-Alphonse): manœuvre 1877-1907
AUVRAY (Louis-Isidore): manœuvre 1861-1884
AUXENFANS: fonte de cuivre 1872
AUZARY (Antoine): maçon-briquetier
AVELINE (Constant-Louis-François): batteur de pâtes 1878-1901
AVENARD (Etienne): décors 1919-1924
AVISSE (Alexandre-Paul): peintre d'ornements, dessinateur 1848-1884; fig. 419

BACHELET (Emile-Just): sculpteur 1931-1936
BACHELIER (Jean-Jacques): peintre, chef des ateliers de peinture 1751-1793; fig. 109, 157, 165, 183, 315, 316; p. 48, 107
BACHELLERIE (François): couleur de moules 1911-1919
BACHOUX: émailleur sur faïence 1865
BADEAU (Georges-Laurent): sculpteur 1936
BADER (Mlle): décors 1950
BAGGE (Eric): formes et décors 1922-1934; fig. 461; p. 322, 327
BAILLARD: repareur de pâte tendre 1768-1773
BAILLEUL (Catherine): voir BLÉRIOT
BAILLON: sculpteur vers 1746
BAILLY (Jean-Jacques): chef de l'atelier des couleurs 1746-1790 (Dauterman indique: 1746; 1749-1753); p. 36, 38, 40, 42
BAILLY (Mme): peintre 1748-1774 (Dauterman indique: 1749-1753; 1764-1772)
BAILLY: doreur 1753-1766 (Dauterman indique: 1753-1758, mais place un décorateur en 1751-1752 et un autre en 1751)
BAILLY: manœuvre 1767-1779
BAILLY: peintre 1774-1779
BAILLY: contremaître du moulin 1831-1861
BAILLY: élève repareur 1841-1842
BAILLY (Jean-Julien): tourneur 1852-1884
BAILLY (Louis): décors 1921
BAILLY (Marie-Henriette-Louise): voir PINSON
BAIN (Marcel): mouleur-repareur 1928-1929
BAL: repareur 1784-1788
BALDISSERONI (Shiridani-Antonio): peintre de figures 1860-1879
BALICK (Mme Robert): décors 1921-1924

BALLANGER (Edouard-Frédéric): peintre 1905-1912
BALLET (André): formes 1911-1923
BALLEUR: sculpteur vers 1757-1764
BALTARD: planches gravées 1809
BANCE: décors gravés 1809
BANSE: repareur 1779-1790
BANNIER (Marie-Thérèse): poseuse de fonds depuis 1954
BANNIER (Bernard): poseur de fonds depuis 1954
BAPTISTE: repareur 1754-1764
BAQUET (Pierre-Joseph): modeleur, dessinateur de formes 1862-1891
BARABANT: décors 1806
BARALIS (Louis): sculpteur 1905
BARAT (Prosper): élève peintre sur verre 1841-1846
BARBE: doreur 1776-1778
BARBE: doreur 1810
BARBE: décors 1856
BARBE (Pierre-Hippolyte): mouleur en plâtre, couleur de moules 1892-1920
BARBE (Marie-Henriette): émailleuse 1903-1923
BARBE (Amélie-Marguerite): voir CAPPE
BARBEDIENNE (F.): réductions 1858
BARBEL: enfourneur 1787-1790
BARBERIS (Henri): décors 1897-1907
BARBET (Rolande): émailleuse 1948-1958
BARBIER (Félix-Alexandre): cuiseur de moufles 1862-1882
BARBILLION: à la couverte 1749-1754 (c'est peut-être celui que Dauterman signale en 1754-1755)
BARBILLION (Mme): à la couverte 1750-1760; brunisseuse 1761-1764
BARBILLION (Mlle, aînée): à la couverte 1750-1758
BARBILLION (Mlle, cadette): à la couverte 1750-1758
BARBIN (François-Hubert): ornemaniste 1815-1848; fig. 368, 378
BARBIN (Adolphe): peintre 1844
BARBOT (ou BARBAULT): peintre 1754-1757
BARDET: peintre 1749; 1751-1758; fig. 61, 75
BARON (Pierre-Louis): batteur de pâtes 1845
BARON (Julien): apprenti tourneur 1921-1926
BARRAT (oncle): peintre 1769-1791; 1795
BARRAT (neveu): peintre 1788-1791
BARRAU: caissier 1779-1793
BARRE: peintre, doreur 1773-1778; fig. 223, 224
BARRE: sculpteur 1795-1796
BARRE: sculpteur 1822-1863; fig. 440; p. 260
BARRE (Louis-Désiré): peintre puis chef des ateliers de peinture 1844-1881
BARRIAS (Ernest): sculpteur 1892-1902; fig. 447; p. 280, 286
BARRIAT (Charles): peintre 1848-1883; p. 280
BARTHEL (Frédéric): tourneur d'assiettes (XIXe siècle)
BARTHELEMY (A.): garçon de laboratoire 1897
BARTHOLDI (Frédéric-Auguste): sculpteur 1903-1904
BARTHOLOMÉ (Albert): sculpteur 1919-1923
BARTOLINI (Dominico): décors 1876
BARTRIM: décors 1886-1892; 1910
BASALDUA: décors 1938
BASTARD (Georges): décors 1920-1927; directeur 1938-1939; p. 311
BASTIDE (Antoine): aide de laboratoire (XIXe siècle)
BASTIDE (Louis-Ambroise): peintre sur verre, poseur de fonds 1835-1836; 1846-1880
BASTIN: sculpteur 1755-1767
BATAILLE (Mlle): peintre 1861-1866
BATAILLE (Mlle): décalqueuse (XIXe siècle)
BATE (Firmin): sculpteur 1904
BATKOUM (Andrée, née MURET): décalqueuse 1941-1944
BAUCE: repareur 1769-1773
BAUD: peintures 1852; 1859
BAUDET: tourneur (XIXe siècle)
BAUDICHON (A.): sculpteur 1926
BAUDIN (Ernest): chef des travaux de fabrication et des fours 1892-1930; p. 326
BAUDIN (Victor): aide d'atelier (XIXe siècle)
BAUDOIN (Alphonse-Joseph): mouleur en plâtre 1812-1886
BAUDOUIN (père): doreur 1750-1800
BAUDOUIN (Mlle): brunisseuse 1772-1789
BAUDOUIN (Mlle): brunisseuse 1772-1811 (sans doute celle que Dauterman indique: 1786 (?); 1790-1794; 1800)
BAUDRY (Léon-Georges): sculpteur 1930; directeur 1948-1963; p. 311, 328
BAUDUIN (René): fabricant de carreaux de grès 1920-1921
BAUER: peintures 1882
BAULEZ: sculpteur 1899
BAUMESTER (Lily): décors 1908
BAUMGART (Emile): administrateur 1891-1908; p. 267, 311
BAUQUER (Louis-Thomas): peintre 1774-1795
BAUQUER (jeune): apprenti repareur 1777
BAYER: élève peintre 1788-1789
BAYLE (Gérard): décorateur 1943
BAYOU: décors [1900-1939]
BAYSER (Mme de): sculpteur 1933
BAZIN (Mlle): brunisseuse 1808-1810
BAZIN (François): sculpteur 1919
BAZIN (Simone): décors 1931
BAZIR (Jeanne-Marie-Hélène): voir LEBARQUE
BAZOR: sculpteur vers 1942
BEAUDEAU (André): poseur de fonds, fileur-doreur 1919-1921
BEAUDEAU (Blanche): émailleuse 1925-1951
BEAUDIN (André): décors 1964-1968; pl. LXXXIII; p. 320
BEAUDOUX (Françoise): voir FREYSSINGES
BEAUFEREY: dorure 1864
BEAUFORT: travail du cuivre 1864
BEAULIEU: sculpteur 1757; 1763-1764
BEAULIEU (Mlle, Aline de): sculpteur 1908
BEAUMONT (André): imprimeur 1905-1950
BEAUMONT (Jean): décors et formes 1925-1942; pl. LXXXI; fig. 464, 466; p. 320, 322
BEAUMONT (Jean): tourneur depuis 1941
BEAUPÈRE (François-Grégoire): mécanicien 1896-1923
BEAUSSE: sculpteur 1751-1756
BECHARD: décors 1816
BECQUET (François): peintre 1749; 1753-1765
BEELE (Mireille): décoratrice 1975-1977
BEELE (Gaëtan): mouleur en plâtre 1975-1977
BEGA: manœuvre 1745; 1749; 1753-1756; 1758
BEGAUX (Laurent): tourneur-calibreur depuis 1977
BEGUINE (Michel-Léonard): sculpteur 1905-1907
BEGUSSEAU (Paul-Lucien-Léon): agent de service 1898-1910
BELET (Emile): décorateur 1876-1900
BELET (Louis): décorateur 1878-1913
BELET (Adolphe): décorateur 1881-1882
BELINGED (André): tourneur 1838-1839
BELLANGER: décors 1770
BELLANGER (ou BELANGER): repareur 1784-1791
BELLANGER (Mlle): décors 1899-1907; p. 322
BELLARD (A.): apprenti tourneur 1943-1944
BELLOC: projets de vitraux [1836]
BENARD (père): bûcheron 1811-1818
BENARD (fils, François-Victor): bûcheron, frotteur de biscuit 1817-1821
BENARD (Madeleine): décors 1908
BENEDETTI: mouleur en plâtre 1834-1838
BENEDICTUS: décors 1904-1924; p. 322, 327
BENNETEAU (Félix): sculpteur 1921
BENOIST (ou BENOIT): graveur 1750
BENOITON (Emile-Charles): gardien 1899-1919
BEN SUSSAN (René): décors 1937; p. 327
BENY: employé à la couverte et aux fours 1749-1756
BÉRANGER (Antoine): peintre 1808-1846; pl. LXI; fig. 341, 343, 353, 356, 364; p. 258
BÉRANGER (Pierre): menuisier 1842-1846
BÉRANGER: décors 1874
BÉRARD et BONNICHON: cuissons à la houille 1855
BERCEAUX (Charles): chimiste 1921-1925
BERCY: graveur 1756-1758
BERG (Camille): décors
BERGER (ou BERGÈRE): sculpteur 1760-1765
BERGER (Jean): chimiste 1928-1930
BERGERET (Pierre-Nolasque): décors et peintures 1804; 1807; 1809; 1818-1821; fig. 334; p. 258
BERIGNON (Mme): repareuse vers 1793
BERLIN (Auguste): décorateur 1920-1960
BERMAN (Léonide): décors 1928
BERMAN (Eugène): décors 1928
BERNARD: apprenti sculpteur avant 1748 (Dauterman indique: sculpteur 1749-1750)
BERNARD (P.): peintures 1853
BERNARD (Camille-Julien): professeur de composition décorative 1894
BERNARD (Joseph): sculpteur 1929
BERNARDIN (Gabriel): repareur 1864-1870
BERNARDIN (Edouard): commis 1864-1891
BERNARDIN (Alexis-Louis): tourneur 1872-1898
BERNAUX (Jean): sous-chef de la fabrication et des fours 1930-1940
BERNIER (Henri-Jean-Marie): tourneur d'étuis 1907-1922
BERNSTAMM (Léopold): sculpteur 1897-1915
BERRUER: sculpteur 1783
BERTAUT (Adolphe-François, dit COURTIN): menuisier 1872-1882
BERTAUT (Eugénie): brunisseuse 1883-1913
BERTAUT (Alphonse-Théodore): mouleur-repareur 1896-1899; 1904-1906
BERTAUT (Ernestine): voir DESCHAMPS
BERTAUX (ou BERTHAULT): tourneur 1774-1793

BERTHAULT: repareur 1780-1793
BERTHAULT (Robert): modeleur depuis 1950
BERTHELOT (aîné): repareur 1784-1786
BERTHELOT (jeune): repareur 1785-1789
BERTHIOT (aîné, Claude-François): metteur en couverte 1764-1819
BERTHIOT (cadet, François-Joseph): metteur en couverte 1778-1780; 1783-1819
BERTHIOT (fils, Jean-Marie): élève repareur-polisseur 1819-1821
BERTHIOT (Jean-Marie): commissionnaire 1854-1893
BERTIN: décors [1925]
BERTON (Hippolyte-Abel): tourneur de creux 1921-1922
BERTRAND: repareur 1754-1755
BERTRAND: peintre 1757-1775; fig. 163
BERTRAND: manœuvre 1763-1764; 1772-1773
BERTRAND (fils): apprenti repareur 1773
BERTRAND: aux fours et encastage 1782-1789
BERTRAND: doreur 1839
BERTRAND (Mlle): décors 1902
BERTRAND (Mlle): peintre 1903
BERTRAND (Mlle): sculpteur 1908
BESLÉ (ou BESSELÉ): sculpteur 1776-1788
BESNARD: sculpteur 1749-1750
BESNARD (Philippe): sculpteur 1936-1941
BESSE (Noël-Félix): polisseur 1827
BESSON (Louis): décors 1948
BESTAULT (Nestor): sculpteur-repareur 1890-1930
BETHMONT (Mme, née VUILLAUME): décors 1896-1907; p. 322
BEX (Alexandre): sculpteur 1855
BEYER (Paul): sculpteur 1932
BEZARD: décors 1837
BEZOMBES (Roger): décors 1949
BIANKA (Dora): décors 1934-1943
BIDAL (Mme, G.): décors 1906-1923
BIDARD: peintre 1786-1787
BIDARD (René-Roger): décorateur 1930-1945
BIENFAIT (père, Denys): repareur 1754-1758; 1760-1769
BIENFAIT (fils, Denys): repareur-acheveur 1754-1762
BIENFAIT (Jean-Baptiste): peintre 1756-1762; fig. 93
BIENFAIT (premier fils, Jean-Charles): peintre 1766-1773; fig. 93
BIENFAIT (deuxième fils): peintre 1766-1768; fig. 93
BIENFAIT: repareur 1770-1773 (ce serait Jean-Baptiste, selon Dauterman)
BIENFAIT: peintre 1773-1775; fig. 93
BIENFAIT: peintre 1779-1781 (ce serait Jean-Baptiste, selon Dauterman)
BIEUVILLE (Horace): décorateur 1879-1925; p. 320, 322
BIGOTT (S.): décors 1936
BILCOQ: peintures 1808
BILLETTE: décors 1921-1922
BILLEY (Louis-Jean-Baptiste): commis aux écritures 1849-1858
BILLOT (Mme): peintures 1868
BINARD (Madeleine): décors 1908
BINET: peintre 1750-1775; fig. 99bis
BINET (Mlle): doreuse 1775; 1801-1802
BINET (Joseph-François): tourneur 1776-1777; 1780-1798
BINET (fils): peintre 1824; 1829-1830; 1838-1842
BINET (Sophie, née CHANOU): peintre 1779-1798; fig. 289
BINET: sculpteur 1897-1901
BIOCHE: manœuvre 1785-1789
BISCHOFFSHAUSEN: sculpteur et formes 1966-1968
BISSON (François): mouleur 1788-1800
BISSON (Mlle): brunisseuse 1789
BISSON (Maurice): décorateur 1944-1950
BITTER (Ary): sculpteur 1926; 1940; p. 327
BIXIO (Mme): peintre 1833-1834
BIZARD: ouvrier aux fours puis repareur 1768-1771; 1771-1788; 1790-1793; 1795-1797
BIZET (Victor-Antoine): tourneur d'étuis 1892-1928
BIZETTE-LINDET: sculpteur 1925; 1943; 1967; p. 320-327
BLACQUIN: formes 1809
BLAISE (Mlle): voir JOUENNE
BLANC (Joseph): décors 1894-1900; p. 317, 322, 324
BLANC (Pierre): sculpteur 1932-1933
BLANCHARD: commis puis garde-magasin 1745-1774
BLANCHARD (Louis-Etienne-Frédéric): peintre, doreur 1848-1880
BLANCHARD (Alexandre): modeleur, décorateur 1867-1901
BLANCHARD (Alfred): monteur en bronze vers 1876
BLANCHARD (Jules): décors 1889
BLANCHARD: formes 1895
BLANCHET: à la fabrication des pâtes 1775-1781
BLANCHOT (Ivan-Louis): sculpteur 1904; inspecteur des travaux de sculpture 1930-1947; p. 327
BLANZAT (Jean-Pierre): tourneur depuis 1973
BLAQUIÈRE: orfèvre-monteur 1812-1818; 1820-1823
BLARD (Jean-Matthieu): repareur-anseur 1755-1758
BLARD: repareur 1763-1772
BLÉMOND (Albert): professeur de dessin technique 1945-1967
BLÉRIOT (Catherine, née BAILLEUL): imprimeuse 1971-1975; décoratrice depuis 1975
BLÉRIOT (Ghislain): graveur depuis 1975
BLIN: peintre 1793-1794
BLOC (Mlle): peintre 1860-1869
BLONDAT (Max): sculpteur 1902-1927; p. 312, 318
BLONDEAU (Pierre): sculpteur 1753; fig. 305
BLONDEL (Aimable): polisseur (XIXe siècle)
BLONDEL (Félix): gardien (XIXe siècle)
BLONDY (Mme): peintures de perspective 1811
BOBOT (P.): décors vers 1949
BOCQUET: peintures 1809-1810
BOCQUET (Louis-Maurice): décorateur 1902-1922
BODIN: décors 1921
BODON (Jean-Marie): serrurier 1872-1889
BODSON: décors et formes 1813-1821
BOËLY (Mlle): peintures 1823-1826
BOGUREAU (Mlle): voir LEROUX
BOHDANOWICZ (Ladwiga): sculpteur 1929
BOHN (Dr): travaux scientifiques 1855
BOIDRON (Sylviane): dessinatrice depuis 1956
BOIGEGRAIN: décors 1922-1934
BOIGNARD: décors [1900-1939]
BOILEAU (Jacques-René): directeur 1745-1772; pl. IV; fig. 29, 124; p. 28, 36, 42, 44
BOILEAU (Mme): repareuse 1773-1789
BOILEAU (fils aîné, Germain): repareur, peintre 1774-1793
BOILEAU (les trois demoiselles): à la couverte 1777-1779
BOILEAU (cadet): doreur 1784-1789
BOILEAU (jeune, Joseph-Germain): repareur 1784-1791; 1812-1843
BOILLEAU (Gustave): commis aux écritures 1832-1846
BOILY (Mlle): peintures 1823
BOIN: repareur 1769-vers 1793
BOISFLEURY (A.): décors 1921-1936
BOISSEAU (Emile): sculpteur 1905-1907
BOISSELIER (Philippe): poseur de fonds 1916
BOISSON: décors 1859
BOITEL (Charles-Marie-Pierre): doreur 1797-1822
BOITEL (Julie): peintre, brunisseuse à l'effet 1786-1795; 1797-1800; 1807-1822
BOITEL (René-Germain-Louis): ouvrier aux fours 1945-1948
BOITEUX: repareur-acheveur 1754-1758
BOIZOT (Louis-Simon): chef de l'atelier de sculptures 1773-1809; fig. 220, 240, 242, 247, 249, 251, 261, 302, 319, 320, 321, 322, 323, 327, 329, 330, 331, 403, 432; p. 46, 117, 120, 258, 260
BOLLÉ (Henri): mouleur-repareur depuis 1949
BOLVRY (père): aux couverte et couleurs 1746-1777
BOLVRY (aîné): repareur ornemaniste 1754-1794
BOLVRY (jeune, Charles-François): repareur, aux modèles, chef des tourneurs et repareurs 1754-1806; p. 117
BOLVRY: repareur 1788-1794
BOMPART: peintures 1847
BON (Mme): peintures 1818-1824
BONABEAU (Albert): sculpteur 1908
BONAX: sculpteur 1773
BONFILS (Robert): décors 1921-1934; p. 322
BONHOMME (François): professeur de dessin 1881
BONLEU (Jacques-Casimir): mouleur-repareur 1854-1873
BONNAFOUX (Julien): tourneur 1883-1928
BONNAFOUX (René-Julien): mouleur-repareur 1933-1935
BONNEAU (Louis-François): manœuvre, veilleur de nuit 1832-1835
BONNEFOUS (Josianne, née BOQUET): garnisseuse 1947-1965
BONNEMAIN (François-Louis): sculpteur vers 1760
BONNET: employé à la couverte, manœuvre 1758-1766
BONNET: tourneur 1773-1774
BONNET (Mme): brunisseuse 1820-1847 (?)
BONNET (Etienne-Louis-Frédéric): peintre 1828-1855
BONNET (Mlle, Mélanie): peintre 1834-1854
BONNUIT (Achille-Louis): doreur-décorateur 1858-1862; 1865-1893; pl. LXXVI, LXXVII
BONO (Etienne-Henry): repareur 1754-1781; fig. 242
BONTEMPS: sculpteur 1741

BONVALET (Lucien): sculpteur 1907
BONY: aide d'atelier 1874
BOQUET: sculpteur 1764-1766
BOQUET (Louis-Honoré): modeleur, monteur en bronze 1815-1860; p. 256, 276
BOQUET (Mlle, Virginie): peintre 1865-1869
BOQUET (Josianne): voir BONNEFOUS
BORDE (Gérard): mouleur-repareur 1974-1977
BORDIER: élève ornemaniste 1822
BORGET (Auguste): décors 1843; p. 258, 264
BORNICHE (père): repareur 1767-1784
BORNICHE (fils): repareur 1783-1792
BORNIER: peintre 1777
BOS: sculpteur (XXe siècle)
BOSCOLO (Domenico): mosaïste 1877-1879
BOSIO (François-Joseph): sculpteur 1810-1826; fig. 434, 437; p. 258, 260
BOSSELET: tourneur-repareur 1772-1774
BOSSELMANN: peintre 1811
BOSSUAT (Louis): polisseur 1931-1938
BOSSUET (Suzanne, née DAGUIN): décors 1926-1933
BOTEREL (Georges-Marie-Joseph): mouleur-repareur 1888-1934
BOTHEREAU (Philippe): enfourneur 1815-vers 1861
BOTHEREAU (René-Hippolyte): ouvrier aux fours 1879-1907
BOTHEREAU (François): aide d'atelier 1884-1901
BOTHEREAU (Armand): ouvrier aux fours 1885-1903
BOTREL: décors 1890
BOTTÉE (Louis): sculpteur 1904
BOUCHARD (Henri): sculpteur 1924-1937; p. 312, 320, 327
BOUCHARDON (Edme): sculpteur
BOUCHÉ-LECLERCQ (Henri): décorateur 1902-1920
BOUCHER (François): sculpteur et décors vers 1749-1755; pl. III, V, VI, VII, XXVII, XXVIII, LIII; fig. 3, 41, 58, 63, 94, 118, 119, 133, 144, 152, 169, 176, 189, 203, 206, 210, 244, 245, 304, 306, 307, 311, 312, 389; p. 48
BOUCHER: peintre 1754-1762
BOUCHER (ou BOUCHÉ, Gaspard): repareur 1764-1773
BOUCHER (ou BOUCHÉ, Jean-Sébastien): aide-enfourneur 1775; 1782-1799; 1805-1828
BOUCHER (jeune): repareur 1776-1777
BOUCHER: mouleur en plâtre 1786
BOUCHER (Mme): peintre 1823
BOUCHER (Mlle): peintre 1825
BOUCHER (Alfred): sculpteur 1893-1914; fig. 459; p. 317
BOUCHER (Sylvie): décalqueuse depuis 1975
BOUCHET (Jean): peintre, doreur 1757-1793
BOUCHET (Jules): décors 1835-1838; p. 258
BOUCHET (Charles): monteur en bronze 1851; 1853-1888
BOUCHON: peintre 1745-1746
BOUCHOT (Claire): décors 1883-1890
BOUCOT (Jean-Philippe): mouleur, tourneur de modèles 1756-1805
BOUCOT (fils, Nicolas): repareur 1773-1787
BOUCOT (fils, Etienne): vers 1778-1780
BOUCOT (fils aîné, Philippe): peintre 1785-1791
BOUCOT (fils jeune): repareur 1786-1790
BOUCOT: tourneur-mécanicien 1805-1807
BOUCOT (jeune): peintre, doreur 1826
BOUDET (Pierre): peintre sur verre 1827-1832
BOUDIER (Léon-Philippe): émailleur 1929
BOUDIN (aîné): repareur 1768-1791
BOUDIN (jeune): repareur 1776-1778
BOUDIN: monteur en bronze 1858-1861
BOUDIN (Adrien): tourneur en cuivre, élève monteur 1863-1872
BOUDIN: monteur en bronze 1866-1872
BOUDINOT (Nicolas): sculpteur 1757-1768
BOUDON (Emile): sculpteur 1925
BOUFILION: doreur 1808
BOUFFORT-CALAND (Maurice-Désiré): ouvrier aux pâtes 1944-1955
BOUGON (fils aîné): repareur, sculpteur 1754-1811
BOUGON (Martin): repareur, sculpteur 1759-1780; 1788-1795; 1806-1812
BOUGON (Mme): à la couverte 1762-1767
BOUGON (Françin): repareur 1766-1773
BOUGON (Toussaint): repareur 1766-1773
BOUGON (jeune, Philippe): tourneur 1774-1802
BOUGON (Mlle): doreuse 1775
BOUGON (neveu, Pierre): repareur 1778-1782
BOUGON: sculpteur 1787-1791
BOUGON (Dominique): portier 1808-après 1824
BOUGON (Mme, née Marie-Madeleine-Elysabeth HAUDEBERT): brunisseuse 1816-1843
BOUILLAT (père, Etienne-François): peintre 1758-1810; fig. 179, 216, 252, 255, 281, 282, 284, 302
BOUILLAT (Mme, née Geneviève-Louise THÉVENET): peintre 1777-1798
BOUILLAT (Mlle): peintre 1784-1792
BOUILLAT (fils): peintre 1785-1793
BOUIN: manœuvre 1767-1774
BOUIN (jeune, dit SAINT-JEAN): repareur 1769-1800
BOUIN (fils): repareur 1773-1774
BOULANGER (père): doreur 1754-1784; fig. 155, 198, 203, 223, 224, 236
BOULANGER (fils): peintre 1778-1780
BOULANGER (Napoléon): élève peintre 1815-1817
BOULAY (Casimir-Léopold): inspecteur des ateliers de peinture 1875-1876
BOULEAU (Charles-Léon): sculpteur
BOULEUX (Jacques-Casimir): mouleur-repareur 1854-1856
BOULLAIRE (Jacques): décors 1935-1938
BOULLE (Eugène): manœuvre 1844-1845
BOULLEMIER (jeune, Antoine-Gabriel): doreur 1803-1842; pl. LVIII; fig. 356; p. 258
BOULLEMIER (Mme, jeune): brunisseuse 1804-1834
BOULLEMIER (aîné, François-Antoine): doreur 1806-1838
BOULLEMIER (Hilaire-François): doreur 1813-1855
BOULLEMIER: peintre 1859-1862
BOULLEMIER (Mlle, Virginie): voir MARANTINI
BOULLEVUE (Henry): décors
BOULMÉ (Claude): décorateur depuis 1949; chef de la décoration depuis 1977
BOUQUET: peintre sur faïence 1863
BOURAINE (P.-H.): sculpteur 1935; p. 327
BOURCEY: manœuvre 1753-1780
BOURDIN: repareur 1773-1775
BOURDOIX (ou BOURDOIS): sculpteur 1773
BOURDON: ouvrier
BOURGAIN (Odette): décors 1936
BOURGEADE: repareur 1773-1774
BOURGEOIS (Urbain): décors 1809-1813
BOURGEOIS: peintre 1846-1848
BOURGEOIS (M.): sculpteur 1891-1893
BOURGEOIS (Alfred): chimiste 1892
BOURGEOIS (Victor): dessinateur 1892-1893
BOURGEOIS (Emile): directeur 1909-1920; p. 311, 317
BOURGOGNE: décors 1934-1935
BOURGOUIN (Jules-Léon): ouvrier aux fours 1889-1901
BOURGOUIN (Eugène): sculpteur 1923
BOURGUIGNON: peintre 1749
BOURGUIGNON: manœuvre 1763-1764
BOURGUIGNON: à la couverte et encastage 1773-1779
BOURNIER: peintre 1774-1776
BOURROUX (Léon): sculpteur 1935
BOUSQUET (Jean-Pierre): poseur de fond 1950-1951
BOUSSAC (Marcel): sculpteur 1968
BOUTALEB (Mahieddine): décorateur depuis 1945
BOUTARD (Louis): 1814-1816
BOUTEILLE (Charlotte-Marie): brunisseuse 1883-1928
BOUTEVILLE: manœuvre 1772-1777
BOUTILLIER (ou BOUQUILLIER): peintre 1754
BOUTILLIER (Mme): décalqueuse à partir de 1847
BOUTILLIER (Louis-Alexandre): repareur-garnisseur 1851-1880
BOUTIN (père, Pierre-Charles): poseur de fonds 1752-1763
BOUTIN (fils): repareur 1755-1756
BOUTIN (Mme): à l'atelier des couleurs 1757-1763
BOUTON: projets pour vitraux 1841-1842
BOUTON (Edmond): couleur de moules 1936-1937
BOUTRY (Alexandre): serrurier 1841-1845
BOUTTAZ (Gilles): émailleur depuis 1971
BOUVAL (Maurice): sculpteur 1898
BOUVERET (Joseph): mouleur en plâtre 1816-1834
BOUVET: repareur 1784-1787; 1788-1789
BOUVET: sculpteur 1784-1792
BOUVET (Mme, née PHILIPPINE): peintre 1786-1790
BOUVET (Mme, veuve): brunisseuse 1815
BOUVRAIN (Antoine-Louis): peintre 1826-1848
BOUVRAIN (Mlle de): brunisseuse 1826
BOUVRAIN (Mme): 1827-1831
BOUVRAIN (Narcisse-Joseph): doreur 1828-1833
BOUVRÉ (Joseph): élève mouleur en plâtre 1816
BOUYSSET (Claude): tourneur de creux depuis 1943
BOYER de SORRIÈRES (Mlle): décors 1901-1903
BOYNET: modeleur 1811
BRACHARD (père, Nicolas): repareur, sculpteur 1754-1809

BRACHARD (aîné, Jean-Charles-Nicolas): sculpteur 1782-1824; fig. 183, 330, 353, 354, 362, 378, 437, 438; p. 258-260
BRACHARD (jeune, Jean-Nicolas-Alexandre): sculpteur, repareur 1784-1792; 1795-1799; 1802-1827; p. 258
BRACONNOT: sculpteur 1886
BRACQUEMOND (Félix): chef des ateliers de peinture 1871-1872
BRACQUEMOND (E.): sculpteur 1921-1925; p. 322, 326
BRANDT (Edgar): montures 1903-1925; p. 326
BRATEAU (Jules): décors et formes 1901-1904; p. 320
BRAULT (François-Guillaume): surveillant du moulin 1846
BRAULT (Flavie): nettoyeuse de frises 1847
BRAYER (Alain): décorateur 1943-1944
BRÉCY (Henri-Ernest): modeleur, sculpteur 1880-1928; fig. 430; p. 286, 320
BRÉCY (Paul): aide d'atelier, au moulin 1888-1917
BRÉMOND (Pierre): chimiste 1919-1944; p. 318
BRENSON (Théodore): décors 1932-1939
BRESLE: tourneur ou repareur 1761-1765; 1766
BRESLE (ou BRAILLE): repareur 1778-1779
BRETEAU: repareur 1774-1779
BRETEUIL (père): ouvrier aux fours puis à la couverte 1759-1778
BRETEUIL (jeune): repareur 1769-1776
BRETON (Jean-Baptiste): manœuvre 1765-1777
BRETON (Mme ou Mlle): élève peintre 1797-1798
BRETON (Edouard): mouleur-tourneur 1846-1884
BRETON (Jules): doreur, décorateur 1876-1879
BRETON (Catherine-Elisabeth): voir GODIN
BRETONNIÈRE (Auguste-Adrien): enfourneur 1901-1931
BRÉVAL (père): manœuvre 1766-1775
BRÉVAL: repareur 1771-1790
BRÉVAL (Roger): décors 1920
BRIANCHON: décors 1860
BRIANCHON (Maurice): décors 1922-1946
BRICE (Michel-François-Louis): repareur, graveur et mouleur en plâtre 1774-1798
BRICHARD (Eloy): prête-nom 1752-1759; fig. 5, 44, 57; p. 30
BRIDAN (Charles-Antoine): sculpteur 1783-1787
BRIDOU (Pierre-Louis-Philippe): ouvrier aux fours 1894-1901
BRIFFAUT (fils, Adolphe-Théodore-Jean): sculpteur, repareur 1848-1890; fig. 400
BRIGUILLE (Mlle): voir POL
BRILLAND: décorateur 1741-1742
BRILLIÉ (Mlle, S.): décors 1935-1938
BRINON (école Rapin): décors 1923
BRIOCOURT: aux fours et encastage 1782-1789
BRIOCOURT: garçon d'atelier 1806
BRIOIS: peintre 1753-1758
BRISSON: décors [1900-1939]
BRIZARD (Suzanne): sculpteur 1936
BRIZOU (Jenny, née DENOIS): peintre 1817-1828
BROCHARD (Louis-Félix): polisseur 1825-1828
BROCHARD (Louis-Henry): tourneur 1864-1894
BROCHU: mouleur-repareur 1886-1899
BROCQUET: à la couverte, encastage, tourneur et repareur 1775-1794
BROGEVIN (Mme): brunisseuse 1827
BRONGNIART (Alexandre): administrateur 1800-1847; pl. LXI, LXIII, LXIV, LXV, LXVI; fig. 330, 351; p. 36, 241, 242, 244, 250, 252, 254, 256, 265, 267, 268, 274, 316
BRONGNIART (père, Alexandre-Théodore): décors et formes 1801-1812; pl. LVIII, LIX, LXII; fig. 340, 343, 345, 361, 389, 433; p. 256
BRONOEL (Louis): élève 1891-1893
BROQUET (Gaston): sculpteur 1926; p. 318
BROS (Robert): sculpteur 1928
BROTHIER: voir CLESS-BROTHIER
BROU (Frédéric): sculpteur 1906-1907
BROUILLET: manœuvre 1759-1760
BROUSSY (Jean): doreur 1946-1953
BRULÉ (Nadine): polisseuse depuis 1974
BRUNE (Adolphe): décors 1837
BRUNEAU: sculpteur 1819
BRUNEL-ROQUES (Antoine-Léon): peintre 1852-1883
BRUNET: à la couverte 1756-1759
BRUNET (Mme): peintre 1806-1807; 1816
BRUNET: décors 1923
BRUNO (Marc): décors 1936
BRUNOT (Mme): brunisseuse 1847
BRUSCAILLE (père): enfourneur 1780-1818
BRUSCAILLE (François-Jean): cuiseur de moufles 1807-1814
BRUSCAILLE (fils): préparateur de couleurs 1808-1814
BRUSCAILLE (Mlle, Denise): brunisseuse 1817
BRUYÈRE: décors 1925
BUCLIER: à la couverte 1775-1776
BUCQUET (Louis-Léon): peintre 1842-1848
BUELY (Mlle): peintre 1822
BUFFOTOT (Georges): monteur en bronze 1923-1925
BUFFOTOT (Harry): aide-photographe 1930-1931
BUISSON: chimiste 1830
BUISSON: élève décorateur 1882-1887
BULIDON: sculpteur 1741; 1746-1760
BULIDON (Nicolas): peintre 1763-1792; fig. 207, 287
BULIDON (Marie-Françoise-Justine, née LEVÉ): doreuse 1775-1777
BULIDON (Mme): peintre 1778-1779
BULIDON: dorure 1810
BULIOT: réductions 1879
BULOT (Eugène-Alexandre): peintre 1855-1882
BUNEL (aîné): repareur 1773-1792
BUNEL (jeune, Pascal): repareur, mouleur, tourneur 1779-1800
BUNEL (Marie-Barbe, née BUTEUX): peintre 1777-1817
BUNEL (Jean-Augustin): chimiste 1800-1846
BUNEL (Théodore-Antoine): peintre 1840-1852; fig. 416, 419
BUNON (Marcel): batteur de pâtes 1926-1928
BUQUERS: 1842
BURÉ: metteur en fonds 1809
BUREAU: sculpteur 1758
BUREAU: décors 1928
BURGER: décors 1930
BURIE (André): décors et formes 1921-1937; p. 322
BURCKHALTER (Jean): décors 1935-1937
BUSSEROLLE (Mme): décalqueuse dès 1846
BUSSIN: peintre 1847
BUTEUX (aîné, Charles): peintre 1756-1782; pl. L
BUTEUX (jeune, Antoine): peintre 1759-1766
BUTEUX (fils aîné): peintre 1763-1801
BUTEUX (cadet): 1773-1790
BUTEUX (oncle, Théodore): peintre 1775-1784
BUTEUX (Mlle, Marie-Angélique): doreur 1775-1790
BUTEUX (fils jeune, Claude-Gilles-Guillaume): peintre 1778-1784
BUTEUX (Marie-Catherine, née ROUSSEL): peintre 1778-1786
BUTEUX (Guillaume-Charles-Alexandre): peintre 1782-1794
BUTEUX (Charles-Théodore): peintre 1786-1821
BUTEUX (fils jeune): repareur 1795-1798
BUTEUX (fils aîné): repareur 1795-1800
BUTEUX (Mme): brunisseuse 1807-1812
BUTEUX (Mlle, Lise): brunisseuse avant 1806-1818
BUTEUX (Marie-Barbe): voir BUNEL
BUVAT: mouleur 1782-1787
BY (F.): repareur 1772-1775

CABAU (Eugène-Charles): peintre 1847-1885; p. 280
CABET (Jean-Baptiste-Paul): sculpteur 1856
CABOT (Louis-Adrien): aide d'atelier 1864-1894
CABOT (Marie-Angélique): voir WEYDINGER
CABOT (Marie-Geneviève): voir ROUSSEAU
CABROL (J., école Dufrêne): décors 1921
CADET-GASSICOURT (Louis-Claude): académicien chimiste 1786-1793; p. 36
CAFFIERI (Jean-Jacques): sculpteur 1783-1784
CAILLAT (Jean-Mathias): peintre, préparateur de couleurs 1745-1752; pl. III, p. 32, 38, 44
CAILLAUX (Mme): décors 1879-1881
CAILLE (Félix): décorateur 1943-1950
CAILLET (Michel): tourneur 1843
CAILLOT (ou CALLIOT): tourneur 1782-1796
CAILLOUETTE: sculpteur 1833
CAILLY (Philippe-Auguste): garçon du magasin de Paris 1815-1821
CAILLY (Mme): brunisseuse 1817-1818
CAIN (Auguste): sculpteur 1874; p. 286
CALAIS: sculpteur 1773-1774
CALAIS (Noël): monteur en bronze 1945-1958
CALAMAR: sculpteur 1807; p. 258
CALAND (Marguerite): émailleuse 1919-1921
CALDER (Alexandre): décors 1968-1969; fig. 468; p. 322, 328
CALVET (F., école Dufrêne): décors 1921
CAMBOS (Jean-Jules): sculpteur 1904-1920
CAMP: tourneur ou repareur 1757-1758
CAMUS: peintre 1752-1753
CAMUS (Jean-Marie): sculpteur 1909-1931
CAMUS (Marcelle, née RADIGUE): fileuse 1948-1955
CANARY: manœuvre 1758-1774
CANARY (fils aîné): repareur 1773-1787
CANARY (jeune): tourneur 1774-1789
CANTIN (Albert-Paul-Henri): mouleur-repareur 1902-1910
CANU (ou CANUS): mouleur 1787-1798
CAPELLE: peintre 1746-1800
CAPELLE (Marie-Louise, née SORIN): peintre 1746-1762

CAPELLE (fils, Baptiste-Antoine-Michel): peintre 1765-1768
CAPELLE (Mlle): peintre 1777
CAPERON: manœuvre 1766-1768
CAPIELLO: décors 1934
CAPON (E.): formes et décors 1921
CAPPE (Alphonse-Paul): imprimeur-doreur 1881-1895
CAPPE (Paul-Eugène-Léon): poseur de fonds 1897-1910
CAPPE (Amélie-Marguerite, née BARBE): brunisseuse 1904-1916
CAPPE (Louise-Alphonsine): voir MARCHAL
CAPRONNIER (François): doreur 1812-1819
CAPRONNIER (Marie-Louise-Henriette, née PARMENTIER): brunisseuse 1812-1819
CARDIN: peintre 1750-1787
CARDOT (Victor-Eugène): ouvrier aux fours 1897-1923
CARETTE (Marie-Jeanne): voir HUMBERT
CARILLON (E.): décors 1908
CARLÈS (Antonin): sculpteur 1901-1908
CARLIER (Joseph): sculpteur 1907-1908
CARLON (René): décors 1948
CARO (Pierre): tourneur 1890-1899
CARON (père, Nicolas-Ferdinand): repareur 1763-1802
CARON (aîné): repareur 1763-1779
CARON (Christophe-Ferdinand): peintre 1792-1815; fig. 338
CARON (Alexandre): décors, formes et sculptures 1901-1914
CARPEAUX (Jean-Baptiste): sculpteur 1869-1905; fig. 444; p. 280
CARPENTIER: repareur 1754-1755
CARRÉ (Joseph): tourneur 1842-1858
CARRÉ (Mlle): brunisseuse 1847
CARRÉ (Léopold): mouleur-repareur 1847-1849
CARRÉ (Adolphe): tourneur 1847-1861
CARRÉ (Martial): modeleur-estampeur-finisseur 1918-1921
CARRETTE (François): repareur-acheveur 1754-1770
CARRETTE (jeune, François): repareur 1769-1787
CARRETTE (Mlle): brunisseuse 1772-1774
CARRIÉ: peintre 1752-1757; p. 44
CARRIER-BELLEUSE (Albert): directeur des travaux d'art 1875-1887; pl. LXXIII, LXXV, LXXVIII; fig. 410, 411 à 421, 424, 425, 426, 430, 446, 451; p. 267, 274, 280, 282, 284
CARRIER-BELLEUSE (Louis): sculpteur 1883-1888; p. 286
CARRIER-BELLEUSE (Pierre): sculpteur 1908; p. 318
CARRIÈRE (L.): décors 1894-1905
CARRIÈRE (Ernest): formes 1894; chef des ateliers de décoration 1908; p. 282
CARSAULT (Emile): aide de laboratoire 1861-1865
CARTELLIER (Pierre): sculpteur 1801
CARTIER: monteur en bronze 1856-1861
CARTIER (Annie): brunisseuse 1967
CARUCHET (Henri): décors 1905
CASALTA (Mathilde): apprentie découpeuse 1927-1929
CASCIANI (Edouard-Constant): couleur de moules 1911-1914
CASSAS: décors 1820
CASSIN (Georges): couleur de moules 1936-1937
CASSONNET (Paul): mouleur en plâtre depuis 1954
CASTEL (Philippe): peintre 1772-1796; fig. 208
CASTELLI (Claude): décors 1948
CASTI (Sébastien): batteur de pâtes à partir de 1827
CATEL (L.): décors 1892
CATON (Antoine): peintre 1749-1798 (peut-être le même signalé comme repareur avant 1799); pl. V, L; fig. 73, 93, 275
CATON (Marie-Catherine, née PAYOT): peintre 1753-1788
CATRICE (Nicolas): peintre 1757-1774; fig. 128
CATRICE: repareur 1796-1800
CATTEAU (Alfred-Pierre): décorateur 1902-1904
CAULLE: mouleur-repareur de faïence 1856-1872
CAUSSE: mouleur en plâtre 1911-1914
CAVELIER (Pierre-Jules): sculpteur 1835
CAZAL: décors 1820
CAZAL (Léone): poseuse de fonds depuis 1944
CAZALY (ou CAZALI): peintre 1755-1759
CECCONI: sculpteur 1848
CELLIER: encasteur, repareur 1757
CÉLOS (Victor-François): broyeur de couleurs 1846-1865
CÉLOS (Jules-François): mouleur-repareur puis décorateur, modeleur 1865-1895; fig. 409; p. 280
CÉLOS (fils, Henri): élève décorateur 1889-1892
CENSIER (père): tourneur ou repareur 1756-1763
CENSIER (fils aîné): tourneur ou repareur 1757-1763
CENSIER (jeune): repareur 1758-1775
CENSIER (fils aîné): repareur 1773-1775
CERF (Yvonne): décors 1924-1926
CERGE (Denise): brunisseuse 1818-1819
CERIA: décors 1942
CERNEAU (Mme): brunisseuse 1814-1823
CERNET (Mme, née MONGINOT): brunisseuse 1811-1823
CESAR: sculpteur 1968; p. 322
CESBON (fils): décors 1906
CESSIER (Jean-François): peintre 1756-1758
CEVENIN (dit CANARY): repareur 1795-1800; 1802-1803
CHABANON (Anna, née PICHARD): décalqueuse 1878-1887
CHABANON (Henri-Eugène): tourneur 1883-1920
CHABANON (Solange-Jeanne): décalqueuse 1908-1925
CHABANON (Lucien-Georges): aide d'atelier 1920-1923
CHABELIN: brunissage ou dorure 1825
CHABOSEAU (Mlle): décors 1924
CHABRY (père, Jean): sculpteur 1749-1777
CHABRY (fils, Etienne-Jean): peintre 1765-1787; fig. 134
CHABRY (fils, Jean-Louis): sculpteur 1772-1778
CHAFFRAY (Marie, née MERLAND): émailleuse 1920-1928
CHAILLOUX: orfèvrerie 1872
CHALAIGNE (Mme): brunisseuse 1817
CHALER (Antoinette): décalqueuse 1946-1952
CHAMBELLAN (Louis): élève 1817
CHAMBON (Irène): voir ROY
CHAMONARD (Mlle): sculpteur 1939
CHAMPAGNE: mouleur 1749-1773
CHAMPEIL: sculpteur 1904
CHAMPENOIS (Dominique, dit BRISSON): tourneur 1841
CHAMPFLEURY (Jules-François-Félix HUSSON-FLEURY, dit): conservateur du Musée et des collections 1872-1889
CHAMPIGNY (Robert): sculpteur 1904-1910
CHAMPION (Etienne): monteur en bronze 1855-1884
CHAMPION (Louis): tourneur-mouleur d'étuis 1862-1893
CHANOU (aîné): sculpteur 1745-1768
CHANOU (jeune): sculpteur 1746-1760 (mais Dauterman indique deux Chanou, Jean-Bonaventure — 1746; 1749-1750; 1758-1775 — et Henri-Florentin? 1754-1760)
CHANOU (cadet): sculpteur 1748; 1759-1775
CHANOU (Mme): repareur 1758-1775
CHANOU (fils aîné): sculpteur 1767-1777; 1785-1792
CHANOU (fils jeune): sculpteur 1771-1778 (Dauterman le signale également en 1785-1788)
CHANOU (Oreste): sculpteur 1774-1778
CHANOU (Frédéric): sculpteur 1779-1791
CHANOU (Elisa-Laure-Caroline): brunisseuse et doreuse 1779-1800
CHANOU (aîné, Jean-Baptiste): repareur; modeleur; sculpteur, chef des fours 1779-1825
CHANOU (Jean-Benoît): sculpteur, repareur 1780-1791; 1794-1799; 1813-1818
CHANOU (Mlle, Marguerite): sculpteur vers 1780
CHANOU (Louis-Mathias): repareur 1784-1792; 1811-1828; fig. 431; p. 252
CHANOU (Mme Benoît): peintre 1797-1798
CHANOU (Antoine): tourneur 1814-1828
CHANOU (Louis-Edouard): peintre 1816-1822
CHANOU (Mme, Caroline): brunisseuse depuis 1822
CHANOU (Mlle, Aline): 1825
CHANOU (Prosper): repareur-garnisseur 1829
CHANOU (Elisa): brunisseuse 1831-1845
CHANOU (Sophie): voir BINET
CHANOU (Marie-Josèphe): voir GANEAU
CHANTECLER (Jean-Baptiste): sculpteur vers 1760
CHAPELLE: sculpteur 1745
CHAPELLE (Jean): manœuvre 1760-1762
CHAPELLE (Pierre): mouleur 1786-1800
CHAPELLE: encasteur 1787-1789
CHAPELLE (Paul): commis aux écritures 1873-1874
CHAPLAIN (Jules-Clément): directeur des travaux d'art 1895-1897; sculpteur 1905; p. 267, 272
CHAPLET: décors 1855
CHAPONET: sculpteur 1768-1796
CHAPONET (Louis-François): peintre 1776-1800
CHAPONET (Jean): aux fours 1781
CHAPONET (fils): peintre 1789-1797
CHAPONET (fils, J.-P.-Alexandre): dessinateur 1816
CHAPONNET: voir DESNOYERS
CHAPPEY (Jacques): monteur en bronze 1914-1928
CHAPPUIS (aîné, Jean-François): repareur-acheveur 1754-1771
CHAPPUIS (Claude): repareur 1756-1757
CHAPPUIS (jeune, Joseph): repareur 1756-1761

CHAPPUIS (aîné): peintre 1761-1787
CHAPPUIS (F.): repareur 1763-1773
CHAPPUIS (fils): tourneur ou repareur 1767-1772
CHAPPUIS (jeune): peintre 1772-1777; pl. XL; fig. 146, 204; p. 44
CHAPPUIS (Mme): brunisseuse, peintre 1775-1788
CHAPPUIS: chef des fours 1784-1787
CHAPPUIS (Mlle): peintre, brunisseuse 1787-1797
CHAPPUIS (Mlle, Rosalie): brunisseuse 1787-1789 (Dauterman la signale également en 1791; 1793-1794)
CHAPU (Henri): sculpteur 1888; p. 280, 286
CHARLEMAGNE (Paul): décors 1934-1939
CHARLES (Timonnier): au blutoir 1777
CHARLES (Mme, née HUARD): peintre 1837-1841
CHARLES (Pierre-Louis-Edmond): mouleur en plâtre 1933-1946
CHARLET (Jean-Auguste-Fernand): mouleur-repareur de faïence 1860-1893
CHARLOT (Angélique): doreuse 1827-1833
CHARNAUX (Madeleine): sculpteur 1931
CHARNEL (M.): décors 1921
CHARPENTIER (Germain-Louis): tourneur 1825-1851
CHARPENTIER (Louis-Joseph): doreur, décorateur 1852-1879
CHARPENTIER (Félix): sculpteur 1892-1911
CHARPENTIER (Maurice): sculpteur 1903
CHARPENTIER (Léonie): voir LEGAY
CHARPENTIER-MIO (Maurice): sculpteur 1920-1939; p. 320
CHARRIER (Jean-Joseph): apprenti 1816
CHARRIÈRE: balayeur 1811-1818
CHARRIÈRE (fils, Jean-Joseph): repareur 1816-1821; 1823-1825
CHARRIN (Mlle, Fanny): peintre 1815-1826
CHARTIER (père, Joseph-Barthélemy): laveur de moules 1780-1798
CHARTIER: mouleur en plâtre 1784-1788
CHARTIER (fils, Barthélemy): anseur 1793-1797
CHARTIER: repareur aux pièces 1806
CHASSENEUVILLE: mouleur 1787-1792
CHASTENET (André de): sculpteur 1919
CHATAIGNÉ (Alexandre, ou CHATEIGNIER): repareur-mouleur 1843
CHATELAIN (père): repareur 1776-1785
CHATELAIN (fils): repareur 1777-1782
CHAUCHIS (Bernadette): brunisseuse depuis 1966
CHAUDET (Antoine-Denis): sculpteur 1801-1806; fig. 434, 435; p. 258, 260
CHAULIN: repareur-acheveur 1746
CHAULIN: réductions 1848
CHAUSSÉE (Eugène-Auguste-Désiré): monteur en bronze 1882-1927
CHAUVEAUX (aîné, Michel-Barnabé): doreur, peintre 1753-1788; fig. 252, 255
CHAUVEAUX (jeune, Jean): doreur 1765-1802
CHAUVEAUX (fils, Michel-Louis): peintre 1773-1782
CHAUVEL (Georges): sculpteur 1937
CHAUVET (Jacques): calibreur depuis 1971
CHAUVIÈRE: doreur 1801-1802
CHAUVIÈRE: mouleur 1807-1811
CHAUVIN (B.): sculpteur 1908
CHAUVIN: sculpteur 1937; p. 327
CHAUVIN (Roland): mouleur en plâtre 1954-1955
CHAZAL: décors [1832]
CHEMIN: bûcheron 1856
CHEMIN (Jules-Alexandre-Ferdinand): tourneur 1898-1907
CHENARD: manœuvre 1750-1756
CHENARD: repareur 1779-1780
CHENAVARD (Claude-Aimé ou Henry): décors et formes 1830-1838; pl. LXV; fig. 366; p. 260, 264
CHENOT: mouleur 1749-1760
CHÉRET (Joseph): directeur des travaux d'art suppléant 1886-1887; sculpteur; fig. 423, 451; p. 267, 282, 317, 318, 324
CHÉRIANE (Mme, L.-P. FARGUE, née Chérie-Anne CHARLES): décors 1934-1935
CHEVALIER: repareur 1750-1771
CHEVALIER: chef des repareurs et tourneurs 1753-1771
CHEVALIER (Pierre-François-Hugony): peintre 1755-1757
CHEVALIER: repareur 1782-1785
CHEVALIER (Mlle, Marie): peintures 1861-1867
CHEVILLIARD (Cloud): repareur 1756-1797
CHEVRIER (A.-M.): décors 1935
CHEVROTON (Mlle, école Guérin): décors 1898-1916
CHEZAL: bronzeur 1885
CHICARD (Norbert): polisseur depuis 1968
CHICOT (Martin): sculpteur 1763-1774
CHIRICO (Giorgio de): décors 1935; p. 322
CHOISELAT (Ambroise): sculpteur, modeleur 1849-1856
CHOISY (Apprien-Julien HIREL de): peintre 1770-1812; fig. 214
CHOLET (ou CHAULET): à la couverte et aux fours 1756-1758
CHOLLET: ciseleur 1862
CHONEN: caissier-comptable 1753-1770
CHOPPIN (Paul): sculpteur 1901
CHOPY (André): décors 1935
CHOQUET: mouleur en plâtre 1745-1765
CHOQUET (Pierre): mouleur 1754-1755
CHOULAIR (aîné): sculpteur 1774-1778
CHOULAIR (jeune, Nicolas): sculpteur 1776-1778
CHOULET (Philibert): tourneur 1756-1779
CHOULET (neveu, Claude-François): tourneur 1770-1812
CHOULET (dit MORICE): tourneur 1777-1779
CHRISTOFLE: orfèvrerie 1856-1857
CHULOT (Louis-Gabriel): peintre 1755-1800; 1805-1818
CIACI (Claudine): décors 1948
CICERI: décors 1808
CIEUTAT (Alphonse-Gustave): mouleur-repareur 1894-1928
CIROT (Louis): mouleur-repareur 1903-1917
CLAIR (Alexandre): monteur en bronze 1936-1940
CLARET (J.): praticien de Paul Véra 1933
CLAUDE (G.L.): formes et décors 1920-1931; p. 320
CLAUDE (Victor): apprenti mouleur-repareur 1928
CLAUS (Jean-Etienne): tourneur 1826
CLAUZE (Emile): briquetier 1878
CLAVÉ (Joseph-Marie): monteur en bronze 1853-1861
CLÉMENT: peintre 1766
CLÉMENT (Joséphine): brunisseuse 1955-1970
CLÉMENT-CARPEAUX (Mme, L.): sculpteur 1904
CLERC (Jean-Baptiste): peintures 1847-1848
CLERC: sculpteur 1953
CLERGÉ (Mlle): brunisseuse 1818-1821
CLERGET (Charles-Ernest): décors 1835-1848
CLERGET (Alexandre): sculpteur 1906-1942
CLERISSEAU (veuve): fournisseur d'or 1768-1771
CLESS-BROTHIER (Camille): décors 1924-1927
CLOCHE: graveur 1890-1893
CLODION (Claude-Michel, dit): sculpteur (XVIIIe et XXe siècles); fig. 325, 406; p. 84
CLOSTERMANN: atelier des couleurs 1753-1769
CLOSTERMANN (Mlle): brunisseuse 1756-1759
CLOSTERMANN (jeune): peintre 1764-1766
CLOUD: à la couverte 1776-1782
CLOUD (Patrice): tourneur depuis 1977
CLUZAUD (Jacques): mouleur en plâtre 1883-1926
COCANTIN: aux fours 1787-1789
COCANTIN: mouleur 1795-1798
COCHARD (Pierre-Nicolas): repareur 1766-1800
COCHARD (fils): mouleur en plâtre 1795-1800
COCHARD (Louis-Eugène): homme de service 1847-1880
COCHE: repareur 1796-1799
COCHET (Henri-Augustin): imprimeur 1907-1928
COCHET (Gérard): décors 1926-1933
COËFFIN: voir HÉBERT-COËFFIN
COETLOGON (Yves de): sculpteur
CŒUR-DASSIER (ou CŒUR D'ACIER): tourneur 1806
COGNÉ (François-Victor): sculpteur 1933-1943
COISNON (Mme): 1847
COLAS (Mlle, H.): décors 1922
COLIN (Georges): décors, sculptures et formes 1906
COLIN (Paul): décors 1937; p. 327
COLIN (Josette): brunisseuse 1956
COLLAMARINI (René): sculpteur 1958; p. 320
COLLET (Jacques-Auguste): sculpteur 1784-1800; 1801-1809
COLLET (fils, Antoine-Louis-Auguste): commis aux écritures 1818-1825
COLLET (Adrien): balayeur 1825
COLLOT: repareur 1754-1772
COLLOT (père): manœuvre 1755-1784
COLLOT (fils): repareur 1772-1777
COLOMBE (Mme, née GONOUT): peintures 1847-1848
COLOMBIER (Mlle, Amélie): sculpteur 1905
COLOMBIER (Yvonne de): décors 1908
COLPIN (Robert): mouleur-repareur 1928-1941
COLVILLE (Mlle): peintures 1848
COMBALUZIER (Gilbert): coulage de moules 1933-1934
COMBAREL: décors 1846
COMBETTE: sculpteur 1837-1839
COMBOT (François): lithographe depuis 1974
COMES (Sylvia): émailleuse depuis 1975
COMMELIN (Michel-Gabriel): peintre 1768-1776; 1778-1800; 1801-1802; fig. 253
COMMEREL (Ernest): doreur 1886-1892

COMMERIL: décors [1887-1892]
COMOLERA (Mlle, Mélanie): peintre 1816-1818
COMOLERA (Alexandre-Jean-Louis): peintre 1843-1847
COMOLERA (Mme): brunisseuse à partir de 1847
COMPIÈGNE (Charles-Marie): aux fours et pâtes 1827-1841
COMPONET: peintre 1747
COMTOIS: manœuvre 1763-1765
CONRIGUE: sculpteur de camées 1815
CONSIDÈRE (Joseph-Honoré-Marie): dessinateur 1884-1908
CONSTANS (Charles-Louis): doreur, peintre 1803-1840
CONSTANT (Léon): peintre 1835
CONSTANT: peintre 1853-1863
CONSTANTIN (Abraham): peintre 1813-1848; pl. LXIII; p. 258
CONSTANTINESCO (Marc): sculpteur 1931
CONTANT (école Dufrêne): décors 1921
CONTESSE (Gaston): sculpteur 1923
CONTEVILLE (Auguste): mécanicien 1882-1885
CONVERS (Louis): sculpteur 1905-1911
COOK (ou COQ): ouvrier aux fours 1853-1887
COOL (Delphine de): peintre 1860-1870
COQUART (Ernest): formes et décors 1877; p. 276
COQUEREL: décors 1932
COQUERY (René): formes et décors 1929-1930; p. 322
COQUET: décors 1949
COQUILLARD (Mlle): décors 1909
CORBEL: sculpteur 1899
CORDIER (Henri): sculpteur 1902-1933
CORDONNIER (Alphonse-Amédée): sculpteur 1900-1906
CORMIER (Henri): ouvrier aux fours 1883-1919
CORMIER: voir DESCOMPS (Joseph)
CORNAILLES (Antoine-Toussaint): peintre 1755-1792; 1794-1800; fig. 285
CORNAS (ou CORNAZ): tourneur 1749-1750 (Dauterman indique: CORNE (Jacques-Denis) 1749-1751 et CORNE 1749; vers 1752)
CORNET: aide aux travaux de peinture 1847
CORNET (Paul): sculpteur 1928
CORNU: voir VITAL-CORNU
CORTOT: sculpteur 1808
COSNUAU (Françoise): poseuse de fonds depuis 1968
COSNUAU (Jean-Luc): tourneur 1970-1973
COSSON (Charles): mouleur-repareur 1932-1973
COSTA (Joachim): sculpteur 1927
COSTAMAGNA (Edgar): décors 1948
COSTER (Germaine de): décors 1951
COTARD: manœuvre 1774
COTOR: décors 1808
COTTEAU: émailleur 1780-1784; pl. LIII; fig. 232, 264; p. 107
COTTEAU: dessins 1808
COTTREZ (Charles-Joseph): commis du matériel 1851-1879
COUDRAY (Michel-Dorothée): manœuvre 1753-1775
COUDRAY (Marie-M.-L.): sculpteur 1904
COUDREAU (Alain): couleur-garnisseur depuis 1977
COUDYSER (Jules): décors 1921
COUGNY (Louis-Edmond): sculpteur 1894
COULON (Jean): sculpteur 1903-1905
COULON (Vital): sculpteur 1905
COUPIN de la COUPERIE (Marie-Philippe): peintures 1806-1812; fig. 336
COURAULT (Eugène): ouvrier aux fours 1890-1928
COURBARON (Adolphe-Ferdinand): aide d'atelier 1898
COURBETON: décors 1808
COURBLON: décors 1808
COURCELLE (Pauline de): voir KNIPP
COURCELLES-DUMONT (Henri): décors 1891-1919; p. 280, 326
COURCHET: manœuvre 1768-1789
COURCY (Alexandre-Frédéric de): peintre 1865-1886; p. 280
COURET-DUMINY (Germaine): décors 1928-1937
COURIGUER: sculpteur 1815
COURNAULT (Etienne): décors 1936
COURSAGET: doreur, décorateur 1881-1886; fig. 416, 419, 423
COURSAY: décors [vers 1875-1897]
COURSIMAULT (Alfred): mouleur 1885
COURTENS (Alfred): sculpteur 1930
COURTIN (Frédéric): repareur 1856-1858
COURTIN (fils): garçon du magasin de blanc 1867-1869
COURTIN (veuve): retoucheuse de couverte jusqu'en 1872
COURTIN (Antoine-Marie, dit DUBAIL): monteur en bronze 1882-1910
COURTIN (Georges): monteur en bronze 1889-1902; 1903-1928
COURTIN (Mlle): décors 1909
COURTIN (Marie-Antoinette): décalqueuse 1919-1927
COURTOT (Eugène): broyeur de couleurs 1866-1895
COURTOT (Delphine-Alphonsine): retoucheuse d'émail 1878-1896
COURTOT: décorateur 1885-1888
COURVAL (Jeanne, née HARMAND): dessinatrice d'épures 1919-1966
COURVAL (Maurice): graveur-imprimeur 1934-1966
COURVOISIER: aux terres 1786-1789
COURVOISIER (Simone): élève décoratrice 1920-1921
COUSIN: décors 1807
COUSIN (Mireille): décoratrice depuis 1965
COUTAN (Auguste-Jules): directeur des travaux d'art 1891-1895; p. 267, 317
COUTAN-MONTORGUEIL (Laure): sculpteur 1904
COUTAND: décors 1936
COUTANT (S., école Dufrêne): décors 1913-1922
COUTHEILLAS (Henri-François): sculpteur 1906-1909
COUTIER: tourneur 1770-1780
COUTIER (aîné): tourneur 1776-1777
COUTURIER: peintre 1762-1775
COUTURIER: peintre 1783
COUTURIER (Charles-Ernest): mouleur-repareur 1865-1899
COUTURIER (Robert): sculpteur 1943-1963
COUTY (Edme-François-Alexandre): chef des études d'art et travaux de décoration 1908-1918
COYSEVOX: sculpteur
CRAUK (Gustave-Adolphe-Désiré): sculpteur 1906-1910
CRECHINI: mouleur en plâtre 1773-1774
CRENIER (Camille-Henri): sculpteur [1904]
CREPIN: tourneur ou repareur 1757-1764
CRETEL (Jules-Auguste): couleur de moules 1910-1928
CREVEL (René): décors 1925-1943
CROCIANI: décors 1948
CRONEAU (Alfonse): peintre 1853-1857
CROQUELOIS: repareur 1787-1792
CROS (Henri): sculpteur 1901-1904; p. 276, 282, 324
CROT: sculpteur 1895-1896
CROT (Eugène): mouleur-repareur à l'essai 1896
CROZET (Paul): décors 1936-1938; p. 327
CUGNIÈRE: bûcheron 1888
CUINIER: repareur 1782-1799
CUNY (Louis): décors 1928-1929
CURLET: tourneur 1768; 1770-1773
CUSSEY: peintre 1804-1806
CUVILLIER: atelier des couleurs 1754-1769; fig. 175
CUVILLIER (jeune): repareur 1756-1762

DABOUST (François-Gabriel): mouleur, garnisseur et repareur 1830
DAGUERRE: sculpteur vers 1755 (cité par Dauterman uniquement)
DAGUIN (Suzanne): voir BOSSUET
DAILHAT (Jean-Louis): tourneur; chef mouleur-repareur 1934-1977
DAILLION (Horace): sculpteur 1905-1909
DAIRE (Paul-Emile): commis 1863-1892
DAIRE (Berthe): voir DESCHAMPS
DAIRE (Marie-Berthe): voir MONGIRARD
DALBRET: aux fours et encastage 1781-1789
DALEX (Marc-François-Auguste): poseur de fonds 1902-1918
DALLUT (Mme): peintures 1816-1817; 1819
DALOU (Jules): sculpteur 1888-1905; p. 278, 280, 286, 318
DAMBOISE (Marcel): sculpteur 1938
DAMBREVILLE: repareur, tourneur 1781-1791
DAMBRUN (Louise-Cécile-Madeleine): décors 1901
DAMMAN (Paul-Marcel): sculpteur
DAMMOUSE (Pierre-Adolphe): sculpteur d'ornements 1852-1880; fig. 403
DAMOUSE: décors 1912; p. 312
DANET: manœuvre 1759
DANET (père): tourneur 1768-1786
DANET (fils aîné): repareur 1772-1777; 1783-1791; 1794-1795 (mais Dauterman distingue deux ouvriers: le premier de 1773 à 1777 et le second en 1783-1791 et 1794-1795)
DANET (fils cadet): repareur 1773-1776
DANET (neveu): repareur 1774-1779; 1782-1791
DANGÉ D'ORSAY (Mlle): décors 1899
DANIEL (Mathurin): mouleur en plâtre 1923-1963
DANIEL (Raymond): calibreur 1926-1965
DANIEL (Fernand): modeleur depuis 1945; p. 322
DANOIS: repareur 1769-1791

DANOVAL: tourneur ou repareur 1769
DANSSEUR (Jean-Robert): tourneur d'étuis 1754-1791
DANTAN: sculpteur 1848
DAPPE (Laurent): constructeur de gazettes ovales et de moufles 1782-1814
DAPPE (neveu, dit MARTINOT): aide au laboratoire 1815-1817
DARAGNES (Jean-Gabriel): décors 1934-1942
DARCET (Jean): académicien chimiste 1782-1793; p. 36
DARDE: imprimeur 1837-1843
DARDEVILLERS: peintures 1820-1821
DARE: repareur 1779-1780
DARLIN (Pierre-Etienne): garçon au magasin de Paris après 1826
DARNET (chevalier): chargé de l'extraction des terres à St-Yrieix... 1771-1779
DARRAS: repareur 1772-1786; 1793-1800
DARTIGUES (Marie): décors 1929-1931
DAUBELLE (ou DOBELLE): manœuvre 1753-1767
DAUCHY (Marie-Rose): retoucheuse de couverte 1848-1867
DAUCHY (Stanislas): tourneur jusqu'en 1866
DAUDRY (Mlle): peintures
DAULLE (Jean): sculpteur
DAURAT (Maurice): décors et formes vers 1928; p. 320
DAUVEN: employé aux fours 1828
DAUVERGNE (père): manœuvre 1770-1773
DAUVERGNE (fils): manœuvre 1770-1773
DAVÈZE (E.): commis aux écritures 1874
DAVID (père): repareur 1750-1760; 1764-1792 (Dauterman distingue deux ouvriers: le premier 1750-1751; vers 1752 et le second 1754-1794)
DAVID (aîné): repareur puis mouleur 1770-1777
DAVID (fils): repareur 1777-1779
DAVID (jeune): mouleur en plâtre 1777-1778
DAVID (oncle, Pierre): repareur 1779-1790
DAVID (neveu): à la fabrication des pâtes 1784
DAVID (fils): apprenti repareur 1784
DAVID (jeune, dit FAUCHON): repareur 1798-1800
DAVID (François-Alexandre): doreur, peintre 1844-1882
DAVID (Adolphe): sculpteur 1907
DAVID D'ANGERS: sculpteur 1846
DAVID (Hermine): décors 1934-1937; p. 322
DAVID (François): décorateur depuis 1972
DAVIDS (Arlette): décors 1938
DAVIGNON (père): manœuvre 1763-1782
DAVIGNON (jeune): tourneur 1770-1776; 1778-1781
DAVIGNON (neveu, François-Jean): repareur 1776-1798
DAVIGNON (Louis-Henry): tourneur 1776-1787; 1788-1799; 1800-1818
DAVIGNON (père?): à la couverte et encastage 1782-1785
DAVIGNON (jeune): repareur 1784-1791
DAVIGNON (Jacques): repareur-unisseur 1795-1800
DAVIGNON (Louis-Balthazar): tourneur 1795-1799; 1801-1818
DAVIGNON (Jacques-Ferdinand): tourneur 1803-1815
DAVIGNON (Jean-François): peintre 1807-1813
DAVIGNON (Alexandre-Henri): tourneur 1809-1827
DAYEZ: décors 1953
DAYOT (Magdeleine-A.): décors 1921-1926
DEBACQ (Charles-Alexandre): décors 1824
DEBAIN (Gisèle, née MALOT): émailleuse 1950-1958
DEBARRE (J.-R.): décors 1933
DEBARRE (Jean): sculpteur 1930-1936
DEBARY (Mlle): polisseuse de fond 1824
DEBON (Mme): peintures 1816-1824
DEBORD (Eugène): mouleur-repareur 1855-1893
DEBORD (Achille): tourneur 1859-1882
DEBREMET (Arlette): décalqueuse depuis 1963
DEBUT (Marcel): sculpteur 1899-1911; p. 317, 324
DECAISNE: décors 1840
DECAMBOS: doreur, peintre 1776-1787
DECELLE (Charles-Alexis): mouleur-repareur 1852-1858
DECHERY: formes 1902
DECHOT (Jacqueline): apprentie garnisseuse 1945-1946
DECK (Théodore): administrateur 1887-1891; p. 267, 278
DÈCLE: décors 1810
DECLERCQ (école des Beaux-Arts de Nancy): décors 1948
DECLERK: décors 1958
DECŒUR (Emile): conseiller artistique, céramiste chargé de mission pour la création des formes 1932-1948; p. 312, 328
DÉCOIN (ou DESCOUEN): manœuvre 1767-1779
DÉCOIN (ou DESCOINS, fils, Charles-Louis): tourneur 1776-1778; 1780-1818
DÉCOIN (Charles-Michel): mouleur en plâtre 1779-1789 (c'est peut-être le même qui était repareur en 1775-1776)
DÉCOIN (Mme, née LEGRAND): peintre 1780-1798
DÉCOIN: peintre 1801, 1802; 1813
DÉCOIN (Mlle): brunisseuse 1815-1820
DEDILLOT: mouleur 1775-vers 1780
DEDUIT (Aimé): repareur, tourneur 1772-1774; 1776-1792; 1794-1800
DEFERNEX (Jean-Baptiste): sculpteur 1754-1755
DEFEY (ou DEFAIX, Charles): tourneur 1755-1770
DEFRANCE (Albert-Lucien): tourneur 1901-1905
DEGAULT: peintre 1758-1760
DEGAULT (Jean-Marie): peintre 1808-1817; fig. 336, 346; p. 258
DEGOIX (ou DESGOIX): tourneur ou repareur 1766-1768
DEGOUTTE: repareur 1774-1787
DEHORS (Victor-Pierre): serrurier 1805-1837
DEJEAN (Louis): sculpteur 1935
DEJOUX: sculpteur 1783
DEJUINNE (François-Louis): décors 1846
DELACHENAL (Louis): modeleur 1924-1962
DELACROIX (Eugène): décors pour vitraux 1841-1842; p. 258
DELAFONTAINE: montures en bronze 1808-1816
DELAFOSSE (Denis): peintre 1805-1815
DELAGARDE: dorure 1806
DELAGE (Guy): tourneur en creux 1944-1968
DELAHAYE (Charles-François-Jules): repareur puis sculpteur 1818-1851
DELAISTRE (François-Nicolas): sculpteur [1810]; p. 258
DELAMOTTE: peintures 1816
DELANNOY (Maurice): sculpteur 1937
DELAPLANCHE (Eugène): sculpteur 1894-1898
DELAROCHE (Paul): décors 1830-1833; p. 258
DELATERRE: commis 1775
DELATRE (ou DELATTRE, cadet): repareur-acheveur puis tourneur 1754-1758 (Dauterman distingue: Louis 1749; vers 1752; 1754-1757; et André 1749; 1754-1758)
DELATRE (jeune): repareur, garnisseur 1754-1775 (Dauterman le signale également vers 1752)
DELATRE (aîné): tourneur 1754-1789 (pour Dauterman, c'est François 1757-1788; 1790; 1792)
DELATRE (fils, dit VANOISE): repareur 1778-1779
DELATRE (Mlle): brunisseuse 1780-1788
DELATRE (jeune): tourneur 1784-1791; 1794-1795
DELATRE (fils): peintre 1785-1791
DELATRE (Mme): peintre 1789-1795
DELATRE (Mlle): brunisseuse 1826-1828
DELATTRE (S.): décors 1934
DELAUNAY: mouleur pour galvanoplastie 1855-1863
DELAVALLE (Mlle): peintures 1821-1822
DELAYURD: poseur de fonds 1806
DELCAMBRE (Henri): sculpteur 1964
DELÉPINE (Alfred): mouleur en plâtre depuis 1965
DELÉPINE (Maryse): brunisseuse depuis 1964
DELETTRE: repareur puis mouleur 1779-1792
DELEVISTON: contrôleur, caissier 1772-1773
DELHOMMEAU (Charles): sculpteur 1938
DELILLE: doreur 1776
DELILLE: repareur 1778
DELILLIER (Mlle): décors 1896-1908
DELMAS-LANDRY: décors 1938
DELNOL: sculpteur 1937
DELORME: décors 1829
DELORT (Pierre): commissionnaire 1852-1868
DELORT (Antoine): tourneur de faïence, mouleur-repareur 1865-1896
DELOYE (Gustave): sculpteur 1888-1897; p. 280
DELPECH: réductions 1848
DELTOMBE (Paul): décors 1921-1929
DEMAILLY (G.): décors 1933
DEMANET (Victor): sculpteur 1935-1938
DEMANGE: décors 1951
DEMARNE: peintures 1809-1813; fig. 338
DEMAUROY: inspecteur 1759-1784
DEMILLY (François): ouvrier aux fours 1879
DEMORY (Frédérique, née KLEIN): décalqueuse 1887-1906
DENIS (Baptiste): repareur 1787-1790
DENIS (Mme): brunisseuse 1919-1921
DENIS (C.): décors 1922
DENIZOT (Gabriel): peintures 1816; 1821
DENOILLE (Louis): graveur 1933-1968

DENOIS (Jenny): voir BRIZOU
DENOIS (Lucile): peintures 1820-1827
DENOYER (Eliane): décoratrice 1955-1975
DENUITS: commis 1759-1768
DÉPANSIER (Jean-Pierre): repareur-unisseur 1769-1800
DEPARIS: voir PARIS
DÉPERAIS (Baptiste): repareur, sculpteur 1767-1798
DÉPERAIS (Julie): peintre 1791-1795
DÉPERAIS (Claude-Antoine): peintre 1795; 1798-1822; pl. LVIII
DÉPERAIS (Mme): brunisseuse 1798-1815
DEPIERRE (Charles): mouleur-repareur depuis 1945
DEPIERREUX: sculpteur 1746-1749
DEPOORTER (Jean): modeleur 1920-1935
DEQUELLY: peintures 1804-1807
DERICHWEILER (Jean-Charles-Gérard): doreur, décorateur 1855-1884; fig. 395, 400, 409, 419
DERIVIÈRE (Pierre-Adrien-Jacques): mouleur 1834-1851
DERIVIÈRE (Octavie): brunisseuse 1843-1844
DERNY (Marcel): sculpteur 1937-1975; p. 320
DEROUET: ouvrier aux fours 1766-1772
DEROY (Henri): peintre 1816-1821
DERRÉ (Emile): sculpteur et décors 1929
DERUELLE: repareur 1766-1774
DESACHY: moulages 1850
DESAILLY (Nicolas): manœuvre 1792
DESAILLY (Nicolas-François): élève repareur-garnisseur 1809-1812
DESAILLY: manœuvre 1809-1818
DESAILLY: cuiseur de moufles 1837-1845
DESAILLY (Augustine): brunisseuse à partir de 1847
DESBŒUFS (Antoine): sculpteur 1834
DESBOIS (Jules): sculpteur 1886-1908
DESBORDES (Mme): brunisseuse 1846
DESBORDES: bûcheron 1849-1850
DESCAMBON: peintre 1776-1780
DESCATOIRE: sculpteur 1900
DESCHAMPS (Ernestine, née BERTAUT): brunisseuse 1883-1893
DESCHAMPS (Berthe, née DAIRE): doreuse, imprimeuse 1884-1893
DESCÉE: ciseleur 1853-1856
DESCHELLES: mouleur, sculpteur 1791-1792
DESCOMPS (Joseph CORMIER, dit Joe): sculpteur 1903-1912
DESCOURS: décors [1814]
DESENNE: sculpteur 1820
DESFORGES (Louis-Pierre): monteur en bronze 1872-1910
DESFOSSE (Pierre): chimiste 1806-1814
DESHAYES (Mlle): décors 1924
DES ISNARDS (Mme): peintre 1835-après 1847
DESMARETS (Nicolas): académicien chimiste 1784-1793; p. 36
DESMOULINS (Auguste): décors 1845; pl. LXVII
DESNOYERS (Jean): sculpteur 1749-1750 (Dauterman le signale également vers 1752)
DESNOYERS-CHAPONNET (jeune): peintre 1788-1790
DESNOYERS-CHAPONNET (aîné, Jean-François): peintre 1789-1800; 1813-1828
DESPIERRE (J.): décors 1948; p. 328
DESPRÉ: doreur 1813
DESPREZ: sculpteur 1774-1786
DESPREZ: sculpteur 1809
DES RAIS: sculpteur 1749-1750
DES RAIS: sculpteur 1791-1792
DESRIVIÈRES: mouleur en plâtre 1839
DESRUELLES (Félix): sculpteur 1905
DESSIRIER: émailleuse jusqu'en 1883
DESSIRIER (Octavie-Stéphanie): élève découpeuse 1876-1891
DESSOUBIER (Gaston): apprenti mouleur 1945
DESVERGNES (Charles-Jean): sculpteur 1902-1903
DESVIGNES (Eugène-Henri-Charles): mouleur-repareur 1902-1924
DESVIGNES (Alfred): apprenti tourneur 1910-1913
DETAIRE: décors 1950
DETEIX: décors 1940
DEUTSCH: peintre, doreur 1803-1819; p. 258
DEUTSCH: tourneur 1811-1814
DEUTSCH (Mlle): brunisseuse 1811-1813
DEVELLY (Jean-Charles): peintre 1813-1847; pl. LXVI; fig. 357, 358, 378; p. 258
DEVENEY: tourneur à partir de 1820
DEVERIA (Achille): décors 1839-1848
DEVERIN (Roger): décors 1908-1929
DEVICQ (Jules): sculpteur 1880-1928; p. 320
DEVICQ (Georges): apprenti mouleur 1906-1909
DEVIGNES: peintures 1807
DEVILLE: peintre 1758-1764
DEVOT (Auguste): ciseleur 1889-1908
DEVOT (Marie-Louise, née MAZILLER): émailleuse 1907-1920
DEVOT (Laure-Denise-Marie): voir GORDET
DEZ: mouleur en plâtre et repareur 1766-1776
DÉZIRÉ (Henri): décors 1913; p. 326
DHOMME: décors 1942
DIANCOURT: sculpteur 1749-1750
DIAZ (Jeannette): décalqueuse 1950-1959
DIDELOT (jeune): mouleur 1775-1776
DIDELOT: mouleur 1775-1787
DIDELOT (neveu): repareur 1784-1791
DIDERON (Louis): sculpteur 1934
DIDIER (Louise-Ursule): brunisseuse 1786-1800
DIDIER (père, Charles-Antoine): peintre 1787-1800; 1806-1807; 1823-1825
DIDIER (Mme): peintre 1788-1790; 1794-1798
DIDIER (fils, Charles-Antoine): peintre 1819-1847; fig. 301, 356
DIDIER (Charles-Victor): peintre 1830-1832
DIDIER (Mme): brunisseuse 1834; 1837; 1840-après 1847
DIEFFENBACHER: décors 1904
DIERZE (Adolphe): élève tourneur 1888-1893
DIETERICH (Jean-Marie-Julien): repareur 1842-1844
DIÉTERLE (Jules-Pierre-Michel): chef des travaux d'art 1840-1855; fig. 380 à 386, 388, 396; p. 267, 270, 282
DIEU (Jean-Jacques): peintre, doreur 1777-1790; 1794-1798; 1803-1810; pl. XLIX; fig. 227, 238, 301
DIMON: apprenti repareur 1781-1782
DIONET (E.): décors 1915
DIRAT: peintre 1852-1869
DOAT (Taxile-Maximin): décorateur, modeleur 1878-1905; fig. 426, 453; p. 274, 280, 286
DODIN (Charles-Nicolas): peintre 1754-1803; pl. XI, XXVIII, XLV, LV; fig. 102, 111, 119, 144, 152, 176, 242, 252, 254; p. 48
DOLTER (Nicolas): tourneur d'étuis 1840-1843
DOMENC (Maurice): décors 1902
DONADIEU (Michel): tourneur 1948-1975
DONNE: repareur, mouleur 1773-1779; 1784-1792
DORDAIN (Gérard-Jean-Noël): élève couleur-garnisseur 1966-1967
DORE (Pierre): peintre sur verre et porcelaine 1828-1865
DORE (Albert): mouleur-repareur 1863-1871
DORLÉANS: monteur en bronze 1853-1855; 1861-1868
DOUCET (Raynold): fileur-doreur depuis 1968
DOUINET: signalé à la fabrication par Dauterman en 1797
DOULLIOT (Mlle): peintre 1862-1869
DOUTEAU (Gabriel-Joseph): élève tourneur 1825-1837
DOWNING (Joe): décors 1976; fig. 474; p. 322, 328
DRAND: peintre 1764-1775; 1780; fig. 156
DRAPIER: bûcheron 1813-1818
DREUX (Jean TISSERANT, dit): repareur 1780-1791; 1793 (Dauterman indique: DREUX, Jean-Denis 1777-1778; 1780-1791; 1793)
DREUX (Mme): décors 1896; 1908
DREUX (Mlle): élève décoratrice en 1920
DREUX (P.): sculpteur 1913-1919
DREYFUS-STERN: décors 1936
DROIT (Jean): décors 1919-1924; fig. 462; p. 322
DRÖLLING (Martin): peintre 1802-1813; p. 256, 258
DROT: peintre 1747
DROUARD: repareur, mouleur en plâtre 1767-1774
DROUARD (Mme): brunisseuse à partir de 1842
DROUARD (Jean-Victor): tourneur 1838-1873
DROUARD (Charles): tourneur 1875-1881
DROUARD (Victor): poseur d'émail 1936-1962
DROUCKER (Léon): sculpteur 1939
DROUET: repareur 1766
DROUET (Gilbert): peintre 1785-1824
DROUET (Mme): peintre 1797-1798
DROUET (Henry): aide d'atelier 1817-après 1847
DROUET (Isidore): bûcheron 1843-1844
DROUET (Ernest-Emile): modeleur, décorateur 1878-1920
DROUIN: voiturier 1872
DROUIN (Solange): apprentie brunisseuse 1947
DRUARD (Henriette): retoucheuse de couverte 1818-1837
DRUARD (Mlle): voir PINSON
DUBAIL (Pierre-Joseph): aux fours 1845
DUBAIL: monteur en bronze 1858-1865
DUBOIS (Robert): tourneur 1741; p. 27, 28
DUBOIS (Gilles): sculpteur 1741-1742; 1746; p. 27, 28
DUBOIS (Jean-René): peintre 1756-1757; fig. 92
DUBOIS: sculpteur, repareur 1762-1768
DUBOIS (jeune, le second): tourneur ou repareur 1768-1773
DUBOIS (troisième fils): repareur 1769-1772
DUBOIS: repareur 1776
DUBOIS: chargé de la caisse 1779
DUBOIS: ciseleur 1815

DUBOIS: peintre, doreur 1822-1823
DUBOIS (Jean-Charles-Théodore): peintre 1842-1848
DUBOIS (Eugène): sculpteur, modeleur 1879-1880
DUBOIS (Alexandre): mouleur-repareur 1897-1915
DUBOIS (Paul): sculpteur 1894-1907; p. 318
DUBOIS (Henri): sculpteur 1903-1904
DUBOIS (Edmond): mouleur-repareur; garnisseur 1906-1923
DUBOIS (Marie-Louise, née RICHARD): décalqueuse 1913-1923
DUBORT: doreur 1822
DUBOST (Suzanne): décors 1948
DUBOURG: manœuvre 1765-1767
DUBRAY: sculpteur [1848]
DUBREUIL: formes et décors 1838
DUBREUIL (Pierre): décors 1934-1938
DUBUISSON (Pierre-Noël-Nathan): peintre 1752-1753
DUBUISSON (fils): repareur 1785-1790; 1795 (Dauterman indique: 1785-1789; 1790; 1793-1795 et en distingue un autre en 1792)
DUBUISSON: aux terres 1787-1788
DUBUC (Mlle): décalqueuse 1837-1838
DUCAILLE: apprenti repareur 1776-1781
DUCHADEAU (Pierre): tourneur 1970-1976
DUCHATEAU: sculpteur 1796-1800
DUCHEMIN: peintre 1753 (signalé par Dauterman uniquement)
DUCHET (Marceau): fileur-doreur depuis 1953
DUCLOS (Pierre-Nicolas): repareur 1754-1765; 1780-1782
DUCLOS (fils aîné): repareur 1782-1784
DUCLOS (jeune): apprenti repareur 1784-1785 (Dauterman indique: 1782-1785)
DUCLUZEAU (Adélaïde, née DURAND): peintre 1818-1848; pl. LXIII; fig. 361
DUCOTÉ: poseur de fonds 1843; 1847-1848
DUCOUDRAY: manœuvre 1775-1792
DUCRET (Etienne-Hippolyte): élève dessinateur 1817
DUCROT: sculpteur 1909
DUCUING (Paul-Jean-Marie): directeur des travaux de sculpture 1915-1927; sculpteur 1907-1909; p. 318
DUFAU: 1863
DUFAU (Evelyne): décors 1941
DUFAU (Danièle): décoratrice 1968-1975
DUFEY: peintre 1813-1816
DUFORT (Mlle): voir ROUX
DUFOSSE: manœuvre 1767
DUFOSSE (Edouard-Frédéric): mouleur-repareur 1901-1922
DUFOUR: garde-magasin 1750-1751
DUFOUR: aux fours 1769-1782
DUFRÊNE (Maurice, élève de l'école): décors 1913-1922
DUFRÊNE (Maurice): décors 1913; p. 322
DUFRESNE: sculpteur 1860
DUFRESNES (Henri): monteur
DUFY (Raoul): décors 1923-1925
DUFY (Jean): décors 1934-1936; p. 322
DUHAUTOIRE (Mlle): peintures 1815-1816
DUHOUSSET: sculpteur
DUJARDIN-BEAUMETZ: décors 1906
DULAC: préparateur de bleu royal 1766-1770
DULOQUETIS (Marguerite-Irma): brunisseuse 1844-1883
DUMAIN (Alphonse-Victor): mouleur-repareur 1884-1928
DUMAINE (Guy-Marcel): apprenti mouleur en plâtre 1925-1926
DUMEYNIOU (Jacques): mouleur-repareur puis photographe 1932-1975
DUMINY (Germaine-Eliane): décoratrice auxiliaire 1928-1931
DUMONT: sculpteur 1813
DUMONT (Jean-André-Yvon): garnisseur 1937-1947
DUMOULIN (Georges): décors et formes 1910-1920
DUMOULIN: cité comme émailleur en 1913 et comme décorateur en 1919
DUMOULIN (S.): décors 1916
DUMOULIN (Christian): batteur de pâtes depuis 1974
DUNAIME (Georges): décors et formes 1922-1929
DUPAS (Jean): décors 1923
DUPATY (Louis): sculpteur 1802-1803
DUPERET: aux pâtes 1775-1789
DUPLAN (Jacques): tourneur de creux depuis 1954
DUPLAN (Annie): décalqueuse 1956-1968
DUPLESSIS (père, Jean-Claude CHAMBELLAN, dit): orfèvre, et formes 1745-1774; pl. II, VIII, IX, XXVII; fig. 24, 27, 29, 34, 42, 59, 61, 66, 67, 76, 81, 103, 118, 213, 227, 279, 309; p. 32, 46, 56, 58, 104, 118, 282
DUPLESSIS (fils, Jean-Claude-Thomas CHAMBELLAN, dit): orfèvre, et formes 1752-1783; pl. XXIV, LII, LVI; fig. 174, 217, 251; p. 42, 46, 76
DUPONCHELLE (père): tourneur 1754-1768
DUPONCHELLE (fils): tourneur 1755-1758
DUPONCHELLE (Pierre-Joseph): peintre 1758
DUPONCHELLE (jeune, Pierre): repareur 1769-1789 (Dauterman cite un François-Philippe de 1768 à 1787)
DUPONCHELLE (aîné): repareur 1780-1787 (peut-être le même que Dauterman nomme Pierre-(Gilbert) entre 1777 et 1788)
DUPONT: repareur puis doreur 1754-1760
DUPONT: ouvrier aux pâtes 1757-1769
DUPONT: sculpteur 1776
DUPONT-ROSSET: sculpteur 1767
DUPRÉ: à la fabrication 1756-1757 (cité par Dauterman uniquement)
DUPRESSOIR (aîné, Germain): repareur 1784-1791; 1797-1799
DUPRESSOIR (jeune): repareur 1786-1798 (Dauterman cite également Guillaume en 1768-1788; 1790-1798; 1800)
DUPRESSOIR (père): aux fours 1787
DUPREZ (ou DUPRÉ, Charles): repareur 1756-1778
DUPUIS (Charles-Arthur): mouleur-repareur 1885-1896
DUPUIS (Henri-Alexis): tourneur 1885-1896
DUPUY DES ISLETS (Pauline): peintre 1828-1829
DURAND: peintre 1765-1769
DURAND: peintures 1847
DURAND (Louis-Adrien): apprenti monteur 1888-1901
DURAND (fils): monteur en bronze 1891-1896; 1898-1900
DURAND (Mlle): voir GALLOIS
DURAND (Adélaïde): voir DUCLUZEAU
DURANDE (Armand): couleur de moules 1921-1925
DURIZ: manœuvre 1773-1774
DUROSEY: fonds de couleurs 1776-1789
DUROSEY (Julie): à la décoration 1791-1795 (citée par Dauterman uniquement)
DUROSEY (Pascal): travaille la pâte dure 1793
DUROSEY (Joseph): concierge à partir de 1793
DUROSEY (Mlle, jeune): peintre 1797-1798
DUROSEY (Charles-Christian-Marie): doreur 1802-1830; p. 258
DUROSEY (Mlle, aînée): voir NOUALHIER
DURU (François-Camille): modeleur, sculpteur 1753-1767
DURU (Nicolas): repareur 1756-1781
DUSAUTOIS: ciseleur 1856-1872
DUSOLLE: peintre 1768-1774
DUSSOUS: doreur 1825
DUSSOUR (Louis): décors 1948
DUTAILLY (Gabriel): préparateur de chimie 1881-1887
DUTANDA: peintre 1765-1789; 1790-1800
DUTANDA (Mlle): élève peintre 1797-1798
DUTARTE: doreur 1754-1755
DUTEILLE: manœuvre 1843-1845
DUVAL: tourneur 1770-1779
DUVAL: manœuvre 1773-1774
DUVAL (Mme): fabrication des pâtes 1774-1775
DUVAL: repareur 1782
DUVAL: sculpteur, repareur 1785-1792
DUVAL: ouvrier maçon
DUVAL (Jean): décors 1920
DUVAL (Marie-Jeanne): voir GODIN
DUVEAU (Hippolyte): mouleur-repareur 1886-1890
DUVEAU (Victor): apprenti mouleur-repareur 1886-1889
DUVERDY (François): peintre 1757-1758
DUVERNEIX (Jean): chef ouvrier des pâtes 1923-1963
DUVERNEIX (Louise): poseuse de fonds 1927-1953
DUVIQUET: sculpteur 1749-1750
DUVOLLET (Monique): brunisseuse depuis 1968

EAUBONNE (Lucien-Jules-Clément d'): peintures et formes 1902; décorateur 1905-1914; p. 320, 322, 324
EBELMEN (Jacques-Joseph): administrateur adjoint; administrateur 1845-1852; p. 267
EBERHARD (ou ESBERARD): décorateur 1770
ECKERT (Henri-Etienne): mouleur-repareur 1928-1940
EGAL (Martin): repareur 1767; 1780; 1793
EGUIN (jeune): repareur 1765-1781
EGUIN (aîné): à la couverte et encastage 1776-1779
EHRMANN (François): décors [1909]
EILLEMORE: décors 1951
EISEN (père): décors 1761
ELICHE (Guy): apprenti mouleur en plâtre depuis 1974
ELIOT: manœuvre 1774-1775

ELOI (Pierre-Alphonse-Félix): homme de service 1831-1871
ELOY (Mme): brunisseuse à partir de 1846
ELY (Olivier): apprenti tourneur 1944-1945
EMERING: monteur en bronze 1855
EMERY: sculpteur 1764-1767
ENGLINGER (Gabriel): décors 1923-1924
EPINAY (Prosper d'): sculpteur 1888
EREAUX (aîné): peintre 1788-1791
EREAUX (jeune): repareur 1788-1791
ERHARDT (Roland): apprenti monteur en bronze 1922-1924
ESCALLIER (Marie-Caroline-Eléonore): peintre 1874-1888; p. 280
ESCOULA (Jean): sculpteur 1903-1906
ESNAULT (Angèle): décors 1907-1920
ETARD: peintre 1795-1798; 1803-1804
ETIENNE (Nicolas): contremaître du moulin 1876-1905
EUSTACHE: manœuvre 1757-1760
EXBRAYAT (Etienne-Victor): sculpteur 1906-1907
EXTER (Mlle, A.): décors 1933
EVANS (Etienne): peintre 1752-1775; 1778-1806; fig. 149
EVANS (fils aîné): repareur 1782-1785
EVANS (fils jeune): repareur 1784-1800
EVEN (Raymond): mouleur-repareur depuis 1938

FABRE (Mlle): décors 1933
FABRIS (Pierre): ciseleur 1966-1977
FABRY (Auguste): tourneur 1895-1921
FABUREL: aux fours 1863
FACHARD (Pierre-Fortuné): mouleur-repareur 1899-1934
FACQUEZ (Ludovic): commis 1891-1912
FAGEOLLE (Charles): apprenti tourneur 1883-1895
FAGET: peintures 1806
FAGET: expéditionnaire 1886-1894
FAIVRE (Ferdinand): sculpteur 1906
FAIVRE (Henri): décors 1923
FAIVRET (père): manœuvre 1771-1789
FAIVRET (fils aîné, Pierre-Joseph): repareur 1776-1781
FAIVRET (jeune, Jean): apprenti repareur 1780-1782
FALCONET (Etienne-Maurice): sculpteur 1757-1766; pl. XXXVII; fig. 132, 162, 310, 311, 312, 313, 314, 315, 319; p. 46, 90, 104
FALGUIÈRE (Auguste): sculpteur 1905-1907
FALKE: apprenti mouleur-repareur 1900
FALLOT: doreur, peintre 1773-1790; fig. 155, 202
FAMIN: décors et formes 1808
FARAGUET (Mme): peintre 1857-1879; fig. 389
FARSY (Paul-Toussaint): mouleur 1769-1807
FAUCHEUR (Ernest-Léon-Jules): aide d'atelier 1888-1894
FAUTIER: tourneur ou repareur 1769
FAUVEL (Pierre-Marie-Mathurin): agent comptable 1890-1904
FAVEROT (Jean): couleur de moules 1921
FAVIER (Henry): sculpteur 1935
FAVRE (François-Alphonse): décors 1848; peintre sur verre 1849-1852; fig. 381

FÉAU-LEFEBVRE: façonnage de faïence 1855
FEIN (Jean-Claude): tourneur, sous-chef de la fabrication depuis 1950; p. 320
FENOSA (A.): sculpteur 1971
FELICE (Mlle de): décors 1921
FERJUS (Joseph-Louis): homme de service 1871-moulin 1844-1868
FERLET (Adolphe-Auguste): sculpteur 1901
FERRAND: 1752
FERRAND (Adèle, née MARCEL): peintures 1823-1826
FERRAND: sculpteur 1909
FERRANT (Camille): brunisseuse 1920-1954
FERRANT (Marie, née ALLAIN): émailleuse 1920-1947
FERRIÈRES (Christian): monteur en bronze, chef de la décoration 1933-1978
FERRIÈRES (Bernard): couleur de moules 1934-1947
FERRY (Pierre-Augustin): peintre 1757-1760; 1763
FERRY (Julien-Alexis): émailleur 1894-1908
FERRY (Maurice-Henry): mouleur-repareur 1907-1915
FERY (C.): décors 1921
FETY: à la couverte, repareur, aux terres 1776-1789
FEUCHE (dit LA PLAINE): repareur ou marcheur de pâtes 1784-1797
FEUCHÈRE (Léon): décors 1839-1844; pl. LXVII; p. 264
FEUCHÈRE (Jean): décors et formes 1834-1851; p. 280
FÉVOLA (Félix): sculpteur 1931
FIALEX (François): peintre sur verre 1830-1840
FICHET (Louis-Yvon): entrepreneur de serrurerie 1784-1806
FICQUENET (Charles): peintre 1864-1881
FILHOS: sculpteur 1976
FILLET: peintre 1747
FIORÉ (Myriam): voir HARMAND
FIORINI (Marcel): formes, décors et gravures 1966-1975; pl. LXXXIII; fig. 481; p. 322, 328
FIRENS: peintre? 1746
FIRLY: mouleur 1772-1775
FIRLY (Georges-Etienne-Victor): polisseur au moulin 1844-1868
FISCHBAG (Nicolas): tourneur 1826-1840
FISCHBAG (Didier-François-Charles): repareur, peintre 1833-1850
FISCHER (Mlle): décors 1825; 1833-1834
FISCHER (Joseph-André): mouleur sur le tour, contremaître du moulin 1908-après 1917
FIX-MASSEAU (Pierre-Félix): sculpteur 1926
FIZELIER (François-Auguste): ciseleur 1844-1872
FLAMAND: tourneur ou repareur 1763; 1765-1772
FLANDRIN (Hippolyte): décors 1843; p. 258
FLÉCHEUX (Gabriel): vitrier, aide du laboratoire de peinture sur verre 1829-1830
FLEURY: mouleur 1778-1779
FLEURY: décors 1952
FOINET (André-Joseph, dit LA FRANCE): doreur, peintre 1773-1792; 1795-1804; 1813-1818
FOIX (Jean-Marie): curage du rû 1833
FOLLOT (Etienne-Nicolas): peintre
FONFREIDE (Victor): sculpteur 1920-1927

FONTAINE (Jacques): peintre 1752-1775; 1778-1807; fig. 82, 89, 99bis, 263
FONTAINE (Mlle): peintre 1778-1794
FONTAINE: élève repareur 1807-1808
FONTAINE (Jean-Joseph): peintre 1825-1837
FONTAINE (Armand-Euphrosie): doreur 1852-1864
FONTAINE (Anne-Marie): peintre 1928-1938; p. 327
FONTANES (Mme de, née MÉCHIN): peintre 1844-1849
FONTELLIAU (François): peintre 1753-1755
FONTELLIAU (Antoine-Louis): peintre 1753-1789
FONTELLIAU (Mlle): brunisseuse 1753-1765
FONTELLIAU (Mlle): brunisseuse 1772-1789
FORAS: élève ciseleur 1862-1865
FORCEVILLE-DUVETTE (Gédéon de): sculpteur 1863
FORESTIER (Antonin): sculpteur 1905-1909
FORESTIER (Etienne): sculpteur 1913-1915
FORGEOT (Claude-Edouard): sculpteur 1856-1888; fig. 443; p. 282
FORGEOT (Catherine, née SIRE): découpeuse 1872-1899
FORMIGÉ (G.): 1875
FORT (Siméon, d'après): décors 1844
FORT (Marcel): imprimeur lithographe depuis 1934
FOSSEY: sculpteur 1855
FOUCARD: à la fabrication 1749 (cité par Dauterman uniquement)
FOUCAULT: graveur 1758
FOUCHON: aux terres 1785-1789
FOUGEROIS: décors 1946
FOUQUERAY (Frédéric): serrurier, forgeron 1892-1909
FOUQUET (Pierre): décors et formes 1939; p. 322
FOURCADE (René): aide d'atelier, polisseur 1920-1941
FOURCADE (Suzanne): décors 1931-1943
FOURCETY (J.-Claude): peintre
FOURDINOIS: formes 1848
FOURÉ (Mathieu): peintre 1749; 1754-1762
FOURIER (François): brigadier 1886-1914
FOURMY: essais de poterie 1809
FOURNERIE: décors 1901; 1913-1919
FOURNIER (Louis): sculpteur 1746-1749
FOURNIER (fils): repareur 1784-1786
FOURNIER (aîné): repareur 1784-1790
FOURNIER (Jean-Baptiste): enfourneur 1784-1809
FOURNIER (jeune): repareur 1785-1791
FOURNIER (père, Jean-Baptiste): aide d'atelier 1868-1888
FOURNIER (Anatole-Alexis): décorateur 1878-1926; pl. LXXX; fig. 460; p. 320, 322, 326
FOURNIER: sculpteur 1909
FOURNIER (Mme, B.): décors 1936-1938
FRAGONARD (Alexandre-Evariste): formes et décors 1806-1839; fig. 336, 352, 354, 355, 359, 360, 361, 366, 368, 370, 438, 439; p. 258, 260
FRAGONARD (Etienne-Théophile-Evariste): peintre 1839-1869; fig. 388; p. 258, 280
FRAGONARD (Léonie): peintre 1859-1862; fig. 389; p. 258, 280
FRAINE: garçon de magasin (XIXe siècle)

FRAISSE (Mme): brunisseuse 1833-1834
FRANCESCHI: sculpteur
FRANCHET (Maurice): apprenti mouleur 1848
FRANCK (Fance): décors et formes depuis 1970
FRANÇOIS: manœuvre 1750; 1754-1760
FRANÇOIS (Arthur): aux fours 1923-1924
FRANGNÉ (Guillaume): cuiseur de moufles 1911-1925
FRANGNÉ (Marie, née LONGEANY): brunisseuse à partir de 1914
FRASNIER (Régine): voir PEYRET
FRÉGOSSY: graveur 1855
FRELAUT: décors 1941
FRÉMIET (Emmanuel): sculpteur 1896-1905; p. 318
FREMY: sculpteur 1880
FRENOT (Mme): brunisseuse 1825
FRESNE (François-Firmin): tourneur ou repareur 1756-1767
FRETA: peintre 1763-1768
FREUND: peintures 1822
FREYSSINGES (Jean-Baptiste): décorateur 1916-1935
FREYSSINGES (Clément): décorateur 1919-1968
FREYSSINGES (Albert): fileur-doreur 1927-1949
FREYSSINGES (Mme Clément, née ALANORD): décoratrice 1920-1930
FREYSSINGES (Mme Clément, née BEAUDOUX): décoratrice 1932-1940
FRIEDMANN: tourneur auxiliaire 1919
FRIGIÈRE (Michel, école de Valence): décors 1950
FRION (Paul): chef de la chimie 1910-1919
FRISON (Auguste): mouleur de grès 1901-vers 1934
FRITSCH: peintre 1763-1764
FRITZ: ouvrier aux fours, doreur, repareur, à la couverte 1771-1778
FRITZ (Charles): décorateur 1902-1950
FROEMLICH (Yane): décors 1948
FROGER (Edouard): émailleur 1920-1921
FROISSARD-BECK: décors [1900-1939]
FROMAGET (Mlle): brunisseuse 1753-1765
FROMANT: peintre 1788-1789
FROMENT: peintre 1804-1805
FROMENT (Jacques-Victor-Eugène): peintre 1855-1885; p. 280, 282
FUGERE (Henri ou Léon?): sculpteur 1899
FUMERON: décors 1951
FUMEZ: peintre 1777-1804
FUMIÈRE (Roger): mouleur en plâtre 1948-1954
FUMIÈRES (Simone): brunisseuse 1919-1970
FURÉ (R.): décors 1931
FURET: sculpteur 1761-1769; 1773-1783

GABIN (Michel): tourneur 1756-1758
GABRIEL: peintre 1797
GABRIEL (René): décors 1926
GABY (Mme): brunisseuse 1846-1847
GAGNON: fabrication des pâtes 1784
GAILLARD (Marcel): décors 1926
GALANIS (Demetrius): décors 1927-1934; p. 322
GALLIANO (Jacques): décors 1948
GALLOIS (Claude-François): mouleur 1745; 1754-1768 (Dauterman indique: 1749; vers 1752; 1754-1769)
GALLOIS (Mme, née DURAND): peintre 1858-1870
GALLY DE LA FERRIÈRE (Amable-Christine): voir MORIN
GAMBIER (Antoine): mouleur 1754-1762 (Dauterman indique: 1749; vers 1752; 1754-1762)
GAMBIER (jeune): repareur 1769-1778; 1798
GAMBUS (Simone): décors 1948
GANEAU (père, Jean-Louis): aide des ateliers de peinture 1785-1819
GANEAU (Marie-Josèphe, née CHANOU): brunisseuse 1794-1823
GANEAU (fils, J.-B.-Pierre-Louis): doreur 1813-1831
GANEAU (Mme, jeune): brunisseuse 1821-1822; 1827
GANESCO (Alexandre): décors 1937-1938
GANNEVAL: aux fours 1741; 1746
GANTIER: repareur 1770-1775; 1796-1799
GARCONNAT (Auguste): garçon de laboratoire 1895-1897
GARDET (Georges): sculpteur 1893-1907; fig. 450; p. 280, 318
GARINE (Victor de): sculpteur 1931
GARNERAY (Ambroise-Louis): peintre 1839-1848; p. 256
GARNESSON (Alfred): mouleur en plâtre 1885-1931
GARNESSON (Auguste): mouleur en plâtre 1885-1913
GARNESSON (André): mouleur en plâtre 1891-1936
GARNIER (jeune): manœuvre 1771-1789
GARNIER (Charles-François): polisseur 1806-1818
GARNIER (fils, Victor-François): repareur 1819-1830
GARNIER (Edouard-Charles): conservateur 1874-1879; 1892-1903
GARNON: peintre 1754-1755
GASQ (Paul): sculpteur 1902
GASS: chef de l'atelier des couleurs 1790-1792
GASSEAU: manœuvre 1817-1818
GAUCHER (Pierre-Auguste): décorateur 1933-1968
GAUCHEY: décors 1923
GAUDEFROY: homme de service jusqu'en 1881
GAUDIN (Mlle, Marcelle): décors 1896
GAUDISSART (Emile): sculpteur 1904-1909
GAUMONT (Marcel): sculpteur 1913-1932; p. 318, 327
GAUQUIÉ (Henri): sculpteur 1903
GAUTHIER (Philippe-Albert): apprenti mouleur-repareur 1926-1927
GAUTHIER (école des Beaux-Arts de Nancy): décors 1948
GAUTHIER (Serge): directeur 1964-1976; pl. LXXXIV; p. 311, 320, 322
GAUTIER: peintre 1787-1791
GAUTIER (Mme): peintre 1797-1798
GAUTIER (Pierre): peintures en émail 1814
GAUTIER (Hélène): décors 1924-1927
GAUTIER (Mlle): voir GOUBAUX
GAUTIEZ (Daniel): apprenti mouleur en plâtre 1946
GAUTRON: apprenti tourneur ou repareur 1766-1767
GAUVENET (Jean-Baptiste): sculpteur 1908-1950; pl. LXXXIII; fig. 463, 465, 478; p. 320, 326
GAUVENET (Alain): modeleur 1950-1968; p. 322, 328
GAUVENET (Geneviève, née RÉMY): décoratrice 1920-1924
GÉBLEUX (Léonard): décorateur, chef des ateliers de décoration 1884-1928; fig. 423; p. 320, 322, 327
GÉLIN (Vincent): décorateur 1845-1848
GÉLY (Léopold-Jules-Joseph): sculpteur, modeleur 1850-1889; pl. LXX; fig. 405, 413; p. 280
GENDRE: monteur en bronze 1866-1883
GENDRON (Ernest-Augustin): décors 1850; p. 280
GENEST (Jean-Baptiste-Etienne): peintre 1752-1788; pl. XLI, XLII; fig. 53, 163, 164, 169, 200; p. 46, 48
GENEST (Françoise-Annette): brunisseuse 1753-1760
GENIN (Charles): peintre 1756-1757
GENSOLI (Maurice): chef de la décoration 1921-1958; p. 312, 316, 317, 327, 328
GENTIL (A.): décors 1894-1895
GENTIL (Roger): élève décorateur 1920
GENTY (Louis-Etienne-Claude): adjoint au garde-moulin 1820-1826
GENY (Louis): doreur 1806
GEO-FOURRIER (Georges): décors 1921-1930
GEORGE: repareur 1763-1773
GEORGER (Mlle): décors 1923-1924
GEORGET (Jean): peintre 1802-1823; pl. LVIII; p. 258
GÉRARD (père, François): manœuvre 1750-1753; 1761-1784
GÉRARD (neveu): manœuvre 1770-1775; 1780-1782
GÉRARD (Claude-Charles): chef des peintres 1771-1825; p. 258
GÉRARD (jeune, Jean-Baptiste-François): peintre 1776-1779
GÉRARD (Marie-Anne, née VAUTRIN): peintre 1781-1802; fig. 233
GÉRARD (François): décors 1807; 1809; 1824; pl. LXII, LXIII; p. 256, 258
GÉRARD (Mme): décors 1900
GÉRARD: sculpteur 1910
GÉRIN (Humbert): repareur-anseur 1741; 1749 (Dauterman l'indique en 1749-1750 et le distingue de deux autres, le premier en 1749; vers 1752 et le second en 1749); p. 32
GERMAIN: sculpteur 1741
GERMAIN (Alphonse): sculpteur 1880-1896
GERMAIN (J.-B.): formes 1896
GÉROME (Jean-Léon): décors 1851; p. 280
GERVAIS: repareur 1770-1782
GERVAIS: repareur 1797-1803 (Dauterman indique: 1770-1783; 1798; 1800)
GERVEROT: peintre 1764-1765
GESLIN (Louis-François): tourneur d'étuis 1861-1892
GESLIN (Jacques-Auguste): ouvrier aux fours 1872-1901
GETTY (ou JETTY): sculpteur 1811-1814
GHEQUIER (Alexis de): décors 1860
GIBELIN (Jean): ouvrier aux fours 1945-1950
GIBOYE (Alexandre): décors 1806
GIGNOUX (Josiane): décalqueuse depuis 1945
GIGNOUX (Jacqueline): brunisseuse depuis 1945
GIGUET (François): maçon-briquetier 1866-1897

GILBERT (fils, Marie-Narcisse): polisseur 1826
GILBERT (Mme Narcisse): brunisseuse à partir de 1844
GILBERT (Mme Eugène): brunisseuse-décalqueuse à partir de 1846
GILBERT (Pierre): repareur 1853-1860
GILBERT (Ed.): monteur en bronze 1860-1871
GILBERT (Emile-Augustin): mouleur-repareur 1853-1894
GILBERT (Jacques-Eugène): polisseur jusqu'en 1872
GILIOLI (Emile): décors 1971; p. 322
GILLE: repareur 1778-1779
GILLET (Henri): décors 1898-1907
GILLET (Georges): tourneur auxiliaire 1927-1928
GILLIS (Antoine-Frans): sculpteur 1774
GILLOTIN: vers 1752 (signalé par Dauterman uniquement)
GILLOTIN (jeune): repareur 1754-1755
GILLOTIN (aîné): repareur-acheveur 1754-1758
GIMEL (E.): décors 1926
GIMOND (Marcel): sculpteur 1933-1938
GINDRAD (Edouard): tourneur 1828
GIORDAN (Jean-Baptiste-Séraphin): tourneur 1894-1911
GIR (Charles-Félix): décors [1900-1939]
GIRALDON (Adolphe): formes 1896-1897; p. 282
GIRARD (Etienne-Gabriel): peintre 1762-1764
A GIRARD: peintre, doreur 1772-1817
GIRARD (Jean-Alexis, de Versailles): peintre 1795-1817
GIRARD (Louis-François): metteur en fonds 1816-1817
GIRARD (Jean, pseudonyme Jean VALZAN): décors 1925
GIRARDET (Berthe): sculpteur 1908
GIRARDOT (Patrick): tourneur de creux depuis 1976
GIRAUD (Guillaume-Emmanuel): chimiste, chef des moufles 1880-1922
GIRAULT (Louis-Athanase): commis aux écritures 1844-1846
GIRBAUD (Mme, Elyane): peintures 1844-1849; 1853-1854; 1858-1870
GISCHIA (Léon): décors 1953; p. 328
GLAISE (Jean-Antoine): doreur 1825-1835
GLANTZLIN: sculpteur 1886-1887
GLESLER (Casimir-André): mouleur en plâtre 1854-1885
GLUCK: décors [1890]
GOBELET (Jean): ouvrier aux fours 1750-1768
GiR GOBERT (Alfred-Thompson): peintre, directeur des travaux d'art 1849-1891; fig. 410, 420; p. 267, 280
GOBIN (Etienne, dit DUBUISSON): peintre 1756-1759
G **GOBLED:** décors 1902-1905
GOBLET: repareur 1775-1778
GOBLET: peintre 1847-1848
GODCHAUX (Roger): sculpteur 1937
GODDÉ (Aimé-Joseph): doreur-décorateur 1856-1883; fig. 402
GODEAU: graveur 1754-1759
GODEBSKA (Mme): sculpteur 1907
GODEBSKY (Cyprien): sculpteur 1907
GODIN (Charles): repareur ornemaniste 1770-1816
GODIN (fils aîné, Louis-Victor): poseur de fonds, peintre 1792-1799; 1804-1833
GODIN (fils cadet): peintre ornemaniste 1794-1800; 1805-1811
DS. GODIN (Mme, aînée, née BRETON, Catherine-Elisabeth): doreuse 1798-1799; 1807-1828
GODIN (Mme, veuve, Marie-Jeanne, née DUVAL): brunisseuse à partir de 1805
GODIN (Mlle, Joséphine): brunisseuse 1812-1824
G... GODIN (François-Aimé): repareur-garnisseur 1813-1848
GODIN (Amédée): élève repareur-garnisseur 1838-1839
GODIN (Amélie): décalqueuse depuis 1976
GODON (Jackie): mouleur en plâtre depuis 1948
GOFFARD: tourneur avant 1748; 1754-1759 (Dauterman indique: 1749; vers 1752 en plus)
GOGIBUS (Jacques): ouvrier sorti en 1832
GOIS (Etienne-Pierre-Adrien): sculpteur 1783-1788
† GOMERY (Edme): peintre 1756-1758
GOMOND (François?): sculpteur 1772-1776
GONOR (François): compagnon serrurier
GONORD: imprimeur 1807-1818
GONOUT (Mlle): voir COLOMBE
GONTERET (ou GONTHRET): peintures 1822
GONTIER (Robert): chef de l'atelier de montage depuis 1939
GONTIER (Jeanine): décalqueuse depuis 1941
GOOR: décors 1931-1936
GORDET (Victor): fileur-doreur 1891-1934
GORDET (Laure-Denise-Marie, née DEVOT): décalqueuse 1901-1935
GORDET (Octave): calibreur 1920
GORDET (Amélie): émailleuse 1926-1941
GORGUET (Auguste-François): décors 1922-1926
GORON (Lucien-Edouard): tourneur à partir de 1897
GORON (Albert): couleur de moules 1927-1971
GOSSE (Nicolas-Louis-François): décors 1848
GOSSELIN (Charles): commissionnaire 1812-1815
GOUAULT (Bertrand): menuisier 1825-1835
GOUBAUX (Mme, née GAUTIER): peintures 1846-1848; 1866-1870
GOUBERT: sculpteur 1741
GOUFFÉ (Louis): aux fours, metteur en fonds 1786-1804
GOUFFÉ: moulages 1894
GOUFFLE: peintre 1793 (Dauterman indique: 1795-1798; 1800)
GOUGER: sculpteur 1878-1881
GOUJON: peintre vers 1743
GOUJON (jeune): repareur 1778-1781; 1782
GOUJON (Roland): décors 1934-1938
GOUNIOT (Irène): décors 1948
FS.- FC. GOUPIL (Antoine-Frédéric-Auguste): peintre 1859-1878
GOURET: manœuvre 1767-1779
GOUVERNEUR (Mlle): brunisseuse 1786-1788
GRANDCHAMP: peintures 1802-1803
GRANDHOMME: manœuvre 1767-1781
GRANDIDIER (Mlle): brunisseuse 1815-1816
GRANDIN (Daniel): calibreur 1970-1977
GRANDJEAN (René): apprenti mouleur en plâtre 1885
GRANGER (Albert-Alexandre): chef du laboratoire 1910-1931
GRANGER (Georges): fileur-doreur 1939-1953
GRANGER (Claude): décors 1948
GRANGER (Marie-Thérèse): voir PEUCH
GRANGER-CHANLAINE (Geneviève): décors 1926
GRANIER: décors 1950
GRAVANT (François): compositeur de la pâte 1741-1774; p. 28, 32, 38, 48
GRAVANT (Mme): fleurs en porcelaine vers 1740-1765; p. 28
GRAVANT (neveu, Louis?): tourneur 1754-1755; 1756-1760 (Dauterman indique: 1749; vers 1752; 1754-1761)
GRAVIER: repareur 1780-1789
GREBER (Henri-Léon): sculpteur 1908
GREDER (Adolphe-Pierre): tourneur 1826
GREDER (Charles): sculpteur 1845-1846
GRÉGOIRE: décors 1902
GRÉGOIRE: sculpteur 1936
GREMION (Charles): sculpteur 1906-1908
GRÉMONT (père, Claude-Jean-Baptiste): tourneur, repareur 1746-1748; 1754-1775 (Dauterman ajoute: vers 1752)
GRÉMONT (Mme, Marguerite, née VIENNOT): fabrication des fleurs 1754-1775 (Dauterman la cite vers 1752)
Gt GRÉMONT (jeune, Etienne-Jean): peintre 1769-1775; 1778-1781
GRÉMONT (Mlle, Julie): doreuse 1775
GRESLAND (Camille): sculpteur 1909
GREUX: décors 1896
GRIMA (Sylvain-Joseph): tourneur d'étuis 1843-1847
GRIMAUX: peintures 1854
X GRISON (Jean): doreur 1749-1771
GRISON (premier fils, Jean-François): doreur 1750-1751
GRISON (fils): peintre 1772-1773
GRISPY: mouleur en plâtre 1775-1776
GRODECŒUR (Ed.): décors 1890-1903
GROMAIRE (Marcel): décors 1937; p. 327
GRONLAND (Mme, née MARÉCHAL): peintures 1847
GROOTE (Pierre-Alphonse de): directeur technique 1946-1952; p. 311, 316
GROSS (Mlle): décors 1924
GROUIARD (ou GROGNARD, fils): manœuvre 1773-1777
GROUIARD (père): manœuvre 1774-1779
GROULT (André): décors 1943
GRUET (jeune): fonte d'argent 1866
GUARDIOLA (Joseph): décors 1935
GUAY: dorure 1872
GUBLIN (Adèle-Pauline): voir ARNAUD
GUÉ: décors 1846
GUEBHARDT (Philippe-Simon): peintre sur verre 1827-1838
GUEDEN (Colette): décors 1934
LG GUENEAU (Louis-Jacques): mouleur-repareur 1885-1924
GUENEAU (Marie-Eugénie, née HASENMEYER): brunisseuse 1888-1903
GUENEBAULT (Marie-Thiébaud): garçon de l'atelier de peinture sur verre 1838-1839
GUENET: repareur 1768-1773
GUENIOT (Arthur): sculpteur 1906-1909

GUENOT (Auguste): sculpteur 1942-1944
GUÉRARD: peintures 1821-1822; 1824
GUÉRET: tourneur (XIXe siècle)
GUÉRIN (école): décors 1898
GUÉRIN (Alexandre): tourneur de creux 1925-1970
GUÉRIN (Georges): apprenti tourneur 1925
GUÉROU: peintre 1847-1848
GUERRE: aux fours et mouleur 1784-1787
GUERSENT (Pierre-Sébastien): sculpteur 1817-1834; p. 258, 260
GUETTIER (Charles): sculpteur 1907
GUÉZARD: peintre sur faïence 1868-1870
GUHL (Willy): formes et décors 1927-1929
J.G. GUIGNARD (Jacques): mouleur-repareur depuis 1949
GUIGNET (père): repareur ornemaniste 1769-1800
GUIGNET (jeune): sculpteur 1785-1791
GUIGNET (fils aîné): tourneur, repareur 1786-1792
GUILLAUME: sculpteur 1835
GUILLAUME (Jean-Justin): repareur 1848-1858
GUILLAUME (Albert): décors 1902
GUILBERT (Alphonse-Marie): tourneur 1892-1897
GUILLEBERT (Pierre-Léon): commissionnaire 1806-1840
GUILLEMAIN (Ambroise-Ernest-Louis): dessinateur-décorateur 1864-1885
GUILLEMAIN (Louis): homme de peine (XIXe siècle)
GUILLEMAIN (Fernande, née MARCHAL): décalqueuse 1903-1940
GUILLEMAIN (Ernest): décors 1910
GUILLEMAIN (Jean): apprenti tourneur 1928
GUILLEMARD: manœuvre 1767-1781
GUILLEMIN (Emile): sculpteur 1903
GUILLEMIN-TARAYRE (école d'art): décors 1908
GUILLET (fils, Joseph): élève peintre 1810-1815
GUILLET: élève repareur 1835-1836
GUILLONNET (Octave-Denis-Victor): sculpteur 1923; p. 326
GUILLOT (Anatole): sculpteur 1903-1906
GUILLOTOT: aux fours 1782
GUILMOESTER: peintre sur verre 1841
GUIMARD (Hector): formes 1900-1903; pl. LXXVIII; p. 320
GUINO (Richard): sculpteur 1923-1932; p. 320
GUIOCHE (Eugène): couleur 1920-1921
GUIRAUD (Georges): sculpteur 1936
GUIRAUD-RIVIÈRE (Maurice): sculpteur 1911-1923
GUIRAULT: décors 1834
GUITET (James): décors, formes, gravures et peintures 1970-1973; fig. 469; p. 316, 322, 328
GULLIET (Lazare): agent comptable 1860-1863
GUMERY: décors et formes 1911-1918
GUY (A.): décors
GUYONNET: doreur 1853-1857
GUYOT (Mlle): peintre 1831-1833
GUYOT (Georges-Lucien): sculpteur 1929

HABERT-DYS (Jules-Auguste): décors 1888; pl. LXXVI; p. 280
HAIRION (Adolphe): doreur-imprimeur 1825-1836
HAIRON: décors 1922-1936; p. 327
HAJDU (Etienne): formes et décors, peintures 1966-1976; fig. 472; p. 322, 328
HALIGON: réductions 1902
HALLADE (Madeleine): décors 1925-1936
HALLION (François): doreur-décorateur 1866-1896
HALLION (Jean, dit Eugène): peintre 1870; 1872-1874; 1876-1893
HAMART (Jeanne-Eugénie): voir LERAY
HAMEL-JULIENNE: graveur 1854
HAMM: décors et formes 1905
HAMON (Jean-Louis): peintre 1849-1857; p. 280
HAMOUIS (Mlle, Andrée): apprentie décalqueuse 1942-1943
HANAN (Jean): décors 1934
HANNAUX (Emmanuel): sculpteur 1903-1907
HANNOU (ou HANOU): tourneur ou repareur 1768-1771
HANRY: imprimeuse jusqu'en 1881
HANRY (Pierre-Joseph): commissionnaire 1882-1915
HANRY (Mlle, Marie): apprentie découpeuse 1899-1900
HANTIN (Renée-Raymonde, née ADAM): garnisseuse 1927-1947
HAQUETTE (François-Théodore): agent comptable 1863-1879
HAQUETTE (François-Maurice): secrétaire de l'administration 1879-1883
HARDIVILLER (Mme de): peintures 1820
HARMAND (Jean-Pierre): photographe depuis 1954
HARMAND (Myriam, née FIORÉ): décalqueuse 1969-1976
HARMAND (Jeanne): voir COURVAL
HARMOISE: peintre 1766-1767
HAROUX (Eliane): décoratrice 1943-1963
HASENMEYER (Isidore): élève mouleur et tourneur 1882
HASENMEYER (Marie-Eugénie): voir GUENEAU
HAUDEBERT (Marie-Madeleine-Elysabeth): voir BOUGON
HAUSSONNE (Maurice): chef de la fabrication 1946-1968
HAVEL: peintre 1763
HAVILAND (Frank): décors 1938
HAVILAND (Suzanne): voir LALIQUE-HAVILAND
HAYARD-DAMOUVILLE: au blutoir 1777-1779
HÉBERT: peintre 1756
HÉBERT: ouvrier aux fours 1757-1759
HÉBERT (F.): apprenti mouleur ou repareur 1757-1759
HÉBERT: apprenti mouleur ou repareur 1765-1767
HÉBERT (aîné, A.): mouleur 1767-1776
HÉBERT (jeune): repareur 1770-1773
HÉBERT: sculpteur 1782-1787
HÉBERT (Anatole-Emile): mouleur-repareur 1859-1893
HÉBERT (Jean-Nicolas-Sylvestre): émailleur sur faïence 1861-1874
HÉBERT-COËFFIN (Josette): sculpteur 1938-1947; p. 320
HÉDIARD (Guillaume-Arsène): doreur 1852-1858
HÉDOUIN (père): au moulin 1772-1777
HÉDOUIN (fils): au moulin 1774-1777
HEIM (François-Joseph): décors 1814
HEKKING (Marie-Catherine): décoratrice 1956-1961
HELBERT: tourneur ou repareur 1766-1767
HELIOT: décorateur 1885-1889
HELLOT (Jean): académicien chimiste 1751-1766; fig. 2; p. 32, 34, 36, 38, 40, 42, 44, 48
HÉMARD: à la couverte, manœuvre 1763-1765
HÉMENT (Blanche): sculpteur 1909
HEMERY: aux fours 1784-1787
HEMMERS: tourneur (XIXe siècle)
HENIQUE: doreur 1825
HENNAN (Louis-Marie): imprimeur 1845-1882
HENRAUX: moulages 1816
HENRIET (Gilbert-Pierre): comptable du blanc 1853-1873
HENRION (François?): manœuvre 1750-1757
HENRION (aîné): peintre 1770-1781; 1783-1784
HENRION (jeune): repareur ornemaniste 1770-1781
HENRIOT (A.): décors 1930
HENRY (Laurent): mouleur-repareur-unisseur 1769-1815
HENRY (Eugène): mouleur 1898-1908
HENRY (Jeanne-Agatha): voir SAINT-OMER
HERBEMONT (Auguste): sculpteur
HERBERT: repareur 1778-1779
HERBERT (Henri): décorateur 1889-1892 (a donné de l'extérieur des projets en 1904)
HERBÈS: décors 1896; 1903
HERBET: ouvrier aux fours 1754
HERBET: tourneur ou repareur 1756
HERBILLON (Maurice-Modeste): décorateur 1901-1941
HERBILLON (Marie-Louise-Solange, née LEDERNE): décalqueuse 1910-1941
HERBILLON (Jacqueline): voir JAMIN
HERCULE (Benoît-Lucien): sculpteur 1905-1910
HÉRÉ (fils): repareur 1761-1791
HÉRÉ (père): manœuvre 1773-1777
HÉRICOURT (aîné, Augustin): repareur 1754-1759
HÉRICOURT (jeune, Michel): anseur 1755-1762
HÉRICOURT (jeune, Augustin-François): peintre 1770-1773; 1776-1777
HÉRICOURT (père): monteur en bronze 1854-1867
HÉRICOURT (fils): monteur en bronze 1856-1863; 1867
HERLUBIQUE: décorateur 1792 (cité par Dauterman uniquement)
HERMANT (Tony-Alain): sculpteur 1932-1934
HERMEKERE (Emilie-Eugénie): voir RENAUD
HERNÈS: décors 1906-1907
HERNIN: commis aux écritures 1875
HÉRO: élève peintre 1788-1791
HÉROVILLE: commis aux écritures (XIXe siècle)
HERVEY (Mlle): peintures 1807-1808
HESSE (Nicolas-Auguste): décors 1846-1847
HETTLINGER (Jean-Jacques): inspecteur, co-directeur 1784-1803; p. 36

HEURAUD: sculpteur 1815
HEURTAULT: peintre 1764-1765
HEUVELMANS (Lucienne-Antoinette): sculpteur 1924-1926; p. 318
HIARD (Mlle): décors 1898
HILAIRE (Camille): décors 1949
HILBERT (Georges): sculpteur 1950; p. 320
HILD (Emma): apprentie fileuse-doreuse 1928
HILEKEN: peintre 1769-1774
HIPPOLYTE (frère): préparateur de l'or 1748-1771; p. 40, 42
HIREL: voir CHOISY
HISTA (Louis): professeur de composition décorative 1894-1920
HOCQUER (Mlle): peintre 1824; 1830
HOFER (André): décors 1919-1928
HOFFMAN (Gaston): décors 1922-1924
HOLLIER: peintures 1816-1817
HOLSTEIN: décors [1814]
HOLTORP: peintre sur verre 1852-1854
HORNON (Georges): peintre 1757; sans doute le même que HORNONG peintre signalé en 1762-1765
HOSPITAL: peintre 1763-1764
HOUDON (Antoine): sculpteur (certains modèles n'ont été édités qu'à partir du XXe siècle)
HOURDAUX: tourneur à l'essai 1819
[5] HOURY (Pierre): peintre 1754-1755 (Dauterman ajoute: 1749; vers 1752)
HOUSSIN (Edouard-Charles): professeur de modelage et sculpture 1894-1919
HUARD (Pierre): peintre 1811-1846; fig. 356, 370; p. 258
HUARD (Mlle, Henriette): retoucheuse de forme 1818
HUARD (Mlle): voir CHARLES
HUBERT (Laurent): sculpteur 1747
HUBERT: apprenti repareur 1788
HUE: peintures 1809; 1818-1821
HUET: manœuvre 1745
HUET (Mme): brunisseuse 1754-1785
HUET (Mlle, Annette): décoratrice 1754-1756 (citée par Dauterman uniquement)
HUET (Etienne): peintre 1756-1757
HUET: sculpteur 1762-1763
HUET (J.-B.): décors 1882
HUET: monteur en bronze 1885-1908
HUGON (Mlle): voir MARTINESCHE
HUGON (école Dufrêne): décors 1921
HUGONANQ (Paulette-Marie): poseuse d'émail 1954-1955
HUGREL: décors 1938
HUGUES (Dominique-Jean-Baptiste): sculpteur 1900-1905
HULOT (Pierre-Auguste): peintre 1829-1831
HUMBERT (Joseph): repareur, sculpteur 1772-1798
HUMBERT (Marie-Jeanne, née CARETTE): peintre et doreuse 1774-1775; 1788-1790; 1794-1797
HUMBERT: peintre 1782-1787
HUMBERT (Jules-Eugène): peintre 1851-1870
HUMBERT (Françoise): décors 1924-1931
[6] HUNY: sculpteur 1785-1800; 1810
HURCY: décors 1927
HURÉ (père): repareur 1766-1785
HURÉ (François-Joseph): metteur en fonds 1775-1814
HURÉ (fils): metteur en fonds, doreur 1795-1800; 1806 et 1808
HURÉ (Raymond): décorateur 1915-1932
HUREL (Léon-Louis): metteur en fonds, doreur 1882-1886
HUSS (André): modeleur 1929-1956
HUSSON-FLEURY: voir CHAMPFLEURY
HUTIN: sculpteur 1741
HUTINET: mouleur 1762-1775
HUTINET (aîné): repareur 1772-1789
HUTINET (jeune): repareur 1775-1777
HUTINET (neveu): repareur 1777-1791
HUTRAY (Charles-François): manœuvre 1817-1818
HUTRAY (Mme): brunisseuse à partir de 1847
HUTRAY (François-Julien): tourneur 1848-1875
HYNAÏS (Voytech): décors 1888-1892; p. 280

ICARD (Honoré): sculpteur 1892-1908
ICHÉ: sculpteur 1938
INGRES (Jean-Dominique): décors 1843; fig. 376; p. 50, 280
INGUIMBERTY: décors 1922
INJALBERT (Jean): sculpteur 1890
INO (Pierre): décors 1934-1935
IRVOY: sculpteur
ISAAC: élève dessinateur 1879
ISABEY (Jean-Baptiste): décors et peintures 1808-1811; 1816-1817; p. 256
ISAMBERT: décors 1868
ISELIN (Henri-Frédéric): sculpteur 1869
ISNARDS (Mme, Joséphine des): peintures 1835-1848
ITASSE-BROQUET (Jeanne): sculpteur 1928
IVALDI (Serge): décors 1948
IVERSEN (Olga d'): sculpteur 1930-1938

JACOB-BER (Moïse): peintre 1814-1848; p. 258
JACOB-BER (Mlle): voir WORMS
JACQ (Yvette): poseuse de fonds depuis 1942
JACQUAND (Claudius): décors 1842-1845
JACQUÉ: mouleur et repareur 1777-1778 (Dauterman cite un JACQUES en 1778)
JACQUEMIN (André): décors 1941
JACQUES: décors 1812; 1815
JACQUES: décors vers 1923
JACQUET: mouleur du Musée Royal 1830-1833
JACQUET (Léonard-Antoine): polisseur 1863-1886
JACQUINET (Antoine-A.-Alfred): mouleur en plâtre 1854-1885
JACQUOTOT (ou JAQUOTOT, Marie-Victoire, née LEGUAY): peintre 1801-1842; pl. LXIII; fig. 342; p. 258
JADELOT (Suzanne): peintre 1852; 1856-1861; 1864-1870; fig. 394
JALABERT (Charles-François): décors 1851-1852; p. 274, 280
JALEY: sculpteur 1838
JALLOT (M.): décors 1921
JALUZOT (école Dufrêne): décors 1921
JAME (Mme): à la couverte 1757-1762
JAME (André): repareur-acheveur 1754-1756 (Dauterman ajoute: vers 1752)
JAMET (Mlle): décors 1904
JAMIN (Jacqueline, née HERBILLON): décoratrice 1933-1941
JAMINET (Gabriel-Jean): voiturier à partir de 1804
JANE (ou JEANNE): à la couverte 1775-1777
JANET (Janine): sculpteur 1964
JANKOVIC (Dusan): décors 1924-1928
JANNEAU (Guillaume): directeur 1940-1943; p. 311
JANNIN (Louis): décors 1926-1928
JANNIOT (Alfred): sculpteur 1943
JARDEL (Bernard-Louis-Emile): décorateur 1886-1913
JASEMENT (Pierre-Adolphe): émailleur 1895-1927
JAULMES (Gustave-Louis): décors 1920-1934; p. 312, 322, 327
JEAN: à la couverte 1750
JEAN: repareur 1777-1792
JEANDOT (René): décorateur 1920-1924
JEANSSON: tourneur ou repareur 1754
JERICHON: décors [1900-1939]
JEUFOSSE (Léopold-Séverin): mouleur en plâtre 1862-1892
JEUFOSSE: décorateur 1887-1889
JOACHIN: sculpteur 1950
JOFFROY (ou JEOFFROY, ou JOUFFROY, Dominique): repareur, peintre 1754; 1755-1770
JOLIN (Jules-Denis-Rémi): tourneur 1889-1895
JOLY (R.): décors 1951
JOLY (Guy): décors 1952
JONAIRE (Pierre): commis 1821-1824
JORGENSEN: décors 1920
JOSEPH: sculpteur 1749-1750; 1754-1756
JOSEPH: manœuvre 1765
JOSSE: peintre 1754-1755
JOUANT (Jules): sculpteur 1906
JOUAULT (François): manœuvre, repareur 1770-1790
JOUAULT: tourneur 1787-1790
JOUAULT (Mlle): brunisseuse 1772-1774
JOUBART (Mlle, Henriette): élève décoratrice 1964-1965
JOUBERT: aux pâtes 1786-1789
JOUCHARD (A.): décors 1937
JOUCLARD (Mlle): décors 1937
JOUENNE: manœuvre 1749-1757
JOUENNE (Charles-Albert): chimiste en chef 1924-1929
JOUENNE (Germaine-Marcelle, née BLAISE): décoratrice 1929-1931
JOUET (Julien): bûcheron 1860
JOUIN (Mlle, Agnès): voir MOREAU-JOUIN
JOURDAIN: manœuvre 1774-1789
JOURDAIN (fils): repareur 1787-1790
JOURDY: décors 1831
JOVENEAU (Henriette-Léontine): voir LEGRÉ
JOVENEAUX (Victor): bûcheron-aide d'atelier 1847-1859
[7] JOYAU: peintre 1766-1775
JOZON: sculpteur 1910
JOZON (Jeanne): sculpteur 1928-1930
JUBIN (André-Mathias): peintre 1772-1775
JUIN: manœuvre 1826-1830
JUINIÉ: peintures 1802-1805
JULIEN (jeune): peintre 1785-1786

JULIEN (aîné): peintre 1785-1787; 1788-1791
JULIENNE (Alexis-Etienne): peintre 1837-1849; p. 258
JULLIEN: sculpteur 1785-1788
JULLIEN (Marie-Pauline): voir LAURENT
JUNG (ou YUNG, Henri): peintre 1912-1913; 1918-1920; 1939
JUNOT (J.-P.): décors 1934-1938

KAEHRLING (Suzanne): sculpteur 1931-1939
KALT (Léo-Constant): mouleur-repareur 1851-1879
KALT (André-Constant): mouleur-repareur 1859-1862; 1867-1890
KANN (Léon): formes 1896-1898; 1900-1908; fig. 390, 454, 456; p. 320, 324
KARBOWSKY: décors 1922
KAYSER (Edmond): décors 1935
KELLIA (René): décors 1912
KEPFER: peintures 1804-1805
KERSAINTGILLY (Cécile de): décors 1927
KIEFER (Frédéric): céramiste 1936-1947
KIEFER (Charles): directeur technique; depuis 1948; p. 311
KIEFER (Andrée-Marcelle-Geneviève, née MULLIEZ): décoratrice 1950-1954
KINXEPFLER (ou KNUPFLER, dit LE SAXON): peintre 1759
KISS (Zoltan): sculpteur 1930-1936
KLAGMANN (J.-B.-Jules): sculpteur, modeleur 1844-1858; pl. LXVII; fig. 441; p. 282
KLEIN (Frédérique): voir DEMORY
KNIPP (Pauline, née de COURCELLE): peintures 1808; 1817-1826; p. 265
KNOEBLE (H.-L.): décors 1937
KORTHALS-BONTEMPS (Claudie): sculpteur 1929
KOSMANN (M.): décors 1924
KOUSTER: à la couverte 1785-1786
KOVACS (Marguerite): décors 1933
KRISTESCO (Constantin): sculpteur 1924-1927

LA BARBERA: sculpteur 1865
LABARCHÈDE (Mlle, Dalila): peintures 1825-1826
LABBE (Louis-Charles): peintre 1847-1853
LABORDE: commis aux écritures jusqu'en 1862
LABOUREUR (Jacques): décors 1934-1936
LABROSSE (Henry-Joseph): repareur 1843-1844
LACHASSAIGNE: peintures 1826-1827
LACOSTE: peintre sur verre 1842-1845
LACOUR (Armand): mouleur-repareur 1895-1911
LACROIX (Marie-Thérèse): voir LEIBER
LAEMLEIN (Alexandre): décors 1846; 1855-1858; p. 280
LAFFITTE (André-Louis): décors 1820-1821; 1824
LAFLEUR: à la couverte 1749-1753
LAFLEUR: manœuvre 1760-1773
LAFLEUR (Mme): à la couverte 1763-1767
LAFON (Jean): décors 1934-1938
LAFONTAINE: monteur en bronze 1810-1814
LAFOSSE: aux fours 1786-1789
LA FRANCE: doreur, peintre 1776-1792
LAGLENNE (J.-Francis): décors 1937
LAGOUX (E.): décors 1892
LA GRANGE (fils): peintre 1797-1799; 1801-1803
LAGRENÉE (jeune, Jean-Jacques): décors et formes 1785-1800; pl. LVI; fig. 267, 268, 269, 272, 273, 275, 286, 289, 296, 302, 326, 349; p. 48, 76, 117, 120
LAGRIFFOUL (Eugène-Alphonse): peintre 1907-1921
LAGRIFFOUL (Henri): sculpteur 1955; p. 320
LAGRUEL (Joseph): aide-maçon briquetier 1852
LAHALLE (Pierre): formes et décors 1922-1933; p. 320
LAHAYE (Louis-Antoine): doreur, peintre 1840-1849
LAJEUNESSE: à la couverte 1749-1772
LAJEUNESSE (Mme): à la couverte 1755-1772
LA JOIE: commis 1775
LAJON (Jules-Louis): mouleur-repareur 1880-1894
LALANNE (Claude): sculpteur 1971
LALANNE (François-Xavier): sculpteur 1966-1973; fig. 480; p. 320
LALEU (Mlle, aînée): brunisseuse 1767-1789
LALEU (Mlle, jeune, Marie-Françoise): brunisseuse 1772-1812
LALEU (Mme): à la couverte 1773-1786; 1805
LALEU: brunisseur, garde-magasin 1773; 1774-1803
LA LIÈGUE (J.-F.): tourneur ou repareur 1754; 1763-1766
LALIQUE (René): décors 1911-1930; p. 317, 326, 327
LALIQUE-HAVILAND (Suzanne): décors 1914-1930; p. 322
LALLEMENT (Joseph): repareur 1782-1783
LALOUETTE (André): tourneur 1818
LALOYAU: peintre 1763
LAMARCK: peintures 1817-1818
LAMARRE: manœuvre, mouleur en plâtre, tourneur 1773-1777
LAMARRE (Célestin-Stanislas): peintre 1816-1824
LAMARRE (Mlle): peintures 1821-1824
LAMARRE (Paul): monteur en bronze 1861-1888
LAMARTINIÈRE: peintre 1763
LAMBERT: repareur 1773-1775
LAMBERT: peintures 1802-1803
LAMBERT (Alphonse-François): sculpteur d'ornements 1852-1875
LAMBERT (Henri-Lucien): peintre 1859-1899
LAMBERT (Charles): ouvrier aux fours 1860-1883
LAMBERT (Madeleine-Louise, veuve): retoucheuse de couverte 1866-1888
LAMBIN: doreur 1796-1806
LAMBIN (Mme): doreuse 1796-1810
LAMBLIN: directeur intérimaire 1938; p. 311
LAMEIRE (Charles): formes et décors 1875-1894; p. 280
LAMONTAGNE (Georges-Léon): tourneur 1885-1929
LAMONTAGNE (fils, Georges-Désiré-Louis): couleur de moules 1908-1924
LAMOTHE: peintures 1816-1817
LAMOURDEDIEU (Raoul): sculpteur 1928-1931
LAMPRECHT (Georges): peintre 1785-1787
LAMY (ou LAMIS, ou LAMI, Jean-Nicolas): sculpteur 1758-1761; mouleur 1764
LAMY (Jacques): tourneur 1888-1893
LANCELOT (Camille): sculpteur 1893
LANCELOT-CROCE (Mme, R.-M.): sculpteur 1901-1908
LANCRENON: décors 1825-1826
LANDIER: aux fours 1788-1789
LANDON: peintures 1806
LANDOWSKY (Paul-Maximilien): sculpteur 1923-1925
LANDRY (père): mouleur 1763-1800
LANDRY: manœuvre 1766-1789
LANDRY (fils): peintre 1776-1779
LANDRY (Alexis-Jean): mouleur en plâtre, polisseur 1775-1779; 1784-1800; 1806-1824
LANDRY (fils aîné): repareur 1778
LANDRY (fils jeune): repareur 1778-1780
LANDRY: moulages 1818
LANDRY: peintures 1835-1836
LANDRY: décors 1937
LANEUVILLE (Mlle): peintures 1807
LANGLACÉ (Jean-Baptiste-Gabriel): peintre 1807-1845; fig. 367
LANGLE (Pierre-Jean-Victor-Amable): peintre 1837-1845; fig. 377
LANGLET (Hector): peintre 1816-1827
LANGLOIS (Michel-Nicolas-Eustache-Hyacinthe-Polyclès): peintre 1846-1872
LANGLOIS (Paul): peintre 1891-1892; 1897
LANGOT: repareur 1772-1776
LANTARA (Simon-Mathurin LANTARAT, dit): peintre 1749-1751
LANTERI (Pierre): décors 1948
LAOUST (André): sculpteur 1891-1905
LAPIERRE: manœuvre 1754-1767
LAPIERRE (de Meudon): manœuvre 1763-1766
LAPIERRE (Louis-Marie): tourneur 1813-1824
LAPIERRE (Mme): brunisseuse 1818-1844
LAPIERRE (Auguste-Louis): repareur 1833-1843
LAPIERRE (Achille-Constant): garnisseur, mouleur-repareur 1843-1864
LAPIERRE (Charles): tourneur 1851-1852
LAPORTE-BLAIRSY (Léo): sculpteur 1902-1912
LAPRADE (Pierre): décors 1928-1934
LARCHE (Raoul): sculpteur 1893-1913; fig. 449; p. 312, 318
LARDIN (Pierre): décors 1934-1936
LARIVIÈRE: décors pour vitraux 1843-1850
LAROCHE (Jacques-François-Louis de): peintre 1758-1800
LAROCHE (Mme): peintre 1778-1779
LA RUE (Louis-Félix de): sculpteur 1754; fig. 309
LARUE (Jean-Denis): sculpteur 1853-1882; fig. 407; p. 282
LASALLE: graveur 1751-1769
LASANTINA: moulages 1856
LASSERRE (Henry-Joseph): décorateur 1883-1932; fig. 429, 464; p. 322
LASSERRE (Firmin): sculpteur 1932
LATACHE (Etienne): doreur 1867-1879
LATACHE (Mme): décalqueuse 1861-1879
LATOURNÉE: bûcheron 1811-1818
LATOURNÉE (fils, Louis): élève polisseur 1817-1818
LATREILLE: peintre 1782

LAUBACHER (Charles): apprenti ciseleur 1889
LAUGER (Edouard-Victor): mouleur en plâtre 1889-1934
LAURAIN: décors 1920-1928
LAURAIRE (Maurice): garnisseur 1928-1968
LAUREAU (Pierre-Hippolyte): repareur-sculpteur 1852-1879
LAURENCIN (Marie): décors 1942; p. 322
LAURENS: graveur 1853-1862
LAURENS (Henri): sculpteur 1937; p. 320, 327
LAURENT (Pierre): sculpteur 1746-1747
LAURENT: manœuvre 1752-1756
LAURENT (fils): manœuvre 1771-1775
LAURENT (père): manœuvre 1773-1789
LAURENT (Henri): mouleur jusqu'en 1814
LAURENT (ou LAURANT): peintures 1807; 1816; 1818-1820
LAURENT: peintures 1829
LAURENT (Mme, Marie-Pauline, née JULLIEN): peintre 1838-1860; p. 280
LAURENT: graveur 1844
LAURENT (Sébastien): décors et sculptures 1923
LAUTH (Charles): administrateur 1879-1887; pl. LXXIII; p. 267, 270, 278
LAUVERGNAT (aîné): repareur-acheveur 1754-1772 (Dauterman ajoute: 1749; vers 1752)
LAUVERGNAT (jeune): repareur-acheveur 1754-1774
LAUVERGNAT (Montlouis): repareur 1772-1778
LAUVERGNAT (Dorvilliers): repareur 1773-1799
LAUVERGNAT (Dorjus): repareur 1775-1778
LAUVERGNAT (Louis-Philippe-Auguste): peintre 1830-1832
LAVERNETTE (Mlle): décors 1807
LÉANDRE: peintre 1779-1785
LE BALLEUR (Jean-Louis): sculpteur 1757-1764
LE BARBIER (aîné, Jean-Jacques-François): décors [1788]
LEBARQUE (Georges-Eugène): mouleur 1895-1916
LEBARQUE (Jeanne-Marie-Hélène, née BAZIR): découpeuse 1901-1918
LEBARQUE (Albert-Léon): sculpteur 1915
LEBAS: décors pour vitraux 1827
LEBASQUE: décors 1935
LEBEAU: sculpteur 1942
LEBÈGUE: décors 1887
LE BEL (aîné, Jean-Etienne): peintre 1766-1775
LE BEL (jeune): peintre 1773-1793 (sans doute le même que LE BEL, père, Jean-Nicolas: peintre, signalé dans un dossier de la Manufacture de 1765 à 1793); fig. 341; p. 258
LE BEL (Mme): peintre 1777-1790; 1804-1805
LE BEL (Nicolas-Antoine): peintre 1804-1845
LEBLANC: fonte et ciselure 1846
LEBLANC (G.): réductions 1893
LEBLOND (Mlle): brunissage 1845-1847
LEBŒUF (Georges-Emile): monteur en bronze 1936-1961
LEBOITEUX: montures et sculpteur 1749-1752
LEBOSSÉ: réductions 1893
LE BOURGEOIS (Gaston): sculpteur 1920-1925; fig. 477; p. 320, 327
LE BOZEC (Denise): émailleuse depuis 1951
LE BOZEC (Pierre): enfourneur-encasteur depuis 1947
LEBRET: repareur 1785-1788; 1790
LEBRIS (Christian): chimiste en chef depuis 1954
LEBRIS (Liliane): décoratrice 1964-1973
LEBRUN: sculpteur 1752-1753
LEBRUN: peintre 1756-1758
LEBRUN (Mme): 1807
LEBRUN (Louis): garde de nuit 1835-1836
LECAT (Edouard-Simon): poseur de fonds 1872-1910
LE CAUX: manœuvre 1769
LE CHARDEL (ou LESCHARDEL): repareur? 1796
LE CHEVALIER: voir CHEVALIER
LECHEVALLIER-CHEVIGNARD (Georges): secrétaire de l'administration, archiviste; administrateur 1903-1938; p. 311, 316, 322
LECLERC: sculpteur 1756-1769
LE CLERC: au moulin 1782
LECLERC (Mlle): peintures 1820-1829
LECLERC (Mme): brunisseuse 1844
LECLERC (Mlle): peintre 1848
LECLERC (Auguste): mouleur-repareur 1897-1911
LECLERC (Socrate): sous-chef de fabrication 1911-1955
LECLERE: sculpteur
LE CLERRE: tourneur ou repareur 1758
LECOINTRE (Mlle): brunisseuse 1809
LE COMTE (aîné): aux couleurs 1769-1774
LE COMTE (jeune; puis: père): aux couleurs 1771-1795
LE COMTE (fils aîné): tourneur, aux couleurs 1782-1792
LE COMTE (fils jeune): tourneur, aux couleurs 1784-1792
LE COMTE: sculpteur 1783-1787
LECOMTE (Hippolyte): décors 1851
LECOMTE (Lucien): poseur de fonds 1911-1949
LECOMTE (Fernand): tourneur de creux 1927-1944
LE COMTE DE LA HOUSSELIÈVE (Anne-Charlotte): voir MÉREAUD
LE COQ (ou LE COCQ, Pierre-Claude): mouleur-repareur 1756-1768
LÉCOT (ou L'ÉCOT): peintre 1763-1764; fig. 197, 227, 237, 275, 301
LÉCOT: doreur et peintre 1773-1777; 1779-1787; 1792-1802 (Dauterman indique: 1773-1788; 1790-1798; 1800)
LÉCOT (Amour): enfourneur-encasteur depuis 1966
LE COUREUR: manœuvre 1770-1772
LECOUTRE (J.): décors 1938
LEDERNE (Marie-Louise-Solange): voir HERBILLON
LEDOUY (Georges-Maurice): tourneur 1882-1887
LEDOUX: repareur-acheveur 1754-1764
LEDOUX (Jean-Pierre): peintre 1758-1761; pl. XI, XVIII
LE DREUX: aux couleurs, doreur 1775-1779
LEDRU (Joseph): metteur en couverte 1845
LEDRU (Auguste): formes 1893-1902
LE DUC: peintre 1761-1762
LE DUC: manœuvre 1772-1789
LEDUC (Mlle): peintures 1822; 1824; 1830; 1839; 1843-1844
LEDUC (Adrien-Auguste): décorateur, chef du laboratoire 1923-1954
LE FAGUAYS (Pierre): sculpteur 1917; p. 318
LEFER: tourneur ou repareur 1757-1758
LEFEUVRE (Louis-Albert): sculpteur 1901-1907
LEFEUVRE (Yvonne): émailleuse; commis depuis 1941
LEFÈVRE: manœuvre 1763-1764
LEFÈVRE (Pierre): polisseur depuis 1971
LEFIEF (Louis): repareur 1758-1774
LEFORT: peintre 1754-1756
LEFRANÇOIS (Michelle): décors 1949
LEFRANT (Jules): tourneur d'étuis 1866-1879
LEGARD (Alice, école d'art): décors 1908
LEGASTELOIS (Marcel): sculpteur 1902
LEGAY (Jules-Eugène): modeleur-repareur 1861-1895
LEGAY (Mme, Léonie, née CHARPENTIER): décalqueuse 1883-1884
LEGAY (Emile-Eugène): tourneur 1884-1913
LE GENDRE (Denis): mouleur en pâte et en plâtre 1776-1786; 1797-1818
LE GENDRE (jeune): repareur, sculpteur 1782-1792; 1794-1800
LE GENDRE (jeune): mouleur en plâtre 1784-1792
LE GENDRE: mouleur 1818
LÉGER: aux pâtes 1756 (Dauterman signale un LEGERE en 1756-1757)
LÉGER (Mlle): peintures 1803-1804
LÉGER (Jean-Charles-Hippolyte-Abel): peintre 1905-1919
LÉGER (S.): décors 1904-1910
LÉGER (Paulette): fileuse-doreuse 1965-1966
LEGRAIN (Jules-Antoine): décorateur 1888
LE GRAND: manœuvre, portier 1751-1779
LE GRAND (Louis-Dominique): repareur 1764-1800
LE GRAND (père): repareur-mouleur 1768-1778; pl. XLVI
LE GRAND (jeune): manœuvre 1773-1774
LE GRAND (3e fils, Louis-Antoine): doreur et peintre; portier 1776-1817 (Dauterman indique: 1776-1788; 1790; 1793); fig. 220, 229, 279, 280, 341
LE GRAND (Mlle): peintre 1782-1791
LE GRAND (Mme): peintre 1784-1798
LE GRAND (fils): peintre 1795-1800
LE GRAND: voir DÉCOIN
LE GRAND (Mlle, Anne-Joséphine-Emilie): voir MASCRET
LEGRAND: décors 1948
LEGRAS: tourneur 1776-1778
LEGRASSE: doreur 1804-1805
LEGRAVAND (Monique-Colette-Henriette): émailleuse 1956-1963
LEGRÉ (Gervais): tourneur 1864-1893
LEGRÉ (Henriette-Léontine, née JOVENEAU): brunisseuse 1879-1902
LE GRIS: mouleur 1773-1774
LE GRIS: aux terres 1778-1782
LEGRIS (Jean-Louis-Jacques): compagnon menuisier 1840-1843
LE GROS D'ANIZY (François-Antoine): imprimeur 1802-1848; fig. 369; p. 252
LE GUAY (père, Etienne-Henry): doreur 1749-1773; 1777-1778; 1780-1796 (Dauterman indique: 1749; 1751-1788; 1790-1796) (sans doute le Henry-Etienne LE GUAY, dit St. CLOUD, qui cherche à se faire réengager en 1751); pl. LIII, LV;

fig. 8, 111, 220, 229, 232, 234, 240, 241, 279, 280, 300; p. 48
LE GUAY: repareur 1755-1757
LEGUAY (2e fils, Etienne-Charles): peintre 1771; 1778-1781; 1783-1785; 1808-1840; pl. LXII, LXIV; fig. 350, 362; p. 258
LE GUAY (fils aîné, Pierre-André): peintre 1773-1817
LE GUAY (fils): apprenti peintre 1778-1780
LE GUAY (de Paris): peintures 1808-1809
LE GUAY (Mme, Caroline, de Paris): peintures 1801-1804; 1813-1824
LEGUAY (Mlle): peintre 1855; 1859-1860
LEGUAY (Joseph): manœuvre 1877
LEGUAY (Marie-Victoire): voir JAQUOTOT
LEGUEULT (Raymond): décors 1923
LEGUILLIER: repareur ornemaniste 1765-1777
LEGUILLIER (Jean-Charles): repareur, mouleur d'ovale 1810-1820; 1827-1848
LEGUYER: peintures sur verre 1837
LEIBER (Mathias-Nicolas): mouleur-repareur 1846-1851
LEIBER (fils): mouleur-repareur 1852-1856; 1859
LEIBER (Louis-Nicolas-Théodore): metteur en couverte 1872-1893
LEIBER (Marie-Thérèse, née LACROIX): retoucheuse de couverte 1875-1896
LEIDE: peintre 1756-1758
LEIRIS (Jacques): décors 1920
LEJOUR (Joseph): peintre 1843-1854
LELARGE (Mme): brunisseuse 1840-1845
LELARGE (R.): décors 1948
LELEU: 1746
LELEU (Pierre-Thomas): doreur 1757-1764 (Dauterman pense qu'il s'agit du même que le précédent)
LELEU: décors 1948
LELIÈVRE: formes et sculpteur 1897-1908; p. 320
LELOUET: sculpteur
LELOUTE (Noël-Jacques-Marie, dit CADET): aide-enfourneur 1809-1838
LELOUTE (René): polisseur 1814-1818
LELOUTE: cuiseur de moufles 1815
LELOUTE (fils, Antoine-Théophile): repareur-garnisseur 1831-1840
LELOY (Jean-Charles-François): dessinateur 1816-1844; fig. 360, 368, 370, 374, 378; p. 258, 264
LELU: aux fours 1757
LEMAIRE: peintre en bleu 1764-1795
LEMAIRE (aîné): manœuvre 1769-1770
LEMAIRE (jeune): manœuvre 1770-1772
LEMAIRE (de Boulogne): repareur 1770-1773
LEMAIRE: 1773-1774
LEMAIRE (Hector): sculpteur 1902-1905
LEMAISTRE (Jacques): manœuvre 1754-1756
LEMAISTRE (ou LEMAITRE, père): repareur-acheveur 1754-1759 (Dauterman indique: 1746; 1749; vers 1752; 1754-1760)
LEMAISTRE (ou LEMAITRE, fils): repareur 1754-1757; 1758
LE MAISTRE: sculpteur 1763-1767
LEMARCHAND: ciseleur 1858-1863
LE MARE (F.): décors 1928
LE MASSON: formes et décors 1782-1785; fig. 259, 281; p. 117, 328
LEMIÈRE: repareur 1783-1786
LEMIÈRE: repareur 1784-1785
LEMIRE: mouleur 1766
LEMOINE (Nicolas): poseur de fonds en bleu 1757-1758
LE MOINE (aîné, François): repareur, retoucheur de couverte 1773-1810
LE MOINE (jeune, Cloud): mouleur, repareur d'assiettes 1779-1795
LEMOINE: garnisseur 1809-1812
LEMOINE: frotteur de couverte 1809-1816
LEMOINE (Mme, Louise): émailleuse 1921-1934
LEMOINE: sculpteur 1813; p. 252
LE MOYNE (cadet): aux pâtes 1778-1779
LE MOYNE (J.-B.): sculpteur 1758-1771
LEMPÉRIÈRE: sculpteur 1905-1908
LEMPÉRIÈRE (André-Victor-Julien): doreur 1908
LE NEAUX: sculpteur 1757 (cité par Dauterman uniquement)
LENGLET: commis 1757-1774
LE NIEF: mouleur 1778-1779
LENOIR (Alfred): sculpteur 1903
LENOIR (Pierre): sculpteur 1914-1928
LÉONARD: sculpteur 1758-1762
LÉONARD (Agathon): sculpteur 1894-1903; fig. 476; p. 318
LEPAGE (Céline): sculpteur 1927
LEPÈRE: décors 1809
LEPIN: repareur 1759-vers 1793
LEPINE: doreur 1887
LE PODRAS (Ernest): tourneur 1941-1948
LEPRINCE (Adolphe): peintures 1839
LERAY (Jeanne-Eugénie, née HAMART): garnisseuse 1922-1929
LERICHE (Jean-Louis): manœuvre 1755-1774
LE RICHE (Pierre): manœuvre, mouleur 1756-1766; 1772-1789
LE RICHE (Josse-François-Joseph): sculpteur, modeleur, chef des sculpteurs 1757-1768; 1775-1801; fig. 257, 265, 269, 270, 271, 296, 302, 316, 320; p. 46, 117, 120
LE RICHE (fils): repareur 1778-1779
LE RICHE (jeune): tourneur 1780-1791
LE RICHE (Mlle): peintre 1782-1788
LE RICHE (fils): peintre 1782-1789
LE RICHE: voir ROGUIER
LEROI (Eugène-Nicolas): enfourneur 1846-1873
LE ROLLAND (Jacques): poseur de fonds 1907-1942
LE ROLLAND: décors 1925-1933
LEROND (Philippe): commis 1824
LE ROUGE: décorateur 1752 (cité par Dauterman uniquement)
LE ROUX (Mme): doreuse 1775
LEROUX (Mme, née BOGUREAU): décors 1896-1906; p. 317, 320, 322
LEROUX (Georges): décors 1922-1938; p. 326
LE ROY: aux couleurs 1756-1792
LE ROY: aux fours 1760
LE ROY (ou LE ROI): repareur 1784-1791
LEROY (Eugène-Eléonor): doreur 1855-1891
LEROY (Joseph): concierge 1858-1879
LEROY: commis 1866-1889
LEROY (Léonie): retoucheuse d'impression 1893-1898
LE ROY (Geneviève): voir TAILLANDIER
LE SAINT JAMEST: ciseleur 1815
LESCAUX (Nicolas-Herman): photographe, polisseur 1865-1881
LESME (Jules): peintures 1853
LESPRIT: tourneur ou repareur 1756-1769
LESSORE: peintre 1853-1855
LE SUEUR: manœuvre, repareur 1768-1774; 1787-1792
LESUEUR (C.-A.): décors 1818
LETERTRE: manœuvre, aux couleurs 1767-1774
LE TERTRE (dit DAUPHIN): aux fours 1785
LETHIAS (François-Joseph): manœuvre 1851
LETOURNEUR (Pierre-Jacques): sculpteur 1756-1762
LETOURNEUX (Auguste-Julien): polisseur 1905-1921
LE TRONNE (ou LETRONNE): sculpteur 1753-1757
LEULLIET (Narcisse-Victor): mouleur-repareur 1853-1879
LEVALLOIS: décorateur 1903-1905
LEVANEUR: graveur 1758
LEVASSEUR: 1755; 1776-1778
LEVASSEUR: repareur 1769-1779
LEVASSEUR (Henri-Louis): sculpteur 1904-1915
LEVAVASSEUR (aîné, Louis-Prosper): repareur 1788-1800
LEVAVASSEUR (jeune, Jean-Pierre): repareur 1788-1800
LEVÉ (Denis): peintre 1754-1793; 1795-1805; fig. 158, 227, 237, 275; p. 48
LEVÉ (Mme): peintre 1777
LEVÉ (fils, Félix): peintre 1777-1779 (Dauterman indique: 1776-1780; 1784-1788)
LEVÉ (Mlle, Marie-Françoise-Justine): voir BULIDON
LEVEAUX (ou LE VAUX, Antoine): sculpteur 1757-1790
LEVÊQUE: manœuvre 1766
LEVESQUE: manœuvre 1750-1756
LEVETUAUX (Mlle): brunisseuse 1823
LEVILLAIN (Ferdinand): formes 1888-1904
LÉVY (Jane): décoratrice 1921-1940
LÉVY-DHURMER (Lucien): décors 1897-1904
LEWERER: aux fours 1756-1761
LEWIN (Nina): décors 1936
LEYDIG (Mme): brunisseuse 1819-1822
LEYDIG (Jean-Michel): tourneur 1819-1837
LEYRITZ (Léon): sculpteur 1907-1914
L'HOEST (Eugène): sculpteur 1911
LHOMME (Louis-Antoine-Simon): monteur en bronze 1884-1887
LHOTE (Auguste): mouleur apprenti 1884-1889
LIANCÉ (père, Antoine-Mathieu): repareur ornemaniste 1754-1777
LIANCÉ (fils aîné, Martin-Antoine): repareur ornemaniste, sculpteur 1769-1812
LIANCÉ (fils cadet, Claude-Antoine): repareur 1775-1784
LIANCÉ (jeune, Augustin-Marie): sculpteur 1782-1791; 1797-1818
LIANCÉ (Eugène-Marie): manœuvre 1834-1835
LICHTAG: sculpteur [1924]
LIÉDET: sculpteur 1832
LIÉDET (Emile): tourneur 1920-1950; p. 322
LIÉDET (Suzanne): émailleuse 1938-1975
LIÉNARD: peintre 1828; 1829; 1833
LIERRE (Etienne de): décors 1910-1920
LIEVEN (Karine): décors 1937-1938
LIÈVRE (père): monteur en bronze 1852-1873

LIÈVRE (Henri-Adolphe): ciseleur 1862-1883
LIGUÉ (Denis): décorateur 1881-1911; fig. 421
LIONS (Nicole): décoratrice 1948-1951
LIOT: peintre, chef des peintres 1741-1749
LISSIM (Simon): décors 1921-1938; p. 322
LOË (Guy): décors 1924-1928; pl. LXXX; p. 327
LOGER: apprenti mouleur 1894-1895
LOISEAU-BAILLY (Georges): sculpteur 1905-1912
LOISEAU-ROUSSEAU (Paul): sculpteur 1903
LOMBARD (E.-Henry): sculpteur 1907-1910
LOMBARD (Jean, dit MABLORD): décors 1951
LONCY: tourneur ou repareur 1756-1758
LONGCHAMBON (Louis): directeur 1939-1940; p. 311
LONGEANY (Marie): voir FRANGNÉ
LONGUET (père, Laurent): repareur 1769-1778; 1793-1800
LONGUET (aîné): aux pâtes 1784-1789
LONGUET (jeune): aux pâtes 1785-1786
LONGUET (Louis): tourneur d'étuis 1785-1800; 1809; 1812
LONGUET (Pierre): garde du moulin 1791-1814
LONGUET (fils, Jean-Baptiste): repareur 1794-1800
LONGUET (Louis-Nicolas): repareur 1795-1800
LONGUET: peintre 1809-1810 (sans doute le Louis-François Longuet qui fut concierge puis agent comptable après avoir été élève peintre)
LONGUET (Jules-Pierre-Stanislas): repareur 1817-1835; 1837-1838
LONGUET (J.-B.-Alexandre): repareur, mouleur 1840-1876
LONGUET (Charles-Antoine-Gustave): commis 1847-1861
LONNEDE: tourneur ou repareur 1767
LORAIN (Gustave): décors 1922-1936
LORCET (Mlle, Aimable): brunisseuse 1815
LORIEUX (Julien): sculpteur 1907-1909
LORIN (Paul-Ferdinand): monteur en bronze 1890-1902
LORRY: manœuvre 1768-1779
LORTSCH (Mme): décors 1952
LOSMÈDE: potier, décorateur 1767-1768 (signalé par Dauterman uniquement)
LOTHON (Mlle, Elisa): peintures 1823-1824
LOTIRON (Robert): décors 1941
LOUASON: peintures 1801-1803
LOUGERON (A.-D.): décors 1948
LOUIS: peintre 1752 (Dauterman cite également un potier du même nom vers la même date)
LOUIZET: repareur, à la couverte 1769-1779
LOUTTRE (Marc-Antoine BISSIÈRE, dit): décors et formes 1968-1973; p. 320, 322
LOYAU (Marcel): décors 1936
LOYET: décors 1902
LUARD (Véronique, école Dufrêne): décors 1923
LUCAS (Toussaint): graveur en plâtre 1753-1776 (Dauterman le cite également vers 1752)
LUCAS (père): manœuvre 1773-1789
LUCAS (fils): tourneur 1777-1792
LUCAS: peintre sur verre 1828-1829
LUCAS (Charles-Célestin): décorateur, modeleur 1865-1910
LUDGER (Jean-Charles): apprenti décorateur 1971-1974
LUKA (Madeleine): décors 1934-1937
LURÇAT (Jean): décors 1937; p. 327

LYDIS (Mariette): formes et décors 1934-1935
LYNGBYE: peintre 1839; 1841-1842

MACÉ (Danièle): voir NIOCHE
MACHET: décorateur 1752-1753 (cité par Dauterman uniquement)
MACOIN: décors 1948
MACQUART (Jean-Baptiste): aide-enfourneur à partir de 1824
MACQUER (Pierre-Joseph): académicien chimiste 1759-1783; p. 34
MAËS: sculpteur 1954
MAGNAN: broyeur de couleurs 1754-1756
MAGNIANT: décors 1906
MAGNUS: peintre 1764-1765 (Dauterman indique: 1765-1767)
MAIGNAN: sculpteur 1910-1922; p. 320, 326
MAILLARD: peintre 1763-1770
MAILLARD: peintures 1814
MAILLARD (Charles): sculpteur 1926
MAILLET: acheveur, laveur 1754-1769
MAILLOT: repareur 1785
MAILLY: tourneur 1762-1769; 1772-1773
MAISONNEUVE (Isaac-Charles-Berton de): graveur en plâtre 1754-1779
MAITRE: peintures 1827-1829
MAIXANT (Michel-Etienne): tourneur 1787-1798
MAJESTÉ (François): repareur 1817-1818
MALACRIA: repareur 1757-1778
MALANÇON: sculpteur 1937
MALAPAU: peintures 1833-1834
MALDEMÉ (Ernest-Charles): tourneur 1881-1909
MALLET: manœuvre 1754-1755
MALLET: peintures 1803-1804
MALO-RENAULT (Nori): décors 1920-1931
MALOT (Gisèle): voir DEBAIN
MALRIC (Charles-Louis): sculpteur 1908-1923
MANCEAU: élève décorateur 1892
MANCEL: au blutoir 1777
MANCELIN (Olga): décors 1920-1923
MANCHUELLE (Edouart): sculpteur 1936
MANGIN (J.-F.): décors 1892-1898
MANGUIN: formes [1900-1925]
MANNEVILLE: sculpteur 1909
MAQUERET (Mme): peintures 1796-1798; 1817-1820
MARAINE: repareur ornemaniste 1757-1777
MARANDON (Yvan): aux moufles depuis 1969
MARANTINI (ou MARENTINI, Mme, née BOULLEMIER): doreuse 1814-1842
MARCADIER (Louis-Marius): décorateur 1915-1920
MARCEL (Mlle, Adèle): voir FERRAND
MARCELLE (Marie): brunisseuse 1914-1935
MARCELLIN (Jean-Esprit): sculpteur 1859; fig. 442; p. 280
MARCHAL (Louise-Alphonsine, née CAPPE): découpeuse à partir de 1895
MARCHAL (R.-J.): décors 1953
MARCHAL (Fernande): voir GUILLEMAIN
MARCHAND: acheveur 1751-1757; 1759-1760
MARCHAND (père, Nicolas): frotteur de figures 1791-1826
MARCHAND (fils aîné, Pierre-Nicolas): repareur 1807-1818

MARCHAND (Frédéric): mouleur en plâtre 1808-1818
MARCHANDISE (Mlle, Lucy): décors 1906-1909
MARCHER (ou MARCHAIS): à la pâte 1754-1759
MARCILLON (ou MARSILLON, ou MARSILLION, Claude): repareur 1756-1758
MARCOU: acheveur 1754-1772
MARCOU (fils): peintre 1773-1780
MARCOU (fils jeune): repareur 1776-1800; 1802-1803
MARCOU (Charles-Raphaël): sculpteur, repareur 1813-1820
MARCUS (Catherine-Madeleine, née AUCLER): dessinatrice 1966-1971
MARÉCHAL (Mlle): voir GRONLAND
MARGAINE: décorateur 1886-1888
MARGUIN: tourneur ou repareur 1767-1769
MARIA: élève monteur 1861-1862
MARIE (Jean): manœuvre 1757-1760
MARIGNY (ou MARGNY): décors 1825
MARIN: aux fours 1759
MARION: potier vers 1752 (cité par Dauterman uniquement)
MARION (Emile-Ferdinand): élève sculpteur 1833-1836
MARIOTON: ciselures 1882
MARIOTTE (Georges-Lucien): mouleur en plâtre 1937-1951
MARMET: contrôleur, sous-directeur, caissier 1753-1771; fig. 30, 82
MARMIN: aux fours 1751-1752
MARMIN: maçon 1774
MARMIN (fils, Pierre): repareur 1775-1797
MARON: apprenti repareur 1775-1780
MAROTEL: portier de la grille jusqu'en 1866
MARQUÉ (Albert): sculpteur 1921-1929
MARQUESTE (L.-H.): sculpteur 1902-1915
MARQUET: monteur 1854-1863
MARQUIÉ (Pierre): bûcheron 1828-1848
MARQUIÉ (Louis): garde de nuit 1829-1842
MARROT (Marie-Florine): décalqueuse 1869-1913
MARROT: ciseleur 1879-1889
MARROT: garde du moulin jusqu'en 1872
MARS (A.): décors 1948
MARSA (Mme HICKEL, pseudonyme...): décors 1933
MARTEL (Joël et Jan): sculpteurs 1925-1938; p. 320, 327
MARTELET (père): mouleur-repareur 1784-1794
MARTELET (fils): repareur 1784-1791
MARTIN (aîné, Joseph): repareur-unisseur 1767-1802
MARTIN (jeune, François): repareur, tourneur d'assiettes 1769-1774; 1794-1798
MARTIN (père?): tourneur ou repareur 1770-1772
MARTIN (jeune): tourneur 1777-1801
MARTIN: peintre 1779-1784
MARTIN (aîné): manœuvre 1809
MARTIN: sculpteur 1861-1866
MARTIN (Mlle, Anna): décors 1896
MARTIN (Mlle, Marguerite-Marie): décors 1936
MARTIN (Ginette): décalqueuse depuis 1942
MARTIN (G., école des Beaux-Arts de Nancy): décors 1948

MARTINE (Albert): décors 1923-1930
MARTINESCHE (Mme, née HUGON): décors 1922
MARTINET: peintures 1804-1806
MARTINET (Emile-Victor): peintre 1847-1878
MARTINET (Mme): brunisseuse depuis 1847
MARTINET (Louis-Victor): peintre 1853-1878
MARTINET: décors 1860
MARTINIE (Berthe): sculpteur 1929-1937
MARX: sculpteur 1915-1921
MARY (Maurice): sculpteur 1914-1921
MARY (G.): décors 1948
MASCAUX (Léon-Claude): sculpteur 1926-1936
MASCRET (Mme, Anne-Joséphine-Emilie, née LE GRAND): brunisseuse 1798-1830
MASCRET (Jean-Etienne): sculpteur-repareur 1806-1848
MASCRET (fils, Louis-Jean): sculpteur, repareur, mouleur 1825-1864
MASCRET (Achille-Désiré): ornemaniste 1836-1846
MASCRET (Mlle): brunisseuse 1845-1847
MASEREL (Franz): décors 1928
MASSON: élève décorateur 1891-1893
MASSOULE (Paul): sculpteur 1892-1902; p. 282, 324
MASSÜE (Louis): chef de l'atelier de dorure 1745-1758; p. 32, 38
MASSULTEAU (Yvon): chef de l'atelier des mouleurs en plâtre depuis 1941
MASSY (Pierre): peintre 1778-1802; fig. 298
MASSY (Mme): peintre 1790-1798
MASTÉ (aîné): repareur 1784-1792 (Dauterman ajoute: 1794-1796)
MASTÉ (jeune): repareur 1785-1792
MASTÉ (fils aîné, Charles-François): repareur 1794-1797 (Dauterman indique: 1795-1796; 1798-1799)
MASTÉ (fils jeune): apprenti repareur 1796
MATÉ (Antoine): repareur, garde-moulin 1787-1828
MATÉ (Mlle): décalqueuse-brunisseuse à partir de 1846
MATELIN: sculpteur 1832
MATHÉ (jeune, Charles-François): enfourneur 1813-1815
MATHÉ (aîné): manœuvre, garde-moulin 1811-1818
MATHÉ (fils, Louis-Hippolyte): élève tourneur après 1827
MATHÉ: élève doreur 1879
MATHIAS: sculpteur 1762-1792
MATHIAS (Simon): encastage 1787-1788
MATHIEU: repareur 1768-1769; 1771-1773
MATHIEU: élève peintre 1768-1770
MATHIEU (François): mouleur-repareur 1895-1898
MATHIEU (Georges): décors 1965-1969; fig. 467; p. 322, 328
MATHIEU (Jean): directeur depuis 1976; p. 311
MATHOREL (Marie-Françoise, née POILVET): émailleuse 1888-1899
MATTE: sculpteur 1808-1809
MATTERN (Louise): élève décoratrice 1921-1922
MATRAS: à la couverte 1776
MAUBLANC: tourneur 1769-1792
MAUCOURT (Suzanne): voir TIÉZAC
MAUDET (Jean-Baptiste-Alexandre): tourneur 1892-1910
MAUGÉ (Georges-François): polisseur 1826
MAUGENDRE (Charles-Edouard): sculpteur 1879-1887
MAUNY: mouleur, aux pâtes 1754-1764
MAUPOUME: décors 1911
MAURICE: tourneur ou repareur 1771-1772
MAURION (G.): sculpteur 1933
MAURISON: sculpteur (XVIIIe siècle)
MAUROY (de): inspecteur 1760
MAUSSION (Mlle de): peintre 1862-1870
MAX-VIBERT (Mme): décors 1934-1937
MAY (Sibylle): décors 1923
MAYEUX: formes et décors 1875-1889; p. 280
MAYODON (Jean): directeur artistique 1941-1942; p. 312, 327
MAZEAUD (Jean-Martin): modeleur 1945-1946
MAZELINE (Mme): décors 1923
MAZILLER (Marie-Louise): voir DEVOT
MAZY (ou MAZIS, fils jeune): à la couverte 1777-1778
MAZY (jeune): aux fours 1782-1789
MAZY (aîné): aux fours 1782-1789
MEAKES (père, Edouard): monteur en bronze 1856-1863; 1865; 1867-1893
MEAKES (Georges): élève décorateur 1857-1860
MEAKES (Henri): 1861-1862
MEAKES (John-Noël): monteur en bronze 1864-1894
MÉCHIN (Mlle): voir FONTANES
MÉHEUT (Mathurin): décors et sculpteur 1928-1937; p. 322
MÊME (Henri-Victor): mouleur-repareur 1903-1904
MENAND (L., école Rapin): décors 1923
MÈNE (Jules): sculpteur 1869; fig. 450
MENDÉ (Jacques): couleur-garnisseur depuis 1945
MENESTREL (ou MENESTRELLE, Mme): brunisseuse 1817-1827
MENGUÉ (J.-M.): sculpteur 1904-1905
MENGHETTI (Maurice): décors 1948
MENU: décors 1920-1938; p. 326
MERCIÉ (Antonin): sculpteur 1906-1919
MERCIER: peintre 1853-1858
MÉREAUD (ou MÉREAU, MÉRAUX, aîné, Pierre-Antoine?): peintre 1754-1791; pl. XXVIII; fig. 119
MÉREAUD (jeune, Charles-Louis?): peintre 1756-1779; fig. 156, 162, 170
MÉREAUD (Mme, Anne-Charlotte, née LE COMTE DE LA HOUSSELIÈVE): peintre 1778-1779; 1794-1797 (Dauterman la cite uniquement en 1777)
MÉREAUD (fils): peintre 1786-1789; 1817-1823
MÉREAUD (Charles-Louis-Marie): chef de la préparation des couleurs 1795-1804
MÉRIGNAC: sculpteur 1909
MÉRIGNAC (Mme, Ernesta-Robert): sculpteur 1927
MÉRIGOT (Maximilien-Ferdinand): peintre 1845-1872; 1879-1892; fig. 404, 417, 418
MÉRIGOT-HUET: décors 1888
MÉRITÉ (Edouard): sculpteur 1903-1905
MERLAND (Marie): voir CHAFFRAY
MERLE: tourneur ou repareur 1769-1770
MERRY: manœuvre 1751-1752
MERRY (aîné): manœuvre 1773
MERRY (fils jeune): manœuvre 1773-1774
MERY (jeune): manœuvre, maçon 1773-1791
MERY (jeune): aux pâtes 1784-1789
MERY (fils, Maximilien-Alexandre): cuiseur de plâtre 1797-1818
MESME: sculpteur 1903-1904
MÉTAIS (Jacqueline): garnisseuse-découpeuse depuis 1946
MÉTAYER (Eliane): voir TRANNOY
MEUNIER (Léon): apprenti dessinateur 1882-1887
MEXANT (L.): tourneur ou repareur 1787-1788; 1790-1798
MEYER (cadet): directeur 1796
MEYER (Jacob, dit MEYER-HEINE): peintre, émailleur 1840-1873
MEYER (Bernard-Alfred): décorateur-émailleur 1858-1871; p. 280
MEYER-HEINE (Abraham): ornemaniste sur faïence, peintre 1860-1868; fig. 374; p. 274
MEYNADIER et LOCATELLI: formes et décors 1828
MEYNIER (Charles): décors 1804-1805
MEYRIGNE (Jean-Claude): enfourneur-encasteur depuis 1973
MEZARD (René): apprenti tourneur d'étuis 1919-1922
MEZENCE (Mlle de): décors 1928
MICAUD (ou MICAUT, père, Jacques-François): peintre 1757-1810; fig. 106, 164, 297, 341
MICAUD (fils, Pierre-Louis): peintre-doreur 1795-1834
MICAUD (Mme, jeune): brunisseuse jusqu'en 1826
MICAUD (Mlle): brunisseuse 1823-1826
MICHAUD (Joseph): aide-enfourneur à partir de 1826
MICHAUD (François): tourneur 1827-1828
MICHEL (Ambroise): peintre 1772-1780
MICHEL (Jean-Baptiste): aux fours 1826-1831
MICHEL (Gustave): sculpteur 1892-1900
MICHELET (Firmin): sculpteur 1931-1932
MICHELI: moulages 1813
MICHELIN (Jean): mouleur en plâtre 1746-1777
MICHOU (Ginette): émailleuse-retoucheuse 1941-1946
MICHOUX (Louis-France): tourneur 1915-1917
MIEL (Eugène): mouleur de grès 1895-1921
MIGNAN: sculpteur 1758-1773
MIGNOT: manœuvre 1753-1756
MIGOU: manœuvre 1772-1775
MILANI (Emile): décors 1948
MILET (Nicolas-Ambroise): chef des fours et pâtes 1854-1884
MILET (père): mouleur de faïence 1855-1872
MILET (Félix-Optat): modeleur de terre cuite 1862-1879; pl. LXXI, LXXII
MILLERET (Bernard): sculpteur 1929
MILLEROT (Auguste): mouleur auxiliaire 1928
MILLIE (Henry): mouleur-repareur-garnisseur 1888-1900
MILLOT (Robert): chef des fours 1746-1786; p. 34
MILLOT (jeune): repareur 1755-1765; 1767-1772
MILLOT: peintures 1905
MILON de PEILLEN (Mlle): décors 1948
MILSENT: potier 1749; vers 1752 (cité par Dauterman uniquement)

MIMARD (Louis-Jules): décorateur 1884-1928; p. 322
MINIER (Lucien): polisseur 1909
MIREY: aux fours, doreur 1785-1787; 1788-1792
MISERA: potier 1749; vers 1752 (cité par Dauterman uniquement)
MITELHEISER (Francis): assistant chimiste depuis 1941
MITELHEISER (Marcelle): émailleuse-retoucheuse depuis 1928
MOCROU: potier 1784 (cité par Dauterman uniquement)
MOHIER: doreur, peintre 1773-1778
MOINE (Antonin): sculpteur, repareur 1831-1832; pl. LXV; p. 258
MOIRON (Joseph): aux pâtes, mouleur 1782-1783; 1784-1796
MOIRON (fils): peintre 1790-1791
MOLZ: fondeur en cuivre 1872
MONARD (Louis de): sculpteur 1923-1925
MONAS: décors 1921
MONCEL (Alphée): sculpteur 1904-1908
MONCOURIER (Léon): chef des fours 1919-1945
MONESTIER-DUMOIN: décors 1906
MONFORT (S., école Dufrêne): décors 1921
MONGENOT: peintre 1754-1764
MONGENOT (Mme): brunisseuse 1765-1772
MONGINOT: repareur 1772-1774
MONGINOT: peintre 1798-1799; 1801-1803
MONGINOT (oncle, Pierre): tourneur 1802-1803
MONGINOT (Mlle, Marie): voir CERNET
MONGIRARD (Marie-Berthe, née DAIRE): émailleuse 1899-1931
MONNAY: peintre 1783-1790
MONNOT: sculpteur 1785
MONPLOT (Maurice): enfourneur-encasteur 1948-1953
MONTAUBRIE (Adolphe-Gustave): mouleur-repareur 1855-1895
MONTBERIN (Claude): décors 1953
MONTIGNY (Etienne de): académicien chimiste 1766-1782; p. 36
MONTIGNY (Hélène de, école d'art): décors 1908
MONTJALLON: manœuvre 1773
MONTJALON: aux pâtes 1779
MONTOILLE: peintre 1797
MONVOISIN: décors 1841-1842
MONY: potier 1749 (cité par Dauterman uniquement)
MORAND: sculpteur 1853-1856
MORAND (Guillemette): décors 1936
MORASCH (Christian-Gottfried): décors 1810
MORCELLY: décors 1845
MOREAU: tourneur ou repareur 1769-1772
MOREAU: manœuvre 1772-1774
MOREAU (Denis-Joseph): doreur 1809-1815
MOREAU (Louis-Philippe-Auguste): doreur 1839-1871
MOREAU (Auguste-Edouard-Charles): mouleur-repareur 1852-1886
MOREAU (Emile): aide d'atelier 1862-1892
MOREAU (L.): décors 1910-1912
MOREAU (Auguste-Julien): tourneur 1914-1961
MOREAU (Pascal): mouleur en plâtre depuis 1974
MOREAU-JOUIN (Agnès): décoratrice auxiliaire vers 1928; décors 1922-1936
MOREAU-VAUTHIER (Augustin): sculpteur 1893-1921
MORÉE (Mlle, A.): décors 1934
MOREL: repareur 1773
MOREL: orfèvrerie 1855
MORET: manœuvre 1763-1765
MORIA (Mlle, Blanche): sculpteur 1907
MORIAU (Auguste): tourneur de creux 1914-1961
MORIAU (Marie-Louise, née ROUSSELOT): décalqueuse 1918-1951
MORICE (Léon): sculpteur 1915
MORIER (Mlle, école Guérin): décors 1898-1916
MORILLON: mouleur en plâtre 1775
MORIN (Louis, ou Jean-Louis): peintre 1754-1787; pl. XXIV; fig. 85, 111, 129, 185, 210, 225, 226, 229, 230; p. 112
MORIN (Mme, Amable-Christine, née GALLY DE LA FERRIÈRE): peintre 1777-1790
MORIN (Charles-Raphaël): doreur 1803-1812; 1821
MORIN (Louis-Victor): poseur de fonds, doreur 1879-1910
MORIN: sculpteur 1881
MORIN (Pierre-Julien): fileur-doreur 1908-1935
MORIN (Alfred): tourneur de creux 1929-1966
MORIN-MOELLER (Mary): décors 1926-1931
MORIOT (Nicolas-Marie): peintre 1828-1848; pl. LXVII; fig. 368; p. 258
MORIOT (François-Adolphe): peintre 1837-1844
MORIOT (Mlle, Elise): peintre 1881-1886; fig. 412
MORY: manœuvre 1751-1753
MOUCHON: graveur 1888
MOUCHOT (école Guérin): décors 1898-1916
MOUCHY (de): sculpteur 1783-1787
MOUGIN (Odile): décors 1940-1941
MOULHIADE (Mme): concierge 1895-1896
MOULIN (Hippolyte): sculpteur 1882
MOULINET (Eugène-Alfred): sculpteur, repareur 1889-1904
MOUROUX (Annie): sculpteur 1925-1935; fig. 479; p. 318
MOUSSAY (Mme): brunisseuse 1844-1845
MOUTON: aux fours 1787-1789
MOUTONI (Antoine): sculpteur 1809
MOYER (ou MOYÉ, MOYES, Pierre): mouleur 1754-1765 (Dauterman ajoute: vers 1752)
MOYER: peintre 1775-1778
MOYEZ (Jean-Louis): doreur 1818-1848
MOYEZ (Pierre): mouleur-garnisseur-repareur 1826-1848
MOYEZ (Jacques-Louis): marqueur de pièces 1843-1852
MUGUET: sculpteur 1953
MÜLLER (Charles): sculpteur 1903-1932
MÜLLER (Louis): sculpteur 1954
MULLERET (père): ciseleur 1856-1872
MULLERET (fils): ciseleur, modeleur, mouleur-repareur 1856-1905
MULLERET (Désiré-Louis): ciseleur 1861-1893
MULLIEZ (Mlle): voir KIEFFER
MULOT: manœuvre 1745
MURET (Andrée): voir BATKOUM
MUSCAT (Alphonse): sculpteur 1929
MUSCULUS (Guy): sous-chef de la fabrication 1967-1975
MUTEL: peintre 1754-1759; 1765-1766; 1771-1773; fig. 83, 87
MUTEL (Mme): peintre 1818-1826

NABRIN (Marie-Louise): décoratrice auxiliaire vers 1920
NAILLENER (G.): décors [1814]
NALET (Jean-François): monteur-ciseleur depuis 1967
NAM (Jacques): sculpteur 1920
NANSOT: repareur 1788-1792
NANTIER: repareur 1767-1776
NARET: tourneur ou repareur, aux couleurs, aux fonds 1756-1796
NARET (Maurice-Paul): peintre-décorateur 1907-1914
NATHAN (Fernand): décors 1923-1924
NATOI: sculpteur 1813
NATTAN (veuve): fonte 1867
NATTIER (Firmin-Louis): cuiseur de moufles 1889-1909
NAUDY (André): décorateur 1928-1934
NAVATTE (Ernest-Jean-Marie): au moulin 1919-1943
NÉ (Lucienne): décoratrice 1922-1932
NEILZ (Gaston): décorateur auxiliaire 1914-1916
NELLANOCE (Claudia): décors 1948
NEMOZ: décors 1907
NEY (Paul-Eugène): tourneur d'étuis 1901-1910
NEY (Michel): chef de l'atelier de dorure depuis 1949
NICAISE: 1741 (Dauterman cite un potier du même nom en 1749)
NICOLAS: mouleur 1754-1756
NICOLLE (Joseph): chef des travaux d'art, administrateur-adjoint 1856-1871; fig. 397, 400, 401; p. 267, 282
NICQUET: peintre 1764-1792
NIEUPORT: manœuvre 1745
NIEUWERKERKE: sculpteur 1864
NIKLAUS (Marcel-Charles): mouleur-repareur auxiliaire 1928-1930
NIQUET: élève repareur 1856-1859
NIOCHE (Danièle, née MACÉ): décoratrice depuis 1967
NODET (Etienne): laveur de pâte 1822-1845
NOË (Daniel): mouleur en plâtre 1947-1954
NOËL (Guillaume): peintre 1755-1804; fig. 99bis, 113, 115, 143, 178, 294
NOËL (Tony): sculpteur 1901-1907
NOLD (Mlle): peintures 1870
NOUALHIER (ou NOUAILLIER, aîné, Jean-Baptiste): peintre 1753-1754; 1757-1765
NOUALHIER (jeune, François): peintre 1758
NOUALHIER (Mme, Sophie): peintre 1777-1795
NOUALHIER (fils, Jean-Baptiste): peintre 1779-1782; 1786-1791
NOUALHIER (Mme, Sophie-Adèle): brunisseuse 1792-1823
NOUALHIER (Mme, née DUROSEY, aînée): peintre 1793-1797; 1800-1803
NOUALHIER (Mme, Louise-Jeanne): brunisseuse 1816-1859
NOUALHIER (Louis-Paul-Auguste-Etienne): aide de laboratoire, poseur de fonds 1817-1848
NOUALHIER (J.-B.-Etienne-Nicolas): peintre ornemaniste 1823-1835

NOUALHIER (Mlle, Sophie-Célestine): retoucheuse de couverte 1827-1841
NOUMATA (Ytiga): sculpteur 1904-1927
NUSSY (Eric de): sculpteur 1923

OCLAIR: mouleur, aux fours 1784-1791
OCTOBRE (Jean): sculpteur 1906-1908
ODARTCHENKO: décors 1925; fig. 478
OJ OGER (Jacques-Jean): sculpteur 1784-1800; 1802-1821
OISLINE (G.): décors [1897-1925]
OLIVA: sculpteur 1860
OLIVIER (jeune): tourneur 1773-1786 (Dauterman indique: 1773-1788; 1790-1798; 1800)
OLIVIER (aîné): tourneur 1775-1800 (Dauterman indique: 1775-1786)
OLIVIER (jeune): repareur vers 1780-1793
ORLANDINI: sculpteur 1953; p. 320
ORLÉANS (princesse Marie de): décor pour vitrail 1835; sculpteur 1841
ORU (Hippolyte-Constant): portier 1852-1890
ORU (Hubert): contremaître du moulin 1858-1892
ORU (Alfred): élève repareur 1863-1868
ORU (Henri): mouleur-repareur 1863-1905
OSCHE (Louise): sculpteur 1925
OUDART: peintures 1820-1821
OUDRY (J.-B.): sculpteur 1752-1774
OUIM (Paul): polisseur 1853-1857
OUINT (Joseph): cuiseur de moufles 1868-1888
o.ch OUINT (Charles): doreur, peintre 1879-1886; 1889-1890
OUINT (Edouard): poseur de fonds 1885-1893
OUINT (Emmanuel): poseur de fonds 1910-1915
OURY: mouleur avant 1748

PACOUTET (Jean): tourneur d'étuis 1925-1946
PADE (Achille-Etienne): polisseur 1890-1916
PAILLARD: tourneur 1768-1775
P PAILLET (Fernand): peintre 1879-1888; 1893
PAILLET (Charles-Marcel): doreur 1908-1919
PAILLET (Charles): sculpteur 1913
PAIN (ou LE PAIN): manœuvre 1756-1771
PAIN (fils aîné, Jean-Alexandre): repareur 1762-1797
PAIN (jeune): repareur 1772-1774
PAIN (Antoine): repareur, mouleur en plâtre 1778-1792
PAIN (Henry): repareur ou tourneur 1801-1804
PAIN (Charles-Antoine): peintre 1815-1821
PAJOT (Pierre-Louis): mouleur-repareur 1889-1897
PAJOU: peintre, poseur de fonds 1751-1759
PAJOU (Augustin): sculpteur 1781-1783
PALLANDRE (Henri-Léon): peintre 1853-1870
PALME: décorateur 1753 (cité par Dauterman uniquement)
PALMIERI: décors 1809
PANGALO (Z.): décors 1937
PANICET: peintre 1768-1769
PAPILLON (Georges-René): conservateur du Musée 1903-1918
PAPIN (Eugène-François): tourneur 1897-1936
PAPIN (Mme, école Rapin): décors 1923
PARANT (L.-B.): peintre 1806-1828; 1835-1841; p. 258

PARAYRE (Henry): sculpteur 1929
PARDON (Etienne): batteur de pâtes, broyeur de couleurs 1860-1894
PARENT (Melchior-François): commis du ministre, intendant-directeur 1768-1778; p. 36, 42
PARIS (ou DEPARIS): tourneur-repareur, chef des repareurs 1746-1797; fig. 229, 241, 242; p. 108
PARIS (père): à la couverte 1754-1762
PARIS (Baptiste): repareur-garnisseur 1755
PARIS (Mme): à la couverte 1759-1764
PARIS (Jean-Baptiste): peintre vers 1760
PARIS (Antoine, dit CARACOT): manœuvre 1761-1773
PARIS (aîné): bas-relief, sculpteur, aux fours 1774-1792
PARIS (Philippe): au moulin 1777
PARIS (jeune): tourneur 1777-1779
PARIS (Pierre): repareur, aux fours 1784-1791; 1795; 1797-1800 (Dauterman indique: 1784-1786; 1794-1798; 1800)
PARIS (Louis): repareur 1785-1790
PARIS (A.): repareur, aux fours 1785-1791
PARIS (fils): polisseur 1813
PARIS: peintures 1815-1816
PARIS (Luce): décors 1933-1938
PARMENTIER (E.): apprenti tourneur 1885-1887
PARMENTIER (Louis-Eugène): mécanicien 1885-1896
PARMENTIER (Pierre-Anatole): ciseleur 1910-1949
PARMENTIER (Jules-Auguste): ciseleur à partir de 1910
PARMENTIER (Marie-Louise...): voir CAPRONNIER
PARNET (Claude-Joseph): au moulin, tourneur d'étuis 1883-1901
PARNET (Suzanne-Marie): émailleuse 1901-1916
P PARPETTE (ou PERPETTE, Philippe): peintre 1755-1757; 1773-1786; 1789-1806 (Dauterman indique: 1755-1757; 1773-1774; 1777-1798; 1800); pl. LIII; fig. 123, 232, 248; p. 48
PARPETTE (aîné, C.): repareur-acheveur 1756-1762
PARPETTE (jeune): repareur ornemaniste 1756-1774 (Dauterman cite un Jacques-François PERPETTE, potier, en 1756-1775; 1777)
PARPETTE (Mlle, Louise-Thérèse): brunisseuse 1787; 1790-1825
PP PARPETTE (Mlle, ainée): peintre 1788-1798
LP PARPETTE (Mlle, jeune, Louise): peintre 1794-1798; 1801-1817
PARPETTE (Mlle, Suzanne-Joséphine): peintre 1794
PARTENET: tourneur 1775-1777
PASCAL: ciseleur 1818
PASQUET (Adrien-Charles-Auguste): doreur 1933-1956
PASTIER (Jean-Baptiste-Emmanuel): peintre 1826-1827
PATOU (Henri): décors et formes 1922-1943; p. 317, 320, 326, 327
PATOUILLET: sculpteur 1746-1750
PATRIS: repareur 1786-1788
PAULIN (Louis-Alexandre-Auguste): repareur, mouleur, graveur en plâtre 1766-1799; 1804-1816
PAULINIER (Mme): peintre 1830-1835

PAVIE (Jean): sculpteur 1926
PAVOT: décors 1948
PAYOT (Marie-Catherine): voir CATON
PAYRET-DORTAIL: sculpteur 1921
PECH (Gabriel-Edouard): sculpteur 1902-1910
PECHINÉ (Antide): sculpteur 1905
PECQUERY: peintre 1763-1768
PEGARD: repareur 1786-1791 (Dauterman ajoute: 1793)
PELLERIN (Mme, Alexandrine): peintures 1826-1827
PELLETIER (ou PELTIER): repareur 1773-1777
P PELUCHE (Léon-Charles): décorateur 1881-1928; fig. 478
PENALBA (Alicia): décors et formes 1975-1976; fig. 473; p. 322
PÉPIN: mouleur-repareur 1756-1760
PÉPIN (Alexis): repareur 1763-1781 (pour Dauterman, c'est le même que le précédent)
PÉPIN: peintre 1858-1862
PÉRARD (Mlle): peintre 1863-1869
PERCHERON (Jacques): marcheur de pâtes 1776-1814
PERCHERON (jeune): apprenti repareur 1782
PERCHERON: repareur 1797-1818
PERCHERON (fils, Nicolas-Honoré): marcheur de pâtes 1813-1818
ap PERCHERON (Nicolas-Alexandre): repareur 1827-1864
PERCIER (Charles): décors et sculpteur 1805-1822; pl. LXI; fig. 349, 364, 436; p. 256, 260
PERDU: mouleur 1790-1800 (Dauterman indique: 1795-1798)
PERET (Mlle): sculpteur 1878
PEREZ: tourneur 1815-1816
PERJEAN (Michel): batteur de pâtes 1826-1827
PERLET (Mlle, Aimée): peintre 1825-1830
PERNOT: repareur 1779
PERNOT (Henri): sculpteur 1907-1915
PERONARD: graveur 1839-1841; 1848; 1852-1881
PERONARD (Mlle): graveur 1883-1892
PEROT: peintre 1780
PERRAULT-HARRY (E.): sculpteur 1908-1929
R PERRENOT (aîné): peintre 1804-1809; 1813-1815
PERRENOT (jeune): peintre 1806-1808
PERRIAN (Jacques): compagnon menuisier 1835-1838
PERRIER: peintre 1777-1778
PERRIGUY (Mlle): peintures 1802-1803
PERRON (Charles): sculpteur 1899-1907
PERROT: sculpteur? 1741
PERROT: sculpteur 1757
PERROTIN (ou PERROTTIN, Florent-Nicolas): sculpteur 1761-1772; 1775-1794
PERROTIN (fils cadet): repareur 1786-1789
PERROTIN (jeune): sculpteur 1786-1791
PERSIN (Mlle): peintre 1864-1869
PERUS (Raphaël): poseur de fonds, émailleur 1913-1917
PERUSAT-STORK: décors 1951
PESCHE: mouleur 1771-1780
PETER (Victor): sculpteur 1897-1906; fig. 450; p. 318
PETERSEN (Armand): sculpteur 1928-1950
PETION (Louis): tourneur 1769-1789; 1794-1818
PETION (Mme): potier 1783 (citée par Dauterman uniquement)

PETIT (aîné, Nicolas): peintre, brunisseur 1756-1800; fig. 229
PETIT (jeune, J.-B.): peintre 1758-1759
PETIT: manœuvre 1773-1777
PETIT (P.-J.): décors 1808-1811
PETIT (Blaise): bûcheron 1859
PETIT (Augustin): apprenti mouleur 1886-1887
PETIT (René-Louis): mouleur-repareur 1902-1914
PETIT (Yvonne): voir TASDEMAIN
PETITOT: sculpteur 1808
PETRESCO (Constance): décors 1920-1921
PETRY (André-Paul): mouleur-repareur auxiliaire 1930-1931
PEUCH (Marie-Thérèse, née GRANGER): émailleuse 1927-1952
PEULLIER: aide de laboratoire à partir de 1832
PEYRE (Jules-Constant-Jean-Baptiste): dessinateur en chef 1845-1848; 1856-1871; fig. 373, 394, 402, 411; p. 282
PEYRE (fils): élève sculpteur-modeleur 1859-1863
PEYRET (Régine, née FRASNIER): décalqueuse depuis 1969
PEYTAVIN: peintures 1810
PEZ (Jacky): décors 1948
PFEIFFER: peintre 1771-1800
PFEIFFER (Mme): peintre 1778-1779
PHILARDEAN (A.): décors 1953
PHILIBERT: repareur 1764
PHILIP (Jean-Baptiste-César): aide-émailleur 1846-1877; fig. 383
PHILIPPART-CHAMPEIL (Odile): sculpteur 1904-1919
PHILIPPE: aux fours 1747-1773
PHILIPPINE: repareur, garnisseur 1753-1773
PHILIPPINE: sculpteur 1772-1773
PHILIPPINE (fils aîné, François-Pascal): peintre 1778-1791; 1802-1825
PHILIPPINE (Mlle): brunisseuse 1780-1785
PHILIPPINE (cadet, Francisque): peintre 1783-1791
PHILIPPINE (jeune, Claudin): peintre 1786-1791
PHILIPPINE (Jean-François-Henri): peintre 1787-1789; 1801-1804; 1809-1840; pl. LXIV; p. 258, 265
PHILIPPINE: voir BOUVET
PIAU (Hippolyte): aux fours, batteur de pâtes 1854-1876
PICARD: à la couverte 1759
PICARD: aux terres 1781-1782
PICARD (Mme, veuve): dorure sur métal 1872
PICARD (Georges): décors 1922-1927
PICART-LEDOUX: décors 1942
PICAUD (Charles-Louis): sculpteur 1908-1912
PICHARD (Octave-Lucien): contremaître du moulin 1858-1885
PICHARD (Léon-Louis): mouleur 1897-1921
PICHARD (Anna): voir CHABANON
PICHEREAU (Henri): poseur de fonds 1910
PICHEROT (Michel-Jacques): marcheur de terre 1825
PICHON: mouleur-repareur 1756-1757
PICO: décors 1942
PICOU (Henri-Pierre): décorateur 1849; p. 280
PICQ (Ferdinand): décorateur 1896
PICQUEREY: repareur 1788-1790
PIÉ (Jean): sculpteur 1929
PIÉDAGNEL (Blanche): peintre 1861-1870
PIERRE (aîné, Pierre-Nicolas): doreur 1759-1775
PIERRE (jeune, Jean-Jacques): peintre 1763-1800; fig. 157, 204, 252, 299
PIERRE (Anne-Victoire, née ARMAND): peintre 1777-1784; 1794 (Dauterman indique: 1777-1782)
PIERRE (Mlle): décors 1924
PIFFARD (Jeanne): sculpteur 1934
PIGAL: peintre 1751
PIGALLE (Jean-Baptiste): sculpteur 1769-1777
PIGNY: tourneur 1785-1788
PIHAN (Charles-Louis-Emile): sculpteur-décorateur, peintre 1879-1928
PILLAY (Clément-François): expéditionnaire 1806-1807
PILLIVUYT (Ch. et Cie): porcelaines pour modèles 1851
PILON (aîné, ou PILLON, Jean(-Christophe): tourneur ou repareur 1758-1769
PILON (jeune): tourneur ou repareur 1759-1769
PINARD (père): tourneur 1777-1779
PINARD (fils): apprenti tourneur 1777-1779
PINARD: potier 1788 (cité par Dauterman uniquement)
PINARD (C.): doreur 1891
PINE (François-Bernard-Louis, dit PLINE): doreur 1854-1870
PINEL: manœuvre, mouleur 1773-1788
PINSON (Mme, née DRUARD): retoucheuse de couverte 1821-1855
PINSON (François): broyeur 1833
PINSON (Désiré): élève repareur 1844-1846
PINSON (Auguste-Désiré-Alfred): galvanoplaste 1861-1882
PINSON (Marie-Henriette-Louise, née BAILLY): émailleuse 1902-1907
PIQUET (Marcel-Jean): décorateur 1920-1922
PITET (Jacques-Philippe): peintre 1755-1756
PITHOU (aîné): peintre, suisse de la porte 1757-1790; fig. 248, 250; p. 70
PITHOU (jeune, Nicolas-Pierre): peintre, suisse 1760-1767; 1769-1795; 1816-1817 (?); pl. LIII; fig. 254
PITHOU (Mlle): peintre 1794-1796
PIZA (Artur-Luis): formes 1971-1976; fig. 482; p. 320, 322
PLAGNARD (André): mouleur en plâtre depuis 1947
PLANCHAIS (Luc): mouleur-repareur depuis 1948
PLANCHENAULT (Pierre): décors 1935
PLANTARD (André): décorateur, chef de la décoration 1925-1975
PLAZERIANO: décors 1927
PLÉ: décorateur 1855
PLÉ (Henri-Honoré): sculpteur 1906-1909
PLÉE: doreur 1825
PLIN: sculpteur 1953
PLISTAH (Victoire-Elisa): voir ROUSSEAU
PLOCQUE (ou PLOQUE, Jacques-Gilbert): sculpteur 1762-1792
POGGESI (Angelo): chef mosaïste 1876; p. 276
POILLERAT: formes 1950; p. 322
POILVET (Marie-Françoise): voir MATHOREL
POIRIER: sculpteur 1755-1756
POIRIER (Ernestine): retoucheuse de couverte 1858-1883
POIROT (Paul): sculpteur, modeleur 1895-1900
POIRRIEZ (François-Henry): tourneur 1856-1884
POISSON (Jacques): aux fours 1755-1764
POISSON (Pierre-Marie): sculpteur 1928-1934
POITEVIN: peintre 1757
POITEVIN (Mlle): décors 1896
POIX: ciseleur 1855-1856
POL (Mme, née BRIGUILLE): peintre 1847-1848
POLANIS (Christian): batteur de pâtes depuis 1976
POLIAKOFF (Serge): décors 1968-1969; pl. LXXXII; p. 322, 328
POMMEL: mouleur en plâtre 1763-1764
POMPON (François): sculpteur 1922-1932; p. 320
PONCELAIN (Pierre-Maximin): mouleur en plâtre 1886-1897
PONCELAIN (Juste): tourneur 1888-1909
PONCET (Adrien): repareur 1774-1789; 1795-1800
PONCET (Mlle, école Guérin): décors 1898-1916
PONSIGNON (Suzanne): brunisseuse jusqu'en 1914
PONCIN (A.): sculpteur 1915
POPULUS (Hortense): brunisseuse 1828-après 1847
POPULUS (Coralie): peintre 1847-1848
POQUET (Constant): enfourneur-encasteur 1921-1948
PORCELET: repareur, garnisseur 1754-1757
PORCHER (Marie-Joseph): encasteur-enfourneur 1841
PORCHERON: mouleur-repareur 1782
PORCHON (Alexandre-Victor): mouleur-repareur, décorateur 1854-1884
PORCHON (Pierre): tourneur jusqu'en 1880
POSCH (Léonard): sculpteur 1810; p. 260
POTET: tourneur ou repareur 1758-1761
POTIER: décorateur? 1741
POTIER: peintures 1802-1803
POUCET: repareur 1793-1800
POUILLOT: peintre 1773-1778
POUILLOT (jeune): peintre 1777-1781
POULAIN (Gratien): repareur 1758-1777
POULAIN (Louis-Alexandre-Auguste): tourneur de gazettes 1766-1793; 1804-1818
POULAIN (Jean-Jacques): peintre 1827-1832
POULI (Auguste-Alfred): polisseur 1896-1919
POULIN (école Rapin): décors 1923
POUPART (Antoine-Achille): peintre 1815-1848
POUPION (aîné): mouleur 1782-1792
POUPION (jeune): au moulin 1787-1789
POUPION (Thomas): batteur de pâtes, mouleur 1787-1800; 1807-1818
POUPION (Louis-Claude-Marie): polisseur 1816-1825; 1841-1848
POUSSIN (Jean-Baptiste-René): peintre 1822-1841; 1844-1849
POUSSIN (Jean-René): poseur de fonds 1851-1872
POUX: ciseleur 1855; 1860; 1862; 1866; 1867
PRADIER (James): sculpteur 1837-1848
PRADO: décors 1951
PRASSINOS (Mario): décors 1966-1969
PRAT (Jean): chef des fours 1936-1960
PRÉ (Georges): mouleur-repareur 1925-1936
PRÉAU (Hélène): apprentie imprimeuse 1901-1904
PRÉVOST (aîné): peintre 1754-1759

PRÉVOST (jeune, Guillaume): peintre 1756-1758
PRÉVOST (aîné, Henri-Martin?): doreur 1757-1797; fig. 242, 276, 290
PRÉVOST: peintre 1763-1764
PRÉVOST (Georges-Edmond-Zacharie): apprenti tourneur 1898
PRÉVOST (Charles): aux fours 1948-1949
PRIET (Louis): dessinateur d'épures 1927-1939; p. 322
PRILIPP: décors 1897
PRINCE: élève décorateur et doreur 1886-1889
PRINCE (Georges): artiste peintre auxiliaire 1920-1926
PRINZ: tourneur à partir de 1830
PRIOU (Gaston): formes et décors 1934-1938
PRISSETTE: peintre 1764-1770
PRIVAT (Gilbert): sculpteur 1930-1936; p. 318
PRIVAT-GARILHE (Pierre): apprenti décorateur 1942-1943
PROFILLET (Anne-Marie): sculpteur 1927
PROST (Maurice): sculpteur 1931-1933; p. 320
PROU (René): formes et décors 1932-1934
PROUVEUX: peintre 1762
PROUX (F.): décors 1880
PROVOST-BLONDEL: décors 1896; p. 322
PRUNIER (Marcel): décorateur 1919-1959
PRUVOST (Evelyne): émailleuse depuis 1975
PUCET (Mme): doreuse 1825-1826; 1834
PUCET (Mlle, Adelaïde): brunisseuse, décalqueuse à partir de 1845
PUECH (Denys): sculpteur 1898-1923
PUISSANT (Albéric-Adrien): polisseur 1884-1904
PUISSILIEUX de MENOT (Georges): décors 1920-1922
PYCHA: décors 1927

QUAGLIO (Angelo): décors [1808]
QUARTIER: monteur en bronze 1862-1876
QUELVÉE (François): décors 1925-1935
QUENECQUE: peintre 1752-1753
QUENEULLE: brunisseuse jusqu'en 1889
QUENIOUX (Gaston): décors 1901
QUENNOY: élève décorateur 1901; 1907
QUERET: repareur 1768-1769
QUESTEL (Alfred): ciseleur 1883-1916
QUIAIT: repareur 1782-1786
QUIBEL (R.): décors 1928-1930
QUIDOR: graveur 1896-1899
QUILLIVIC (René): décors 1925-1938
QUINQUAUD (Anna): sculpteur 1902-1937
QUINTON (Alexis): compagnon serrurier 1804-1815

RADIGUE (Marcelle): voir CAMUS
RADONITCH (Bossilva): décors 1926-1947
RADUREAU: tourneur 1841
RAMONEAU: peintre 1770-1772
RANDONI (Charles): décors 1811
RAPIN (Henri): inspecteur des travaux de décoration 1920-1934; fig. 463, 465; p. 312, 320, 326, 327
RATH (Mlle): peintre 1810-1811
RAULT (Geneviève): décors et formes 1896-1915; p. 320, 324
RAUX (fils aîné): peintre 1766-1779
RAUX (jeune): tourneur 1769-1780
RAUX (père): manœuvre 1772-1778
RAUX (fils jeune): repareur 1774-1778
RAVINET (dit LA CROIX): repareur 1777-1779
RAVINET: repareur 1784-1795 (pour Dauterman, c'est le même que le précédent)
RAYMOND: aux couleurs 1752-1756 (Dauterman signale un peintre de ce nom en 1752-1753)
RAYMOND (ou RAIMOND, Louis-François): doreur, peintre 1755-1757
RAYNAUD (Louis-Léonard): couleur de moules 1923-1939
RÉCIPON (Georges): sculpteur 1903
REDON: décors [1875-1897]
REDOUTÉ (Pierre-Joseph): décors an XII; p. 258
REGNAULD (Alphonse): aide au laboratoire 1826-1848
REGNAULT (Henri-Victor): administrateur 1852-1871; p. 267, 268, 270
REGNAULT (Henri): décors et formes 1856
RÉGNIER (Antoine): directeur 1773-1793; fig. 257, 265, 269, 325; p. 36
RÉGNIER (Jean-Marie-Ferdinand): modeleur, sculpteur 1812-1848; pl. LX, LXVII; fig. 370, 371, 385, 390; p. 258, 384
RÉGNIER (Hyacinthe-Jean): modeleur, sculpteur 1825-1863; fig. 366, 391; p. 258
RÉGNIER (Joseph-Ferdinand): peintre 1826-1830; 1836-1870
REIMBERG (ou RHIMBERT, François): repareur-acheveur 1754-1762
RÉJOUX (Emile-Bernard): doreur-décorateur 1858-1893; fig. 408
RÉMION: décorateur 1901
RÉMY: manœuvre 1766-1775
RÉMY (fils): repareur 1777-1791
RÉMY (Charles): doreur, poseur de fonds, dessinateur d'épures 1886-1928
RÉMY (Geneviève): voir GAUVENET
RENARD (Jean-Baptiste): repareur 1756-1760
RENARD (Mme): brunisseuse 1846-1890
RENARD (Hubert-Constantin): tourneur, chef de fabrication 1849-1892
RENARD (Emile): dessinateur 1852-1882; fig. 383, 416; p. 280
RENARD (Jean-Jacques): chef du matériel 1856-1886
RENARD (Mme Constantin): décalqueuse 1861-1885
RENARD (Henri): peintre 1879-1882
RENARD (Jeanne): voir TAILLADE
RENAUD: sculpteur 1807-1808
RENAUD (Yves): aux fours 1881-1906
RENAUD (Emilie-Eugénie, née HERMEKERE): retoucheuse de couverte 1886-1920
RENAUD (François): aux fours 1888-1901
RENAULT (Pierre-Marie): batteur de pâtes 1880-1912
RENAULT (Yves-Marie): menuisier 1904-1910
RENAULT (Michel-Louis): mouleur-repareur 1920-1952
RENÉ: à la couverte 1746-1758
RENO-HASSENBERG (Irène): décors 1923
RESSEL: peintre 1787-1790
REUTER-CHVETCHIKOFF (Hélène): sculpteur 1929
REVIGLIO (Louis): décors 1811
REYL (Albert): mouleur-repareur 1927-1943
REYZ: peintre 1753-1755
RICARD (Eugène): tourneur 1895-1921
RICHARD (Jean): manœuvre 1750-1756
RICHARD: manœuvre, commissionnaire 1768-1805
RICHARD (aîné, ou neveu, Christophe): repareur ornemaniste 1774-1791; 1795-1800
RICHARD (dit LA TULIPE): repareur 1785-1787; mouleur 1788-1791 (pour Dauterman, il s'agit de deux individus)
RICHARD (Louis-Auguste-Victor): doreur 1811-1848
RICHARD (Mlle): brunisseuse 1813-1818
RICHARD (Pierre-Nicolas): doreur 1815-1848
RICHARD: doreur 1816-1818
RICHARD (Nicolas-Joseph): peintre 1830-1872
RICHARD (François-Gervais): doreur, peintre-décorateur 1833-1875; fig. 382
RICHARD (Eugène): peintre 1833-1872
RICHARD (Paul-Eugène): poseur de fonds, doreur-décorateur 1847-1881
RICHARD (Jacques-Aimé): aide d'atelier 1858
RICHARD (Emile): peintre 1859-1900
RICHARD (Mme): peintre 1866-1867
RICHARD (Louise-Pauline): décalqueuse 1867-1914
RICHARD (Eugène): mouleur-repareur 1869-1907
RICHARD (Gustave): peintre ornemaniste sur faïence 1870-1872
RICHARD (Victor): commis aux écritures 1873-1894
RICHARD (Léon-François): peintre 1895-1925
RICHARD (Marcelle): décoratrice auxiliaire 1927-1934
RICHARD (Marie-Louise): voir DUBOIS
RICHÉ (Louis): sculpteur 1904
RICHER (Paul): sculpteur 1903-1915
RICHON: décors 1920
RIDEL (Léon): décors 1917
RIGNAULT: décors 1948
RIGOLET (Léon): mouleur-repareur 1900-1935
RIGOLET (Arsène): mouleur-repareur 1919-1922
RINDLEY: décorateur-imprimeur vers 1846
RIOCREUX (Denis-Désiré): peintre, conservateur des collections 1808-1872; p. 42
RIOCREUX (Mme, née SAINT-OMER): brunisseuse 1813-1820
RIOCREUX (Eglé): décors 1832
RIOCREUX (Alfred): décors 1834
RIOCREUX (Isidore): peintre 1844-1849
RIPERT: découpeuse jusqu'en 1881
RISLER: formes 1893; p. 282, 317
RISBOURG (Julien-Auguste): mouleur-repareur 1895-1925
RISTE (François-Claude): au moulin 1869-1895
RITON (Pierre): peintre ornemaniste 1821-1860
RIU: sculpteur 1882
RIVALANT: repareur 1769
RIVE (Auguste): aide d'atelier 1877-1884
RIVIÈRE (J.): sculpteur 1952; p. 320
RIVIÈRE (Théodore): sculpteur 1897-1908; fig. 475
RIVOIRE (Raymond): sculpteur 1925-1936
ROBBE: modeleur 1754-1755
ROBERT: peintre 1745-1746

ROBERT (Paul-François): peintre 1757-1760
ROBERT: peintre 1764
ROBERT: manœuvre 1766-1789
ROBERT (Jean-François): peintre 1806-1834; 1836-1843; fig. 341, 350, 351; p. 258
ROBERT: doreur 1809-1810; 1813-1814
ROBERT (Pierre): chef de l'atelier de peinture sur verre 1813-1832; p. 254
ROBERT (Mme): peintre 1819-1827
ROBERT (H.): décors 1830
ROBERT (Louis-Rémy): administrateur 1832-1879; p. 254, 256, 267, 272
ROBERT (Alphonse): peintre 1833-1837
ROBERT (Mme Louis): peintre 1835-1844
ROBERT (Mlle, Célestine): brunisseuse depuis 1843
ROBERT (Gabriel): peintre 1846-1852
ROBERT (Gilbert): surveillant auxiliaire du Musée 1849
ROBERT (Henri): mouleur-repareur 1889-1933
ROBERT (Charles): mouleur-repareur 1889-1930
ROBERT-FLEURY (Joseph-Nicolas): décors 1838
ROBILLARD (Julien): aide-émailleur 1845-1846
ROCHE (jeune): repareur 1778-1779
ROCHE (Pierre-Jean): ciseleur 1862-1882
ROCHE (Jules): apprenti ciseleur 1871-1877
ROCHE: sculpteur 1919
ROCHE (Camille): décors 1925-1936; p. 317, 327
ROCHEGROSSE (Georges): décors 1892-1893
ROCHER (Alexandre): peintre 1758-1759
ROCHER: repareur 1775-1779
ROCHON (Jean-François): polisseur 1838-vers 1850
ROCHON (Agathe-Marguerite): retoucheuse de couverte 1842-1868
ROCHON (Irma): brunisseuse depuis 1843
RODDE (Colette): décors 1936
RODEN (Lucie): décoratrice depuis 1947
RODIN (ou RODA): peintre 1746
RODIN (Auguste): décorateur, sculpteur 1879-1882; 1907; pl. LXXIII; p. 280, 284
ROGEARD (Mlle): peintures 1817-1819
ROGER: repareur, sculpteur 1754-1782
ROGER (François-Denis): repareur ornemaniste 1756-1784
ROGER (Pierre-Joseph): peintre vers 1760
ROGER (Gilles): peintre 1764
ROGER (Claude-Michel): repareur 1764
ROGER (Pierre-Jean): commis, caissier 1772-1779
ROGER (aîné): peintre 1781-1784
ROGER (jeune): peintre 1782-1784
ROGER (Jean-Pierre-Narcisse): agent comptable 1829-1863
ROGER (Thomas-Jules): sculpteur d'ornements 1852-1886
ROGER (Camille-Hippolyte): aide d'atelier jusqu'en 1879
ROGER (Suzanne): décors 1966
ROGET: sculpteur 1852
ROGET (Albert): peintre ornemaniste sur faïence 1870-1872
ROGIER: sculpteur 1746 (cité par Dauterman uniquement)
ROGNON (Mme): retoucheuse de couverte jusqu'en 1853
ROGUIER (ou ROQUIER, Henry-Victor): sculpteur, modeleur 1784-1792; 1806; 1813; fig. 327
ROGUIER (Mme, née LE RICHE): peintre 1783-1790
ROHAUT (Jules-Adrien): chef des services administratifs 1886-1890
ROINÉ (J.-E.): sculpteur
ROLAND: sculpteur 1785-1806
ROLLAND: décors 1931
ROLLAND (Bertin-Marie): aux fours 1931-1933
ROMAGNESI: sculpteur 1814
ROMAIN (Pierre): mouleur en plâtre depuis 1946
RONCIÈRE (Lucien): mouleur de grès 1928-1944
ROQUESANTE (Mlle de): peintre 1831
RORÈRE: manœuvre 1770-1773
ROSENBAUM: monteur en bronze 1852-1875
ROSENSTOCK: décors 1898
ROSSET (Pierre-Joseph): peintre 1753-1795 (Dauterman le signale jusqu'en 1799); fig. 55, 99bis, 272, 280, 301
ROSSET (jeune): peintre 1761-1763
ROSSET: commis 1795-1800
ROTHLISBERGER (P.): sculpteur 1927
ROTUREAU (Théodore-Valentin): homme de service 1886-1887
ROTY (Oscar): sculpteur 1903
ROUBILLE: formes et décors 1925; p. 326
ROUCHERET (Emile-Maurice): mouleur-repareur 1901-1941
ROUGET: repareur 1758-1760
ROUGET: décors 1842-1843
ROUHIERRE: commis 1774
ROULLEAU: sculpteur 1899
ROUMIER (Edme): polisseur 1872-1895
ROUSSEAU: peintre 1761-1765
ROUSSEAU (Charles-Louis): surveillant des ateliers de peinture 1842-1875
ROUSSEAU (Hippolyte): compagnon serrurier 1845-1852
ROUSSEAU (Marie-Geneviève, née CABOT): brunisseuse 1847; 1852-1883
ROUSSEAU (Victoire-Elisa, née PLISTAH): brunisseuse 1879-1899
ROUSSEAU (Eugène-Alexandre): homme de service jusqu'en 1887
ROUSSEAU (Yvonne): décoratrice auxiliaire 1920-1923
ROUSSEAU (Clément): sculpteur 1944
ROUSSEL (ou ROUSSELLE): peintre 1758-1774
ROUSSEL [LE]: repareur-unisseur 1758-1762; 1765-1786
ROUSSEL (Pierre): entrepreneur de serrurerie 1828-1835
ROUSSEL [LE] (Paul-Marie): peintre 1837-1872; fig. 386; p. 280
ROUSSEL (Jean-Charles): tourneur-guillocheur 1845
ROUSSEL (Paul): sculpteur 1901-1911
ROUSSEL (Marie-Catherine): voir BUTEUX
ROUSSELOT (Marie-Louise): voir MORIAU
ROUX (Anne-Marie): décoratrice auxiliaire 1927
ROUX (Mme, née DUFORT): peintre 1866-1867; 1869-1870
ROUX (Constant): sculpteur 1905
ROUX-COLAS (Anne-Marie): sculpteur 1929; p. 327
ROUXEL (Jacques): tourneur de faïence 1862-1865
ROUY (Claude-Jean-François): trempeur, retoucheur de couverte 1845-1847
ROY (André): mouleur de faïence 1920-1941
ROY (Irène, née CHAMBON): décoratrice 1927-1940
ROY (Marius Abel): tourneur 1927-1946
ROYER (école des Beaux-Arts de Nancy): décors 1948-1950
ROZET (René-Auguste): sculpteur 1906-1925
RUDE (François): sculpteur 1813-1814; p. 258
RUDIER (A.): fondeur 1902
RUHLMANN (Emile-Jacques): formes 1934; p. 320, 326
RUILLIÉ (comte Geoffroy de): sculpteur 1901
RUMEAU: peintre 1808-1809; 1815-1824; p. 258
RUNGET: repareur 1769-1773
RUXTHIEL (Henri-Joseph): sculpteur 1808-1829

SABATHIER (Jean-Georges): apprenti mouleur en plâtre 1945-1949
SAILLARD (Jane): décors 1921
SAILLY (ou SAILLIER): tourneur ou repareur 1768-1769
SAINT-ANGE (Mlle): décors 1806-1821
SAINT-ARMAND (aîné): peintre 1745-1755
SAINT-ARMAND (jeune): peintre 1745-1755
SAINT-AUBIN (Louis-Michel): peintre 1754-1758; 1760-1779
SAINT-AUBIN (Augustin de): décors [1788]; fig. 187
SAINT-DENIS (aîné, Jean-Michel): tourneur 1786-1818
SAINT-DENIS (jeune, Sébastien): tourneur ou repareur 1792-1795
SAINT-DENIS (Sébastien-Louis): élève repareur 1840-1841
SAINT-GERMAIN: manœuvre 1765-1773
SAINT-GERMAIN (fils): repareur 1771-1773
SAINTIN (Juliette-Marguerite): découpeuse 1901
SAINT-MARCEAUX (René de): sculpteur 1896-1908
SAINT-MARTIN: repareur 1769
SAINT-MARTIN: peintre 1858-1859; 1864; 1866-1869
SAINT-OMER (fils aîné, Jacques-Philippe): repareur, à la couverte 1771-1780
SAINT-OMER (père): repareur, aux fours 1774-1785
SAINT-OMER (fils cadet): repareur 1776-1779
SAINT-OMER (Mme, veuve, Jeanne): brunisseuse 1778-1799; 1803-1816
SAINT-OMER (Jeanne-Agatha, née HENRY): peintre 1786-1788
SAINT-OMER: aux fours, mouleur en plâtre 1786-1792
SAINT-OMER (Jacques-Philippe): mouleur, portier 1772-1821
SAINT-OMER (Mlle): voir RIOCREUX
SAINT-PAUL (Edouard): sculpteur 1928
SAINT-REMY: manœuvre 1765-1773
SALADIN (Alfonse): sculpteur 1925
SALENTIN (ou SALLANTIN): tourneur ou repareur 1767-1768
SALMON: manœuvre 1745
SALMON (aîné): codirecteur, caissier 1774-1804; fig. 126

SALMON (jeune, Louis-Callixte): commis 1775-1829
SALMON: peintures 1809
SALVETAT (Alphonse-Louis): chimiste 1841-1880; p. 267, 268, 276, 278
SALVIATI: décors 1876
SALY (Jacques-François-Joseph): sculpteur 1768
SAMALI: décors 1917
S SAMSON (Léon): mouleur-repareur 1897-1919
SANDIER (Claude-Nicolas-Alexandre): directeur des travaux d'art 1896-1916; pl. LXXVIII, LXXIX, LXXXI; fig. 429, 430, 452, 453, 457, 459; p. 241, 267, 274, 286, 312, 317, 320, 322, 324, 326
SANDOZ (Alphonse): sculpteur-modeleur 1881-1920; p. 286, 320
SANDOZ (Edouard-Maurice): sculpteur 1927-1936
SAULGE: tourneur 1776-1777
SAUNIER: peintures 1809
SAUNOIS: manœuvre 1774-1777
SAUVAGE (Piat-Joseph): peintures 1804-1809
SAUVAGE (Jacques-Adrien): bûcheron 1838-1871
SAUVAGE (Frédéric): réductions 1843
SAUVAGE (Louis-Pierre-Jacques): broyeur 1854-1865
SAUVAGEAU (aîné): tourneur 1774-1775
SAUVAGEAU (jeune): tourneur 1774-1778
SAUVAGEOT (Jacques): tourneur 1806
SAUVE (Paul): décorateur 1919-1922
SAVAGE (Jean-Marie): décorateur auxiliaire 1944
SAVIGNAC (Claude-Edme-Charles-Louis de): peintre 1752-1753; 1758-1759
SAVIGNAC: repareur 1795-1797
SAVIN (Maurice): formes et décor 1925-1958; p. 320
SAVINE (Léopold): sculpteur 1902
SAVREUX (Maurice): décorateur, conservateur, directeur 1907; 1917-1926; 1946-1947; p. 311
SCALA (Jacques): décors 1948
SCHAERDEL (François-Xavier): vitrier-metteur en plombs 1835-1851
SCHEMID (Louis-Alphonse): mouleur en plâtre 1885-1887
SCHENEAU (J.-E.): décors [1765]
SCHERER (Henri-Christophe): metteur en couverte 1853-1861
SCHICKLER (Mme): décors [1836]
LS SCHILT (Louis-Pierre): peintre 1818-1855
SCHILT (François-Philippe-Abel): peintre 1845-1880; fig. 387; p. 284
SCHILT (Eugène-Isidore): surveillant des ateliers de peinture 1878-vers 1908
SCHILT (Léonard): peintre 1877-1878; 1891-1893
SCHMIDT (Mme): polisseuse depuis 1958
SCHMITT (Joseph): surveillant 1866-1880
SCHMITT (Sébastien): aux fours 1869-1881
SCHNEETKIND (Mlle, I.): décors 1937
SCHNEIDER: décors 1907
SCHOENEWERK: sculpteur 1908
SCHONEN: caissier 1757-1770; fig. 78
Sh SCHRADRE (ou SCHRADE, Nicolas): peintre, doreur 1773-1775; 1780-1786 (Dauterman indique pour la seconde période: 1777-1784); pl. LI
SCHRAMM: surveillant 1894
SCHUTZENBERGER: décors 1894

SECLY (Joelle): brunisseuse depuis 1975
SECROIX: voir XHROWET
SÉDILLE (Paul): formes 1887-1900; p. 317
SÉGOFFIN (Victor): sculpteur 1930
SÉGUIN: manœuvre 1768-1784
SÉGUIN: aux fours 1784-1789
SÉGUIN (Mlle): décors 1931
SÉGUY: décors 1916
SÉJOURNÉ: repareur-acheveur 1754-1767
SELLIER (Jean-Louis): tourneur ou repareur 1756-1758 (Dauterman indique: 1756-1768)
SELLIER: manœuvre, mouleur 1773-1789
SERCEY: repareur-acheveur 1754-1763
SÉRÉ (Gabriel-Paul): décorateur 1945-1955
SERGET: mouleur 1777-1779
SERRÉ (Georges-Louis): décorateur 1902-1920
SERRÉ (Blanche): brunisseuse 1912-1954
SERRIÈRE (Jean): décors 1920-1936
SEULIN-LESAGE (Magda): sculpteur 1934
SEUPHOR (Michel): décors et peintures 1964
SEVERIN (Hugues): batteur de pâtes depuis 1976
SEVESTRE: sculpteur ornemaniste 1879-1880
SHING: décors 1921
SICARD (François): sculpteur 1903-1907
SICOT: mouleur en plâtre 1756-1766
SIEBERT (Jean): aide d'atelier 1864-1888
SIEFFERT (Eugène-Louis): peintre 1881-1887; 1894-1898
HS SILL (Henri): décorateur 1881-1890
SILVAIN (Dupain): tourneur 1781-1818
SILVAIN: repareur 1793
ES SIMARD (Eugène-Alexandre): doreur-décorateur 1880-1909
SIMARD (Marie-Louise): décors 1926
SIMAS: décors 1898-1900
SIMON: manœuvre 1756-1758
SIMON (Mathias): encasteur 1787-1788
SIMON (Georges): apprenti mouleur 1923-1925
SIMON (Jean-René): modeleur, dessinateur d'épures 1941-1946
SIMON: sculpteur
SIMONO: repareur 1778-1781
SINSSON (ou SISSON, Nicolas): peintre 1773-1795; fig. 208, 217, 258
S.ss SS SINSSON (Jacques-Nicolas): peintre 1795-1845
SSp SINSSON (Pierre-Antoine): peintre 1818-1848
SSl SINSSON (Louis): peintre 1830-1847
SION: tourneur ou repareur 1768-1769
SIOT-DECAUVILLE: réductions 1902
O SIOUX (ou SIOU, jeune, Jean-Jacques): peintre 1752-1759; fig. 52
10 SIOUX (aîné, Jean-Charles): peintre 1752-1792; fig. 136
SIRE (Catherine): voir FORGEOT
SITHON: peintures 1816
SIVAULT (Roger): décorateur 1920-1968
SOCQUET (ou SOQUET): peintre 1753; 1756-1774
SOIRON: peintures 1802-1804
SOIRON (Mlle): peintures 1813
SOLLIER: décors 1921
SOLON (Marc-Emmanuel-Louis): sculpteur, décorateur 1857-1871; fig. 392, 406, 445; p. 274, 280, 282
SOLON (Mlle): peintre 1861; 1863-1869
SONNOY: à la couverte 1756-1763
SOREL (Charles-Sébastien): doreur 1815-1825

SORGUE (Victor): jardinier avant 1897
SORIN (Marie-Louise): voir CAPELLE
SOUARD (ou SOUHARD, Jean-Jacques): peintre 1752-1756
SOUDBININE (Séraphin): sculpteur 1915-1943
SOULHOL (Daniel): couleur-garnisseur 1970-1976
SOURDET: tourneur ou repareur 1766-1767
SOURE: peintre 1754
SOUROUX: peintre 1752-1753
SOUVERBIE: décors 1953
STAUB: peintre 1756-1759
STEILZ: doreur, décorateur 1881-1904
STEIN (Nicolas-Anatole): mouleur en plâtre 1897
STERN: graveur 1853
STERNES: décors 1906
STOECKEL (Marie): émailleuse 1901
STOUFFLET: doreur 1802-1803
STOULZ (ou STOUTZ): tourneur ou repareur 1768
SUBES (Raymond): décors 1942-1952; p. 316, 328
SUCHETET (Auguste-Edme): sculpteur 1892-1920
SUCLOT (ou SURLOT, Louis-Gabriel): peintre
SUDANS (ou SUDAN): mouleur 1767-1776
SUDRE (Raymond): sculpteur 1902-1905; fig. 449
SÜE (Antoine): décors 1933
SUNGUDJAN (Mlle): décors 1937
SUSINI (Mlle de): décors 1926
SUZANNE: sculpteur 1755
Sw SWEBACH (Jacques-François, dit FONTAINE, ou SWEBACH-DESFONTAINE): peintre 1802-1813; pl. LIX; fig. 340; p. 258, 264
SYAMOUR (Marguerite): sculpteur 1904
SZAMOWSKI (Théodore): mouleur-repareur 1840-1850; 1853-1863

♦ TABARY: peintre 1754-1755 (Dauterman ajoute: 1751; vers 1752)
TAFFIN (François): garçon du Musée 1838-1844
TAFFIN (Mme): décalqueuse à partir de 1837
TAGOT: tourneur 1837-1862
TAILLADE (Jeanne, veuve TROUDE, née RENARD): brunisseuse 1890-1899
TAILLANDIER (Vincent): peintre 1753-1790; fig. 9, 98, 99bis, 100, 205, 219, 236, 240, 276; p. 44, 107
TAILLANDIER (Geneviève, née LE ROY): peintre 1780-1798 (Dauterman indique: 1780-1790)
TAILLAUD: graveur 1856
TALLOT (Michel): tourneur de plâtre 1818
TAMISEZ (Antoine): repareur 1756-1759; 1766-1767
TAN: doreur, peintre 1776-1778
TANCHOU (Jean): apprenti tourneur 1920-1922
TANDART (aîné, Jean-Baptiste): peintre 1754-1803; fig. 104, 137, 186
... TANDART (jeune, Charles): peintre 1756-1760
TARAVAL: sculpteur 1773
TARD (Denise): peintre 1809-1813
TARDELLI: sculpteur 1808
TARDY (Claude-Antoine): peintre 1755-1795
TARDY: manœuvre, tourneur 1774-1779
TARIN: doreur 1825
TASDEMAIN (Yvonne, née PETIT): décors 1919-1924

TAUNAY (Pierre-Antoine-Henri): peintre 1745-1778 (Dauterman indique: 1749-1752); fig. 1, 2; p. 36, 38
TAUNAY (Auguste): sculpteur 1802-1807
TAUNAY (Nicolas-Antoine): peintre 1806-1808; fig. 335; p. 258, 260
TAUXIER: tourneur ou repareur, manœuvre, portier 1772-1775
TAUXIER: à la couverte 1776-1779
TAVENET: aux fours 1788-1789
TCHERKESSOF (Georges): décors 1934-1936
TEMAM (Mohammed): décorateur 1943-1947
TENCHEIN (Pierre): brigadier du Musée 1854-1886
TENCHEIN (Elisabeth): retoucheuse de couverte 1856-1886
TERISSE (Tita): sculpteur 1939
TERRIEN (Mme): décors 1928-1939
TERRIEN (Yves): décors 1931-1936
TERRIER (Max): directeur 1943-1946; p. 311
THABARD: décors 1913
THARAUD: doreur 1806
THAURE: commis 1770-1774
THÈCHE: peintre 1807
THEMY: sculpteur avant 1748
.... THÉODORE: peintre, doreur 1765-1771; 1772-1779
THÉRY: doreur 1749-1750
THESMAR (Fernand): peintures 1892-1899; 1900-1908; p. 276
THEUNISSEN (Paul-Ludovic): sculpteur 1907
THÉVENET (Mme): peintre vers 1741
THÉVENET (père, Louis-Jean): peintre 1741-1777; fig. 46, 99bis; p. 44
jt THÉVENET (fils): peintre 1752-1758; 1773-1774 (si c'est bien le même)
THÉVENET (Mlle): brunisseuse 1756-1759
THÉVENET (Geneviève-Louise): voir BOUILLAT
THÉVENON: décors 1888
THÉVENON: élève modeleur 1889-1892
THÉVENON (Maurice): poseur de fonds 1923-1930
THÉVENOT (aîné): aux pâtes 1784-1789
THÉVENOT (jeune, Jean-Louis): aux fours 1787-1789 (les archives signalent un élève du même nom en 1795 et un manœuvre en 1816-1818)
THÉVENOT (fils): aux grais 1787-1789
THÉVENOT (fils, Charles): repareur-garnisseur 1787-1792; 1795-1826
THIBAULT (Mme): peintures 1804-1806
THIBAULT (Mlle): peintures 1806-1807
THIELLANT: peintre 1793-1799
THIELLEMONT (Geo.): décors 1908
THIENOT: décors 1934
THIERCELIN (ou TIERCELIN): mouleur 1766-1777
THIERRY: à la couverte 1780
THILLAUT: peintre 1794-1795
THIMOTÉE-LURÇAT (Mme): décors 1937; p. 327
THION: enfourneur à partir de 1763
THION (Joseph): tourneur 1771-1776; 1783-1814
THION: à la couverte 1779-1789
THION (fils, François-Joseph): tourneur 1801-1818
THION (Eloi-Siméon): contremaître des fours et pâtes 1845-1883
THIRION (G.): décors 1953
THIVIER (Eugène): sculpteur 1907
THOMAIN (Maurice-Augustin): tourneur d'étuis 1923-1931
THOMAS: peintre 1755
THOMAS: mouleur 1776-1779
THOMAS: repareur 1797
THOMAS: peintre 1801
THOMAS: ciseleur 1854-1855; 1861-1862; 1866
THOMAS (Amely, école d'art): décors 1908
THOMAS (Aug.): décors 1920-1924
THOMASSIN: tourneur ou repareur 1756-1760
THOMIRE (Pierre-Philippe): fondeur, ciseleur 1783-1815; pl. LVI; fig. 257, 258, 261, 262; p. 76, 89, 120, 122, 256, 276
THOQUET-MARCHON: moulages 1887
THORIN: fournisseur de bleu 1761-1770
THOURET: doreur 1851
THUILLIER (Paul): monteur en bronze-ciseleur 1915-1935
THURAUD (Mme): peintures 1806
TIERCE: commis 1756
TIÉZAC (Suzanne, née MAUCOURT): émailleuse 1919-1922
TILLON: manœuvre 1756-1773
TILLON (fils): apprenti tourneur ou repareur 1762-1766
TILLON (jeune): apprenti tourneur ou repareur 1764-1766
TIMONIER: manœuvre 1767-1769
TIMONIER (fils): manœuvre 1768-1769
TIMONIER (aîné): repareur 1772-1773; 1776-1779; 1784-1786 (Dauterman en distingue deux: le premier 1772-1774 et le second 1779-1780; 1784)
TIMONIER (jeune, Charles): repareur 1773-1779; 1783-1785
TIMONIER (jeune, deuxième): à la couverte 1778
TIMONYER: manœuvre 1757-1759
TINOT (Laure): tourneuse 1919-1920
TISNÉ (Jean-Lucien): sculpteur 1907-1909
TISSERAND (Denis): mouleur 1778
TISSERAND (Jean-Denis, ou TISSERANT): tourneur d'étuis, portier 1781-1791; 1804-1818
T TISSIER (Anatole): mouleur-repareur 1900-1916
TIXIER (école Guérin): décors 1898-1916
TOINON: décorateur 1904-1905
TOISNON (Mme): brunisseuse 1846
TOLLENAAR (Mme, Ermeling): sculpteur 1911
TOLLOT (Etienne-Nicolas): peintre 1758-1760
TOLLOT: tourneur ou repareur 1758-1760
TOLLOT (Michel): tourneur 1825-1854
TOLLOT (Mlle): brunisseuse 1845-1846
TOLLOT (Robert): élève repareur 1853-1857
TOLLOT (Charles): élève repareur 1855
TORTERET (Jean-Baptiste): batteur de pâtes 1864-1893
TOSSIER: repareur 1772-1773
TOUCHAGUES (Louis): décors 1934-1936; p. 327
TOUDOUZE (Auguste-Gabriel): décors et formes 1846-1848
TOUFFLET (ou TOUFFLER): doreur 1797-1798; 1802-1803
TOUPILLIER (Mme): peintre 1853-1854
TOURNAY (Joseph-Xavier): repareur 1768-1780
TOURNEFORT: décors [1844]
TOUSSAINT: maçon, aux fours 1752-1761
TOUSSAINT (fils): manœuvre 1771-1775
TOUTIN: peintre 1741
TOUTIN: potier 1770-1771 (cité par Dauterman uniquement)
TOUZE: peintre 1750-1751
TRAGER (Joseph): peintre 1788-1790; 1815-1820; 1825-1826
TRAGER (Mme): peintre 1795-1797
JT TRAGER (Jules): peintre 1847; 1854-1873
TRAGER (Irma-Pauline): découpeuse 1884-1931
HT TRAGER (Henri): décorateur 1887-1910
.I TRAGER (Louis-Jules): décorateur 1888-1934; fig. 462, 466
TRANCHANT: sculpteur-modeleur 1852-1858
E.M. TRANNOY (Eliane, née MÉTAYER): décoratrice à partir de 1947
TRAVERSE: sculpteur 1950
TRÉCOLLE: repareur 1769-1771
TRÉMOND: sculpteur 1950-1954; p. 320
TRÉVERET (Victoire, ou TREVERRET): peintre 1820-1830; 1836-1840
TRIAUX (Ernestine): décalqueuse 1919-1969
TRIBOUT (Georges): formes 1930
TRIPET: élève repareur 1856
TRIQUETY (H. de): sculpteur 1838-1844
TRISTAN (Etienne-Joseph): imprimeur, doreur 1837-1871; 1879-1882
TRISTAN (Mme): décalqueuse 1846
TRISTANT (ou TRISTAN, aîné, Pierre-Edmond): tourneur, sculpteur 1758-1787
TRISTANT (jeune, Dominique-Honoré): repareur, mouleur 1759-1785 (Dauterman indique qu'il est également sculpteur et donne comme dates: 1759-1770; 1773-1779)
TRISTANT (fils): apprenti sculpteur 1780-1781
TRISTANT (neveu): mouleur en plâtre 1784-1789
TRISTANT (François-Marie): tourneur 1788-1796; 1814-1818
TRISTANT (Mlle): peintre 1788-1792
TRISTANT (Mme, veuve): frotteuse de couverte 1809
TROCHET: aux pâtes 1782
TRODOUX (Henri): élève décorateur 1891-1893
TROESTLER (Antoine-Auguste): apprenti poseur de fonds 1907-1911
TROISVALLETS: doreur 1825
TRONIOU (Guillaume): tourneur 1859-1860
TROTTÉ: tourneur 1842
TROUDE (Louis-Albert-Georges): secrétaire du Musée 1879-1897
TROUDE: brunisseuse 1889
TROUEL: manœuvre auxiliaire 1865
TROUILLET (Louis): chef de la fabrication 1929-1941
TROUVÉ (Mlle, Arsène): peintre 1818-1822; 1827
TROYON (Jean): repareur ornemaniste 1768-1800
TROYON (Jean-Marie-Dominique): peintre 1802-1817
TROYON (Jeanne): peintre, brunisseuse 1807-1843
TROYON (Constant): décors 1837
TRUQUET: veilleur de nuit 1835-1872
TRUTON (ou TRULON): doreur 1806-1807
TURGAN (Mme): peintre 1830; 1837-1852
TURPIN: décors 1825

HU UHLRICH (Henri-Louis-Laurent): peintre 1879-1925; fig. 457; p. 322

URIOT: voiturier auxiliaire 1867-1870

VACOSSIN (Georges): sculpteur 1906
VALLÉE: manœuvre 1745
VALLETTE (Henri): sculpteur 1920
VALMANSARD: élève peintre 1764-1765
VALOIS (père): manœuvre 1773-1787
VALOIS (fils): apprenti repareur 1778
VALOIS (fils): apprenti repareur 1788
VALOIS: sculpteur et décors 1810-1815; pl. LXI; p. 256, 258
VALTON: peintre 1827-1829
VALTON (Charles): sculpteur 1898-1909; fig. 450
VANDÉ (Jean-Baptiste-Emmanuel?): doreur, brunisseur 1753-1779
VANDÉ (fils aîné, Pierre-Jean-Baptiste): doreur 1779-1824; fig. 283, 286, 289
VANDÉ (cadet, Charles): peintre, metteur en fonds, polisseur 1782-1792; 1805-1813
VANDÉ (Mme, Marguerite-Pélagie): brunisseuse 1794-1816
VANDÉ (Mme): doreuse et brunisseuse 1834-1851
VAN DER VOORST (dit VANDREVOLLE): sculpteur 1752
VANDIER (Jean-Pierre): repareur 1749; vers 1752; 1754-1765
VAN HOUT: décors 1953
VAN LOO: sculpteur 1772-1777
VAN MARCKE (J.-B.-Joseph): peintre 1825-1832; p. 258
VAN MARCKE (Emile): peintre 1853-1870
VANNEREAU: aux pâtes 1775-1789
VAN OS (G.-J.-J.): peintre 1811-1822
VAN ROZEN (Mme, J.): sculpteur 1926
VAN SPAENDONCK (Corneille): artiste en chef 1795-1800; 1802-1803; 1808-1809; p. 48
VARAINES (ou VARENNE): au moulin 1847
VARENNES (Henri): sculpteur 1909-1923
VARION (ou VARIONS, Jean-Pierre): sculpteur 1749-1752
VARLET (Philippe-Joseph): polisseur 1854-1859
VAST (Fernand): décorateur, émailleur 1902-1910
VATINELLE (Auguste-Jules-Simon): peintre 1827-1837
VATTEBLED: broyeur de couleurs 1752-1770
VAUBERTRAND (François-Jean-Marie): peintre, doreur 1822-1848
VAUDIER: tourneur de grandes pièces 1743-1765
VAUDOYER (Honoré-Louis): aux fours 1902-1933
VAUTHERIN (Eric): décors 1948
VAUTHIER (Albert): sculpteur 1903-1904
VAUTIER (Renée): sculpteur 1933-1938
VAUTRAIN (M.-Th.): décors 1927-1931
VAUTRIN: manœuvre 1757-1789
VAUTRIN: tourneur, repareur 1770-1777; pl. XLVI
VAUTRIN (Mlle): peintre 1777-1783
VAUTRIN (Claude-Joseph): garde-magasin 1790-1842
VAUTRIN (Marie-Anne): voir GÉRARD
VAVASSEUR (ou LE VAVASSEUR, François): peintre 1753-1770; fig. 99bis; p. 44
VAVASSEUR (jeune, le second): peintre 1772-1780
VAVASSEUR (jeune): doreur, peintre 1776-1780
VECCHIS (Pietro de): mosaïste 1876
VEILLARD: mouleur-repareur 1894-1902
VEILLARD (Henriette): émailleuse 1903
VÉRA (Paul): décors et sculpteur 1932-1935; p. 322
VERDELET (Jean): tourneur 1888
VERDIÉ (Petrus): sculpteur 1924
VERDIER (Jules): décors 1813
VERDIER (Charles-Victor): ciseleur, modeleur-repareur 1866-1893
VERDIER (Charles): sculpteur, modeleur 1880-1890
VERDIER (Louis): tourneur jusqu'en 1888
VERDIER (Joseph): dessinateur vers 1890
VERDUN: manœuvre 1757-1770
VERLET (Raoul): sculpteur 1904-1921
VERMARE (André): sculpteur 1905-1911
VERMAUD (Léon): peintures 1847
VERNAULT (ou VERNEAUX, Joseph, dit LA ROSE): repareur ornemaniste 1748-1778
VERNEAUX (Jacques): repareur 1757-1758
VERNET (Carle): décor an IX; p. 256, 258
VERNIER (Emile): sculpteur 1903; p. 318
VERNON (Frédéric): sculpteur 1905-1907
VERRON: peintures 1801-1802
VERTÈS (Marcel): décors 1934
VESQUE (Marthe): décors 1901-1925; p. 322
VESQUE (Juliette): décors 1901-1925; p. 322
VEZ (ou VEY, Antoine): décors 1948
VIALLAT: mouleur en plâtre 1784
VIEILLARD (Roger): formes et décors 1972-1978; p. 322, 328
VIEIRA DA SILVA (Maria-Helena): décors 1973
VIELLIARD (André-Vincent): peintre 1752-1790; pl. III, XXXI, XXXVI; fig. 3, 63, 94, 96, 122
VIELLIARD (fils aîné, Pierre-Joseph-André): peintre 1783-1793
VIENNOT (ou VIENOT, Jean-Louis): mouleur 1749-1774 (Dauterman indique: 1754-1773, et distingue un autre potier du même nom en 1754)
VIENNOT (ou VIENNOS, VIENOT): monteur 1767
VIENNOT: élève peintre 1776-1779
VIENNOT (Marguerite): voir GRÉMONT
VIEV (Stéphanie): décors 1933
VIGNÉ (Alexandre): peintre 1815; 1818-1819; 1823-1827
VIGNERON (Michel): repareur 1754-1756
VIGNERON (Louis-Eugène): élève tourneur 1882-1884; 1901
VIGNERON (J.-J.): manœuvre 1882-1902
VIGNOL (Gustave): décorateur 1881-1910; fig. 413, 415, 423
VIGOUREUX (Pierre): sculpteur 1910-1937
VIGUIER: décors 1819; 1822-1824
VILAIN (Jacques-Marie): repareur 1845-1865
VILLE: peintre 1764-1771
VILLE: sculpteur 1879
VILLEMIN: dorure 1806; 1808
VILLION (Louis-Aimable, dit ROSA): tourneur 1883-1907
VILLION (Paul): mouleur-repareur 1886-1934
VILLION (Emile): tourneur 1887-1897
VILLION (Charles): mouleur-repareur 1894-1941
VIMONT (Mlle): décors 1896; 1908
VINCENT (aîné, François-Henry): doreur 1752-1758
VINCENT (jeune, Henry-François): doreur 1753-1806; pl. LIV; fig. 182, 198, 208, 225, 226, 241, 245, 292, 297
VINCENT (jeune): tourneur ou repareur 1761-1762; 1763-1764
VINCENT (fils): peintre 1786-1791; 1798-1800
VINCENT: doreur 1804
VINCENT (Charles): sculpteur 1906
VIOLET (Gustave): sculpteur 1903-1904
VIOLETTE (Léon): monteur en bronze 1865-1914
VIOLETTE (Maurice): monteur en bronze 1910-1959
VIOLLET-LE-DUC (Eugène-Emmanuel): décors 1838-1845; fig. 376; p. 258
VIOU (Jocelyn): fileuse 1966-1970
VIRIFIDI: moulages 1892
VISCONTI: formes et décors 1836-1854
VISSAGNET (Janine de): décors 1948
VITAL-CORNU (Charles): sculpteur 1904
VITAL-ROUX (Joseph): chef des fours et pâtes 1848-1856; p. 276
VITOT: aux fours 1908-1914
VITRY: peintre 1749-1762 (Dauterman indique: 1753-1763)
VITRY: ciseleur 1853-1859
VIVIEN: tourneur ou repareur 1767-1769
VIVIEN (Alexandre): tourneur 1804-1806
VODIER (ou VADIER, Jean-Pierre): tourneur (XVIIIe siècle)
VOGT (Georges): directeur des travaux techniques 1879-1909; p. 267, 278
VOITELIER (Mme, Marie-Théophile): peintre 1845-1849
VOLK (Leonard-Wells): sculpteur [1909]
VOULOT (Félix): sculpteur 1902-1911
VU CAO DAM: sculpteur 1934
VUILLAUME (Mlle): voir BETHMONT

WACQUIEZ (Henri): sculpteur 1938
WAGON: repareur 1749; 1756-1766 (Dauterman ajoute: vers 1752; 1754)
WAGON (Mme): fabrication des fleurs 1754-1758; 1767-1775; 1778-1789 (Dauterman indique: vers 1752; 1754-1758; 1765-1773)
WALDMAN (Oscar): sculpteur 1903-1905
WALTER (Alphonse): peintre 1859-1870
WALTER (Amalric-Victor): élève peintre 1887-1892
WALTER (Prosper-Joseph): décorateur 1919-1928; p. 317
WALTON: peintre sur verre 1828
WALTZ: réductions 1898
WARAZAWSKI (Lucien): élève 1896
WARET: décors 1875
WAROQUIER (Henry de): décors 1920-1937
WASSEROT: peintre 1821
WATCHER: sculpteur-tourneur 1829
WATTIER (Emile): décors 1826-1859; pl. LXIV
WEISBUCH (C., école des Beaux-Arts de Nancy): décors 1948
WENDORFF (Ladislas): décors 1938
WENGMÜLLER: sculpteur [vers 1786-1789]
WEYDINGER (père, Léopold): peintre, doreur 1757-1806; fig. 302
WEYDINGER (Marie-Angélique Héricourt, née CABOT): doreuse 1774-1779
WEYDINGER (fils aîné, Jean-Léopold): doreur 1774-1792

WEYDINGER (Mlle, ainée): doreuse 1774-1792; 1795-1800
WEYDINGER (Joseph-Léopold, 2e fils): peintre, doreur 1778-1804; 1807-1808; 1811; 1816-1829
WEYDINGER (3e fils): doreur 1781-1792
WEYDINGER (Mlle, jeune): doreuse 1788-1792; 1795-1797
[11] WEYDINGER (Pierre): doreur 1795-1817
WEYDINGER (Mlle, Adèle-Pélagie): peintre 1814-1834
WIEDNER: peintre 1767-1768
WILLERMET (Antoine-Gabriel): chef des peintres 1825-1848; p. 258
WISMANN (Mme): brunisseuse à partir de 1817
WOITELLIER (Mlle): peintures 1846
WORMS (Mme, née JACOB-BER): peintre 1835-1839
WORMS: décors 1937-1950

XHROWET (ou SECROIX, père, Philippe): peintre 1750-1775; p. 40
XHROWET (Marie-Claude-Sophie): doreuse, peintre 1772-1788; fig. 253

YENCESSE (Hubert): sculpteur 1941
YUNG: voir JUNG
YVERNEL (Pierre-François): peintre 1750-1759

ZACHARIE: tourneur 1764-1766
ZADKINE (Ossip): sculpteur 1936-1938; p. 320, 327
ZAO (Wou-Ki): décors 1970; fig. 470; p. 328
ZERBER (Irène): décors 1948
ZIÉGLER (Claude-Jules): décor 1835; peintre sur verre 1839-1840
ZIX (Benjamin): décors 1811; p. 256
ZUBER (Mlle): décors 1896-1897; p. 322
ZWINGER (Jean-Baptiste-Ignace): peintre 1811-1825; fig. 355; p. 258

NOTES POUR LA LISTE DES COLLABORATEURS

p. 354

[1] Quoique cette marque soit traditionnellement attribuée à ALONCLE, on la trouve sur des pièces antérieures à l'entrée à Sèvres de cet artiste (cat. expos. *Porcelaines de Vincennes*, Paris, 1977-1978, p. 185-187).

p. 357

[2] Quoique cette marque soit en général attribuée à BOUILLAT fils, on la trouve sur des pièces antérieures à 1785 (*ibid.*).

p. 363

[3] Cette marque est presque toujours attribuée à Jean-René DUBOIS, alors qu'on la trouve sur de nombreuses pièces antérieures à son entrée à Sèvres (*ibid.*, p. 185-188).

p. 365

[4] Cette marque est ordinairement donnée à FALLOT, mais on la trouve sur plusieurs pièces antérieures à son entrée à Sèvres (*ibid.*, p. 187).

p. 369

[5] Quelques pièces portent cette marque tout en étant antérieures à 1754, ce qui confirme les dates indiquées par Dauterman (*ibid.*, p. 185-187).

p. 369

[6] Cf. Brunet, 1953, p. 31.

p. 369

[7] Une marque très proche a été employée par un décorateur de Vincennes (*ibid.*, p. 185-187).

p. 371

[8] Quoique cette marque soit traditionnellement attribuée à J.-P. LEDOUX, elle figure sur de nombreuses pièces antérieures à son entrée à Sèvres (*ibid.*).

p. 374

[9] Cette marque aurait connu une variante en forme de croche, cf. Eriksen, 1968, p. 154, 242, 331.

p. 380

[10] Cette marque aurait connu une variante sans point central, cf. Eriksen, 1968, n° 60-67 et p. 335-336.

p. 383

[11] Cette marque pourrait être plutôt celle du troisième fils.

Index

Afin de rendre cet index plus lisible, on a imprimé en caractères gras les noms de décors peints et en italique les noms de formes ou de décor sculpté intégré aux formes. Lorsqu'un nom propre apparaît dans l'un de ces caractères, c'est que l'une des références concerne une représentation peinte ou sculptée. Les collaborateurs de la Manufacture ne sont pas mentionnés dans cet index; se référer à la liste des collaborateurs où sont données les références au texte et aux illustrations.

Crédit photographique

Les chiffres romains renvoient aux numéros des illustrations en couleurs et les chiffres arabes aux figures en noir et blanc.

Les photos ont été réalisées et mises à disposition par:

Georges Routhier XXIII, LVII, LVIII, LXV, LXVI, LXVIII, LXIX, LXXII; 99, 112, 124, 158, 187, 191, 197, 204, 215, 223, 234, 235, 254, 264-266, 273, 274, 291-293, 295, 296, 299, 301, 312, 314-318, 320, 322-328, 330-332, 334, 335, 342-344, 346, 349, 353-355, 357, 361, 362, 364, 366, 367, 369-371, 373, 376-378, 380-384, 386-389, 391, 393-396, 398, 400-414, 416, 417, 419-430, 433, 434, 436, 438, 440, 441, 443-451, 453, 458-466, 475-477, 479

L. Sully Jaulmes 4, 6, 7, 9, 13, 14, 17-20, 23, 25, 30, 32, 33, 38, 39, 41, 46, 49, 51, 60, 61, 72, 76, 79, 81, 82, 84, 86, 88, 91, 92, 97, 98, 113, 114, 131, 137, 207, 216, 218, 232, 233, 238, 239, 263, 267-269, 276-284, 286-290, 297, 298, 300, 302, 307-309, 311, 313, 336, 347, 351, 352, 359, 365, 372, 379, 432, 437

J.P. Harmand 467-474, 478, 480-482

Musées Nationaux, Paris II, VI, VII, IX, X, XX, XLIII, XLIV, XLVII, XLIX, LII, LIX-LXI, LXIII, LXIV, LXVII, LXX, LXXI, LXXIII-LXXXIV; 1, 8, 10-12, 15, 16, 21, 22, 26-29, 31, 34-37, 42, 43, 45, 52, 54, 56, 62-64, 66, 67, 70, 71, 73, 75, 80, 83, 95, 138, 154, 175, 177, 178, 183, 237, 240, 261, 285, 303-306, 310, 319, 321, 333, 337-341, 345, 350, 356, 358, 360, 368, 415, 418, 431, 435, 442, 452, 455-457

Archives Marcelle Brunet XXII, XXXVI, XLVI, LIII; 3, 47, 57, 99bis, 128, 130, 166, 172, 190, 206, 220, 272

Amsterdam, Rijksmuseum 236, 252
Baltimore, The Walters Art Gallery XXXIII, LVI; 125, 140, 167, 173, 225, 226, 244
Boston, Museum of Fine Arts XXXII, L
Cambridge, Fitzwilliam Museum 153
Chantilly, Musée Condé 374, 375 (photos Giraudon)
Copenhague, Collection C.L. David 24
Dresde, Musée I (photo Gerhard Reinhold, Leipzig)
Hartford, Wadsworth Atheneum III; 48, 68, 68bis, 89, 101 (photos E. Irving Blomstrann)
Limoges, Musée Adrien-Dubouché 363, 397, 399, 454 (photos Pierre Feuillade)
Londres, The British Museum 2, 2bis, 5, 40
— Collection royale XXV, XLV, LI, LIV, LV; 87, 143, 188, 192, 193, 201, 209-211, 219, 241, 242, 262, 271, 275
— Victoria and Albert Museum 58, 117, 120, 174, 176, 231, 260, 348, 392
— The Wallace Collection XI, XII, XVII, XXVII (photos John R. Freeman); 65, 104, 108, 110, 123, 126, 127, 133, 135, 139, 141, 142, 159, 160, 164, 168, 180-182, 184, 194-196, 200, 208, 221, 222, 224, 227, 256-258, 270
Luton Hoo, The Wernher Collection 129 (photo John R. Freeman, Londres); 165, 205 (photos Harold Cox)
Munich, Residenzmuseum 103 (photo Bayer. Verwaltung der staatl. Schlösser)
Naples, Museo di Capodimonte LXII (photo Rocco Pedicini); 259, 439 (photos Soprintendenza Gallerie)
New York, The Frick Collection 69, 77, 78, 100, 118, 150, 161, 214, 253, 255
— Metropolitan Museum of Art XIII, XXVI, XXX, XXXV; 96, 111, 111bis, 169, 229, 230, 243, 245, 294, 390
Paris, Musée Cognacq-Jay 94 (photo Bulloz)
— Musée Jacquemart-André 44, 116, 171 (photos Bulloz)
— Petit Palais 53, 105-107, 155, 185, 186 (photos Bulloz)
Pavlovsk, Musée du Palais 246-251
Philadelphie, Museum of Art V; 132, 202
San Marino, Henry E. Huntington Library 152, 203
Toronto, Royal Ontario Museum 385
Venise, Musée Correr 329 (photo Giacomelli)
Vienne, Hofburg 90, 217 (photos Fotostudio Otto)
Waddesdon Manor IV, VIII, XIV-XVI, XVIII, XIX, XXI, XXIV, XXVIII, XXIX, XXXI, XXXIV, XXXVII-XLII, XLVIII; 50, 55, 59, 74, 85, 93, 102, 109, 115, 119, 121, 122, 134, 136, 144-149, 151, 156, 157, 162, 163, 170, 179, 189, 198, 199, 212, 213, 228

Les photos de la partie technique ont été réalisées par Georges Routhier, Paris, et J.P. Harmand, MNS.

Cet ouvrage a été achevé d'imprimer en septembre 1978
par les Imprimeries Réunies S.A., Lausanne,
qui ont également effectué la composition.
Photolithos: Schwitter AG, Bâle.
Reliure: Mayer & Soutter S.A., Renens-Lausanne.
Production et rédaction: Dominique Guisan.
Documentation: Ingrid de Kalbermatten.
Maquette et fabrication: Claude Chevalley.

Imprimé en Suisse